Zurückforderung

der Denkfreiheit von den Fürsten Europens, die sie bisher unterdrückten

Eine Rede

Noctem peccatis, et fraudibus objice nubem

Heliopolis,
im letzten Jahre der alten Finsternis
(1793)
[Danzig]

Vorrede

Es gibt gelehrte Herren, die uns eine nicht geringe Meinung von ihrer eigenen Gründlichkeit beizubringen glauben, indem sie alles, was mit einiger Lebhaftigkeit geschrieben ist, mit dem Prädikate einer Deklamation kurz abfertigen. Sollten gegenwärtige Blätter durch ein Ohngefähr bis zu den Händen eines dieser gründlichen Herren gelangen, so gestehe ich ihnen im voraus, daß dieselben gar nicht bestimmt waren, einen so reichhaltigen Gegenstand zu erschöpfen, sondern nur dem ununterrichteteren Publikum, das wenigstens durch seinen hohen Standpunkt und durch seine starke Stimme Einfluß genug auf das allgemeine Urteil hat, einige dahin einschlagende Ideen mit einiger Wärme ans Herz zu legen. Mit Gründlichkeit ist diesem Publikum gemeinhin nicht wohl beizukommen. Wenn aber jene gründlicheren Leute in diesen Blättern auch gar keine Spur eines festeren, tieferen Systems, auch gar keinen des weiteren Nachdenkens nicht unwürdigen Wink finden sollten, so könnte die Schuld zum Teil mit an ihnen liegen.

Es ist eine der charakteristischen Eigenheiten unseres Zeitalters, daß man mit seinem Tadel sich so gern an Fürsten und Große wagt. Reizt die Leichtigkeit, Satiren auf Fürsten zu machen, oder glaubt man durch die scheinbare Größe seines Gegenstandes sich selbst zu erheben? In einem Zeitalter, wo doch die mehresten der deutschen Fürsten sich durch guten Willen und Popularität auszuzeichnen suchen, wo sie so viel tun, um die Etikette, die einst zwischen ihnen und ihren Mitbürgern eine ungeheure Kluft befestigte und die ihnen selbst ebenso lästig als diesen schädlich ward, zu vernichten, wo insbesondere manche sich das Ansehen geben, Gelehrte und Gelehrsamkeit zu schätzen, ist dies doppelt auffallend. – Kann man sich nicht vor seinem eigenen Gewissen das Zeugnis geben, daß man seiner Sache sicher und daß man fest genug sei, alle Folgen, die die Verbreitung der anerkannten und nützlichen Wahrheit für uns selbst haben könnte, mit eben der Würde zu ertragen, mit der man die Wahrheit sagte, so verläßt man sich entweder auf die Gutmütigkeit dieser so schwer angeschuldigten Fürsten oder auf seine eigene unbedeutende und folgenlose

Obskurität. Der Verfasser dieser Blätter glaubt weder durch seine Behauptungen noch durch seinen Ton irgendeinen Fürsten der Erde zu beleidigen, sondern vielmehr sie alle zu verbinden. Daß man glaubt, in einem gewissen, großen Staate werde den Sätzen, die er hier zu begründen sucht, geradezu entgegengehandelt, hat ihm freilich nicht verborgen bleiben können; aber er wußte nicht weniger, daß in benachbarten protestantischen Staaten wohl mehr geschieht, ohne daß jemand sich sonderlich dagegen ereifert, weil man es da von jeher nicht anders gewohnt war; er wußte, daß es leichter ist, zu untersuchen, was geschehen *solle* oder *nicht solle*, als unparteiisch zu beurteilen, was wirklich *geschehe*; und seine Lage versagte ihm die Data für ein gründliches Urteil der letzteren Art. Er wußte, daß, wenn auch nicht alle Tatsachen als solche sich sollten verteidigen lassen, dennoch die Triebfedern derselben sehr edel sein könnten – und in unserem Falle würde er die erfinderische Güte bewundern, die uns zur wärmeren Schätzung und zum eifrigeren Gebrauche eines Guts, gegen das der langwierige Genuß uns kalt gemacht hatte, durch den scheinbaren Versuch, es uns zu rauben, kräftiger erwecken wollte – die seltene Großmut anstaunen, die sich und ihre liebsten Freunde der Gefahr, verkannt, verlästert, gehaßt zu werden, wohlüberlegterweise aussetzte, bloß um die Aufklärung zu befördern und höher zu bringen. Endlich wußte er, daß er selbst durch diese Blätter jedem Staate eine erwünschte Gelegenheit gibt, *durch die Erlaubnis ihres Druckes und ihres öffentlichen Verkaufes, durch die Verteilung derselben an seine Geistlichen* usw. die Reinheit seiner Absichten zu beweisen. Kein Staat, in welchem diese Blätter gedruckt und öffentlich verkauft werden, sucht die Aufklärung zu unterdrücken. Hat der Verfasser geirrt, so wird der wahrheitsliebende Herr Cranz nicht säumen, ihn zu widerlegen. Es geschieht demnach gar nicht aus politischen, sondern aus schriftstellerischen Gründen, daß der Verfasser seinen Namen nicht anzeigt. Wer ein Recht hat, darnach zu fragen, und auf rechtliche Art fragt, dem wird er sich ohne Scheu nennen; und zu seiner Zeit wird er sich ungefragt nennen: denn *chaque honnête homme doit avouer, ce qu'il a écrit*, denkt er mit Rousseau.

Um wieviel weniger Elend die Menschheit unter den mehresten ihrer gegenwärtigen Staatsverfassungen erdulde, als sie im Stande der gänzlichen Auflösung erdulden würde, wollen wir hier nicht untersuchen; genug, sie duldet – und sie soll dulden: das Land unserer Staatsverfassungen ist das Land der Mühe und der Arbeit; das Land des Genusses liegt nicht unterm Monde. Aber eben dieses Elend soll ihr ein treibender Stachel sein, ihre Kräfte zu üben, im Kampfe mit ihm, und im schwer zu erringenden Siege sich für den künftigen Genuß zu stärken. Die Menschheit sollte elend sein, aber sie sollte nicht elend bleiben. Ihre Staatsverfassungen, die Quellen ihres gemeinsamen Elends, konnten bis jetzt freilich nicht besser sein – sonst wären sie es –, aber sie sollen immer besser werden. Dieses geschah, soweit wir die Menschengeschichte vor uns verfolgen können, und wird geschehen, solange eine Menschengeschichte sein wird, auf zweierlei Art: entweder durch gewaltsame Sprünge oder durch allmähliches, langsames, aber sicheres Fortschreiten. Durch Sprünge, durch gewaltsame Staatserschütterungen und Umwälzungen kann ein Volk während eines halben Jahrhunderts weiter vorwärtskommen, als es in zehn gekommen wäre – aber dieses halbe Jahrhundert ist auch elend und mühevoll – aber es kann auch ebensoweit zurückkommen und in die Barbarei des vorigen Jahrtausends zurückgeworfen werden. Die Weltgeschichte liefert Belege zu beiden. Gewaltsame Revolutionen sind stets ein kühnes Wagestück der Menschheit; gelingen sie, so ist der errungene Sieg des ausgestandenen Ungemachs wohl wert; mißlingen sie, so drängt ihr euch durch Elend zu größerem Elende hindurch. Sicherer ist allmähliches Fortschreiten zur größeren Aufklärung, und mit ihr zur Verbesserung der Staatsverfassung. Die Fortschritte, die ihr macht, sind weniger bemerkbar, indem sie geschehen; aber ihr seht hinter euch, und ihr erblickt eine große Strecke zurückgelegten Weges. So machte in unserem gegenwärtigen Jahrhundert die Menschheit, besonders in Deutschland, ohne alles Aufsehen einen großen Weg. Es ist wahr, der gotische Umriß des Gebäudes ist noch fast allenthalben sichtbar; die neuen Nebengebäude sind noch bei weitem nicht in ein festes Ganze vereinigt: aber sie sind doch da und fangen an bewohnt zu werden, und die alten Raubschlösser verfallen. Sie werden, wenn man uns nicht stört, immer mehr von Menschen geräumt und den lichtscheuen Eulen und Fledermäu-

sen zur Wohnung überlassen werden; die neuen Gebäude werden sich erweitern und allmählich zu einem immer regelmäßigeren Ganzen vereinigen.
Dies waren unsere Aussichten, und diese wollte man uns durch Unterdrückung unserer Denkfreiheit rauben? – und diese könnten wir uns rauben lassen? – Hemmt man den Fortgang des menschlichen Geistes, so sind nur zwei Fälle möglich: der erstere, unwahrscheinlichere – wir bleiben stehen, wo wir waren, wir geben alle Ansprüche auf Verminderung unseres Elendes und Erhöhung unserer Glückseligkeit auf, wir lassen uns die Grenzen setzen, über die wir nicht schreiten wollen; oder der zweite, weit wahrscheinlichere: der zurückgehaltene Gang der Natur bricht gewaltsam durch und vernichtet alles, was ihm im Wege steht, die Menschheit rächt sich auf das grausamste an ihren Unterdrückern, Revolutionen werden notwendig. Man hat von einem schrecklichen Schauspiele der Art, das unsere Tage lieferten, noch nicht die wahre Anwendung gemacht. Ich befürchte, es ist nicht mehr Zeit, oder es ist hohe Zeit, die Dämme, die man noch immer, jenes Schauspiel vor den Augen, anderwärts dem Gange des menschlichen Geistes entgegengesetzt, zu lüften, damit er sie nicht gewaltsam durchbreche und die Fluren umher schrecklich verwüste.
Nein, ihr Völker, alles, alles gebt hin, nur nicht die Denkfreiheit. Immer gebt eure Söhne in die wilde Schlacht, um sich mit Menschen zu würgen, die sie nie beleidigten, oder von Seuchen entweder aufgezehrt zu werden oder sie in eure friedlichen Wohnungen als eine Beute mit zurückzubringen; immer entreißt euer letztes Stückchen Brot dem hungernden Kinde und gebt es dem Hunde des Günstlings – gebt, gebt alles hin; nur dieses vom Himmel abstammende Palladium der Menschheit, dieses Unterpfand, daß ihr noch ein anderes Los bevorstehe als dulden, tragen und zerknirscht werden – nur dieses behauptet. Die künftigen Generationen möchten schrecklich von euch zurückfordern, was euch zur Überlieferung an sie von euren Vätern übergeben wurde. Wären diese so feige gewesen als ihr, ständet ihr dann nicht noch immer unter der entehrendsten Geistes- und Leibessklaverei eines geistlichen Despoten? Unter blutigen Kämpfen errangen jene, was ihr nur durch ein wenig Festigkeit behaupten könnt.

Eure Fürsten haßt darum nur nicht; euch selbst solltet ihr hassen. Eine der ersten Quellen eures Elendes ist die, daß ihr von ihnen und ihren Helfern viel zu hohe Begriffe habt. Es ist wahr, sie durchwühlen die Finsternisse halbbarbarischer Jahrhunderte mit emsigen Händen und glauben eine herrliche Perle gefunden zu haben, wenn sie einer Maxime derselben auf die Spur gekommen sind – dünken sich sehr weise, wenn sie diese spärlichen Maximen, so wie sie sie fanden, ihrem Gedächtnisse aufgezwungen haben: aber das könnt ihr sicher glauben, daß sie von dem, was sie wissen sollten, von ihrer eigenen wahren Bestimmung, von Menschenwert und Menschenrechten, weniger wissen als der Ununterrichtetste unter euch. Wie sollten sie so etwas je erfahren? – sie, für die man eine eigene Wahrheit hat, die nicht durch die Grundsätze, auf welche die allgemeine Menschenwahrheit sich gründet, sondern durch die Staatsverfassung, die Lage, das politische System ihres Landes bestimmt wird, sie, deren Kopfe man von Jugend auf mühsam die allgemeine Menschenform nimmt und ihm diejenige einpreßt, in welche allein eine solche Wahrheit paßt – in deren zartes Herz man von Jugend auf die Maxime einprägt: Alle die Menschen, Sire, die Sie da sehen, sind für Sie da, sind Ihr Eigentum.* Wie sollten sie, wenn sie es auch erführen, je Kraft haben, es zu begreifen? – sie, deren Geiste man künstlich durch eine erschlaffende Sittenlehre, durch frühe Wollüste und, wenn sie für diese verstimmt sind, durch späten Aberglauben seine Schwungkraft raubt. Man ist versucht, ein stets fortdauerndes Wunder der Fürsehung anzunehmen, wenn man in der Geschichte doch so ungleich mehr bloß schwache als böse Fürsten antrifft; und ich wenigstens rechne den Fürsten alle Laster, die sie *nicht* haben, für Tugenden an und danke ihnen für alles das Böse, das sie mir *nicht* tun.
Und solche Fürsten überredet man, die Denkfreiheit zu unterdrücken – nicht etwa um euretwillen. Möchtet ihr doch denken und untersuchen und auf den Dächern predigen, was ihr wolltet; die Satelliten des Despotismus achten eurer nicht; ihre Gewalt steht viel zu fest; ihr mögt von der Recht-

* Worte, die der Führer Ludwigs XV. diesem königlichen Knaben bei einer großen Volksversammlung sagte.

mäßigkeit ihrer Forderungen überzeugt sein oder nicht: was verschlägt ihnen dies? Sie werden euch schon durch Entehrung oder durch Hunger, durch Festungsstrafe oder durch Hinrichtungen zu zwingen wissen. Aber ihr macht bei euren Untersuchungen ein großes Geschrei – sie werden es zwar freilich an Sorgfalt nicht fehlen lassen, das Ohr des Fürsten zu bewachen – aber es könnte doch, es wäre doch möglich, daß irgendeinmal ein unglückliches Wort bis zu demselben gelangte, daß er weiterforschte, daß er endlich weiser würde und erkännte, was zu seinem und eurem Frieden diente. Daran nur wollen sie euch verhindern; und daran, ihr Völker, müßt ihr euch nicht verhindern lassen!
Ruft es, ruft es in jedem Tone euren Fürsten in die Ohren, bis sie es hören, daß ihr euch die Denkfreiheit nicht werdet nehmen lassen, und beweist ihnen die Zuverlässigkeit dieser Versicherung durch euer Betragen. Lasset euch nicht durch die Furcht des Vorwurfs der Unbescheidenheit abschrecken. Gegen was könntet ihr denn unbescheiden sein? Gegen das Gold und die Diamanten an der Krone, gegen den Purpur am Kleide eures Fürsten; nicht – gegen *ihn*. Es gehört wenig Selbstzutrauen dazu, um zu glauben, daß man Fürsten Dinge sagen könne, die sie nicht wissen.
Und besonders ihr alle, die ihr Kräfte dazu habt, kündigt doch jenem ersten Vorurteile, woraus alle unsere Übel folgen, jener giftigen Quelle alles unseres Elendes, jenem Satze: daß es die Bestimmung des Fürsten sei, für unsere *Glückseligkeit* zu wachen, den unversöhnlichsten Krieg an; verfolgt ihn in alle die Schlupfwinkel, durch das ganze System unseres Wissens, in die er sich versteckt hat, bis er von der Erde vertilgt und zur Hölle zurückgekehrt sei, daher er kam. Wir wissen nicht, was unsere Glückseligkeit befördere: weiß es der Fürst und ist er dazu da, uns zu ihr zu leiten, so müssen wir mit verschlossenen Augen unserem Führer folgen; er tut mit uns, was er will, und wenn wir ihn fragen, so versichert er uns auf sein Wort, daß das zu unserer Glückseligkeit nötig sei; er legt der Menschheit den Strick um den Hals und ruft: „Stille, stille! Es geschieht alles zu deinem Besten."*

* (So sagte der Henker der Inquisition zu) Don Carlos bei der gleichen Beschäftigung. Wie sonderbar doch Leute von verschiedenen Handwerken aufeinander treffen!

Nein, Fürst, du bist nicht unser *Gott*. Von *ihm* erwarten wir Glückseligkeit, von *dir* die Beschützung unserer Rechte. *Gütig* sollst du nicht gegen uns sein; du sollst *gerecht* sein.

Rede

Die Zeiten der Barbarei sind vorbei, ihr Völker, wo man euch im Namen Gottes anzukündigen wagte, ihr seiet Herden Vieh, die Gott deswegen auf die Erde gesetzt habe, um einem Dutzend Göttersöhnen zum Tragen ihrer Lasten, zu Knechten und Mägden ihrer Bequemlichkeit und endlich zum Abschlachten zu dienen; daß Gott sein unbezweifeltes Eigentumsrecht über euch an diese übertragen habe und daß sie kraft eines göttlichen Rechts und als seine Stellvertreter auch für eure Sünden peinigten: ihr wißt es oder könnt euch davon überzeugen, wenn ihr es noch nicht wißt, daß ihr selbst Gottes Eigentum nicht seid, sondern daß er euch sein göttliches Siegel, niemanden anzugehören als euch selbst, mit der Freiheit tief in eure Brust eingeprägt hat. Auch das unterstehen sie sich nicht mehr, euch zu sagen: „Wir sind stärker als ihr, wir hätten euch alle längst totschlagen können; wir sind so gütig gewesen, es nicht zu tun; das Leben, das ihr lebt, ist mithin unser Geschenk. Wir haben es euch aber nicht frei geschenkt, sondern es euch nur zum Lehn gegeben; unsere Forderung also, es zu unserem Vorteile zu verwenden und es euch, wenn wir es nicht mehr brauchen können, doch noch zu nehmen, ist nicht unbillig." – Ihr habt, wenn diese Schlußart gelten soll, gelernt, daß *ihr* die Stärkeren seid und *sie* die Schwächeren, daß ihre Stärke in euren Armen ist und daß sie elend und hilflos dastehen, wenn ihr diese sinken laßt; Beispiele haben es ihnen gezeigt, vor denen sie noch beben. Ebensowenig werdet ihr ihnen noch weiterhin glauben, daß ihr alle blind, hilflos und unwissend seid und daß ihr selbst euch nicht zu raten wißt, wenn sie euch nicht wie unmündige Kinder an ihren väterlichen Händen leiten; sie haben erst in diesen Tagen durch Fehlschlüsse, die der Einfältigste unter euch nicht gemacht hätte, gezeigt, daß sie auch nicht mehr wissen als ihr und daß sie sich und euch ins Elend stürzen,

weil sie mehr zu wissen glauben. Auf solche Vorspiegelungen hört ihr nicht weiter; ihr wagt es, den Fürsten, der euch beherrschen will, zu fragen, *mit welchem Rechte* er über euch herrsche.
Durch *Erbrecht*, sagen wohl einige Söldner des Despotismus, die aber nicht seine scharfsinnigsten Verteidiger sind. Denn gesetzt, daß euer jetzt lebender Fürst ein solches Recht von seinem Vater und dieser wieder von dem seinigen und so weiter hinauf hätte ererben können, woher bekam es denn der, der der erste war, oder hatte der kein Recht, wie konnte er ein Recht vererben, das er nicht hatte? – Und dann, ihr schlauen Sophisten, glaubt ihr denn, daß man Menschen erben könne, wie eine Herde Vieh oder eine Weide für sie? Die Wahrheit ist nicht so von der Oberfläche abzuschöpfen, wie ihr denkt; sie liegt tiefer, und ich bitte euch, die kleine Mühe über euch zu nehmen, sie mit mir aufzusuchen.*
Der Mensch kann weder ererbt noch verkauft, noch verschenkt werden; er kann niemandes Eigentum sein, weil er sein eigenes Eigentum ist und bleiben muß. Er trägt tief in seiner Brust einen Götterfunken, der ihn über die Tierheit erhöht und ihn zum Mitbürger einer Welt macht, deren erstes Mitglied Gott ist – sein Gewissen. Dieses gebietet ihm schlechthin und unbedingt, dieses zu wollen, jenes nicht zu wollen; und dies *frei* und *aus eigener Bewegung*, ohne allen Zwang außer ihm. Soll er dieser inneren Stimme gehorchen – und sie gebietet dies schlechterdings –, so muß er auch von außen nicht gezwungen, so muß er von allem fremden Einflusse befreit werden. Es darf mithin kein Fremder über ihn schalten; er selbst muß es, nach Maßgabe des Gesetzes in ihm, tun: er ist frei und muß frei bleiben; nichts darf ihm gebieten als dieses Gesetz in ihm, denn es ist sein alleiniges Gesetz – und er widerspricht diesem Gesetze, wenn er sich

* Diese kurze Deduktion der Rechte, der unveräußerlichen und veräußerlichen Rechte, des Vertrags, der Gesellschaft, der Rechte der Fürsten, bitte ich nicht zu überschlagen, sondern sie aufmerksam zu lesen und in einem feinen und guten Herzen zu verwahren, weil sonst das Folgende unverständlich und ohne Beweiskraft ist. – Auch zu anderweitigem Gebrauche ist es nicht übel, einmal bestimmte Begriffe darüber zu bekommen, z. B., um in Gesellschaft Klügerer nicht zu deräsonieren.

ein anderes aufdringen läßt – die Menschheit in ihm wird vernichtet und er zur Klasse der Tiere herabgewürdigt.
Ist dieses Gesetz sein alleiniges Gesetz, so darf er allenthalben, wo dieses Gesetz nicht redet, tun, was er will, er hat *ein Recht* zu allem, was durch dieses alleinige Gesetz *nicht verboten* ist. Nun gehört aber auch das, ohne welches überhaupt kein Gesetz möglich ist, *Freiheit* und *Persönlichkeit*, ferner das im Gesetze *Befohlene* in den Bezirk des *nicht Verbotenen*; man kann mithin sagen, der Mensch hat ein Recht zu den Bedingungen, unter denen allein er pflichtmäßig handeln kann, und zu den Handlungen, die seine Pflicht erfordert. Solche Rechte sind nie aufzugeben; sie sind *unveräußerlich*. Sie zu veräußern, haben wir kein Recht.
Zu den Handlungen, die das Gesetz bloß erlaubt, habe ich auch ein Recht: aber ich kann dieser Erlaubnis des Sittengesetzes mich auch nicht bedienen; dann bediene ich mich meines Rechtes nicht; ich gebe es auf. Rechte von der zweiten Art sind also *veräußerlich*; aber der Mensch muß sie *freiwillig* aufgeben, nie muß er sie veräußern müssen; sonst würde er durch ein anderes Gesetz genötigt als durch das Gesetz in ihm, und das ist unrecht von dem, der es tut, und von dem, der es leidet, wo er es ändern kann.
Darf ich meine *veräußerlichen* Rechte ohne alle Bedingung aufgeben, darf ich sie anderen *schenken*, so darf ich sie auch mit Bedingung aufgeben, ich darf sie gegen Veräußerungen des anderen *vertauschen*. Aus einem solchen Tausche veräußerlicher Rechte gegen veräußerliche Rechte entsteht der Vertrag (der Kontrakt). Ich tue auf Ausübung eines meiner Rechte Verzicht, auf die Bedingung, daß der andere gleichfalls auf Ausübung eines der seinigen Verzicht tue. – Solche im Vertrage zu veräußernde Rechte können nur Rechte auf *äußere Handlungen*, nicht auf *innere Gesinnungen* sein; denn im letzteren Falle könnte kein Teil sich überzeugen, ob der andere die Bedingungen erfüllte oder nicht. Innere Gesinnungen, Wahrhaftigkeit, Achtung, Freundschaft, Dankbarkeit, Liebe werden frei geschenkt, nicht aber, als Rechte, erworben.
Die bürgerliche Gesellschaft gründet sich auf einen solchen Vertrag aller Mitglieder mit einem oder eines mit allen und kann sich auf nichts anderes gründen, da es schlechterdings unrechtmäßig ist, sich durch einen anderen Gesetze geben zu

lassen als durch sich selbst. Nur dadurch wird die bürgerliche Gesetzgebung gültig für mich, daß ich sie freiwillig annehme – durch welches Zeichen, tut hier nichts zur Sache – und dadurch mir selbst das Gesetz gebe. Aufdringen kann ich mir kein Gesetz lassen, ohne dadurch auf die Menschheit, auf Persönlichkeit und Freiheit Verzicht zu tun. In diesem gesellschaftlichen Vertrage gibt jedes Mitglied einige seiner veräußerlichen Rechte auf, mit der Bedingung, daß andere Mitglieder auch einige der ihrigen aufgeben.

Wenn ein Mitglied seinen Vertrag nicht hält und seine veräußerten Rechte zurücknimmt, so bekommt dadurch die Gesellschaft ein Recht, ihn zur Haltung desselben durch Verletzung seiner ihm durch die Gesellschaft zugesicherten Rechte zu zwingen. Dieser Verletzung hat er sich durch den Vertrag freiwillig unterworfen. Daher entsteht die *ausübende Gewalt.*

Diese ausübende Gewalt kann ohne Nachteil nicht von der ganzen Gesellschaft ausgeübt werden; sie wird daher mehreren oder einem Mitgliede übertragen. Der eine, dem sie übertragen wird, heißt *Fürst.*

Der Fürst also hat seine Rechte durch Übertragung von der Gesellschaft; die Gesellschaft aber kann keine Rechte an ihn übertragen, die sie nicht selbst hatte. Die Frage also, die wir hier untersuchen wollen: ob der Fürst ein Recht habe, unsere Denkfreiheit einzuschränken, gründet sich auf die: ob der Staat ein solches Recht haben konnte.

Frei denken zu können ist der auszeichnende Unterschied des Menschenverstandes vom Tierverstande. Auch im letzteren sind Vorstellungen; aber sie folgen notwendig aufeinander, sie bringen einander hervor, wie *eine* Bewegung in der Maschine die andere notwendig hervorbringt. Diesem blinden Mechanismus der Ideenassoziation, bei dem sich der Geist bloß leidend verhält, tätig zu widerstehen durch eigene Kraft, nach eigener freier Willkür, seiner Ideenreihe eine bestimmte Richtung zu geben ist Vorzug des Menschen, und je mehr einer diesen Vorzug behauptet, desto mehr ist er Mensch. Das Vermögen im Menschen, durch welches er dieses Vorzugs fähig ist, ist eben das, durch welches er frei *will*; die Äußerung der Freiheit im Denken ist ebenso wie die Äußerung derselben im Wollen inniger Bestandteil seiner Persönlichkeit, ist die notwendige Bedin-

gung, unter welcher allein er sagen kann: ich *bin*, bin selbständiges Wesen. Diese Äußerung ebensowohl als jene versichert ihn seines Zusammenhangs mit der Geisterwelt und bringt ihn in Übereinstimmung mit ihr; denn nicht nur Einmütigkeit im Wollen, sondern auch Einmütigkeit im Denken soll in diesem unsichtbaren Reiche Gottes herrschen. Ja, diese Äußerung der Freiheit bereitet uns auf die ununterbrochnere und stärkere Äußerung jener vor: durch freie Unterwerfung unserer Vorurteile und unserer Meinungen unter das Gesetz der Wahrheit lernen wir zuerst vor der Idee eines Gesetzes überhaupt uns niederbeugen und verstummen; dies Gesetz bändigt zuerst unsere Selbstsucht, die das Sittengesetz regieren will. Freie und uneigennützige Liebe zur theoretischen Wahrheit, *weil* sie Wahrheit ist, ist die fruchtbarste Vorbereitung zur sittlichen Reinigkeit der Gesinnungen. Und dieses mit unserer Persönlichkeit, mit unserer Sittlichkeit innig verknüpfte Recht, diesen von der schaffenden Weisheit ausdrücklich für uns angelegten Weg zur moralischen Veredlung hätten wir im gesellschaftlichen Vertrage aufgeben können? Wir hätten das Recht gehabt, ein unveräußerliches Recht zu veräußern? Unser Versprechen, es aufzugeben, hätte was anderes geheißen als: wir versprechen, beim Eintritt in eure bürgerliche Gesellschaft unvernünftige Geschöpfe, wir versprechen, Tiere zu werden, damit es euch weniger Arbeit mache, uns zu bändigen? Und ein solcher Vertrag wäre rechtmäßig und gültig?
Aber, will man denn auch das? rufen sie uns zu; haben wir euch nicht laut und feierlich genug die Erlaubnis gegeben, frei zu denken? – Und wir wollen dies zugestehen; wir wollen die ängstlichen Versuche vergessen, die man machte, uns der besten Hilfsmittel zu berauben – es vergessen, mit welcher Emsigkeit man in jedem neuen Lichte die alte Finsternis zu färben sucht*, wir wollen um Worte nicht han-

* So brauchte man eine Lehre, die recht eigentlich dazu gemacht zu sein scheint, uns zu erlösen vom Fluche des Gesetzes und uns zu bringen unter das Gesetz der Freiheit, erst zur Stütze der scholastischen Theologie – ganz neuerlich zur Stütze des Despotismus. – Es ist denkenden Männern unanständig, am Fuße der Throne zu kriechen, um die Erlaubnis zu erbetteln, Fußschemel der Könige zu sein.

deln – ja, ihr erlaubt uns, zu *denken*, da ihr es nicht hindern könnt; aber ihr verbietet uns, unsere Gedanken mitzuteilen; ihr nehmt also nicht unser unveräußerliches Recht, frei zu denken, ihr nehmt bloß das, unser frei Gedachtes mitzuteilen, in Anspruch.

Damit wir sicher sind, mit euch nicht über nichts zu streiten – haben wir wohl ursprünglich ein solches Recht? können wir es nachweisen? – Wenn wir zu allem ein Recht haben, was das Sittengesetz nicht verbietet, wer könnte ein Verbot des Sittengesetzes aufzeigen, seine Überzeugungen mitzuteilen? wer ein Recht des anderen, eine solche Mitteilung zu verwehren, sie als eine Beleidigung in seinem Eigentume anzusehen? Der andere kann dadurch im Genusse seiner auf seine bisherigen Überzeugungen sich gründenden Glückseligkeit, in seinen angenehmen Täuschungen, in seinen süßen Träumen gestört werden, sagt ihr mir – aber wie kann er das durch meine bloße Handlung, ohne mich anzuhören, ohne auf meine Reden aufzumerken, ohne sie in seine Gedankenform aufzufassen? Wird er gestört, so stört er selbst sich; ich nicht ihn. Es ist da ganz das Verhältnis des Gebens zum Nehmen. Habe ich nicht ein Recht, von meinem Brote mitzuteilen, an meiner Flamme sich wärmen, an meinem Lichte anzünden zu lassen? Will der andere mein Brot nicht, so strecke er seine Hand nicht aus, es zu empfangen; will er meine Wärme nicht, so gehe er von meinem Feuer; ihm meine Gaben aufzudringen– das Recht habe ich freilich nicht.

Da jedoch dieses Recht des freien Mitteilens sich auf kein Gebot, sondern bloß auf eine Erlaubnis des Sittengesetzes gründet und demnach, an sich betrachtet, nicht unveräußerlich ist, da ferner zur Möglichkeit der Ausübung desselben die Einwilligung des anderen, sein Annehmen meiner Gaben, erfordert wird: so ist es an sich wohl denkbar, daß die Gesellschaft einmal für alle diese Einwilligung aufgehoben, daß sie sich von jedem Mitgliede beim Eintritt in dieselbe hätte versprechen lassen, seine Überzeugungen überhaupt niemandem bekanntzumachen. – Mit einer solchen Verzichtleistung muß es denn wohl im allgemeinen, und ohne Ansehen der Person, nicht so ernstlich gemeint sein; denn eröffnen nicht jene ihr vom Staate privilegiertes Füllhorn mit möglichster Freigebigkeit, und liegt es nicht bloß an unserer störrigen Widersetzlichkeit, daß sie uns bis jetzt die seltensten Kostbarkeiten desselben noch vorenthalten? Aber laßt uns immer zugeben, was wir so unbedingt auch nicht zugeben möchten, daß wir ein Recht gehabt hätten, beim Eintritt in die Gesellschaft unser Mitteilungsrecht aufzugeben: so stehet diesem Rechte des freien Gebens das des *freien Nehmens* entgegen; das erstere kann nicht veräußert werden, ohne daß das zweite es zugleich werde. Zugegeben, ihr hättet ein Recht gehabt, mich versprechen zu lassen, ich wolle von meinem Brote niemandem mitteilen; hattet ihr denn auch zugleich das Recht, den armen Hungernden zu nötigen, von eurem ihm widerlichen Breie zu essen oder zu sterben? Wollt ihr das schönste Band, das Menschen an Menschen kettet, das Geister in Geister überfließen macht, zerschneiden? Wollt ihr das süßeste Kommerzium der Menschheit, das freie und frohe Geben und Nehmen des Edelsten, was sie haben, vernichten? Doch warum rede ich auch mit Empfindung an eure ausgedorrten Herzen? Ein dürrer und trockner Vernunftschluß, dem ihr durch alle eure Sophistereien nichts anhaben könnt, beweise euch die Unrechtmäßigkeit eurer Forderung. – Das Recht des freien Nehmens alles desjenigen, was brauchbar für uns ist, ist ein Bestandteil unserer Persönlichkeit, es gehört zu unserer Bestimmung, frei alles dasjenige zu brauchen, was zu unserer geistigen und sittlichen Bildung offen für uns daliegt; ohne diese Bedingung wäre Freiheit und Moralität ein unbrauchbares Geschenk für uns. Eine der reichhaltigsten Quellen unserer Belehrung und Bildung ist die Mitteilung von Geiste zu Geiste. Das Recht, aus dieser Quelle zu schöpfen, können wir nicht aufgeben, ohne unsere Geistigkeit, unsere Freiheit und Persönlichkeit aufzugeben; wir *dürfen* es mithin nicht aufgeben; mithin darf auch der andere *sein* Recht, uns daraus schöpfen zu lassen, nicht aufgeben. Durch die Unveräußerlichkeit unseres Rechts, zu *nehmen*, wird auch sein Recht, zu *geben*, unveräußerlich. – Ob *wir* unsere Gaben *aufdringen*, wißt ihr wohl selbst. Ihr wißt es, ob wir Ämter und Ehrenstellen an diejenigen vergeben, die sich anstellen, als ob wir sie überzeugt hätten; ob wir diejenigen, die unsere Vorlesungen nicht hören und unsere Schriften nicht lesen mögen, von Ämtern und Würden ausschließen; ob wir diejenigen, die gegen unsere Grundsätze schreiben, öffentlich beschimpfen oder fortjagen. Daß man dennoch eure Schriften zu dem Einpakken der unsrigen braucht, daß wir dennoch die helleren Köpfe und die besseren Herzen der Nationen auf unserer Seite und ihr die Einfältigen, die Heuchler, die feilen Schriftsteller auf der eurigen habt – erklärt euch das selbst, so gut ihr könnt.

Aber, ruft ihr mir zu, wir verbieten dir gar nicht, Brot auszuteilen; nur Gift sollst du nicht geben. – Aber wie, wenn das, was ihr Gift nennt, meine tägliche Speise ist, bei der ich gesund und stark bin? Sollte ich vorher sehen, daß der schwache Magen des anderen sie nicht vertragen werde? Starb er an meinem *Geben*, oder starb er an seinem *Essen*? Wenn er sie nicht verdauen konnte, so sollte er sie nicht essen: gestopft* habe ich ihn nicht, dazu habt nur ihr das Privilegium. – Oder gesetzt auch, ich hätte das, was ich dem anderen gab, wirklich für Gift gehalten; ich hätte es ihm in der Absicht gegeben, um ihn zu vergiften – wie wollt ihr mir das beweisen? Wer kann darüber mein Richter sein als mein Gewissen? Doch, ohne Gleichnis.

Ich darf zwar die *Wahrheit* verbreiten, aber nicht den *Irrtum*.

Oh! was mag doch euch, die ihr dieses sagt, *Wahrheit* – was mag euch *Irrtum* heißen? Ohne Zweifel nicht das, was wir andern dafür halten; sonst würdet ihr begriffen haben, daß eure Einschränkung die ganze Erlaubnis aufhebt, daß ihr mit der linken Hand uns wieder nehmt, was ihr mit der rechten gabt, daß es schlechterdings unmöglich ist, Wahrheit mitzuteilen, wenn es nicht auch erlaubt ist, Irrtümer zu verbreiten. – Doch ich werde mich euch verständlicher machen.

Ohne Zweifel redet ihr hier nicht von *subjektiver* Wahrheit; denn ihr wollt nicht sagen: ich dürfe zwar das verbreiten, was *ich* nach meinem besten Wissen und Gewissen für wahr halte, nichts aber verbreiten, was *ich selbst* für irrig und falsch anerkenne. Ohne Vertrag zwischen mir und euch habt ihr keine rechtskräftige Anforderung auf meine Wahr-

* Kindern den vorher wohlzerkäuten Brei in den Mund drücken nennt man in den Provinzen, wo es noch geschieht, *stopfen*. – Auch stopft man Gänse mit Nudeln.

haftigkeit; denn diese ist nur eine innere, keine äußere Pflicht: durch den gesellschaftlichen Vertrag erhaltet ihr keine, denn ihr könnt euch der Erfüllung meines Versprechens nie versichern, da ihr nicht in meinem Herzen lesen könnt. Hätte ich euch Wahrhaftigkeit versprochen und ihr hättet das Versprechen angenommen, so wäret ihr freilich getäuscht, aber durch eure Schuld: ich hätte euch nichts versprochen, da ihr durch mein Versprechen ein Recht bekommen hättet, dessen Ausübung physisch unmöglich ist. – Freilich bin ich, wenn ich vorsätzlich euch belüge, wenn ich euch wissentlich und wohlbedacht Irrtum statt Wahrheit gebe, ein verachtungswürdiger Mensch; aber ich beleidige dadurch nur mich, nicht euch; ich habe das nur mit meinem Gewissen abzumachen.

Ihr redet also von *objektiver* Wahrheit; und diese ist? – O ihr weisen Sophisten des Despotismus, die ihr nie um eine Definition verlegen seid – sie ist – Übereinstimmung unserer Vorstellungen von den Dingen mit den Dingen an sich. Der Sinn eurer Forderung ist mithin *der* – ich erröte in eurem Namen, in dem ich es sagen will –: wenn meine Vorstellung mit dem Dinge an sich wirklich übereinstimmt, darf ich sie verbreiten; wenn sie aber nicht wirklich damit übereinstimmt, soll ich sie für mich behalten.

Übereinstimmung unserer Vorstellungen von den Dingen mit den Dingen an sich könnte nur auf zweierlei Art möglich sein: wenn nämlich entweder die Dinge an sich durch unsere Vorstellungen oder unsere Vorstellungen durch die Dinge an sich wirklich gemacht würden. Da beim menschlichen Erkenntnisvermögen beide Fälle vorkommen, aber sich so ineinander verschlingen, daß wir sie nicht scharf voneinander absondern können, so ist sogleich klar, daß objektive Wahrheit in der strengsten Bedeutung des Wortes dem Verstande des Menschen und jedes endlichen Wesens geradezu widerspreche, daß mithin unsere Vorstellungen mit den Dingen an sich nie übereinstimmen noch übereinstimmen können. In diesem Sinne des Wortes könnt ihr uns also unmöglich anmuten wollen, die Wahrheit zu verbreiten.

Dennoch gibt es eine gewisse notwendige Art, wie die Dinge uns allen, der Einrichtung unserer Natur nach, schlechterdings erscheinen müssen, und insofern unsere

Vorstellungen mit dieser notwendigen Form der Erkennbarkeit übereinstimmen, können wir sie auch objektiv wahr nennen – wenn nämlich das Objekt nicht das Ding an sich, sondern ein durch die Gesetze unseres Erkenntnisvermögens und die der Anschauung notwendig bestimmtes Ding (Erscheinung) heißen soll. In dieser Bedeutung ist alles, was einer richtigen Wahrnehmung gemäß durch die notwendigen Gesetze unseres Erkenntnisvermögens zustande gebracht wird, objektive Wahrheit. – Außer dieser auf die Sinnenwelt anwendbaren Wahrheit gibt es noch eine, in einer unendlich höheren Bedeutung des Wortes; da wir nämlich nicht erst durch Wahrnehmung die gegebene Beschaffenheit der Dinge erkennen, sondern sie durch die reinste, freieste Selbsttätigkeit, gemäß den ursprünglichen Begriffen von Recht und Unrecht, selbst *hervorbringen* sollen. Was diesen Begriffen gemäß ist, ist für alle Geister und für den Vater der Geister wahr; und Wahrheiten von der Art sind meistens sehr leicht und sehr sicher zu erkennen; unser Gewissen ruft sie uns zu. So ist es z. B. ewige menschliche und göttliche Wahrheit, daß es unveräußerliche Menschenrechte gibt, daß die Denkfreiheit darunter gehört – daß derjenige, dem wir unsere Macht in die Hände gaben, um unsere Rechte zu beschützen, höchst ungerecht handelt, wenn er sich eben dieser Macht bedient, sie, und besonders die Denkfreiheit, zu unterdrücken. Von solchen moralischen Wahrheiten findet gar keine Ausnahme statt; sie können nie problematisch sein, sondern lassen sich immer auf den notwendig gültigen Begriff des Rechten zurückführen. Von Wahrheiten der letzteren Art – die euch ohnedies wenig am Herzen liegen und oft innig zuwider sind – redet ihr also nicht; denn über sie findet kein Streit statt – ihr redet von der ersten menschlichen Wahrheit. Ihr befehlet, *wir sollen nichts behaupten, was nicht aus richtigen Wahrnehmungen, gemäß den notwendigen Gesetzen des Denkens, abgeleitet ist.* – Ihr seid großmütig, weise, gütige Väter der Menschheit; ihr befehlt uns, immer richtig zu beobachten und immer richtig zu schließen; ihr verbietet uns, selbst zu irren, damit wir keine Irrtümer verbreiten. Edle Vormünder, das möchten wir eben nicht gern; es ist uns selbst ebenso zuwider als euch. Der Fehler ist nur, daß wir es nicht wissen, wenn wir irren. – Könntet ihr uns nicht, damit doch euer väterlicher

Rat uns zustatten komme, ein sicheres, stets anwendbares, untrügliches Kriterium der Wahrheit geben?
Auch darauf habt ihr schon im voraus gedacht. Wir sollen z. B. nur nicht alte, längst widerlegte Irrtümer verbreiten, sagt ihr. – *Widerlegte* Irrtümer? *Wem* sind sie widerlegt? Wenn diese Widerlegungen *uns* einleuchten, *uns* Genüge täten – meint ihr, daß wir jene Irrtümer noch behaupten würden; glaubt ihr, daß wir lieber irren als richtig denken, lieber rasen als klug sein wollen, daß wir einen Irrtum nur für einen Irrtum anerkennen dürfen, um ihn sogleich aufzunehmen; denkt ihr, daß wir bloß aus geniehaftem Mutwillen und um unsere guten Vormünder zu necken und zu ärgern, Dinge in die Welt hineinschreiben, von denen wir selbst gar wohl wissen, daß sie irrig sind?
Jene Irrtümer sind also längst widerlegt, sagt ihr uns auf euer Wort. So müssen sie doch wenigstens *euch* widerlegt sein, da ihr doch wohl ehrlich mit uns umgehen werdet. Wolltet ihr uns nicht sagen, erlauchte Erdensöhne, in wie vielen unter ernsten Betrachtungen durchwachten Nächten ihr dasjenige entdeckt habt, was so viele Männer, die, von euren übrigen Herrschersorgen frei, ihre ganze Zeit solchen Untersuchungen widmen, bis jetzt noch nicht haben entdecken können? oder ob ihr es ohne alles Nachdenken und ohne allen Unterricht bloß durch die Hilfe eures göttlichen Genies gefunden habt? Doch wir verstehen euch, und schon längst hätten wir, statt dieser für euch und eure Satelliten sehr trocknen Untersuchungen, euren wahren Gedanken darstellen sollen. – Ihr redet gar nicht von dem, was wir anderen Wahrheit oder Irrtum nennen – was kümmert euch das? Wer hätte der Hoffnung des Landes durch solche trübsinnige Spekulationen die Jahre verderben wollen, in denen sie sich auf die künftigen Herrschersorgen erquickte? Ihr habt euch mit euren Untertanen in die menschlichen Gemütskräfte geteilt. Ihnen habt ihr das *Denken* überlassen – zwar nicht für euch noch für sich selbst, denn in euren Regierungen ist das gar nicht nötig –, sie mögen es zu ihrem Vergnügen tun, wenn sie wollen, aber ohne weitere Folgen. *Wollen* werdet ihr für sie. Dieser in euch wohnende gemeinsame Wille bestimmt denn auch die Wahrheit. Wahr ist demnach das, wovon ihr wollt, daß es wahr sei; falsch ist das, wovon ihr wollt, daß es falsch sei. –

Warum ihr es wollt, das ist nicht unsere Frage, auch nicht die eurige. Euer Wille, als solcher, ist das einzige Kriterium der Wahrheit. Wie unser Gold und Silber nur unter eurem Stempel einen Wert hat, so auch unsere Begriffe.

Darf es ein ungeweihtes Auge wagen, einen Blick in die Mysterien der Staatsverwaltung zu tun, zu der tiefe Weisheit erforderlich sein muß, da bekanntermaßen stets die weisesten und besten unter den Menschen an ihr Ruder erhoben werden, so erlaubt mir hierbei einige schüchterne Bemerkungen. Schmeichle ich mir nicht zuviel, so sehe ich einige von den Vorteilen, die ihr dabei beabsichtigt. Den Körper der Menschen zu unterjochen ist euch ein leichtes; ihr könnt seine Füße in den Stock, seine Hände in Fesseln legen, ihr könnt auch allenfalls durch Furcht des Hungers oder des Todes ihn verhindern, zu reden, was er nicht reden soll. Aber ihr könnt doch nicht immer mit dem Stock oder mit Fesseln oder mit Henkersknechten gegenwärtig sein – auch eure Spürer können nicht allenthalben sein; und eine solche mühsame Regierung würde euch doch gar keine Zeit zu menschlichen Vergnügungen übriglassen. Ihr müßt also auf ein Mittel denken, ihn sicherer und zuverlässiger zu unterjochen, damit er auch außer dem Stocke und der Fessel nicht anders atme, als ihr ihm winktet. Lähmt das erste Prinzip der Selbsttätigkeit in ihm, seinen Gedanken; untersteht er sich nicht mehr anders, als ihr es ihm, mittelbar oder unmittelbar, durch seinen Beichtvater oder durch eure Religionsedikte befehlt, zu denken: so ist er ganz die Maschine, die ihr haben wollt, und nun könnt ihr ihn nach Belieben brauchen. Ich bewundere in der Geschichte, die euer Lieblingsstudium ist, die Weisheit einer Reihe von den ersten christlichen Kaisern. Mit jeder neuen Regierung änderte sich die Wahrheit; selbst während *einer* Regierung, wenn sie ein wenig lange dauerte, mußte sie ein oder ein paarmal abgeändert werden. Ihr habt den Geist dieser Maximen aufgefaßt, aber ihr seid – verzeiht es dem Anfänger in eurer Kunst, wenn er irren sollte – noch nicht tief genug in ihn eingedrungen. Man läßt eine und ebendieselbe Wahrheit zu lange Wahrheit bleiben; darin hat man es in der neueren Staatskunst versehen. Das Volk gewöhnt sich endlich an sie und hält seine Gewohnheit, sie zu glauben, für den Beweis ihrer Wahrheit, da es sie doch lediglich und

rein um eurer Autorität willen glauben sollte. Ahmt daher, ihr Fürsten, euren würdigen Mustern ganz nach; verwerft heute, was ihr gestern zu glauben befahlet, und autorisiert heute, was ihr gestern verwarft, damit sie sich von dem Gedanken, daß bloß euer Wille die Quelle der Wahrheit sei, nie entwöhnen. Ihr habt z. B. nur zu lange gewollt, daß eins dreien gleich sei; sie haben euch geglaubt, und leider haben sie sich so daran gewöhnt, daß sie schon längst euch den schuldigen Dank versagen und es selbst entdeckt zu haben meinen. Rächt euer Ansehen; befehlt auch einmal, daß eins eins sei – natürlich nicht darum, weil das Gegenteil sich widerspricht, sondern darum, weil ihr es wollt.
Ich verstehe euch, wie ihr seht; aber ich habe es da mit einem unbändigen Volke zu tun, das nicht nach euren Absichten, sondern nach euren Rechten fragt. Was soll ich antworten?
Es ist eine unbequeme Frage, die Frage vom Rechte. Ich bedaure, daß ich mich hier von euch, mit denen ich so freundschaftlich hieherkam, werde trennen müssen.
Wenn ihr das Recht hättet, festzusetzen, was wir für Wahrheit annehmen sollten, so müßtet ihr es von der Gesellschaft und diese müßte es durch Vertrag haben. Ist ein solcher Vertrag möglich? Kann es die Gesellschaft ihren Mitgliedern zu einer Bedingung desselben machen, gewisse Sätze – nicht eben zu *glauben*; denn dessen kann sie sich, als einer inneren Gesinnung, nie versichern, sondern nur äußerlich zu bekennen, d. i. nichts *gegen* sie zu sagen, zu schreiben, zu lehren – denn ich will den Satz so gelind ausdrücken als möglich.
Physisch möglich wäre ein solcher Vertrag. Wenn nur jene unantastbaren Lehrsätze fest und scharf genug bestimmt wären, daß man jedem, der gegen sie etwas gesagt hätte, es unwidersprechlich beweisen könnte – und ihr seht ein, daß das etwas gefordert heißt –, so könnte man ihn dafür, als für eine äußere Handlung, allerdings bestrafen.
Ist es aber auch moralisch möglich, d. i., hat die Gesellschaft ein Recht, ein solches Versprechen zu fordern, und das Mitglied, es zu geben; würden in einem solchen Vertrage nicht etwa unveräußerliche Rechte des Menschen veräußert – welches in keinem Vertrage geschehen darf und wodurch der Vertrag rechtswidrig und nichtig wird? – Freie Untersu-

chung jedes möglichen Objekts des Nachdenkens, nach jeder möglichen Richtung hin und ins Unbegrenzte hinaus, ist ohne Zweifel ein Menschenrecht. Niemand darf seine Wahl, seine Richtung, seine Grenzen bestimmen als er selbst. Das haben wir oben bewiesen. Es ist hier nur die Frage, ob er sich nicht selbst durch Vertrag dergleichen Grenzen setzen dürfe? Seinen Rechten auf äußere Handlungen, die durch das Sittengesetz nicht geboten, sondern nur erlaubt waren, durfte er dergleichen Grenzen setzen. Hier treibt ihn nichts, überhaupt zu handeln, als höchstens die Neigung; diese Neigung nun kann er wohl da, wo sie das Sittengesetz nicht einschränkt, durch ein sich freiwillig aufgelegtes Gesetz einschränken. Wenn er aber an jener Grenze des Nachdenkens angekommen ist, so treibt ihn allerdings etwas, zu handeln, sie zu überschreiten und über sie hinaus zu rücken, nämlich das Wesen seiner Vernunft, die in das Unbegrenzte hinausstrebt. Es ist Bestimmung seiner Vernunft, keine absolute Grenze anzuerkennen; und dadurch wird sie erst Vernunft und er dadurch erst ein vernünftiges, freies, selbständiges Wesen. Mithin ist Nachforschen ins Unbegrenzte *unveräußerliches* Menschenrecht.
Ein Vertrag, durch welchen er sich eine solche Grenze setzte, hieße zwar nicht unmittelbar soviel als: ich will ein Tier sein – aber so viel hieße er: ich will nur bis zu einem gewissen Punkte (wenn nämlich jene vom Staate privilegierten Sätze wirklich allgemeingeltend für die menschliche Vernunft wären, was wir euch, und außer dieser noch eine Menge anderer Schwierigkeiten geschenkt haben) – ich will bis zu einem gewissen Punkte ein vernünftiges Wesen, sobald ich aber bei ihm angekommen sein werde, ein unvernünftiges Tier sein.
Ist nun ein unveräußerliches Recht, über jene festgesetzten Resultate hinaus *zu untersuchen*, erwiesen, so ist zugleich die Unveräußerlichkeit des Rechts, *gemeinschaftlich* über sie hinaus zu untersuchen, erwiesen. Denn wer das Recht zum Zwecke hat, der hat es auch zu den Mitteln, wenn kein anderes Recht ihm im Wege steht; nun ist es eines der vortrefflichsten Mittel, sich weiterzubringen, wenn man von anderen belehrt wird; folglich hat jeder ein unveräußerliches Recht, frei gegebene Belehrungen ins Unbegrenzte hinaus *anzunehmen*. Soll dieses Recht nicht aufgehoben wer-

den, so muß auch das Recht des anderen, dergleichen Belehrungen zu *geben*, unveräußerlich sein.
Die Gesellschaft hat mithin gar kein Recht, ein solches Versprechen zu fordern oder anzunehmen; denn es widerspricht einem unveräußerlichen Menschenrechte: kein Mitglied hat ein Recht, ein solches Versprechen zu geben; denn es widerspricht der Persönlichkeit des anderen und der Möglichkeit, daß er überhaupt moralisch handle. Jeder, der es gibt, handelt pflichtwidrig, und sobald er dies erkennt, wird es Pflicht, sein Versprechen zurückzunehmen.
Ihr erschreckt über die Kühnheit meiner Folgerungen, Freunde und Diener der alten Finsternis; denn Leute eurer Art sind leicht zu erschrecken. Ihr hofftet, daß ich wenigstens noch ein bedächtliches „insofern freilich" mir vorbehalten, noch ein kleines Hintertürchen für euren Religionseid, für eure symbolischen Bücher usf. offengelassen hätte. Und hätte ich es, so wollte ich es hier euch zu Gefallen nicht öffnen – eben darum, weil man immer so säuberlich mit euch verfuhr, euch immer zu sehr markten ließ, den Geschwüren, die euch am wehesten tun, immer so bedächtig auswich, an eurer Mohrenschwärze wusch, ohne euch die Haut naß machen zu wollen: darum habt ihr euch so laut gemacht. Ihr werdet euch von nun an allmählich daran gewöhnen müssen, die Wahrheit ohne Hülle zu erblicken. – Doch auch ich will euch nicht ohne Trost entlassen. Was fürchtet ihr denn von jenen unbekannten Ländern jenseits eures Horizonts, in die ihr nie kommen werdet? Fragt doch die Leute, die sie bereisen, ob die Gefahr, von moralischen Riesen aufgegessen, von skeptischen Seeungeheuern verschlungen zu werden, so groß sei? Seht doch diese kühnen Weltumsegler wenigstens ebenso moralisch gesund, als ihr es seid, unter euch herumwandeln. Warum scheuet ihr euch denn so vor der plötzlich hereinbrechenden Erleuchtung, die entstehen würde, wenn jeder aufklären dürfte, soviel er könnte? Der menschliche Geist geht überhaupt nur stufenweise von Klarheit zu Klarheit; ihr werdet in eurem Zeitalter schon noch mit fortschleichen; ihr werdet euer kleines auserwähltes Häuflein und die Selbstüberzeugung von euren großen Verdiensten schon behalten. Und macht derselbe ja bisweilen durch eine Revolution in den Wissen-

schaften einen gewaltsamen Vorschritt – auch darüber seid unbesorgt. Wird es um euch herum auch für andere Tag, euch und eure euch so sehr am Herzen liegenden Zöglinge werden eure blöden Augen schon in einer behaglichen Dämmerung erhalten; ja, es wird zu eurem Troste noch finsterer um euch werden. Ihr müßt das ja aus Erfahrung wissen. Ist es nicht, seit der starken Beleuchtung, die besonders seit einem Jahrzehnt auf die Wissenschaften fiel, noch viel verworrener in euren Köpfen geworden als zuvor?

*

Und jetzt erlaubt mir, mich wieder an *euch* zu wenden, ihr Fürsten. Ihr weissagt uns namenloses Elend aus unbegrenzter Denkfreiheit. Es ist bloß zu unserem Besten, daß ihr sie an euch nehmt und sie uns aufhebt wie Kindern ein schädliches Spielzeug. Ihr laßt uns durch Zeitungsschreiber, die unter eurer Aufsicht stehen, mit Feuerfarben die Unordnungen hinmalen, welche geteilte und durch Meinungen erhitzte Köpfe begehen; deutet dort auf ein sanftes Volk, herabgesunken zur Wut der Kannibalen, wie es nach Blut dürstet und nicht nach Tränen, wie es gieriger sich zu Hinrichtungen hindrängt als zu Schauspielen, wie es abgerissene Glieder seiner Mitbürger, noch triefend und dampfend, unter Jubelgesängen zur Schau herumträgt, wie seine Kinder blutende Köpfe treiben statt des Kreisels – und wir wollen euch nicht an blutigere Feste erinnern, welche Despotismus und Fanatismus im gewohnten Bunde eben diesem Volke gaben – euch nicht erinnern, daß dies nicht die Früchte der Denkfreiheit, sondern die Folgen der vorherigen langen Geistessklaverei sind – euch nicht sagen, daß es nirgends stiller ist als im Grabe. – Wir wollen euch alles zugeben, wir wollen uns sogleich reuevoll in eure Arme werfen und euch weinend bitten, uns an eurem väterlichen Herzen vor allem Ungemach, das uns droht, zu verbergen, sobald ihr uns nur noch eine ehrfurchtsvolle Frage werdet beantwortet haben.

O ihr, die ihr, wie wir aus eurem Munde vernehmen, als wohltätige Schutzgeister über die Glückseligkeit der Nationen zu wachen habt, ihr, die ihr – ihr habt es uns so oft versichert – nur diese zum höchsten Zwecke eurer zärtlichen Sorgen macht – warum verheeren denn unter eurer erhabenen Aufsicht noch immer die Fluten unsere Äcker und die Orkane unsere Pflanzungen? Warum brechen noch Feuerflammen aus der Erde und fressen uns und unsere Häuser? Warum rafft Schwert und Seuchen unter euern geliebten Kindern Tausende hin? Gebietet doch erst dem Orkane, daß er schweige: dann gebietet auch dem Sturme unserer empörten Meinungen; laßt doch erst regnen über unsere Felder, wenn sie dürre sind, und gebt uns die erquickende Sonne, wenn wir euch darum anflehen: dann gebt uns auch die uns beseligende Wahrheit.* Ihr schweigt? Ihr könnt das nicht?

Nun wohl! derjenige, der das wirklich kann, der aus den Trümmern der Verwüstung neue Welten und aus dem Moder der Verwesung lebendige Körper bauet, der über eingestürzten Vulkanen blühende Rebenberge gedeihen, über Gräbern Menschen wohnen, leben und sich freuen läßt – werdet ihr zürnen, wenn wir diesem auch *die* Sorge, die kleinste seiner Sorge, überlassen, jene Übel, die wir uns durch den Gebrauch seines mit seinem göttlichen Siegel bekräftigten Freibriefs zuziehen, zu vernichten, zu mildern oder, wenn wir sie leiden *müssen*, sie zur höheren Kultur unseres Geistes durch unsere eigene Kraft anzuwenden?

Fürsten, daß ihr nicht unsere Plagegeister sein wollt, ist gut;

* Euer Freund, der Rec. von N. 261 im Oktoberstück [1792] der A. L. Z. will zwar nicht, daß man Revolutionen mit Naturerscheinungen vergleiche. Mit seiner Erlaubnis, als *Erscheinungen*, d.i. nicht ihren moralischen Gründen, sondern ihren Folgen in der Sinnenwelt nach, stehen sie allerdings bloß unter Naturgesetzen. *Ihr* werdet ihm das Buch und die Stelle desselben, wo er sich davon überzeugen kann, nicht nachweisen können; und *ich* darf es hier nicht tun. – Überhaupt könntet ihr diesem eurem Freunde unterderhand zu verstehen geben, er dürfe kühn sich gründlicher in das Studium der Philosophie einlassen. Er würde dann, bei seinen ausgebreiteten Kenntnissen und seiner männlichen Sprache, eure Sache, und die Sache der Menschheit zugleich, weit geschickter führen, als er es bisher getan hat. – Ihr hattet nie eine bessere Freundin als die Philosophie, wenn Freund und Schmeichler euch nicht eins ist. Laßt daher ab von jener falschen Freundin, die seit ihrer Geburt dem ersten dem besten zu Diensten stand, die sich von jedermann brauchen ließ und durch welche man – es ist noch nicht so lange her – in den Händen eines Klugen *euch* ebenso unterjochte, wie *ihr* jetzt durch sie *eure Völker* unterjocht.

daß ihr unsere Götter sein wollt, ist nicht gut. Warum wollt ihr euch doch nicht entschließen, zu uns herabzusteigen, die Ersten unter Gleichen zu sein? Die Weltregierung gelingt euch nicht; ihr wißt es! Ich mag euch hier nicht – mein Herz ist zu gerührt – die Fehlschlüsse vorrücken, die ihr bisher alle Tage gemacht habt, euch nicht die weitaussehenden Pläne vorrücken, die ihr mit jedem Vierteljahre verändert habt, euch nicht auf die Leichenhaufen der Eurigen hindeuten, die ihr im Triumphe zurückzubringen sicher rechnetet. – Einst werdet ihr mit uns einen Teil des großen sicheren Planes überschauen und werdet mit uns staunen, daß ihr durch eure Unternehmungen blindlings Zwecke befördern mußtet, an die ihr nie gedacht habt.
Ihr seid gröblich irregeleitet; Glückseligkeit erwarten wir nicht aus eurer Hand, wir wissen es ja, daß ihr *Menschen* seid – wir erwarten Beschützung und Rückgabe unserer Rechte, die ihr uns doch wohl nur aus Irrtum nahmt.
Ich könnte euch beweisen, daß Denkfreiheit, ungehinderte, uneingeschränkte Denkfreiheit allein das Wohl der Staaten gründe und befestige; ich könnte es euch durch unwiderlegbare Gründe einleuchtend dartun; ich könnte es euch aus der Geschichte zeigen; ich könnte euch noch gegenwärtig auf kleine und große Länder hindeuten, die durch sie fortblühen, durch sie unter euren Augen blühend wurden: aber ich mag das nicht tun. Ich mag euch die Wahrheit in ihrer natürlichen Götterschöne nicht durch die Schätze anpreisen, die sie euch zur Morgengabe bringt. Ich denke besser von euch als alle die, welche dies taten. Ich traue es euch zu; ihr höret gern die Stimme der ernsten, aber biederen Wahrheit:

> *Fürst, du hast kein Recht, unsere Denkfreiheit zu unterdrücken: und wozu du kein Recht hast, das mußt du nie tun, und wenn um dich herum die Welten untergehen und du mit deinem Volke unter ihren Trümmern begraben werden solltest. Für die Trümmer der Welten, für dich und für uns unter den Trümmern wird der sorgen, der uns die Rechte gab, die du respektiertest.*

Was wäre denn auch die Erdenglückseligkeit, die ihr uns hoffen laßt, wenn ihr auch wirklich sie uns geben könntet? – Fühlt in eure Busen, ihr, die ihr doch alles genießen könnt, was die Erde an Freuden hat. Erinnert euch der ge-

nossenen Freuden. Waren sie eurer Sorgen vor dem Genusse, waren sie des Ekels und des Überdrusses wert, der dem Genusse folgte? Und noch einmal wolltet ihr euch, um unsertwillen, in diese Sorgen stürzen? Oh, glaubt es doch – alle die Güter, die ihr uns geben könnt, eure Schätze, eure Ordensbänder, eure glänzenden Zirkel oder der Flor des Handels, die Zirkulation des Geldes, der Überfluß an Lebensmitteln – ihr Genuß, als Genuß, ist des Schweißes der Edlen, ist eurer Sorgen, ist unseres Dankes nicht wert. Nur als Instrumente unserer Tätigkeit, als ein näheres Ziel, nach dem wir laufen, haben sie in den Augen des Vernünftigen einigen Wert. Unsere einzige Glückseligkeit für diese Erde – wenn es doch ja Glückseligkeit sein soll – ist freie ungehinderte Selbsttätigkeit, Wirken aus eigener Kraft nach eigenen Zwecken mit Arbeit und Mühe und Anstrengung. – Ihr pflegt uns ja auch auf eine andere Welt zu verweisen, deren Preise ihr aber meist auf die leidenden Tugenden des Menschen, auf passives Dulden und Tragen aussetzt. – Ja, wir blicken in diese andere Welt, die nicht so scharf von der gegenwärtigen abgeschnitten ist, als ihr glaubt, deren Bürgerrecht wir schon hier tief in unserer Brust tragen und es uns von euch nicht wollen nehmen lassen. Dort werden uns die Früchte unseres *Tuns*, nicht unseres *Leidens*, schon jetzt aufbewahrt, sie sind schon, an einer milderen Sonne, als dieses Klima hat, gereift; erlaubt, daß wir uns hier auf ihren Genuß durch strenge Arbeit stärken.
Über unsere Denkfreiheit habt ihr demnach gar keine *Rechte*, ihr Fürsten; keine Entscheidung über das, was wahr oder falsch ist; kein Recht, unserem Forschen seine Gegenstände zu bestimmen oder seine Grenzen zu setzen; kein Recht, uns zu verhindern, die Resultate desselben, sie seien nun wahr oder falsch, mitzuteilen, *wem* oder *wie* wir wollen. Ihr habt in Rücksicht ihrer auch keine *Verbindlichkeiten*; eure Verbindlichkeiten gehen bloß auf irdische Zwecke, nicht auf den überirdischen der Aufklärung. In Rücksicht dieser dürft ihr euch ganz leidend verhalten; *sie* gehört nicht unter eure Sorgen. – Ihr möchtet aber vielleicht gern noch mehr tun, als ihr zu tun schuldig seid. Wohlan! laßt uns sehen, was ihr tun könnt.
Es ist wahr, ihr seid erhabene Personen, ihr Fürsten; ihr seid wirklich Stellvertreter der Gottheit – nicht wegen ei-

ner angeborenen Erhabenheit eurer Natur, nicht als *beglükkende* Schutzgeister der Menschheit, sondern wegen des erhabenen Auftrages, die Rechte derselben zu schützen, die ihr Gott gab – wegen der Menge schwerer und unerlaßlicher Pflichten, die ein solcher Auftrag auf eure Schultern legt. Es ist ein hehrer Gedanke: Millionen von Menschen haben mir gesagt – siehe, wir sind vom Götterstamme, und das Siegel unseres Ursprungs ist an unserer Stirn – *wir* wissen die Würde, die uns dieses gibt, die Rechte, die wir zu unserer Ausstattung aus dem väterlichen Hause mit auf diese Erde brachten, nicht zu behaupten – *wir Millionen nicht:* wir legen sie in *deine* Hände; sie seien dir heilig um ihres Ursprungs willen, behaupte sie in unserem Namen – sei unser Pflegevater, bis wir in das Haus unseres wahren Vaters zurückkehren.

Ihr erteilt Ämter und Würden im Staate; ihr vergebt Schätze und Ehrenbezeugungen; ihr unterstützt den Dürftigen und gebt dem Armen Brot – aber es ist eine grobe Lüge, wenn man euch sagt, das seien Wohltaten. Ihr könnt nicht wohltätig sein. Das Amt, das ihr gebt, ist kein Geschenk; es ist ein Teil eurer Last, den ihr auf die Schultern eures Mitbürgers ladet, wenn ihr es dem Würdigsten gebt; es ist ein Raub an der Gesellschaft und an dem Würdigsten, wenn es der weniger Würdige erhielt. Die Ehrenbezeugung, die ihr erteilt, erteilt nicht ihr; jedem erkannte sie schon vorher seine Tugend zu, und ihr seid nur die erhabenen Dolmetscher derselben an die Gesellschaft. Das Geld, das ihr austeilt, war nie euer; es war ein anvertrautes Gut, das die Gesellschaft in eure Hände niederlegte, um allen ihren Bedürfnissen, d. i. den Bedürfnissen jedes einzelnen, dadurch abzuhelfen. Die Gesellschaft verteilt es durch eure Hände. Der Hungernde, dem ihr Brot gebt, hätte Brot, wenn die gesellschaftliche Verbindung ihn nicht genötigt hätte, es hinzugeben; die Gesellschaft gibt durch euch ihm zurück, was sein war. Wenn ihr mit unverblendbarer Weisheit, mit unbestechlicher Gewissenhaftigkeit das alles tatet, nie fehltet, nie irrtet – so tatet ihr, was eure Schuldigkeit war.

Ihr möchtet noch mehr tun. Wohlan! Eure Mitbürger sind es nicht bloß im Staate, sie sind es auch in der Geisterwelt, in der ihr keinen erhabenern Rang bekleidet als sie. Als solche habt ihr keine Forderungen an sie zu tun noch sie an euch. Ihr könnt die Wahrheit für euch suchen, sie für euch behalten, sie nach eurer ganzen Empfänglichkeit dafür genießen; sie haben kein Recht, euch dareinzureden. Ihr könnt der Untersuchung derselben außer euch ihren eigenen Gang lassen, ohne euch im geringsten um sie zu kümmern. Ihr braucht die Macht, den Einfluß, das Ansehen, das die Gesellschaft in eure Hände legte, gar nicht zur Beförderung der Aufklärung anzuwenden – denn dazu hat sie euch dieselbe nicht gegeben. – Was ihr hier tut, ist ganz guter Wille, ist übrig; auf diesem Wege könnt ihr euch um die Menschheit, gegen die ihr übrigens nur unerlaßliche Pflichten habt, wirklich verdient machen.

Ehrt und respektiert persönlich die Wahrheit, und laßt euch das abmerken. – Wir wissen es zwar, daß ihr in der Welt der Geister uns gleich seid und daß die Wahrheit, durch die Achtung des mächtigsten Beherrschers, ebensowenig heiliger wird als durch die Huldigung, die ihr der Geringste im Volke leistet, daß auch ihr durch eure Unterwerfung nicht sie, sondern euch selbst ehrt; aber doch sind wir bisweilen – und viele unter uns sind immer sinnlich genug, zu glauben, daß eine Wahrheit durch den Glanz desjenigen, der ihr huldigt, einen neuen Glanz bekomme. Macht diesen Wahn nützlich, bis er verschwinden wird – laßt eure Völker immer glauben, daß noch etwas Erhabeneres sei als ihr und daß es noch höhere Gesetze gebe als die eurigen. Beugt euch öffentlich mit ihnen unter diese *Gesetze*, und sie werden für sie und für euch eine größere Ehrfurcht fassen.

Hört willig auf die Stimme der Wahrheit, der Gegenstand derselben sei, welcher es wolle, und laßt sie immer eurem Throne, ohne Furcht, daß sie ihn überglänzen werde, sich nahen. Wollt ihr euch lichtscheu vor ihr verbergen? Was habt ihr sie zu fürchten, wenn ihr reines Herzens seid? Seid folgsam, wenn sie eure Entschließungen mißbilliget; nehmt zurück eure Irrtümer, wenn sie euch derselben überführt. Ihr habt nichts dabei zu wagen. Daß ihr sterbliche Menschen, d. h., daß ihr nicht unfehlbar seid, wußten wir immer und werden es nicht erst durch euer Bekenntnis erfahren. Eine solche Unterwerfung entehrt euch nicht; je mächtiger ihr seid, desto mehr ehrt sie euch. Ihr könntet eure Maßregeln fortsetzen, wer könnte euch daran hindern? Ihr könntet wissentlich und wohlüberzeugt fortfahren, ungerecht zu sein, wer würde es wagen, euch ins Angesicht Vorwürfe darüber zu machen? euch das, was ihr wirklich wäret, zu schelten? Aber ihr entschließt euch freiwillig – euch selbst zu ehren und recht zu tun – und durch diese Unterwerfung unter das Gesetz des Rechten, die euch dem geringsten eurer Sklaven gleichsetzt, versetzt ihr euch zugleich in den Rang des höchsten endlichen Geistes.

Die Erhabenheit eures irdischen Ranges und alle eure äußeren Vorzüge verdankt ihr der Geburt. Wäret ihr in der Hütte des Hirten geboren, so führte eben die Hand, die jetzt den Zepter führt, den Hirtenstab. Jeder Vernünftige wird um dieses Zepters willen in euch die Gesellschaft ehren, die ihr repräsentiert – aber wahrlich nicht euch. Wißt ihr, wem unsere tiefen Verbeugungen, unser ehrfurchtsvoller Anstand, unser unterwürfiger Ton gilt? Dem Repräsentanten der Gesellschaft, nicht euch. Bekleidet einen Mann von Stroh mit eurer königlichen Kleidung, gebt ihm euren Zepter in die ausgestopfte Hand, setzt ihn auf euren Thron und laßt uns vor ihn. Meint ihr, daß wir hier das unsichtbare Wehen, das nur von eurer Götterperson ausströmen soll, vermissen werden, daß unsere Rücken weniger geschmeidig, unser Anstand weniger ehrfurchtsvoll, unsere Worte weniger schüchtern sein werden? Ist euch denn noch nie eingefallen, zu untersuchen, wieviel von dieser Ehrfurcht ihr euch selbst zu verdanken habt? wie man euch behandeln würde, wenn ihr nichts wäret als einer von uns?

Von euren Höflingen werdet ihr es nicht erfahren. Sie werden euch heilig beteuern, daß sie nur euch und eure Person, nicht den Fürsten in euch, verehren und lieben, wenn sie merken, daß ihr das gerne hört. Selbst vom Weisen würdet ihr es nie erfahren, wenn auch je einer in der Luft, die eure Höflinge atmen, sollte ausdauern können. Er würde auf eure Frage dem Repräsentanten der Gesellschaft, nicht euch antworten. In der Behandlung unserer Mitbürger zuweilen unseren persönlichen Wert, wie in einem Spiegel, zu erblicken – dieser Vorteil ist nur für Privatpersonen; den wahren Wert der Könige schätzt man nicht eher laut, bis sie gestorben sind.

Wollt ihr dennoch eine Antwort auf diese Frage, die der Be-

antwortung wohl wert ist, so müßt ihr selbst sie euch geben. Ungefähr in eben dem Grade, in welchem ihr euch selbst achten könnt, wenn ihr euch nicht durch das täuschende Glas eures Eigendünkels, sondern im reinen Spiegel eures Gewissens betrachtet, in dem Grade achten euch eure Mitbürger. Wollt ihr also wissen, ob, wenn Kron und Zepter von euch genommen werden sollte, derjenige, der jetzt Ehrenlieder auf euch singt, Spottlieder auf euch dichten würde; ob diejenigen, die euch jetzt ehrfurchtsvoll ausweichen, sich zu euch drängen würden, um Mutwillen mit euch zu treiben; ob man euch den ersten Tag verlachen, den zweiten kalt verachten und den dritten eure Existenz vergessen würde oder ob man auch dann noch den Mann, der, um groß zu sein, nicht König zu sein brauchte, in euch verehren würde – so fragt euch selbst darum. Wollt ihr nicht das erstere, sondern das letztere, wollt ihr, daß wir euch um eurer selbst willen verehren, so müßt ihr ehrwürdig werden. Nichts aber macht den Menschen ehrwürdig als freie Unterwerfung unter Wahrheit und Recht.
Stören dürft ihr die freie Untersuchung nicht; befördern dürft ihr sie – und fast könnt ihr sie nicht anders befördern als durch das Interesse, das ihr selbst dafür bezeigt, durch die Folgsamkeit, mit der ihr auf ihre Resultate hört. Die Ehrenbezeugungen, die ihr wahrheitsliebenden Forschern geben könntet – sie bedürfen sie selten für andere, und sie bedürfen sie nie für sich; ihre Ehre hängt nicht an euren Unterschriften und Siegeln, sie wohnt in den Herzen ihrer Zeitgenossen, die durch sie erleuchteter wurden, in dem Buche der Nachwelt, die an ihrer Lampe ihre Fackeln anzünden wird, in der Geisterwelt, in der die Titel, die ihr gebt, nicht gelten; die Belohnungen – doch was sage ich Belohnungen? –, die Entschädigungen für ihren Zeitverlust im Dienste anderer, sind dürftige Entledigungen der Verbindlichkeit der Gesellschaft gegen sie. Ihre eigentlichen Belohnungen sind erhabener. Sie sind freiere Tätigkeit und größere Ausbreitung ihres Geistes. Sie verschaffen sie sich selbst, ohne euer Zutun. Aber auch jene Entschädigungen – gebt sie ihnen so, daß sie sie nicht schänden und euch ehren; als Freie den Freien, so daß sie sie auch ausschlagen dürften. Gebt sie nie, um sie zu erkaufen – ihr kauft dann keine Diener der Wahrheit; die sind nie feil.

Leitet die Untersuchungen des Forschungsgeistes auf die gegenwärtigsten, dringendsten Bedürfnisse der Menschheit; aber leitet sie mit leichter weiser Hand, nie als Beherrscher, sondern als freie Mitarbeiter, nie als Gebieter über den Geist, sondern als frohe Mitgenossen seiner Früchte. Zwang ist der Wahrheit zuwider; nur in der Freiheit ihres Geburtslandes, der Geisterwelt, kann sie gedeihen.
Und besonders – lernt doch endlich kennen eure wahren Feinde, die einzigen Majestätsverbrecher, die einzigen Schänder eurer geheiligten Rechte und eurer Personen. Es sind diejenigen, die euch anraten, eure Völker in der Blindheit und Unwissenheit zu lassen, neue Irrtümer unter sie auszustreuen und die alten aufrechtzuerhalten, die freie Untersuchung aller Art zu hindern und zu verbieten. Sie halten eure Reiche für Reiche der Finsternis, die im Lichte schlechterdings nicht bestehen können. Sie glauben, daß eure Ansprüche sich nur unter der Hülle der Nacht ausüben lassen und daß ihr nur unter Geblendeten und Betörten herrschen könnt. Wer einem Fürsten anrät, den Fortgang der Aufklärung unter seinem Volke zu hemmen, sagt ihm ins Angesicht: deine Forderungen sind von der Art, daß sie den gesunden Menschenverstand empören, du mußt ihn unterdrücken; deine Grundsätze und deine Handlungsarten leiden kein Licht; laß deinen Untertan nicht erleuchteter werden, sonst wird er dich verwünschen; deine Verstandeskräfte sind schwach; laß das Volk ja nicht klüger werden, sonst übersieht es dich; Finsternis und Nacht ist dein Element, das mußt du um dich her zu verbreiten suchen; vor dem Tage müßtest du entfliehen.
Nur diejenigen haben wahres Zutrauen und wahre Achtung gegen euch, die euch anraten, Erleuchtung um euch her zu verbreiten. Sie halten eure Ansprüche für so gegründet, daß keine Beleuchtung ihnen schaden könne, eure Absichten für so gut, daß sie in jedem Lichte nur noch mehr gewinnen müssen, euer Herz für so edel, daß ihr selbst den Anblick eurer Fehltritte in diesem Lichte ertragen und wünschen würdet, sie zu erblicken, damit ihr sie verbessern könntet. Sie verlangen von euch, daß ihr, wie die Gottheit, im Lichte wohnen sollt, um alle Menschen zu eurer Verehrung und Liebe einzuladen. Nur sie hört, und sie werden ungelobt und unbezahlt euch ihren Rat erteilen.

Beitrag

zur

Berichtigung der Urteile

des Publikums

über die

Französische Revolution

Erster Teil.

Zur Beurteilung ihrer Rechtmäßigkeit.

1793.
[Danzig]

Vorrede

Die Französische Revolution scheint mir wichtig für die gesamte Menschheit. Ich rede nicht von den politischen Folgen, die sie sowohl für jenes Land als für benachbarte Staaten gehabt und welche sie ohne das ungebetene Einmischen und das unbesonnene Selbstvertrauen dieser Staaten wohl nicht gehabt haben würde. Das alles ist an sich viel, aber es ist gegen das ungleich Wichtigere immer wenig.
Solange die Menschen nicht weiser und gerechter werden, sind alle ihre Bemühungen, glücklich zu werden, vergebens. Aus dem Kerker des Despoten entronnen, werden sie mit den Trümmern ihrer zerbrochenen Fesseln sich untereinander selbst morden. Das wäre ein zu trauriges Los, wenn nicht ihr eigenes oder, wenn sie sich in Zeiten warnen lassen, fremdes Elend sie zur späten Weisheit und Gerechtigkeit leiten könnte.
So scheinen mir alle Begebenheiten in der Welt lehrreiche Schildereien, die der große Erzieher der Menschheit aufstellt, damit sie an ihnen lerne, was ihr zu wissen not ist. Nicht daß sie es *aus* ihnen lerne; wir werden in der ganzen Weltgeschichte nie etwas finden, was wir nicht selbst erst hineinlegten, sondern daß sie durch Beurteilung wirklicher Begebenheiten auf eine leichtere Art aus sich selbst entwikkele, was in ihr selbst liegt; und so scheint mir die Französische Revolution ein reiches Gemälde über den großen Text: Menschenrecht und Menschenwert.
Die Absicht ist aber gewiß nicht die, daß einige wenige Auserwählte das Wissenswürdige wissen und wenige unter diesen wenigen darnach tun. Die Lehre von den Pflichten, Rechten und Aussichten des Menschen über das Grab ist kein Kleinod der Schule: die Zeit muß kommen, da unsere Kinderwärterinnen an den einzig wahren und richtigen

Vorstellungen über die ersten beiden Punkte unsere Unmündigen reden lehren, da dieses die ersten Worte seien, die sie aussprechen, und da das Schreckenswort „Das ist unrecht" die einzige Rute sei, die wir für sie brauchen. Begnüge sich doch die Schule mit der ehrenvollen Aufbewahrung der Waffen, womit sie dieses Gemeingut der Menschheit gegen alle fernere Sophistereien verteidige, die nur in ihr entstehen und nur von ihr aus sich verbreiten könnten: die Resultate selbst seien gemeinschaftlich, wie Luft und Licht. Nur dadurch, daß sie dieselben mitteilt oder vielmehr daß sie die traurigen Vorurteile hebt, welche bis jetzt die Entwickelung der in der Seele unterdrückten, aber nicht ausgerotteten Wahrheit aufhalten, wird ihre eigene Erkenntnis wahrhaft deutlich, lebhaft und fruchtbar werden. Solange ihr in euren Schulen mit Leuten vom Handwerke nach der vorgeschriebenen Form darüber redet, täuscht euch beide eben diese vorgeschriebene Form, und wenn ihr nur über sie einig seid, schenkt ihr euch gegenseitig manche Frage, deren deutliche Beantwortung euch beschwerlich fallen dürfte. Aber zieht die durch Kindergebären und Kindererziehen bewährte Mutter, den unter Gefahren grau gewordenen Krieger, den würdigen Landmann in eure Gespräche über Gewissen, Recht und Unrecht, und eure eigenen Begriffe werden an Deutlichkeit gewinnen, so wie ihr die ihrigen aufklärt. – Doch das ist das wenigste. Wozu sind jene Einsichten, wenn sie nicht allgemein ins Leben eingeführt werden? Und wie können sie eingeführt werden, wenn sie nicht wenigstens der größeren Hälfte Anteil sind? So wie es jetzt ist, kann es nicht bleiben, so gewiß in unserem Herzen jener Funke der Gottheit glimmt und so gewiß uns derselbe auf einen allmächtigen Gerechten hinweiset. Wollen wir mit dem Bauen warten, bis der durchgebrochene Strom unsere Hütten weggerissen habe? Wollen wir unter Blut und Leichen dem verwilderten Sklaven Vorlesungen über die Gerechtigkeit halten? Jetzt ist es Zeit, das Volk mit der Freiheit bekannt zu machen, die dasselbe finden wird, sobald es sie kennt; damit es nicht statt ihrer die Gesetzlosigkeit ergreife, um die Hälfte seines Weges zurückkomme und uns mit sich fortreiße. Den Despotismus zu schützen, gibt es kein Mittel; vielleicht gibt es welche, den Despoten, der sich durch das Übel, das er uns zufügt, unglücklicher macht als uns, zu bereden, daß er sich von seinem langen Elende befreie, zu uns herabsteige und der Erste unter Gleichen werde; gewaltsame Revolutionen zu verhindern, gibt es ein sehr sicheres; aber es ist das einzige: das Volk gründlich über seine Rechte und Pflichten zu unterrichten. Die Französische Revolution gibt uns dazu die Weisung und die Farben zur Erleuchtung des Gemäldes für blöde Augen; eine andere ungleich wichtigere, auf die ich hier nicht weiter hindeute, hat uns den Stoff gesichert.

Der Wink der Zeiten ist im allgemeinen nicht unbemerkt geblieben. Dinge sind zum Gespräche des Tages geworden, an die man vorher nicht dachte. Unterhaltungen über Menschenrechte, über Freiheit und Gleichheit, über die Heiligkeit der Verträge, der Eidschwüre, über die Gründe und die Grenzen der Rechte eines Königs lösen zuweilen in glänzenden und glanzlosen Zirkeln die Gespräche von neuen Moden und alten Abenteuern ab. Man fängt an zu lernen.

Aber das aufgestellte Gemälde dient nicht bloß zum Unterrichte; es wird zugleich zu einer scharfen Prüfung der Köpfe und der Herzen. Die Abneigung gegen alles Selbstdenken, die Schlaffheit des Geistes und sein Unvermögen, auch nur eine kurze Reihe von Schlüssen zu verfolgen, die Vorurteile und Widersprüche, die sich über unsere ganzen Meinungsfragmente verbreitet haben, von der einen Seite – die Anstrengung, doch ja nichts an seiner bisherigen lieben Existenz verrücken zu lassen, der faule oder der niedertretende Egoismus, die schüchterne Scheu vor der Wahrheit oder die Gewalt, mit der man seine Augen verschließt, wenn sie uns wider unseren Willen beleuchtet, von der anderen Seite – verraten sich nie offenbarer, als wo von so einleuchtenden und so allgemein eingreifenden Gegenständen die Rede ist, wie Menschenrechte und Menschenpflichten es sind.

Gegen das letztere Übel gibt es kein Mittel. Wer die Wahrheit fürchtet als seine Feindin, der wird sich immer vor ihr zu verwahren wissen. Folge sie ihm durch alle Schlupfwinkel, in die der Lichtscheue sich verkroch, er wird im Abgrunde seines Herzens immer einen neuen finden. Wer die himmlische Schöne nicht ohne alle Ausstattung freien mag, ist ihrer überhaupt nicht wert. – Es ist uns nicht darum zu

tun, einen gewissen Satz in deinen Kopf zu bringen, weil es *der* Satz ist, sondern weil er wahr ist. Wäre sein Gegenteil wahr, so würden wir dir das Gegenteil beibringen, weil es wahr wäre, ganz unbekümmert um seinen Inhalt oder seine Folgen. Solange du dich nicht zu dieser Liebe der Wahrheit, weil sie Wahrheit ist, bildest, bist du uns überhaupt zu nichts nütze, denn sie ist die erste Vorbereitung zur Liebe der Gerechtigkeit um ihrer selbst willen; sie ist der erste Schritt zur reinen Güte des Charakters: rühme dich derselben ja nicht, wenn du diesen Schritt noch nicht getan hast.
Gegen das erstere Übel, gegen Vorurteile und Trägheit des Geistes gibt es ein Mittel – Belehrung und freundschaftliche Nachhilfe. Ich wollte dem, der eines solchen Freundes bedürfte und keinen besseren in der Nähe hätte, dieser Freund sein; darum schrieb ich diese Blätter.
Welchen Gang meine Untersuchung weiter zu nehmen hat, habe ich teils in der Einleitung, teils im zweiten Kapitel vorgezeichnet. Dieser erste Band sollte nur Probe sein, und ich legte daher die Feder mit der Hälfte des ersten Buches nieder. Es hängt vom Publikum ab, ob ich sie je wieder aufnehme und auch nur dieses erste Buch vollende. Indessen möchte vielleicht die französische Nation einen reichlicheren Stoff für das zweite liefern, welches Grundsätze für die Beurteilung der Weisheit ihrer Verfassung aufstellen soll.
Sollten diese Blätter wirklich Gelehrten in die Hände fallen, so werden diese sehr leicht sehen, von welchen Grundsätzen ich ausging, warum ich nicht den streng systematischen Gang wählte, sondern meine Betrachtungen an einem populären Leitfaden fortführte, warum ich die Sätze nie schärfer bestimmte, als das gegenwärtige Bedürfnis es erforderte, warum ich dem Vortrage hier und da vielleicht mehr Schmuck oder Feuer ließ als für sie nötig gewesen wäre und daß überhaupt eine streng philosophische Beurteilung erst nach Vollendung des ersten Buches möglich sein werde.
Für ungelehrte oder halbgelehrte Leser mache ich noch einige höchst nötige Anmerkungen

über den vorsichtigen Gebrauch
dieses Buches*.

* die ich nicht zu überschlagen sehr bitte.

Wenn ich nach allem, was ich auch nur bis jetzt gesagt habe, meine Leser noch versicherte, daß *ich* für wahr halte, was ich niederschrieb, so verdiente ich nicht, daß sie mir glaubten. Ich habe im Tone der Gewißheit geschrieben, weil es Falschheit ist, zu tun, als ob man zweifele, wo man nicht zweifelt. Ich habe über alles, was ich schrieb, reiflich nachgedacht und hatte also Gründe, nicht zu zweifeln. Daraus nun folgt zwar, daß ich nicht ohne Besonnenheit rede und nicht lüge: aber es folgt nicht, daß ich nicht *irre*. Das weiß ich nicht; ich weiß nur, daß ich nicht irren *wollte*. Wenn ich aber auch irrte, so verschlägt das meinem Leser nichts, denn ich wollte nicht, daß er auf mein Wort meine Behauptungen annehmen, sondern daß er mit mir über die Gegenstände derselben nachdenken sollte. Ich würde die Handschrift ins Feuer werfen, auch wenn ich sicher wüßte, daß sie die reinste Wahrheit, auf das bestimmteste dargestellt, enthielte, und zugleich wüßte, daß kein einziger Leser durch eigenes Nachdenken sich von ihr überzeugen würde. Was *für mich* freilich Wahrheit wäre, weil ich mich davon überzeugt hätte, wäre für ihn doch nur Meinung, Wahn, Vorurteil, weil er nicht geurteilt hätte. Selbst ein göttliches Evangelium ist keinem wahr, der sich nicht von desselben Wahrheit überzeugt hat. Würden nun meine Irrtümer dem Leser die Veranlassung, daß er die reine Wahrheit selbst entdeckte und sie mir mitteilte, so wäre er und ich ja belohnt genug. Würden sie aber auch selbst das nicht, würden sie ihm nur eine Übung im Selbstdenken, so wäre der Vorteil schon groß genug. Überhaupt hat kein Schriftsteller, der seine Pflicht kennt und liebt, den Zweck, den Leser zum Glauben an seine Meinungen, sondern nur zur Prüfung derselben zu bringen. Alles unser Lehren muß auf Erweckung des Selbstdenkens abzielen, oder wir bringen in unserer schönsten Gabe der Menschheit ein sehr gefährliches Geschenk. Jeder also urteile selbst, und irrt er, vielleicht gemeinschaftlich mit mir, so tut mir das leid; aber er sage dann nicht, daß ich ihn irregeführt, sondern daß er selbst sich geirrt habe. Dieser Arbeit des Selbstdenkens habe ich niemand überheben wollen, ein Schriftsteller soll *vor* seinen Lesern denken, aber nicht *für* sie.

Wenn also ich auch mich geirrt hätte, so ist der Leser gar nicht verbunden, mit mir zu irren; aber auch noch die Warnung bin ich ihm schuldig, daß er mich nicht mehr sagen lasse, als ich wirklich sage. Er findet im Laufe dieses Buches Sätze, die weiterhin näher bestimmt werden; da das Buch noch nicht zu Ende und wichtige Kapitel noch nicht in seinen Händen sind, so kann er ebenso erwarten, daß die bis jetzt festgestellten Grundsätze durch ihre weitere Anwendung noch nähere Bestimmung erhalten werden, und ich bitte ihn bis dahin, sich, wenn er will, durch eigenes Versuchen dieser Anwendungen zu üben.

Am gröblichsten aber würde sich derselbe irren, wenn er eilen wollte, diese Grundsätze auf sein Betragen gegen die bis jetzt bestehenden Staaten anzuwenden. Daß die Verfassung der meisten nicht nur höchst fehlerhaft, sondern auch höchst ungerecht sei und daß unveräußerliche Menschenrechte in ihnen gekränkt werden, die sich der Mensch gar nicht nehmen lassen darf, davon bin ich freilich innigst überzeugt, und habe gearbeitet und werde arbeiten, den Leser gleichfalls davon zu überzeugen. Aber dabei läßt sich gegen sie vorderhand nichts weiter tun als ihnen zu schenken, was wir uns mit Gewalt nicht dürfen nehmen lassen und wobei sie selbst sicher nicht wissen, was sie tun, uns selbst aber vors erste Erkenntnis und dann innige Liebe der Gerechtigkeit zu erwerben und beides, soweit nur irgend unser Wirkungskreis reicht, um uns her zu verbreiten. Würdigkeit der Freiheit muß von unten herauf kommen; die Befreiung kann ohne Unordnung nur von oben herunter kommen.

„Wenn wir uns der Freiheit auch würdig machten, so werden die Monarchen uns doch nicht freilassen." – Glaube das nicht, mein Leser. Bis jetzt ist die Menschheit in dem, was ihr not tut, sehr weit zurück; aber wenn mich nicht alles täuscht, ist jetzt der Zeitpunkt der hereinbrechenden Morgenröte, und der volle Tag wird ihr zu seiner Zeit folgen. Deine Weisen sind größtenteils noch blinde Leiter eines blinderen Volkes; und deine Hirten sollten mehr wissen? Sie, die größtenteils in der Trägheit und Unwissenheit erzogen werden oder, wenn sie etwas lernen, eine ausdrücklich für sie verfertigte Wahrheit lernen; sie, die bekanntermaßen an ihrer Bildung nicht fortarbeiten, wenn sie einmal regieren, die keine neue Schrift lesen als höchstens etwa wasserreiche Sophistereien und die allemal wenigstens um ihre Regierungsjahre hinter ihrem Zeitalter zurück sind? Du darfst sicher glauben, daß sie nach unterschriebenen Befehlen gegen die Denkfreiheit und nach gelieferten Schlachten, in denen Tausende sich aufrieben, sich ruhig schlafen legen und einen Gott und Menschen wohlgefälligen Herrschertag verlebt zu haben wähnen. Sagen hilft da nichts, denn wer könnte so laut schreien, daß es ihr Ohr erreichte und durch ihren Verstand zu ihrem Herzen eindränge? Nur handeln hilft. Seid gerecht, ihr Völker, und eure Fürsten werden es nicht aushalten können, allein ungerecht zu sein.

Noch eine allgemeine Anmerkung, und dann überlasse ich den Leser ruhig seinen eigenen Betrachtungen! – Wie ich heiße, tut dem Leser nichts zur Sache; denn es kommt hier gar nicht auf die Zuverlässigkeit oder Unzuverlässigkeit eines Zeugnisses, sondern auf die Wichtigkeit oder Unwichtigkeit der Gründe an, die er selbst abzuwiegen hat. Mir aber tat es viel zur Sache, bei Abfassung dieser Schrift den Gedanken an mein Zeitalter und an die Nachwelt vor Augen zu haben. Meine schriftstellerische Grundregel ist: schreibe nichts nieder, worüber du vor dir selbst erröten müßtest; und die Probe, die ich hierüber mit mir anstelle, die Frage: könntest du wollen, daß dein Zeitalter und, wenn es möglich wäre, die gesamte Nachwelt wüßte, daß *du* das geschrieben hast? Dieser Probe habe ich gegenwärtige Schrift unterworfen, und sie hat sie ausgehalten. Geirrt kann ich haben. Sobald ich diese Irrtümer entdecke oder ein anderer sie mir zeigt, werde ich eilen, sie zu widerrufen; denn Irren schändet nicht. Ich habe mit einem der Sophisten Deutschlands ernsthaft gesprochen; das schändet nicht, das ehrt: der liebt nicht die Wahrheit, der ihren Feind liebt. Er soll der erste sein, dem ich mich nenne, wenn er mich mit Gründen dazu auffordert. Einen Irrtum, den man für Irrtum erkennt, durch hinterlistige Verwirrungen, durch tückische Kniffe, durch Wegräumung des Grundes aller Sittlichkeit, wenn es anders nicht geht, verteidigen, die Moralität und ihre heiligsten Produkte, die Religion und die Freiheit des Menschen, lästern, das schändet, und das habe ich nicht getan. Mein Herz verböte mir also nicht, mich zu nennen. Daß aber zu einer Zeit, wo ein Gelehrter sich nicht scheut, in einer Rezension einen anderen Gelehrten des Hochverrats anzuklagen, und wo es Fürsten geben könnte, die eine solche Klage aufnähmen, die Klugheit jedem, dem seine Ruhe lieb ist, es verbiete, wird der Leser einsehen. Dennoch gebe ich dem Publikum hiermit das Ehrenwort, das ich mir selbst gab, daß ich entweder noch bei meinem Leben selbst oder nach meinem Tode durch einen anderen mich zu dieser Schrift bekennen werde. Die wenigen, welche auf eine oder die andere Art mich erkennen könnten, sehen zu wohl ein, daß ich durch diese Blätter die Schonung meiner ihnen unbekannten Gründe des Inkognito nicht verwirkt habe.

Der Verfasser

Aus welchen Grundsätzen man Staatsveränderungen zu beurteilen habe

Was geschehen ist, ist Sache des Wissens, nicht des Urteilens. Zwar bedürfen wir, um auch diese bloß historische Wahrheit aufzufinden und zu unterscheiden, gar sehr der Urteilskraft – bedürfen ihrer, teils um die physische Möglichkeit oder Unmöglichkeit der vorgeblichen Tatsache selbst, teils um den Willen oder das Vermögen der Zeugen, sie zu sagen, zu beurteilen: wenn aber diese Wahrheit einmal ausgemittelt ist, so hat für jeden, der sich von ihr überzeugte, die Urteilskraft ihr Geschäft vollendet und überträgt den nun geläuterten und zugesicherten reinen Besitz dem Gedächtnisse.
Ganz etwas anderes aber als diese Beurteilung der Glaubwürdigkeit einer Tatsache ist die Beurteilung der Tatsache selbst – die Reflexion über sie. In einer Beurteilung von der letzteren Art wird die gegebene und schon aus anderen Gründen für wahr anerkannte Tatsache mit einem Gesetze verglichen; um entweder die erstere durch ihre Übereinstimmung mit dem letzteren oder das letztere durch seine Übereinstimmung mit der ersteren zu rechtfertigen. Im ersten Falle muß das Gesetz, nach welchem die Tatsache geprüft wird, schon vor der Tatsache vorausgegangen und als schlechthin gültig – als ein solches anerkannt sein, nach welchem die letztere sich richten müsse, da es nicht seine Gültigkeit von der Begebenheit, sondern die Begebenheit die ihrige von ihm erwartet. Im letzten Falle soll das Gesetz entweder selbst oder die größere oder geringere Gemeingültigkeit desselben durch die Vergleichung mit der Tatsache gefunden werden.
Nichts verwirrt unsere Urteile mehr und nichts macht uns für uns selbst und für andere unverständlicher, als wenn wir diesen wichtigen Unterschied übersehen, wenn wir urteilen wollen, ohne eigentlich zu wissen, aus welchem Gesichtspunkte wir urteilen, wenn wir bei gewissen Tatsachen uns auf Gesetze, auf allgemeingültige Wahrheiten berufen, ohne zu wissen, ob wir die Tatsache nach dem Gesetze

oder das Gesetz nach der Tatsache, ob wir den Winkelhaken oder den Perpendikel prüfen.
Dies ist die reichhaltigste Quelle jener schalen Vernünfteleien, in die sich nicht nur unsere galanten Herren und Damen, sondern auch unsere gepriesensten Schriftsteller täglich verwirren, wenn sie von dem großen Schauspiele urteilen, das uns Frankreich in unsern Tagen gab.
Bei Beurteilung einer Revolution – damit wir uns unserem Gegenstande nähern – können nur zwei Fragen, die eine über die *Rechtmäßigkeit*, die zweite über die *Weisheit* derselben, aufgeworfen werden. In Absicht der ersteren kann entweder im allgemeinen gefragt werden: hat ein Volk überhaupt ein Recht, seine Staatsverfassung willkürlich abzuändern? – oder insbesondere: hat es ein Recht, es auf eine gewisse bestimmte Art, durch gewisse Personen, durch gewisse Mittel, nach gewissen Grundsätzen zu tun? Die zweite sagt so viel: sind die zur Erreichung des beabsichtigten Zweckes gewählten Mittel die angemessensten? Welche der Billigkeit gemäß so zu stellen ist: waren es *unter den gegebenen Umständen* die besten?
Nach welchen Grundsätzen werden wir nun über diese Fragen zu urteilen haben? An welche Gesetze werden wir die gegebenen Tatsachen halten? An Gesetze, die wir erst aus diesen Tatsachen – oder wenn auch eben nicht aus diesen, doch aus Tatsachen der Erfahrung überhaupt entwickeln werden: oder an ewige Gesetze, welche gegolten hätten, wenn es auch einmal keine Erfahrung hätte geben können, und gelten würden, wenn auch einst alle Erfahrung aufhören könnte? Wollen wir sagen: recht ist, was am öftersten geschehen ist, und die sittliche Güte durch die Mehrheit der Handlungen bestimmen lassen wie die kirchlichen Dogmen auf den Konzilien durch die Mehrheit der Stimmen? Wollen wir sagen: weise ist, was gelingt? Oder wollen wir lieber gleich beide Fragen zusammennehmen, den Erfolg, als den Probierstein der Gerechtigkeit und der Weisheit zugleich, abwarten und dann, nachdem es kommt, den Räuber einen Held oder einen Verbrecher, den Sokrates einen Missetäter oder einen tugendhaften Weisen nennen?
Ich weiß, daß viele an dem Dasein ewiger Gesetze der Wahrheit und des Rechts überhaupt zweifeln und gar keine Wahrheit als die durch die Mehrheit der Stimmen und gar

keine sittliche Güte als die durch den sanfteren oder stärkeren Kitzel der Nerven bestimmte zugeben; ich weiß, daß sie dadurch auf ihre Geistigkeit und vernünftige Natur Verzicht tun und sich zu Tieren machen, die der äußere Eindruck durch die Sinne, zu Maschinen, die das Eingreifen eines Rades in das andere unwiderstehlich bestimmt, zu Bäumen, in denen der Kreislauf und die Destillation der Säfte die Frucht des Gedankens hervorbringt; daß sie sich unmittelbar durch jene Behauptung zu allem diesen machen, wenn ihre Denkmaschine nur richtig gestellt ist. Es ist hier gar nicht meines Vorhabens, ihre Menschheit gegen sie selbst in Schutz zu nehmen und ihnen zu beweisen, daß sie doch nicht unvernünftige Tiere, sondern reine Geister sind. Sie können, wenn die Uhr ihres Geistes richtig geht, auf unsere Fragen gar nicht fallen, an unseren Untersuchungen gar nicht teilnehmen. Wie sollten sie zu den Ideen der Weisheit oder des Rechts kommen?
Aber ich sehe, daß auch andere, die solche Urgesetze der Geisterwelt entweder ausdrücklich verteidigen oder sie doch, wenn ihre Untersuchungen bis zu dieser äußersten Grenze noch nicht vorgedrungen sind, stillschweigend annehmen und auf Resultate ihrer Ursprünglichkeit bauen, sich schon für eine Beurteilung nach Erfahrungsgesetzen entschieden haben. Sie haben das unterrichtete Publikum, das seine Sachkunde, seine ihm so am Herzen liegende Sachkunde, gern recht vollgültig machen möchte, und das zerstreuete und oberflächliche, das die Arbeit des Denkens scheut und alles mit seinen Augen sehen, mit seinen Ohren hören und mit seinen Händen betasten will, die begünstigten Stände, die von der bisherigen Erfahrung ein vorteilhaftes Urteil erwarten – sie haben alles auf ihrer Seite; es scheint für die entgegengesetzte Meinung kein Raum mehr dazusein. – Ich möchte gelesen werden; ich möchte Eingang in die Seele des Lesers finden. Was soll ich tun? Versuchen, ob ich nicht auf irgendeine Art mich mit dem großen Haufen vereinigen könne.

I.

Also die Frage, ob ein Volk ein Recht habe, seine Staatsverfassung zu verändern – oder die bestimmtere, ob es ein

Recht habe, es auf eine gewisse Art zu tun, soll durch Erfahrung beantwortet werden, und ihre Beantwortung wird wirklich durch Erfahrung versucht? – Auf die mehresten Antworten, die man auf diese Fragen gegeben hat und noch täglich gibt, haben Erfahrungsgrundsätze, das heißt hier, im allgemeinsten Sinne des Wortes, *deutlich gedachte oder unbemerkt unserem Urteile zugrunde liegende Sätze, die wir auf das bloße Zeugnis der Sinne, ohne sie auf die ersten Grundsätze alles Wahren zurückzuführen, angenommen haben* – solche Erfahrungsgrundsätze, sage ich, haben auf die Beantwortung der obigen Fragen auf zweierlei Art einen Einfluß, nämlich teils *unwillkürlich*, teils *willkürlich* und *mit Bewußtsein*.

Ohne unser Bewußtsein haben Erfahrungsgrundsätze auf das Urteil, das wir fällen, einen Einfluß, weil wir sie nicht für Erfahrungsgrundsätze, nicht für Sätze halten, die wir auf Treu und Glauben unserer Sinne angenommen haben, sondern für rein geistige, ewig wahre Grundsätze. – Auf das Ansehen unserer Väter oder Lehrer nehmen wir ohne Beweis Sätze für Grundsätze auf, die es nicht sind und deren Wahrheit von der Möglichkeit ihrer Ableitung von noch höheren Grundsätzen abhängt. Wir treten in die Welt und finden in allen Menschen, mit denen wir bekannt werden, unsere Grundsätze wieder, weil auch sie dieselben auf ihrer Eltern und Lehrer Ansehen angenommen haben. Niemand macht uns durch einen Widerspruch aufmerksam auf unseren Mangel an Überzeugung und auf das Bedürfnis, sie noch einmal zu untersuchen. Unser Glaube an das Ansehen unserer Lehrer wird durch den Glauben an die allgemeine Übereinstimmung ergänzt. Wir finden sie allenthalben in der Erfahrung bestätigt; eben aus dem Grunde, weil jeder sie für ein allgemeines Gesetz hält und seine Handlungen darnach einrichtet. Wir selbst legen sie unseren Handlungen und unseren Urteilen zum Grunde, bei jeder neuen Anwendung werden sie inniger mit unserem Ich vereint und verweben sich endlich so mit demselben, daß sie nicht anders als mit ihm zugleich zu vertilgen sind.

Dies ist der Ursprung des allgemeinen Meinungssystems der Völker, dessen Resultate man uns gewöhnlich für Aussprüche des gesunden Menschenverstandes gibt, welcher gesunde Menschenverstand aber ebensowohl seine Moden hat als unsere Fracks oder unsere Frisuren. – Wir hielten

vor zwanzig Jahren unausgepreßte Gurken für ungesund und halten heutzutage ausgepreßte für ungesund, aus eben den Gründen, aus welchen bis jetzt noch die meisten unter uns meinen, ein Mensch könne *Herr* eines anderen Menschen sein – ein Bürger könne durch die Geburt auf Vorzüge vor seinen Mitbürgern ein *Recht* bekommen – ein Fürst sei bestimmt, seine Untertanen *glücklich* zu machen.
Versucht es nur – ich fordere euch alle auf, die ihr kantische Gründlichkeit mit sokratischer Popularität vereinigt –, versucht es, einem ungebildeten Besitzer von Leibeigenen den ersten oder einem ungebildeten Altadeligen den zweiten Satz zu entreißen; treibt ihn durch Fragen, durch kinderleichte Fragen, in die Enge: er sieht eure Vordersätze ein, er gibt sie euch alle mit voller Überzeugung zu – ihr zieht jetzt den gefürchteten Schluß, und ihr erschreckt, wie der vorher so hellsehende Mann auf einmal so ganz blind ist, den greiflichen Zusammenhang eurer Folgerung mit dem Vordersatze nicht greifen kann. Eure Folgerung ist auch wirklich wider *seinen* gesunden Menschenverstand.
Solche Sätze nun – ununtersucht, ob sie *an sich* richtig oder unrichtig sind, d. i., ob sie sich von den Grundsätzen, unter denen sie stehen, ableiten lassen oder ihnen widersprechen –, solche Sätze sind wenigstens für den, der sie auf die Autorität seiner Lehrer, seiner Mitbürger und seiner Erfahrung angenommen hat, bloße Erfahrungsgrundsätze, und alle Urteile, denen er sie zum Grunde legt, sind Urteile aus der Erfahrung. Ich werde, im Verlauf dieser Untersuchung, mehrere politische Vorurteile dieser Art – *Vorurteile* wenigstens für den, der sie nicht *nachher* untersucht hat – anführen und ihre Richtigkeit prüfen.
Dies ist eben der unbemerkte Einfluß der Sinnlichkeit, des Werkzeugs der Erfahrung, bei der vorliegenden Beurteilung auf unseren *Verstand*. Einen ebenso unbemerkten und ebenso mächtigen hat sie bei dieser Untersuchung auf unseren *Willen*, und dadurch auf unser Urteil, vermittelst des dunklen Gefühles unseres Interesses.
Von dem Hange unserer Neigung hängt, und besonders bei der Frage vom Rechte, sehr oft unser Urteil ab. Ungerechtigkeiten, die *uns* widerfahren, scheinen uns viel härter als ebendieselben, wenn sie einem anderen widerfahren. Ja, die Neigung verfälscht unser Urteil öfters in einem noch

weit höheren Grade. Bemüht, die Ansprüche unseres Eigennutzes anderen und endlich auch uns selbst unter einer ehrwürdigen Maske vorzustellen, machen wir sie zu *rechtlichen* Ansprüchen und schreien über Ungerechtigkeit, oft, wenn man nichts weiter tut als uns verhindert, selbst ungerecht zu sein. Glaubt dann ja nicht, daß wir euch täuschen wollen; wir waren selbst längst vor euch getäuscht. Wir selbst glauben in vollem Ernste an die Rechtmäßigkeit unserer Ansprüche; wir machen an euch nicht den ersten Versuch, euch zu belügen; wir haben längst vor euch uns selbst belogen.

Willkürlich und mit Bewußtsein untersucht man die aufgegebene Frage aus Erfahrungsgrundsätzen, wenn man sie aus Tatsachen der Geschichte beantworten will. – Es ist schwer zu glauben, daß irgendeiner, der je eine solche Beantwortung versuchte, eigentlich gewußt habe, wonach gefragt werde: doch das wird erst im Folgenden seine völlige Deutlichkeit erhalten.

Aus den angezeigten Grundsätzen also denken wir die vorliegende Frage zu beantworten? Aus Sätzen, die wir aus Treu und Glauben aufgenommen haben? Wenn nun aber diese Sätze selbst falsch wären, so würde ja dadurch unsere auf sie gegründete Antwort notwendig auch unrichtig. – Diejenigen, nach deren Ansehen wir unser Meinungssystem bildeten, nahmen sie freilich für wahr an. Aber wie, wenn sie irrten? Unser Volk und unser Zeitalter nimmt sie freilich mit uns für wahr an. Aber wissen wir denn nicht – wir, die wir so viele Tatsachen wissen –, wissen wir denn nicht, daß in Konstantinopel gerade das allgemein für wahr anerkannt wird, was man in Rom allgemein für falsch anerkennt? – Daß vor etlichen hundert Jahren in Wittenberg und Genf allgemein für richtig gehalten wurde, was man jetzt ebendaselbst ebenso allgemein für einen verderblichen Irrtum hält? Wenn wir unter andere Nationen oder in ein älteres Zeitalter versetzt würden, wollten wir auch alsdann unsere jetzigen Grundsätze, die dann der allgemeinen Denkungsart widersprechen würden, diesem unserem Probesteine der Wahrheit zuwider, beibehalten; oder sollte dann für uns nicht mehr wahr sein, was bis jetzt uns wahr gewesen ist? Richtet unsere Wahrheit sich nach Zeiten und Umständen?

Was für eine Antwort suchten wir denn eigentlich? Eine solche, welche nur für unser Zeitalter, nur für die Menschen gelte, die in ihren Meinungen mit uns übereinstimmen? – Dann hätten wir uns der Mühe der Untersuchung überheben können; sie werden ohne uns sich die Frage geradeso beantworten wie wir. – Oder wollten wir eine solche, die für alle Zeiten und Völker, die für alles gelte, was Mensch ist? Dann müssen wir sie auf allgemeingültige Grundsätze bauen.

Unserem *Interesse* wollten wir einen Einfluß erlauben, wo vom *Rechte* die Frage ist – d. h., unsere Neigung sollte allgemeines Sittengesetz für die ganze Menschheit werden? – Es ist wahr, Ritter vom Goldenen Vlies, der du nichts weiter bist als das – es ist wahr, und niemand leugnet es dir ab, daß es für dich sehr unbequem sein würde, wenn die Achtung für deine hohe Geburt, für deine Titel und für deine Orden sich plötzlich aus der Welt verlöre und du auf einmal bloß nach deinem persönlichen Werte geehrt werden solltest; wenn alles von deinen Gütern, dessen Besitz sich auf ungerechte Rechte gründet, dir abgenommen werden sollte – es ist wahr, daß du der verachtetste und ärmste unter den Menschen werden, daß du in das tiefste Elend versinken würdest: aber verzeihe – die Frage war auch gar nicht von deinem Elende oder Nicht-Elende; sie war von unserem Rechte. „Was dich elend macht, kann nie recht sein", meinst du. – Aber siehe hier deine bisher von dir unterdrückten leibeigenen Sklaven – es würde sie wahrhaftig sehr glücklich machen, selbst dasjenige wenige deiner Schätze, was du mit Recht besitzest, unter sich zu teilen; dich zu ihrem Sklaven zu machen, wie sie bisher die deinigen waren; deine Söhne und Töchter zu Knechten und Mägden zu nehmen, wie du bisher die ihrigen dazu nahmst; dich vor sich her das Wild treiben zu lassen, wie sie es bisher vor dir trieben; sie rufen uns zu: der Reiche, der Begünstigte gehört nicht zum Volke; er hat keinen Anteil an den allgemeinen Menschenrechten. Das ist *ihr* Interesse. Ihre Schlüsse sind so gründlich als die deinigen. Was sie glücklich macht, könne nie unrecht sein: meinen sie. Sollen wir sie hören? Nun, so erlaube, daß wir auch dich nicht hören.

Gegen diesen geheimen Betrug der Sinnlichkeit sich zu verwahren ist selbst bei dem besten Willen und bei dem hellsten Kopfe schwer. Kein Adeliger*, keine Militärperson in monarchischen Staaten, kein Geschäftsmann in Diensten eines gegen die Französische Revolution erklärten Hofes** sollte in dieser Untersuchung gehört werden. Mischt sich denn der unter harten Abgaben seufzende gemeine Bürger, der unterjochte Landmann, der zerschlagene Soldat darein? – Oder würden wir ihn hören, wenn er es täte? Nur der, der weder Unterdrücker noch Unterdrückter ist, dessen Hände und Erbteil rein sind vom Raube der Nationen, dessen Kopf nicht von Jugend auf in die konventionelle Form unseres Zeitalters gepreßt wurde, dessen Herz eine warme, aber stille Ehrfurcht fühlt für Menschenwert und Menschenrecht, kann hier Richter sein.

Das sind geheime Täuschungen der Sinnlichkeit. Offenbar beruft man sich auf ihr Zeugnis, wenn man die Frage *aus der Geschichte* beantworten will. – Doch ist es auch wahr, sollte es wirklich Menschen, richtig denkende Menschen, Gelehrte gegeben haben, welche durch eine Antwort auf die Frage, was geschehe oder geschehen sei, zu beantworten geglaubt hätten, was geschehen *solle*? – Unmöglich; wir ha-

* Der nämlich weiter nichts ist als Adeliger. Das deutsche Publikum verehrt in vielen Männern aus den größten Häusern den höheren Adel, den des Geistes, und ich gewiß nicht weniger als jemand. An diesem Orte nenne ich nur den *Freiherrn* von Knigge und den edeln Verfasser [Woldemar Friedrich von Schmettau] der *Gedanken eines dänischen Patrioten über stehende Heere* usw. [Altona 1792]

** Noch weniger sollte ein solcher, in der wichtigsten gelehrten Zeitung von Europa, Richter der dahin einschlagenden Schriften – mithin scheinbarer Interpret der Nationalmeinung sein. – Ich wenigstens verbitte für diese Schrift, wenn sie einer Anzeige würdig sollte befunden werden, das Urteil jedes Empirikers. Er wäre Richter in seiner eigenen Sache. Ein spekulativer Denker sei mein Richter oder niemand! Doch hat auch diese Regel ihre Ausnahmen. Ich schätze z. B. die Schrift des Herrn *Brandes*, der Geheimer Kanzleisekretär in Hannover ist, über die Französische Revolution sehr hoch [Ernst Brandes, Politische Betrachtungen über die Französische Revolution, Jena 1790 bzw. Über einige bisherige Folgen der Französischen Revolution, in Rücksicht auf Deutschland, Hannover 1792]. Man hört doch den selbstdenkenden und ehrlichen Mann und bemerkt kein unredliches Drehen und Wenden.

ben sie nur nicht, sie haben sich selbst nur nicht richtig verstanden. Ohne uns auf strenge Beweise mit ihnen einzulassen, welches hier ganz außer unserem Plane liegt, wollen wir ihnen nur ihre eigenen Worte deutlich zu machen suchen.

Wenn sie von einem *Sollen* reden, so sagen sie unmittelbar hierdurch auch ein *Andersseinkönnen* aus. Was so sein *muß* und schlechterdings nicht anders sein kann, davon wird kein vernünftiger Mensch untersuchen, ob es so oder anders sein *solle*. Sie gestehen also unmittelbar durch die Anwendung dieses Wortes manchen Dingen die *Unabhängigkeit von der Naturnotwendigkeit* zu.

Sie können und sie werden diese Unabhängigkeit oder diese *Freiheit*, welches Wort eben das heißt, keinem anderen Dinge zugestehen wollen als den Entschließungen vernünftiger Wesen, welche insofern auch *Handlungen* genannt werden können. Sie anerkennen also freie Handlungen vernünftiger Wesen.

Von diesen wollen sie untersuchen, ob sie so sein oder anders sein sollen, d. i., sie wollen die bestimmt gegebene Handlung an eine gewisse Norm halten und über die Übereinstimmung jener mit dieser ein Urteil fällen. Woher wollen sie nun diese Norm nehmen? Aus der nach ihr zu richtenden Handlung nicht; denn die Handlung soll ja an der Norm, nicht die Norm an der Handlung geprüft werden. Also aus anderen durch die Erfahrung gegebenen freien Handlungen? – Sie wollen vielleicht das *Gemeinschaftliche* in ihren Bestimmungsgründen abziehen und es unter eine *Einheit* als ein Gesetz bringen? So werden sie doch wenigstens nicht so unbillig sein, das handelnde freie Wesen nach einem Gesetze richten zu wollen, das es seiner Handlung nicht zum Grunde legen konnte, weil es ihm nicht bekannt war; sie werden über die Rechtgläubigkeit des Erzvaters Abraham nicht nach dem preußischen Religionsedikte, über die Rechtmäßigkeit der Ausrottung der Kananiter durch das jüdische Volk nicht nach den Manifesten des Herzogs von Braunschweig gegen die Pariser urteilen wollen. Sie können diesem Wesen nichts weiter zumuten, als daß es die bis auf sein Zeitalter mögliche Erfahrung benutzt und das durch ihr Mannigfaltiges mögliche Gesetz befolgt habe. Sie müssen mithin für jedes Zeitalter ein eigenes Gesetz der freien Handlungen vernünftiger Wesen festsetzen, und nach ihnen haben wir heute ganz andere Rechte und Pflichten als unsere Väter vor hundert Jahren; nach ihnen wird über hundert Jahre durch die vermehrte Erfahrung das ganze Moralsystem der Geisterwelt sich wieder umgeändert haben; und sie selbst, wenn sie zu einem so hohen Alter gelangen sollten, werden dann verdammen, was sie jetzt recht heißen, und recht heißen, was sie jetzt verdammen. – Doch was sage ich für jedes Zeitalter! – Für jede einzelne Person müssen sie ein besonderes Gesetz annehmen, da unmöglich jeder so stark in der Geschichte sein kann als sie und sie doch niemandem zumuten werden, Verhaltungsregeln aus Begebenheiten zu ziehen, welche er nicht weiß. Oder ist es Pflicht, solche tiefe Geschichtsforscher zu werden wie sie, damit wir nicht in dieser rohen Unwissenheit über unsere Pflichten verharren?

Endlich, da ihre Erfahrung doch irgendwo ein Ende hat, müssen sie an einen Punkt kommen, wo sie keine vorherige Erfahrung nachweisen können. Nach welchen Gesetzen wollen sie dann urteilen? – Oder hört hier, hört z. B. bei der ersten Entschließung Adams die Betrachtung einer freien Handlung in Rücksicht des Sollens gänzlich auf, da sie diesem seine Erfahrungen von den Präadamiten her, nach welchen er sich hätte richten sollen, unmöglich aufzählen können?

In diese und weit ärgere Widersprüche würden die Verteidiger einer empirischen Beantwortung der Frage vom Rechte sich verwickeln, wenn sie nicht zu ihrem Glücke inkonsequent wären und wenn nicht ihr Herz ihnen den Betrug spielte, richtiger zu empfinden, als ihr Kopf denkt und ihr Mund redet. Wir sehen doch, daß sie die freien Handlungen aller Völker und Zeiten so ziemlich nach einerlei Grundsätzen beurteilen und von der Erfahrung der Folgezeit ebensowenig einen Widerspruch zu befürchten scheinen und daß sie das, was sie historische Beweise oder historische Deduktionen fälschlich betiteln, im Gebrauche doch nur als Beispiele, als sinnliche Darstellung ursprünglicher Sätze anwenden.

Oder verwechseln sie auch wohl zuweilen unsere Frage mit der von ihr gänzlich verschiedenen: *handele ich so klug?* Ehe nicht die erstere völlig beantwortet ist, findet die zweite gar

nicht statt. – Daß es aber ganz etwas anderes sei, seine Pflicht tun, als auf eine vernünftige Art seinen Vorteil suchen, ist dem natürlichen, ungebildeten Menschenverstande klar, und nur der Schule war das Kunststück möglich, diese Klarheit zu verdunkeln und der Sonne die Augen zu verbinden. Daß es öfters Pflicht sei, seinen ganz richtig verstandenen Vorteil aufzuopfern, daß es ganz in unserer Willkür stehe, ihn auch außer diesem Falle aufzuopfern, und daß wir darüber keinem verantwortlich sind als allenfalls uns selbst; da hingegen etwas Pflichtmäßiges der andere von uns fordern und als Schuldigkeit begehren darf, fühlt jeder, wenn er es auch nicht immer zugestehen sollte: beide Fragen sind also wesentlich verschieden.
Geben sie nun ein solches *Sollen*, das nach einem allgemein geltenden Gesetze gefordert werden kann – ein *Dürfen* oder *Nicht-Dürfen*, das von diesem Gesetze abhängt, wirklich zu und spielen nicht etwa bloß mit Worten, so geben sie zu gleicher Zeit zu, daß dieses Gesetz nicht erst von der Erfahrung abzuleiten noch durch sie zu bestätigen, sondern daß es selbst einer *gewissen* Beurteilung aller Erfahrung, welche *insofern* selbst unter ihm steht, zugrunde zu legen, mithin von aller Erfahrung unabhängig und über sie erhaben gedacht werden müsse. Geben sie ein solches Sollen nicht zu, warum mischen sie sich denn in eine Untersuchung, die dann für sie schlechterdings nichtig ist, die nach ihnen ein Hirngespinst betrifft? Lassen sie doch dann ruhig uns *unsere* Geschäfte treiben, und treiben sie die ihrigen!
Die Frage vom Sollen und Dürfen oder, was, wie sich sogleich ergeben wird, das nämliche ist, die Frage vom Recht gehört gar nicht vor den Richterstuhl der Geschichte. Ihre Antwort paßt gar nicht auf unsere Frage; sie beantwortet uns alles übrige, nur nicht das, was wir wissen wollten: und es ist ein lächerliches eins fürs andere, wenn wir die Antwort, die sie gibt, an unsere Frage reihen. Sie gehört vor einen anderen Richterstuhl, den wir aufsuchen werden. – Ob nicht etwa die zweite Frage, die von der Klugheit, vor ihn gehöre, und unter welchen Bedingungen sie vor ihn gehöre, wird sich weiter unten zeigen.
Wir begehren demnach Tatsachen nach einem Gesetz zu beurteilen, das von keinen Tatsachen entlehnt und in keinen enthalten sein kann. Von woher denken wir denn nun

dieses Gesetz zu nehmen? Wo denken wir es aufzufinden? Ohne Zweifel *in unserem Selbst*, da es *außer uns* nicht anzutreffen ist: und zwar in unserem Selbst, insofern es nicht durch äußere Dinge vermittelst der Erfahrung geformt und gebildet wird (denn das ist nicht unser wahres Selbst, sondern fremdartiger Zusatz), sondern in der *reinen, ursprünglichen* Form desselben – in unserem Selbst, wie es ohne alle Erfahrung sein würde. Die Schwierigkeit dabei scheint nur die zu sein, allen fremdartigen Zusatz aus unserer Bildung abzusondern und die ursprüngliche Form unseres Ich rein zu bekommen. – Wenn wir aber etwas in uns auffinden sollten, das schlechthin aus keiner Erfahrung entstanden sein kann, weil es von ganz anderer Natur ist, so könnten wir sicher schließen, dieses sei unsere ursprüngliche Form. So etwas finden wir nun wirklich an jenem Gesetze des Sollens. Ist es einmal in uns da – und daß es da ist, ist Tatsache –, so kann es, da es der Natur der Erfahrung völlig entgegengesetzt ist, kein durch sie hinzugekommener fremdartiger Zusatz, sondern es muß die reine Form unseres Selbst sein. Das Dasein dieses Gesetzes in uns *als Tatsache* führt uns demnach auf eine solche ursprüngliche Form unseres Ich; und von dieser ursprünglichen Form unseres Ich leitet sich hinwiederum die Erscheinung des Gesetzes in der Tatsache als *Wirkung von ihrer Ursache* ab.

Um auch dem leisesten Verdachte eines Widerspruchs mit mir selbst auszuweichen, merke ich noch ausdrücklich an, daß das Dasein eines solches Gesetzes in uns, als Tatsache, so wie alle Tatsachen, unserem Bewußtsein allerdings durch die (innere) Erfahrung *gegeben* werde; wir werden durch Erfahrung in einzelnen Fällen, z. B. bei der Reizung einer sträflichen Neigung, uns einer inneren Stimme in uns bewußt, die uns zuruft: tue es nicht, es ist nicht recht; die Erfahrung liefert uns einzelne Äußerungen, einzelne Wirkungen dieses Gesetzes in unserer Brust, aber sie *bringt* es darum nicht *hervor*. Das kann sie schlechterdings nicht.

Diese ursprüngliche, *unveränderliche* Form unseres Selbst nun begehrt die *veränderlichen* Formen desselben, welche durch Erfahrung bestimmt werden und hinwiederum die Erfahrung bestimmen, mit sich selbst einstimmig zu machen, und heißt darum *Gebot* – sie begehrt dies durchgängig für alle vernünftigen Geister, da sie die ursprüngliche Form *der Vernunft an sich* ist, und heißt darum *Gesetz* – sie kann dies nur für Handlungen, die bloß von der Vernunft, nicht von der Naturnotwendigkeit abhängen, d. i. nur für *freie* Handlungen, begehren und heißt daher *Sittengesetz*. Die gewöhnlichsten Benennungen seiner Äußerung in uns, unter denen es auch der Ununterrichtetste kennt, sind: *das Gewissen, der innere Richter in uns, die Gedanken, die sich untereinander anklagen und entschuldigen,* u. dgl.

Was uns dieses Gesetz gebietet, heißt im allgemeinen *recht, eine Pflicht,* was es uns verbietet, *unrecht, pflichtwidrig.* Das erstere *sollen* wir, das letztere *sollen* wir *nicht.* – Stehen wir als vernünftige Wesen schlechterdings und ohne alle Ausnahme unter diesem Gesetze, so können wir, *als solche, unter keinem anderen stehen:* wo demnach dieses Gesetz schweigt, sind wir unter keinem Gesetz, wir *dürfen.* Alles, was das Gesetz nicht verbietet, dürfen wir tun. Was wir tun dürfen, dazu haben wir, weil dieses Dürfen *gesetzlich ist, ein Recht.*

Auch dasjenige in unserer Natur, ohne welches das Gesetz in ihr überhaupt nicht möglich wäre, so wie dasjenige, was das Gesetz wirklich gebietet, gehört mit dem durch dasselbe bloß Erlaubten unter den Inbegriff des durch das Gesetz nicht *Verbotenen*; wir können mithin ebensowohl sagen: wir haben ein Recht, vernünftige Wesen zu sein – wir haben ein Recht, unsere Pflicht zu tun, als wir sagen können: wir haben ein Recht zu tun, was das Sittengesetz erlaubt.

Aber hier zeigt sich sogleich ein großer wesentlicher Unterschied. Was uns nämlich das Sittengesetz bloß erlaubt, das zu tun, haben wir ein Recht; wir haben aber auch das ihm entgegengesetzte Recht, es *nicht* zu tun. Das Sittengesetz schweigt, und wir stehen bloß unter unserer Willkür. – Unsere Pflicht zu tun, haben wir auch ein Recht; aber wir haben nicht das ihm entgegengesetzte Recht, sie nicht zu tun. Ebenso haben wir das Recht, freie, sittliche Wesen zu sein; aber wir haben nicht das Recht, es nicht zu sein. Die Berechtigung ist also in diesen beiden Fällen sehr verschieden: im ersteren ist sie wirklich bejahend, im zweiten bloß verneinend. Ich habe ein Recht, zu tun, was das Sittengesetz erlaubt, heißt: das Tun oder Unterlassen hängt bloß von meiner Willkür ab; ich habe ein Recht, frei zu sein und meine Pflicht zu tun, heißt nur: nichts darf, niemand hat

ein Recht, mich daran zu hindern. Diese Unterscheidung ist um ihrer Folgen willen unendlich wichtig.
Dies sind die Grundsätze, aus denen alle Untersuchungen über die Rechtmäßigkeit oder Unrechtmäßigkeit einer freien Handlung geführt werden müssen, und andere gelten schlechterdings nicht. Bis auf die ursprüngliche Form unseres Geistes muß die Untersuchung zurückgehen und nicht bei den Farben desselben, welche Zufall, Gewohnheit, aus Irrtum unwillkürlich oder von der Unterdrückungssucht willkürlich ausgestreute Vorurteile ihm anhauchen, muß sie stehenbleiben. (Sie muß aus Prinzipien *a priori*, und zwar aus praktischen, und darf schlechterdings nicht aus empirischen geführt werden.) Wer hierüber noch nicht mit sich einig ist, ist zur aufgegebenen Beurteilung noch nicht reif. Er wird im Finstern herumtappen und seinen Weg mit den Fingerspitzen suchen; er wird mit dem Strome seiner Ideenassoziation fortschwimmen und es vom guten Glücke erwarten, an welches Eiland er ihn werfen werde; er wird ungleichartige Materialien, in der Ordnung, in der er sie von der Oberfläche seines Gedächtnisses auffischte, aufeinanderschichten, so gut es geht; weder er selbst noch ein anderer wird ihn verstehen; er wird den Beifall des feineren Publikums erhalten, das in ihm sich selbst wiederfindet. Es war nicht mein Wille, die Geschichte von Autoren zu erzählen, die über diesen Gegenstand geschrieben haben.

II.

Die zweite Frage, die bei der Beurteilung einer Revolution vorkommen konnte, war die über *ihre Weisheit*, d. i., ob die besten, wenigstens unter diesen Umständen besten Mittel zur Erreichung des beabsichtigten Zweckes gewählt worden.
Und hier drängen denn unsere vielwissenden Sachkenner sich enger zusammen, in der sicheren Voraussetzung, daß diese Frage – eine Frage von Weisheit – ganz und allein vor ihren Richterstuhl gehöre. Geschichte, Geschichte, rufen sie, ist ja die Sehwarte aller Zeiten, die Lehrmeisterin der Völker, die untrüglichste Verkünderin der Zukunft – und ich will, ohne auf ihr Rufen zu hören, die aufgegebene Frage zergliedern und sehen, welche andere Fragen in ihr

enthalten sind: dann wird ja jeder an sich nehmen können, was sein ist – und alsdann erst ein paar Worte über ihre gepriesene Geschichte.

Wenn das Verhältnis gewählter Mittel zu einem Zwecke geprüft werden soll, so ist vor allen Dingen die Güte des Zwecks selbst, und in unserem Falle die Güte des Zwecks, insofern er einer Staatsverfassung zum Grunde gelegt werden soll, zu beurteilen. – Die Frage: welches ist der beste Endzweck der Staatsverbindung?, hängt von der Beantwortung folgender ab: welches ist der Endzweck jedes einzelnen? Die Antwort auf diese Frage ist rein moralisch und muß sich auf das Sittengesetz gründen, welches allein den Menschen als Menschen beherrscht und ihm einen Endzweck aufstellt. Die daraus zunächst folgende, ausschließende Bedingung jeder moralisch möglichen Staatsverbindung ist die, daß ihr Endzweck dem durch das Sittengesetz vorgeschriebenen Endzwecke jedes einzelnen nicht widerspreche, seine Erreichung nicht hindere oder störe. Ein Endzweck, der gegen diese Grundregel sündigt, ist schon in sich verwerflich, denn er ist ungerecht. Überdies aber muß er, wenn die ganze Verbindung nicht völlig zwecklos sein soll, auch noch den höchsten Endzweck jedes einzelnen befördern. Da aber dies in mehreren Graden möglich und keine bestimmte höchste Stufe anzugeben ist, weil diese Erhöhung ins unendliche geht, so läßt in dieser Rücksicht die Güte des Endzwecks sich nicht nach einer festen Regel, sondern nur nach dem möglichen Mehr oder Weniger bestimmen.

Hier ist nun, einmal angenommen, daß der Endzweck der Menschheit im einzelnen und im Ganzen nicht nach Erfahrungsgesetzen, sondern nach ihrer ursprünglichen Form zu bestimmen sei, für den Historiker nichts zu tun als höchstens etwa das Geschäft, uns Materialien für die Vergleichung des Mehr oder Weniger in verschiedenen Staatsverfassungen zuzulangen; aber wir befürchten, daß sein Suchen nach dergleichen Materialien in der Geschichte der bisherigen Staaten sehr undankbar sein und daß er mit untauglicher Ausbeute beladen zurückkommen werde.

Die zweite Aufgabe ist die: die gewählten Mittel mit dem Zwecke zu vergleichen, um zu sehen, ob die ersteren zum letzteren sich verhalten wie Ursachen zu ihrer Wirkung.

Diese Prüfung ist nun wirklich auf zweierlei Art möglich; nämlich entweder nach *deutlich gedachten Gesetzen* oder *nach ähnlichen Fällen.*
Wenn die Rede von Mitteln ist, um in einer gesellschaftlichen Verbindung einen gewissen Endzweck zu erreichen, so sind die Gegenstände der Anwendung dieser Mittel hauptsächlich die Gemüter der Menschen, in welchen und durch welche dieser Endzweck erreicht werden soll. Diese nun werden nach gewissen allgemeinen Regeln gereizt, in Bewegung gesetzt, zum Handeln bestimmt, welche wohl Gesetze würden heißen können, wenn wir sie gründlich genug kennten. Ich rede nämlich hier nicht von jenem ersten Grundgesetze der Menschheit, das seine freien Handlungen immer bestimmen soll; sondern ich rede von denjenigen Regeln, nach welchen er, insofern er nicht bloß der ursprüngliche reine Mensch, sondern der durch Erfahrung, durch sinnlichen Zusatz gebildete Mensch ist, bestimmt werden kann und besonders zur Übereinstimmung mit jener ursprünglichen Form bestimmt werden soll. Nämlich, so wie der ursprünglichen Vernunftform nach alle Geister, so sind gewissen anderen sinnlichen Geistesformen nach alle Menschen sich gleich. Die Unterschiede, welche Zeitalter, Klima, Beschäftigung in ihnen hervorbringen, sind gegen die Summe der Gleichheiten wirklich gering, *müssen bei fortrückender Kultur* unter den Händen weiser Staatsverfassungen *immer mehr wegfallen;* man lernt sie leicht, und die Mittel, sie zu benutzen, sind kleine, unbedeutende Hausmittel. Das Studium ihrer allgemeinen Formen aber ist nicht so leicht geendet.
Hier nun ist es, wo wirklich die Erfahrung eintritt; aber nicht jene, wieviel Hauptmonarchien es gegeben habe oder an welchem Tage die Schlacht bei Philippi vorgefallen sei, sondern die uns viel nähere – die *Erfahrungsseelenkunde.* – – Wähle dich selbst zu deinem vertrautesten Gesellschafter, folge dir in die geheimsten Winkel deines Herzens und locke dir alle deine Geheimnisse ab: *lerne dich selbst kennen* – das ist der erste Grundsatz dieser Seelenkunde. Die Regeln, die du dir aus dieser Selbstbeobachtung über den Gang *deiner* Triebe und Neigungen, über die Form *deines* sinnlichen Selbst abziehen wirst, gelten – du darfst es sicher glauben – für alles, was menschliches Antlitz trägt. Hierin sind sie dir

alle ähnlich. – Laß nicht unbemerkt, daß ich sage: *hierin.* Du nämlich bist vielleicht redlich entschlossen, der Stimme deines Gewissens immer zu folgen, kannst dich vor dir selbst schämen und bist ein ehrlicher Mann. Ich rate dir nicht, jeden anderen so zuversichtlich für eben das zu nehmen. Er vielleicht nimmt sich nichts übel, was nur hilft, und ist ebenso fest entschlossen, der Stimme seines Interesses zu gehorchen. Selbstsucht ist die Triebfeder seiner Handlungen, wie Achtung fürs Gesetz die Triebfeder der deinigen ist. Aber das kannst du sicher glauben, daß diese zwei so sehr verschiedenen Triebfedern ziemlich auf einerlei Wege euch beide zum Handeln führen. – Du wirst dich doch wohl ferner aus der Geschichte deines Herzens noch der Zeit erinnern, da du nicht viel besser warst, als er jetzt ist; du wirst dich auch wohl noch erinnern, wie und auf welche Art du allmählich zur Vernunft bekehrt und geistig wiedergeboren wurdest. Eben diesen Gang – nicht eben von diesem Punkte aus – muß auch er gehen, wenn er je ein besserer Mensch werden soll; und du mußt ihn auf diesen Weg leiten helfen, wenn du ihn etwa dazu machen willst.

Nach den Regeln dieser Seelenkunde nun, welche durch fortgesetzte weise Beobachtung sich dem Range der Gesetze nähern werden, sind die in einer Staatsverfassung zur Erreichung ihres Endzwecks gewählten Mittel zu prüfen; es ist zu untersuchen, ob sie, der allgemeinen Analogie des sinnlichen Menschen nach, die begehrte Wirkung auf ihn hervorbringen können und werden: und diese Art der Beurteilung ist die gründlichste, die ohnfehlbarste und die einleuchtendste. Mit ihr hat der Historiker vom gewöhnlichen Schlage nichts zu tun, sondern sie ist das Geschäft des beobachtenden Selbstdenkers.

Ein zweiter Weg, eine Antwort auf die vorliegende Frage zu suchen, ist die *Beurteilung nach ähnlichen Fällen.* Der Grundsatz dieser Beurteilung ist folgender: Ähnliche Ursachen haben einst gewisse Wirkungen hervorgebracht, folglich werden sie jetzt ähnliche Wirkungen hervorbringen. Diese Betrachtungsart nun scheint auf den ersten Anblick rein historisch; aber es ist mancherlei über sie zu erinnern.

Zuvörderst können doch nur immer bloß ähnliche und nie völlig gleiche Ursachen aufgewiesen, folglich darf auch nur auf ähnliche, nie auf gleiche Wirkungen geschlossen werden. Woher wißt ihr denn aber, worin die verlangte Wirkung der gegebenen wirklich ähnlich und worin sie ihr unähnlich sein werde – wie das Unähnliche beschaffen sein werde? Keins von beiden lehrt euch die Geschichte; ihr müßt es also, wenn ihr es wissen wollt, nach Vernunftgesetzen aufsuchen.

Dann, worauf gründet sich denn überhaupt eure Folgerung, *daß* ähnliche Ursachen ähnliche Wirkungen haben werden? Soll diese Folgerung gesetzlich sein, so müßt ihr ja stillschweigend voraussetzen, daß die Wirkung mit den Ursachen durch ein allgemein- und auf alle Fälle gültiges Gesetz wirklich zusammenhänge und daß sie nach diesem Gesetze aus ihnen erfolge.

Sehet demnach, ihr Verteidiger der ausschließenden oder der vorzüglichen Gültigkeit dieser Beteiligungsart – sehet, inwiefern wir mit euch übereinkommen und wo wir von euch abgehen. Ihr nehmt ein Gesetz und die Allgemeingültigkeit desselben einstimmig mit uns an; aber es liegt euch nicht daran, es aufzusuchen. Ihr wollt nur die Wirkung haben; ihr Zusammenhang mit der Ursache ist das, was euch am wenigsten kümmert. Wir suchen das Gesetz selbst und folgern nun nach dem Gesetze die Wirkung aus der gegebenen Ursache. Ihr kauft aus der zweiten Hand; wir ziehen unsere Waren aus der ersteren. Wer von uns beiden, meint ihr wohl, wird sie aufrichtiger und um einen billigeren Preis bekommen? Ihr beobachtet ins große hin, seht von der Warte auf den am Markte gedrängten Volksklumpen herunter; wir gehen tiefer ins einzelne, nehmen jeden besonders vor und forschen ihn aus. Wer, meint ihr wohl, wird mehr erfahren?

Und wie, wenn ihr auf einen Fall kommt, der in eurer Geschichte noch nicht dagewesen ist, was macht ihr dann? Ich fürchte sehr, daß das bei der Frage von den Mitteln, den einzig wahren Zweck einer Staatsvereinigung zu erreichen, wirklich der Fall sei. Ich fürchte, daß ihr in allen bisherigen Staaten vergeblich nach einer Zweckseinheit suchen werdet – in ihnen, die der Zufall zusammenfügte, an denen jedes Zeitalter mit schüchternem Respekte für die Manen der vorhergehenden flickte und ausbesserte – in ihnen, deren lobenswürdigste Eigenschaft es ist, daß sie inkonsequent sind, weil die Durchführung mancher ihrer Grundsätze die Menschheit völlig zerdrückt und jede Hoffnung eines einstigen Auferstehens in ihr vernichtet haben würde – in ihnen, in denen man höchstens nur diejenige Einheit antrifft, die die verschiedenen Gattungen der fleischfressenden Tiere zusammenhält, daß das schwächere vom stärkeren gefressen wird und das noch schwächere selbst frißt. Ich fürchte, daß ihr über die Wirkungen mancher Triebfedern auf den Menschen in eurer Geschichte keine Nachricht finden werdet, weil die Helden derselben sie dem menschlichen Herzen anzulegen vergaßen. Ihr werdet demnach mit einer Untersuchung *a priori* euch – begnügen müssen, wenn die *a posteriori* nicht möglich sein sollte.

Und, da wir einmal bei diesem reichhaltigen Texte sind, noch ein paar Worte darüber! – Es ist mit der Menschheit im ganzen wie mit dem Individuum. Jene wird durch die Begegnisse ihrer Dauer gebildet, wie dieses. Wir haben die Begebenheiten unserer ersten Kindheitsjahre völlig vergessen. Sind sie darum für uns verloren – gründet sich darum, weil wir sie nicht wissen, weniger die ganze originelle individuelle Richtung unseres Geistes auf sie? Bleibt uns nur diese, was gehen jene uns an? – Wir gehen über ins Knabenalter, und unsere kleinen Taten und Leiden prägen sich dauernder in unser Gedächtnis. Indessen rückt durch sie unsere Bildung weiter, und wie sie weiterrückt, fangen wir an, uns unserer kindischen Einfälle und Torheiten zu schämen; eben das, was uns weiser macht, wird uns, um der größeren Reife willen, die es uns gibt, in der Erinnerung verhaßt, und wir möchten es gern vergessen, wenn wir könnten. Die Zeit, da wir uns desselben gleichgültig erinnern, kommt später; kommt erst alsdann, wenn jene Jahre uns fremd geworden sind und wir uns nicht mehr als dasselbe Individuum betrachten. – Noch scheint die Menschheit nicht bis zum Alter des Schämenlernens heraufgewachsen zu sein; sie würde sonst weniger mit ihren kindischen Heldentaten prahlen und einen kleineren Wert in die Aufzählung derselben setzen.

Nichts als das, was in der Menschheit als erworbenes Gut wirklich bleibt, ist wahrer Gewinn ihres Alters und ihrer Erfahrung. *Wie* sie dazu gekommen sei, verschlägt uns weniger, und unsere Neugier würde auch in der gewöhnlichen

Geschichte wenig Belehrung darüber finden. Sie beschreiben uns mit aller Ausführlichkeit die Gerüste und das äußere Maschinenwerk: wie ein Stein an den anderen sich fügte, konnten sie vor dem wunderbaren Gerüste nicht sehen. Das hätten wir allenfalls wohl wissen mögen: was das Gerüste anbelangt – wenn nur das Gebäude dastünde, möchte doch das Gerüste abgetragen werden!*

Soll man denn darum die Geschichte ganz eingehen lassen? O nein, nur aus euren Händen soll sie genommen werden, die ihr ewig Kinder bleibt und nie etwas anderes könnt als *lernen*; die ihr euch nur immer *geben* laßt und nie selbst *hervorbringen* könnt; deren höchste Schöpfungskraft nie über das *Nachmachen* hinausgeht: der Pflege des wahren Philosophen soll sie übergeben werden, damit dieser in dem bunten, euer Auge durch die Farben anziehenden Marionettenspiele euch den faßlichen Beweis führe, daß alle Wege versucht sind und daß keiner zum Ziele geführt hat, auf daß ihr endlich aufhört, seinen Weg, den Weg der Grundsätze, gegen den eurigen, den Weg des blinden Probierens, zu verschreien; seiner Pflege soll sie übergeben werden, damit er durch sie euch in dem Alphabete, das ihr lernen sollt, einige Buchstaben rot färbe, auf daß ihr sie so lange an der Farbe kennt, bis ihr sie an ihren inneren Charakteren werdet kennenlernen.

Zur Bereicherung und endlichen Befestigung der Erfahrungsseelenkunde soll er sie brauchen. – Den Menschen im

* Da wir hier nicht einen Traktat gegen die Geschichte schreiben, so steht folgendes in der Note! – „Wir brauchen die Geschichte unter andern auch, um die Wahrheit der Vorsehung in Ausführung ihres großen Plans zu bewundern." – Aber das ist nicht wahr. Ihr wollt bloß euren eigenen Scharfsinn bewundern. Es kömmt euch ein Einfall von ohngefähr; *so* machtet ihr es, wenn ihr die Vorsehung wäret. – Man könnte mit ungleich größerer Wahrscheinlichkeit in dem bisherigen Gange der Schicksale der Menschheit den Plan eines bösen menschenfeindlichen Wesens zeigen, das alles auf das höchstmögliche sittliche Verderben und Elend derselben angelegt hätte. Aber das wäre auch nicht wahr. Das einzig Wahre ist wohl folgendes: daß ein unendliches Mannigfaltige gegeben ist, welches an sich weder gut noch böse ist, sondern erst durch die freie Anwendung vernünftiger Wesen eins von beiden wird, und daß es in der Tat nicht eher besser werden wird, als bis *wir* besser geworden sind.

ganzen, den Menschen unter gewöhnlichen Umständen kennenzulernen, bedarf es keiner ausgebreiteten Geschichtskunde. Jedem ist sein eigenes Herz und die Handlungsarten seiner beiden Nachbarn rechts und links ein unerschöpflicher Text. Was aber begünstigte Seelen unter außerordentlichen Umständen vermögen, das lehrt die tägliche Erfahrung nicht. Begünstigte Seelen unter Umständen, die ihr ganzes Vermögen entwickeln und darstellen, werden nicht alle Jahrhunderte geboren. Um diese, um die Menschheit in ihrem Feierkleide kennenzulernen, bedarf es der Belehrung der Geschichte. – Wolltet ihr mir wohl vorrechnen, wieviel wir in dieser Rücksicht durch eure Behandlung derselben gewonnen haben? mir die Plutarche nennen, die ihr uns erzogen habt?
Wirklich, es hält schwer, der Bewegung seiner Galle oder seines Zwerchfells, je nachdem nun die eine oder das andere reizbarer bei uns ist, zu widerstehen, wenn man die Deklamationen unserer – Sachkenner gegen die Anwendung ursprünglich vernünftiger Grundsätze im Leben, die heftigen Anfälle unserer Empiriker auf unsere Philosophen mit anhört; als ob zwischen Theorie und Praxis ein nie zu vermittelnder Widerstreit wäre. – Aber ich bitte euch, wonach treibt denn *ihr* eure Geschäfte im Leben? Überlaßt ihr sie denn ganz dem blinden Wehen des Zufalls oder, da ihr meistens sehr fromm redet, der Leitung der Vorsehung; oder richtet auch ihr euch nach Regeln? Im ersteren Falle – wozu denn eure wortreichen Warnungen an die Völker, sich durch die Vorspiegelungen der Philosophen doch ja nicht blenden zu lassen? Seid ihr doch ganz stille und laßt euren Zufall walten! Werden die Philosophen gewinnen, so werden sie ja recht gehabt haben; werden sie nicht gewinnen, so werden sie unrecht gehabt haben. Es ist nicht eure Sache, sie zu widerlegen; der Zufall wird schon über sie Gericht halten. Im zweiten Falle – woher bekommt ihr denn eure Regeln? Aus der Erfahrung, sagt ihr. Aber wenn dies nicht heißt: ihr findet sie da wirklich von anderen Männern vor euch in Worte verfaßt und nehmt sie auf eure Autorität hin – heißt es aber das, so frage ich euch: woher haben jene sie genommen? Und ihr seid um keinen Schritt weiter. – Wenn es dies aber nicht heißt, so müßt ihr ja wohl erst die Erfahrung beurteilen, das Mannigfaltige in derselben unter

gewisse Einheiten bringen und so eure Regeln daraus folgern. Dieser Weg, den ihr geht, kann nicht wieder aus der Erfahrung abgezogen sein, sondern die Richtung und die Schritte desselben sind euch durch ein ursprüngliches Gesetz der Vernunft vorgezeichnet, das euch aus der Schule unter dem Namen Logik bekannt ist. Aber dieses Gesetz schreibt euch doch nur die Form eurer Beurteilung, nicht den Gesichtspunkt vor, aus dem ihr die Tatsachen beurteilen wollt. Ihr müßt das Mannigfaltige unter gewisse bestimmte Einheiten bringen, sagte ich, und ihr werdet es mir gewiß nicht ableugnen, wenn ihr diesen Ausdruck versteht. Wo nicht, so denkt ein wenig über ihn nach. Wie kommt ihr denn nun zu diesen Einheitsbegriffen? Durch Beurteilung des in der Erfahrung gegebenen nicht, denn die Möglichkeit jeder Beurteilung setzt sie schon voraus, wie ihr aus dem Gesagten begriffen haben müßt. Sie müssen also ursprünglich und vor aller Erfahrung vorher in eurer Seele gelegen haben, und ihr habt nach ihnen geurteilt, ohne es zu wissen. Die Erfahrung an sich ist ein Kasten voll untereinandergeworfener Buchstaben; der menschliche Geist nur ist es, der einen Sinn in dieses Chaos bringt, der hier eine Iliade und dort ein Schlenkertsches historisches Drama aus ihnen zusammensetzt. – Ihr habt euch demnach höchlich unrecht getan; ihr seid mehr Philosophen, als ihr es selbst glauben konntet. Es geht euch, wie Meister Jourdain in der Komödie: ihr habt euer ganzes Leben philosophiert, ohne ein Wort davon zu wissen. Verzeiht uns daher nur immer eine Sünde, die ihr mit uns zugleich begangen habt.

Wo der eigentliche Streitpunkt zwischen euch und uns liegt, kann ich euch wohl mitteilen. Ihr wollt es freilich nicht ganz mit der Vernunft, aber auch nicht ganz mit eurem wohltätigen Freunde, dem Schlendrian, verderben. Ihr wollt euch zwischen beide teilen und geratet dadurch, zwischen zwei so unverträglichen Gebietern, in die unangenehme Lage, es keinem zu Danke machen zu können. Folgt doch lieber entschlossen dem Gefühle der Dankbarkeit, das euch zu dem letzteren hinzieht, und wir wissen dann, wie wir mit euch daran sind.

Ihr möchtet wohl gern ein wenig vernünftig handeln, nur ums Himmels willen nicht ganz. – Recht wohl! aber warum eben bis zu der von euch festgesetzten Grenze – warum hört ihr nicht noch innerhalb derselben auf – warum geht ihr nicht noch einige Schritte weiter? Einen vernünftigen Grund könnt ihr dafür nicht anführen, da ihr hier die Vernunft verlaßt. Was wollt ihr nun auf diese Frage uns – was wollt ihr auf sie euren Verbündeten, die über die Sache selbst, nur nicht über die Grenze mit euch einig sind – was wollt ihr auf sie, entschiedenen Verfechtern des Alten, so wie es ist, antworten? Ihr geratet mit der ganzen Welt in Streit und steht allein und ohne Antwort da.

Aber ihr bleibt dabei, unsere philosophischen Grundsätze ließen sich einmal nicht ins Leben einführen; unsere Theorien seien freilich unwiderleglich, aber sie seien *nicht ausführbar*. – Das meint ihr denn doch wohl nur unter der Bedingung, *wenn alles so bleiben soll, wie es jetzt ist* – denn sonst wäre eure Behauptung wohl zu dreist. Aber wer sagt denn, daß es so bleiben solle? Wer hat euch denn zu eurem Ausbessern und Stümpern, zu eurem Aufflicken neuer Stücke auf den alten zerlumpten Mantel, zu eurem Waschen, ohne einem die Haut naß machen zu wollen, gedungen? Wer hat denn geleugnet, daß die Maschine dadurch vollends ins Stocken geraten, daß die Risse sich vergrößern, daß der Mohr wohl ein Mohr bleiben werde? Sollen wir den Esel tragen, wenn ihr Schnitzer gemacht habt?

Aber ihr *wollt*, daß alles hübsch bei dem alten bleibe; daher euer Widerstreben, daher euer Geschrei über die Unausführbarkeit unserer Grundsätze. Nun, so seid wenigstens ehrlich und sagt nicht weiter: wir *können* eure Grundsätze nicht ausführen, sondern sagt gerade, wie ihr es meint: wir *wollen* sie nicht ausführen.

Dieses Geschrei über die Unmöglichkeit dessen, was euch nicht gefällt, treibt ihr nicht erst seit heute; ihr habt von jeher so geschrien, wenn ein mutiger und entschlossener Mann unter euch trat und euch sagte, wie ihr eure Sachen klüger anfangen solltet. Dennoch ist, trotz eurem Geschrei, manches wirklich geworden, indes ihr euch seine Unmöglichkeit bewieset. – So rieft ihr vor nicht gar langer Zeit einem Manne zu, der unseren Weg ging und bloß den Fehler hatte, daß er ihn nicht weit genug verfolgte: *proposez nous donc ce, qui est faisable* – das hieße: *proposez nous ce, qu'on fait*, antwortete er euch sehr richtig. Ihr seid seitdem durch die Erfahrung, das einzige, was euch klug machen kann, belehrt

worden, daß seine Vorschläge doch nicht ganz untunlich waren.
Rousseau, den ihr noch einmal über das andere einen Träumer nennt, indes seine Träume unter euren Augen in Erfüllung gehen, verfuhr viel zu schonend mit euch, ihr Empiriker; das war sein Fehler. Man wird noch ganz anders mit euch reden, als er redete. Unter euren Augen, und ich kann zu eurer Beschämung hinzusetzen, wenn ihr es noch nicht wißt, durch Rousseau geweckt, hat der menschliche Geist ein Werk vollendet, das ihr für die unmöglichste aller Unmöglichkeiten würdet erklärt haben, wenn ihr fähig gewesen wäret, die Idee desselben zu fassen; er hat sich selbst ausgemessen. Indes ihr noch an den Worten des Berichts herumklaubt – nichts merkt, nichts ahndet – euch in ein paar abgerissene Fetzen desselben, wie in eine zweite Löwenhaut, einhüllt – in aller Unschuld und Unbefangenheit seinen Grundsätzen zu folgen glaubt, indem ihr die häßlichsten Verstöße dagegen macht, nähren sich vielleicht in der Stille am Geiste desselben junge kraftvolle Männer, die seinen Einfluß in das System des menschlichen Wissens nach allen seinen Teilen, die die gänzliche neue Schöpfung der menschlichen Denkungsart, die jenes Werk bewirken muß, ahnden, bis sie sie darstellen werden. Ihr werdet noch oft nötig haben, euch die Augen zu reiben, um euch zu überzeugen, ob ihr recht seht, wenn wieder eine eurer Unmöglichkeiten wirklich geworden ist.
Wollt ihr die Kräfte des Mannes nach denen des Knaben messen? Glaubt ihr, daß der freie Mann nicht mehr vermögen werde, als der Mann in Fesseln vermochte? Beurteilt ihr die Stärke, die ein großer Entschluß uns geben wird, nach der, die wir alle Tage haben? Was wollt ihr doch also mit eurer Erfahrung? Stellt sie uns etwas anders dar, als Kinder, gefesselte und Alltagsmenschen?
Ihr eben seid die kompetenten Richter über die Grenzen der menschlichen Kräfte! Unter das Joch der Autorität, als euer Nacken noch am biegsamsten war, eingezwängt, mühsam in eine künstlich erdachte Denkform, die der Natur widerstreitet, gepreßt, durch das stete Einsaugen fremder Grundsätze, das stete Schmiegen unter fremde Pläne, durch tausend Bedürfnisse eures Körpers entselbstet, für einen höheren Aufschwung des Geistes und ein starkes hehres

Gefühl eures Ich verdorben, könnt ihr urteilen, was der Mensch könne! – sind eure Kräfte der Maßstab der menschlichen Kräfte überhaupt! Habt ihr den goldenen Flügel des Genius je rauschen gehört? – nicht dessen, der zu Gesängen, sondern dessen, der zu Taten begeistert. Habt ihr je ein kräftiges *Ich will* eurer Seele zugeherrscht und das Resultat desselben, trotz aller sinnlichen Reizungen, trotz aller Hindernisse, nach jahrelangem Kampfe hingestellt und gesagt: *hier ist es*? Fühlt ihr euch fähig, dem Despoten ins Angesicht zu sagen: töten kannst du mich, aber nicht meinen Entschluß ändern? Habt ihr – könnet ihr das nicht, so weichet von dieser Stätte, sie ist für euch heilig.
Der Mensch *kann*, was er *soll*; und wenn er sagt, ich *kann* nicht, so *will* er nicht.

III.

Ohne vorläufig die Untersuchung, vor welchen Richterstühlen wir unsere Sachen anhängig machen sollten, ins reine gebracht zu haben, war ein Urteil völlig unmöglich. Jetzt, da sie im reinen ist, entsteht eine neue, vor deren Entscheidung ein gründliches und zusammenhängendes Urteil ebenso unmöglich ist – die von dem Range der beiden kompetenten Richterstühle und von der Unterordnung ihrer Aussprüche untereinander. Ich mache mich deutlicher.
Es kann eine Handlung sehr klug sein, welche doch unrecht ist; wir können zu einer Sache ein Recht haben, dessen Gebrauch doch sehr unklug wäre: denn beide Richterstühle sprechen ganz unabhängig voneinander, nach ganz verschiedenen Gesetzen und auf ganz verschiedene Fragen. Warum sollte denn das Ja oder das Nein, das auf die eine paßt, immer auch auf die andere passen? wenn wir nun unsere Frage vor beide Richterstühle gebracht hätten, in der Absicht, um unser Tun oder Lassen nach den Antworten, die wir bekommen würden, einzurichten, und der eine erlaubte oder beföhle, was der andere widerriete, welchem müßten wir gehorchen?
Der Ausspruch der Vernunft, insofern er die freien Handlungen geistiger Wesen betrifft, ist schlechthin gültiges, allgemeines Gesetz; was sie gebietet, muß schlechterdings geschehen; was sie erlaubt, darf schlechterdings nicht

gehindert werden. Die Stimme der Klugheit ist nur *guter Rat*; wenn wir klug sind, so werden wir ihn freilich hören: aber wenn wir nun nicht so klug sind als ihr, wenn wir nun eure scharfe Rechenkunst der Vorteile nicht besitzen – freilich ist das übel für uns –, aber dürft ihr uns *nötigen*, klug zu sein? Wenn also auf eine unserer Fragen das Sittengesetz uns antwortete: du darfst nicht – so müssen wir es nicht tun, und wenn die Stimme der Klugheit noch so laut riefe: tue es, es ist dein höchster Vorteil; wenn du es unterlässest, so ist dein ganzes Wohl vereitelt, so versinkest du in das tiefste Elend, so stürzen die Trümmer des Weltalls über dich zusammen. Laß sie stürzen und dich mit dem Bewußtsein, *nicht unrecht gehandelt zu haben* und eines besseren Schicksals *würdig* zu sein, in ihrem Schoße begraben.

Wenn dir das Sittengesetz antwortet: du darfst – dann gehe hin und berate dich mit der Klugheit; dann untersuche deine Vorteile, wäge sie gegeneinander ab, wähle den vollwichtigsten und genieße ihn mit gutem Gewissen; dein Herz gesegnet ihn dir.

Wenn wir aber diese Frage bloß erhoben hätten, um über die Handlung eines anderen zu urteilen, wie hätten wir uns dann in dem Falle verschiedener Antworten des Sittengesetzes und der Klugheit zu betragen? – Hat er unrecht gehandelt, so verdient seine Handlung unseren ganzen Abscheu, und wenn seine Ungerechtigkeit uns betraf, unsere Ahndung. Hat er nur unklug gehandelt, so verdient sie bloß unseren Tadel, er höchstens unser Mitleid und unsere guten Wünsche: unsere Achtung können wir ihm nicht entziehen, denn er hat das Gesetz geehrt.

Aber – oh, es ist ein tiefer, verborgener, unaustilgbarer Zug des menschlichen Verderbens, daß sie immer lieber gütig als gerecht sein, lieber Almosen geben als Schulden bezahlen wollen! – Aber wir sind großmütig, wir suchen sein eigenes Beste und wollen ihn auf den Weg desselben, sei es auch durch gewaltsame Mittel, zurückführen.

Wissen wir denn nun so ganz gewiß, was *sein* Wohl oder *sein* Unglück befördere? Es kann wohl sein, daß *wir* uns in seiner Lage höchst elend befinden würden; wissen wir denn aber, ob *er*, seinen besonderen Eigenschaften, Kräften, Anlagen nach, sich ebenso elend befinde? Wir halten und rechnen ja sonst so sehr auf die individuellen Verschiedenheiten der Menschen; warum vergessen wir denn hier unseren eigenen Grundsatz? Haben wir denn ein allgemeines Gesetz zur Beurteilung der Glückseligkeit? Wo ist es doch anzutreffen?

Woher doch der allgemeine Zug im Menschen, die individuelle Richtung anderer so gern nach seiner eigenen zu messen, so gern für andere Pläne zu entwerfen, die weiter keinen Fehler haben als den, daß sie bloß *für ihn* passen? Der Furchtsame zeichnet dem Kühnen, der Kühne dem Furchtsamen den Weg vor, den er selbst freilich gehen würde: aber wehe dem Armen, der auf solchen guten Rat hört! Er wird nie an seiner Stelle sein, er wird beständig eines Vormundes bedürfen, weil er ein einziges Mal unmündig war. – Das würde ich auch tun, wenn ich Parmenio wäre, sagte Alexander und war in diesem Augenblicke mehr Philosoph als vielleicht sein ganzes übriges Leben durch. Sei dir selbst alles oder du bist nichts. – Erkennt in diesem Zuge die sinnliche Verunstaltung eines Grundzuges unserer geistigen Natur; des – Übereinstimmung in den Handlungsarten vernünftiger Wesen, als solcher, hervorzubringen.

Gesetzt aber, ihr könntet beweisen, was ihr doch nie beweisen werdet, daß er sich durch seine Handlung notwendig unglücklich mache – ihr fühltet euch von eurem großmütigen Herzen fortgerissen, ihn am Rande des Abgrundes zurückzuhalten – wollt ihr euch nicht wenigstens so lange gedulden, bis ihr über *die Rechtmäßigkeit eurer* Handlung mit euch zu Rate gegangen seid?

Er zeigt eine Erlaubnis des einigen Gesetzes vor, welches euch wie ihn verbindet. Ist dieses Gesetz wirklich euer gemeinschaftliches einiges, so ist seine vorgezeigte Erlaubnis für euch ein *Verbot.* Das Gesetz will, er soll unter keinem anderen Gesetze stehen als unter ihm. Im gegenwärtigen Falle schweigt es und befreit ihn mithin von aller Gesetzlichkeit; und ihr wolltet ihm durch euren Zwang ein neues Gesetz auflegen? Dann nehmt *ihr* ja eine Erlaubnis zurück, die das Gesetz gab; dann wollt *ihr* ja den gebunden, den das Gesetz frei will; dann seid *ihr* ja dem Gesetze ungehorsam; dann setzt *ihr* ja euren Stuhl über den Stuhl der Gottheit – denn selbst sie macht kein freies Wesen wider seinen Willen glücklich.

Nein, vernünftige Kreatur, du darfst niemanden wider sein Recht glücklich machen, denn das ist unrecht.
O heiliges Recht, wann wird man dich doch für das, was du bist, für ein Siegel der Gottheit, an unserer Stirn anerkennen und vor dir niederfallen und anbeten; wann wirst du uns doch, wie eine himmlische Ägide, unter dem Kampfe des gegen uns verschworenen Interesses der ganzen Sinnlichkeit bedecken und durch deinen bloßen Anblick alle unsere Gegner versteinern; wann werden doch vor deiner bloßen Idee die Heere erbeben und niederfallen und vor den Strahlen deiner Majestät dem Starken die Waffen entsinken?

IV.

In dieser den Vorerinnerungen gewidmeten Einleitung vergönne man noch nachfolgender ihr Plätzchen, die zwar nicht eigentlich die Grundsätze der Beurteilung, aber das Recht der öffentlichen Beurteilung selbst betrifft.
Man erhebt nämlich jetzt wieder bei freien politischen Untersuchungen ein Geträtsch, wie man es schon ehemals bei religiösen trieb, über *exoterische* und *esoterische* Wahrheiten, d. h. – denn du sollst es nicht verstehen, unstudiertes Publikum, darum werden sie sich wohl hüten, es deutsch zu sagen –, d. h. also: von Wahrheiten, die ein jeder wissen mag, weil eben nicht viel Tröstliches daraus folgt, und von anderen Wahrheiten, die – leider! – ebenso wahr sind, von denen aber niemand wissen soll, daß sie wahr sind. – Siehe, liebes Publikum, so spielen deine Lieblinge dir mit, und du freuest dich in kindlicher Unbefangenheit über die Brosamen, die sie dir von ihrer reichbesetzten Tafel zufließen lassen. Traue ihnen nicht; das, worüber du eine so herzliche Freude hast, ist nur das Exoterische; das Esoterische solltest du erst sehen; aber – das ist nicht für dich. „Die Thronen der Fürsten werden und müssen ewig stehen", sagen sie; nämlich, denken sie, Fürst heißt jeder Verwalter der Gesetze: „nur das beherrschte Volk kann frei sein", sagen sie; nämlich, denken sie, durch selbstgegebene Gesetze beherrscht.
Das ist auch eine von euren alten Untugenden, feige Seelen, daß ihr uns mit einer geheimnisvollen Miene ins Ohr

flüstert, was ihr aufgespürt habt: aber, aber – setzt ihr hinzu und macht ein kluges Gesicht –, daß es ja nicht weiter auskommt, Frau Gevatterin! Das ist nicht männlich; was der Mann redet, mag jeder wissen.

„Aber es würde doch großes Unheil davon entstehen, wenn es jeder wüßte." Wenn du nicht bestallet bist, für das Wohl der Welten zu sorgen, so laß das deine letzte Sorge sein. Die Wahrheit ist nicht ausschließliches Erbteil der Schule; sie ist ein gemeinsames Gut der Menschheit, von ihrem gemeinschaftlichen Vater ihr zur köstlichsten Ausstattung, zum innigsten Vereinigungsmittel der Geister mit Geistern gegeben; jeder hat das gleiche Recht, sie aufzusuchen und sie nach seiner ganzen Empfänglichkeit dafür zu genießen und zu benutzen. Du darfst ihn daran nicht hindern; denn das ist unrecht: du darfst ihn nicht täuschen, ihm nichts aufbinden; sei es auch in der wohltätigsten Absicht. Was für ihn wohltätig ist, weißt du nicht; aber daß du schlechterdings nie lügen, schlechterdings nie gegen deine Überzeugung reden sollst, weißt du. Freilich können wir dich auch nicht nötigen, ihm die Wahrheit zu sagen; du kannst deine Überzeugung gänzlich für dich behalten; wir haben weder ein Mittel noch ein Recht, sie aus deiner Seele herauszupressen. – Aber *ich* will sie ihm sagen. Siehst du darüber scheel, daß ich so gütig bin? Habe ich nicht Recht, zu tun mit dem Meinen, was ich will? Kannst du es ohne Ungerechtigkeit verhindern – ohne Ungerechtigkeit gegen mich, indem du mir den freien Gebrauch meines Eigentums, also ein Menschenrecht streitig machen – ohne Ungerechtigkeit gegen den anderen, indem du ihn eines frei dargebotenen Mittels zur Erreichung einer höheren Geisteskultur berauben würdest? Was aus meiner Mitteilung erfolgen möge, ist nicht deine Sorge; deine Sorge ist nur die, nicht ungerecht zu sein.

Aber sollte denn auch wirklich so viel Schreckliches daraus erfolgen, oder ist es nur deine erhitzte Phantasie, welche Windmühlen für Riesen ansieht? – Die allgemeine Verbreitung der Wahrheit, die unseren Geist erhebt und veredelt, die uns über unsere Rechte und Pflichten unterrichtet, die uns die besten Wege auffinden lehrt, wie wir die ersteren behaupten und die Erfüllung der zweiten recht fruchtbar für das menschliche Geschlecht machen können, sollte schädliche Folgen haben? Vielleicht für diejenigen, welche uns auf immer in der Tierheit erhalten möchten, damit sie uns auf immer ihr Joch auflegen und zu ihrer Zeit uns schlachten können? Und welche denn auch für sie als etwa die, daß sie dann ein anderes Handwerk ergreifen müßten? Fürchtet ihr dies als ein Unglück? Nun freilich, darin sind wir mit euch nicht einig; wir fürchten dieses Unglück nicht. Oh, möchte doch über alle Menschen die klarste, belebendste Erkenntnis der Wahrheit sich verbreiten; möchten doch alle Irrtümer und Vorurteile vom Erdballe vertilgt sein! Dann wäre der Himmel schon auf der Erde.

Ein halbes Wissen, losgerissene Sätze ohne Übersicht des Ganzen, die nur auf der Oberfläche des Gedächtnisses herumschwimmen und die der Mund herplaudert, ohne daß der Verstand die geringste Notiz davon nimmt, könnten vielleicht Schaden stiften, aber sie sind auch nicht Kenntnis. Welchen Satz wir nicht aus seinen Grundsätzen entwikkelt und die Folgen desselben überschaut haben, dessen Sinn verstehen wir so gar nicht. – Aber nein, auch sie stiften keinen Schaden; sie sind in der Seele wie ein totes Kapital, ohne allen Einfluß: die Leidenschaften sind es, die sie zum beschönigenden Vorwande ergreifen – die Leidenschaften, welche, wenn sie diesen Vorwand nicht hätten, einen anderen fänden oder, wenn sie gar keinen fänden, ohne allen Vorwand dieselben bleiben würden.

Wir haben euch also wohl gar unrecht getan? Wüßtet ihr etwas Gründliches, so würdet ihr auch die Folgen desselben übersehen haben und wissen, daß sie, wie jeder Wahrheit Folgen, nicht anders als heilsam sein können. Ihr mögt höchstens im Fluge hier und da einen Lappen abgerissen haben, über dessen fremde Gestalt ihr so erschrakt, daß ihr ihn sogleich, als eine heilige Reliquie, vor profanen Augen verschlosset. Wir werden also hinfüro weniger lüstern nach euren esoterischen Wahrheiten sein. Ihr gebt uns, vermute ich, mit aller Treue, was ihr habt, und die verschlossenen Kasten sind nur darum verschlossen, damit wir nicht sehen, daß sie leer sind.

Siehe, Wohltäterin der Menschheit, belebende Wahrheit, so gehen diejenigen mit dir um, die sich deine Priester nennen. Weil sie dich noch nie erblickten, verleumden sie dich ungescheut. Du bist ihnen ein menschenfeindlicher Dämon. Sie haben sich ein hölzernes Bild geschnitzt, das sie statt deiner anbeten. Nur von dem Teile aus, von welchem Moses seine Gottheit erblickte, zeigen sie dies an hohen Festen dem Volke und geben vor, wer ihre Bundeslade berühre, müsse sterben. Oh, mache doch ihrer Gaukelei ein Ende. Erscheine du selbst mitten unter uns in deinem milden Glanze, daß alle Völker dir huldigen.

Erstes Buch

Zur Beurteilung der Rechtmäßigkeit einer Revolution

ERSTES KAPITEL

Hat überhaupt ein Volk das Recht, seine Staatsverfassung abzuändern?

Es sei seit Rousseau gesagt und wieder gesagt worden, daß alle bürgerlichen Gesellschaften sich *der Zeit* nach auf einen Vertrag gründeten, meint ein neuerer Naturrechtslehrer: aber ich wünschte zu wissen: gegen welchen Riesen diese Lanze eingelegt sei. Wenigstens sagt Rousseau das nicht*; und hat seit ihm es jemand gesagt, so hat dieser Jemand etwas gesagt, gegen das es gar nicht der Mühe lohnt, sich zu ereifern. Man sieht es ja freilich unseren Staatsverfassungen und allen Staatsverfassungen, die die bisherige Geschichte kennt, an, daß ihre Bildung nicht das Werk einer verständigen kalten Beratschlagung, sondern ein Wurf des Ohngefähr oder der gewaltsamen Unterdrückung war. Sie gründen sich alle auf das *Recht des Stärkeren*; wenn es erlaubt ist, eine Blasphemie nachzusagen, um sie verhaßt zu machen.
Daß aber *rechtmäßigerweise* eine bürgerliche Gesellschaft sich auf nichts anderes gründen kann als auf einen Vertrag zwi-

* Man muß auf seinen *Gesellschafts-Vertrag* [Du contract social, Amsterdam 1762] einen sehr flüchtigen Streifzug gemacht haben oder nur aus anderen Zitaten kennen, um das in ihm zu finden. 1. Buch, Kap. 1, kündigt er seinen Gegenstand so an: *Comment* ce changement s'est il fait? Je l'ignore. Qu'est ce, qui peut le rendre *legitime*! Je crois pouvoir resoudre *cette* question. – Und so sucht er im ganzen Buche nach *dem Rechte*, nicht nach der Tatsache. – „Aber er *erzählt* doch immer vom Fortschritte der Menschheit." – So? Täuscht das die Herren? Ihr erzähltet wohl auch: Es trug sich zu – ohne jedesmal vorauszuschicken: um euch Schwachen, die ihr das nicht begreift, unseren Satz durch ein Beispiel klarzumachen, so *ponamus casum*, es habe sich zugetragen, wenn es euch dazu nicht an Lebhaftigkeit des Geistes fehlte.

schen ihren Mitgliedern und daß jeder Staat völlig ungerecht verfahre und gegen das erste Recht der Menschheit, das Recht der Menschheit *an sich*, sündige, wenn er nicht wenigstens hinterher die Einwilligung jedes einzelnen Mitgliedes zu jedem, was in ihm gesetzlich sein soll, sucht, ist ohne Mühe auch dem schwächsten Kopfe einleuchtend darzutun.

Steht nämlich der Mensch, als vernünftiges Wesen, schlechthin und einzig unter dem Sittengesetze, so darf er unter keinem anderen stehen, und kein Wesen darf es wagen, ihm ein anderes aufzulegen. Wo ihn sein Gesetz befreit, da ist er ganz frei: wo es ihm Erlaubnis gibt, verweiset es ihn an seine Willkür und verbietet ihm in diesem Falle ein anderes Gesetz anzuerkennen als diese Willkür. Aber eben darum, weil er an seine Willkür als einzigen Entscheidungsgrund seines Verhaltens beim Erlaubten, gewiesen ist, darf er das Erlaubte auch unterlassen. Liegt einem anderen Wesen daran, daß er es unterlasse, so darf dies ihn darum bitten, und er hat das völlige Recht, auf diese Bitte frei von seinem strengen Rechte herunter zu lassen – aber zwingen lassen darf er sich nicht. – Er darf dem anderen die Ausübung seines Rechtes frei *schenken*.

Er darf auch einen Tausch über Rechte mit ihm treffen: er darf sein Recht gleichsam *verkaufen*. – Du verlangst, daß ich einige meiner Rechte nicht ausübe, weil ihre Ausübung dir nachteilig ist; nun wohl, du hast auch Rechte, deren Ausübung mir nachteilig ist: tue Verzicht auf die deinigen, und ich tue Verzicht auf die meinigen.

Wer legt mir nun in diesem Vertrage das Gesetz auf? Offenbar ich selbst. Kein Mensch kann verbunden werden ohne durch sich selbst: keinem Menschen kann ein Gesetz gegeben werden ohne von ihm selbst. Läßt er durch einen fremden Willen sich ein Gesetz auflegen, so tut er auf seine Menschheit Verzicht und macht sich zum Tiere; und das darf er nicht.

Man glaubte ehemals im Naturrechte – daß ich das im Vorbeigehen erinnere – auf einen ursprünglichen Naturzustand des Menschen zurückgehen zu müssen; und neuerlich ereifert man sich über dieses Verfahren und findet darin den Ursprung wer weiß welcher Ungereimtheiten. Und doch ist dieser Weg der einzig richtige: um den Grund

der Verbindlichkeit aller Verträge zu entdecken, muß man sich den Menschen noch von keinen äußeren Verträgen gebunden, bloß unter dem Gesetze seiner Natur, d. i. unter dem Sittengesetze, stehend denken; und das ist *der Naturzustand.* – „Ein solcher Naturzustand ist aber in der wirklichen Welt nicht anzutreffen noch je anzutreffen gewesen." – Wenn das auch wahr wäre – wer heißt euch denn unsere Ideen in der wirklichen Welt aufsuchen? Müßt ihr denn alles sehen? Aber leider, daß er nicht da ist! Er *sollte* dasein. Freilich glauben noch selbst unsere scharfsinnigeren Naturrechtslehrer, jeder Mensch sei schon von seiner Geburt an durch die wirklich geschehenen Leistungen des Staats ihm verbunden und an ihn gebunden. Leider übte man diesen Grundsatz immer praktisch aus, ehe er noch theoretisch aufgestellt war. Keinen unter uns hat der Staat um seine Einwilligung gefragt; aber er hätte es tun sollen, und bis zu dieser Anfrage wären wir im Naturzustande gewesen, d. h., wir hätten, durch keinen Vertrag eingeschränkt, bloß unter dem Sittengesetze gestanden. Doch davon, wenn wir dieses Weges wiederkommen werden!
Bloß dadurch also, daß wir selbst es uns auflegen, wird ein positives Gesetz verbindlich für uns. Unser Wille, unser Entschluß, der als dauernd gefaßt wird, ist der Gesetzgeber und kein anderer. Ein anderer ist nicht möglich. Kein fremder Wille ist Gesetz für uns; auch der der Gottheit nicht, wenn er vom Gesetze der Vernunft verschieden sein könnte.
Doch über diesen Punkt macht der Herr Geheime Kanzleisekretär [August Wilhelm] Rehberg eine neue wichtige Entdeckung. Die *volonté générale* des Rousseau nämlich entstehe aus einer Verwechselung mit der moralischen Natur des Menschen, vermöge deren er keinem anderen Gesetze unterworfen sei noch sein könne als dem der praktischen Vernunft. – Ich will mich hier nicht darauf einlassen, was Rousseau gesagt oder gedacht habe; ich will nur ein wenig untersuchen, was Herr R. hätte sagen sollen. Die Gesetzgebung der praktischen Vernunft ist nach ihm für die Grundlage eines Staats nicht hinreichend; die bürgerliche Gesetzgebung geht einen Schritt weiter; sie hat es mit Dingen zu tun, welche jene der Willkür überläßt. – Das meine ich auch und glaube, Herr R. hätten diesen Satz noch weiter

ausdehnen und überhaupt sagen können: das Sittengesetz der Vernunft geht die bürgerliche Gesetzgebung gar nichts an, es ist ohne sie völlig vollendet, und die letztere tut etwas Überflüssiges und Schädliches, wenn sie ihm eine neue Sanktion geben will. Das Gebiet der bürgerlichen Gesetzgebung ist das durch die Vernunft Freigelassene; der Gegenstand ihrer Verfügungen sind *die veräußerlichen Rechte des Menschen*. Soweit hat Herr R. recht, und er möge es verzeihen, daß wir seine Meinung in etwas bestimmtere Ausdrücke übersetzt haben, da er selbst an anderen alles Unbestimmte so sehr haßt. Nun aber folgert er: weil diese Gesetzgebung etwas an sich Willkürliches zum Grunde hat, so – doch ich kann einmal nicht deutlich einsehen, was er folgert. Aber ich fragte so: mögen doch diese Gesetze betreffen, was sie wollen, *woher entsteht denn ihre Verbindlichkeit?* – Ich weiß nicht, welch eine Abneigung Herr R. gegen das Wort „Vertrag" haben mag: er windet sich durch ganze Seiten, um ihm auszuweichen, bis er endlich, S. 50*, doch noch eingestehen muß, daß *gewissermaßen* die bürgerliche Gesellschaft als eine freiwillige Assoziation zu betrachten sei. Ich bekenne, daß ich die „gewissermaßen" und ihre ganze Familie nicht liebe. Weißt du etwas Gründliches und willst du es uns sagen, so rede bestimmt und ziehe statt deines „gewissermaßen" eine scharfe Grenze; weißt du nichts oder getraust du dich nicht zu reden, so laß es gar sein. Tue nichts halb. – Also die Frage war: woher entsteht die *Verbindlichkeit* der bürgerlichen Gesetze? Ich antworte: aus der freiwilligen Übernahme derselben durch das Individuum; und das Recht, kein Gesetz anzuerkennen als dasjenige, welches man sich selbst gegeben hat, ist der Grund jener *souveraineté indivisible, inaliénable* des Rousseau, nicht unsere vernünftige Natur selbst, aber gegründet auf das erste Postulat ihres Gesetzes, unser *einiges* Gesetz zu sein. Statt jenes Recht entweder anzuerkennen oder seinen Ungrund aus ursprünglichen Grundsätzen der reinen Vernunft darzutun, erzählt uns Herr R. eine Menge Dinge, die wir ein

* Seiner Untersuchungen über die Französische Revolution. [Untersuchungen über die Französische Revolution nebst kritischen Nachrichten von den merkwürdigsten Schriften, welche darüber in Frankreich erschienen sind, 2 Bde, Hannover-Osnabrück 1792].

andermal anhören wollen. Wir fragten ihn: Fremdling, *von wannen* bist du?, und er erzählt uns ein paar Märchen darüber, *was* er sei, damit wir indessen jene unbequeme Frage vergessen.
Um das Publikum urteilen zu lassen, was es sich von der Gründlichkeit eines Schriftstellers zu versprechen habe, der durch seinen schneidenden Ton imponiert und nicht aufhört, über fades, seichtes, unausstehliches Geschwätz zu klagen, gehe ich die erste Stelle durch, die ich aufgreife. S. 45 sagt er: „Gesetzt, es vereinigt sich eine gewisse Zahl von Menschen, welche unabhängig nebeneinander wohnten, innere Ordnung unter sich und Verteidigung gegen äußere Feinde gemeinschaftlich zu besorgen." – Hier gesteht er ja doch einen gesellschaftlichen Vertrag nicht nur gewissermaßen, sondern völlig zu. „Einer von den Nachbarn schlägt die angetragene Verbindung aus. Er findet es nächstdem zuträglich, sich noch dazuzugesellen. Nunmehr hat er aber kein Recht, es zu verlangen." – *Was* zu verlangen? Sich dazuzugesellen? Das Anbieten ist seine Sache. Hat er kein Recht, von sich selbst zu verlangen, daß er hingehe und die Gesellschaft um die Aufnahme unter sie bitte? Solche Nachlässigkeiten erlaubt sich hier ein Schriftsteller, der es sonst wohl gezeigt hat, daß er seiner Sprache mächtig sei. – Die *Aufnahme* zu verlangen, will er sagen. Ich bitte, hatte er dieses Recht denn vorher? Hatte er vor allem Vertrage vorher einen rechtlichen Anspruch auf die Gesellschaft? So schreibt man – soll ich sagen aus Unkunde oder mit Bedacht? – zweideutig, um einen falschen Satz durchschlüpfen zu lassen, und macht aus diesem Satze eine Folgerung, die selbst dann falsch bliebe, wenn auch ihr Vordersatz richtig wäre; „er muß sich nun", fährt er fort, „besonders verabredete Bedingungen gefallen lassen, die ihm vielleicht härter fallen als den anderen". Die mit ihm besonders verabredeten Bedingungen fallen ihm härter als (eben diese?) den anderen? Ich dachte, die anderen stünden nicht unter den gleichen Bedingungen; sie ständen unter anderen, die *an sich*, und nicht darum, weil sie jenem nur härter fallen (nur relativ), gelinder wären. Soviel über die Nachlässigkeit des Ausdrucks. Jetzt über die Sache selbst! Warum *müßte* er denn, und warum *nun*? Wenn er nun müßte, so hätte er vorher auch gemußt, wenn es der Gesell-

schaft gefallen hätte, ihm härtere Bedingungen aufzulegen. Durfte sie das etwa nicht? – Aber er muß weder nun noch vorher. Sind ihm die Bedingungen zu hart, so hat er das volle Recht, auf den Beitritt zur Gesellschaft Verzicht zu tun. Er und sie sind zwei Handelsleute, die ihre Waren jeder so hoch anschlagen, als sie sie loszuwerden hoffen. Glück zu dem, der bei dem Handel etwas gewinnt! Wer hätte denn den Marktpreis festsetzen sollen? – Die Frage ist nur die, ob es nicht Rechte gibt, die an sich unveräußerlich sind und deren Veräußerung jeden Vertrag rechtswidrig und unkräftig machen würde. Auf diese Frage wird Herr R. aus allen seinen Beispielen keine Antwort ziehen können; er wird sich mit uns auf Spekulationen einlassen oder schweigen müssen.

Ich werde zu diesem Schriftsteller – der Streitpunkt und Gerichtshof verkennt; der durchgängig aus dem, was *geschieht*, auf das schließt, was *geschehen soll*; der alles wieder verwirrt, was Rousseau und seine Nachfolger auseinandergesetzt haben und ich hier auseinandersetze; der den Ursprung des Eigentumsrechts an Grund und Boden in der Gesellschaft sucht und der uns von unserer Geburt an, ohne alles unser Zutun, an den Staat bindet – noch öfter zurückkommen müssen.

Entsteht nun bloß aus dem Willen der Kontrahierenden im Vertrage die Verbindlichkeit gesellschaftlicher Verträge, und kann dieser Wille sich ändern, so ist klar, daß die Frage, ob sie ihren Vertrag ändern können, jener: ob sie überhaupt einen Vertrag schließen konnten, völlig gleich ist. Jede Veränderung des ersten Vertrags ist ein neuer Vertrag, worin der alte in so oder so weit oder ganz aufgehoben, in so oder so weit bestätigt wird. Veränderungen und Bestätigungen erhalten ihre Verbindlichkeit von der Einwilligung der Kontrahierenden im zweiten Vertrage. Eine solche Frage läßt mithin vernünftigerweise sich gar nicht aufwerfen. – Daß alle Kontrahierende einig sein müssen und daß keinem der Beitritt abgezwungen werden könne, folgt unmittelbar aus dem obigen. Sonst würde ihm ja durch etwas anderes als durch seinen Willen ein Gesetz aufgelegt.

„Wenn es aber eine Bedingung des Vertrags wäre, daß er ewig gültig und unabänderlich sei?" Ich will mich hier nicht auf die Frage einlassen, ob ein solcher für immer gültiger Vertrag, den selbst die Einwilligung beider Teile nicht aufheben könne, nicht etwa überhaupt widersprechend sei. Um die Untersuchung fruchtbarer, einleuchtender und unterhaltender zu machen, wende ich sie geradezu auf den vorliegenden Fall und stelle die Frage so: ist eine Staatsverbindung, welche unabänderlich sei, nicht etwa widersprechend und unmöglich? Es kann nämlich hier, wo die ganze Untersuchung aus moralischen Grundsätzen geführt wird, nur von moralischen Widersprüchen, von moralischer Unmöglichkeit die Rede sein. Die Frage lautet also eigentlich so: widerstreitet die Unabänderlichkeit irgendeiner Staatsverfassung nicht etwa der durchs Sittengesetz aufgestellten Bestimmung der Menschheit?

Nichts in der Sinnenwelt, nichts von unserem Treiben, Tun oder Leiden, als Erscheinung betrachtet, hat einen Wert, als insofern es auf Kultur wirkt. Genuß hat an sich gar keinen Wert; er bekommt einen höchstens als Mittel zur Belebung und Erneuerung unserer Kräfte für Kultur.

Kultur heißt Übung aller Kräfte auf den Zweck der völligen Freiheit, der völligen Unabhängigkeit von allem, was nicht wir selbst, unser reines Selbst ist. Ich mache mich hierüber deutlicher.

Wird uns durch und in der Form unseres reinen Selbst*, durch das Sittengesetz in uns, unser wahrer letzter Endzweck aufgestellt, so ist alles in uns, was nicht zu dieser reinen Form gehört, oder alles, was uns zu sinnlichen Wesen macht, nicht selbst Zweck, sondern bloß Mittel für unseren höheren geistigen Zweck. Es soll uns nämlich nie bestimmen, sondern soll durch das Höhere in uns, durch die Vernunft, immer bestimmt werden. Es soll nie tätig sein als auf das Geheiß der Vernunft und nie auf andere Art tätig sein als nach der Norm, die ihm jene vorschreibt. Wir können von der Sinnlichkeit sagen, was jener Wilde bei [Jean François] Marmontel [in seinem Werk „Les Incas", 2 Bde., Paris 1777, Bd. 1, S. 226] in seinem Totengesange von der Gefahr sagt: So, wie wir geboren wurden, forderte sie uns zu einem

* Diese Ausdrücke muß sich der Leser in der Einleitung klargemacht haben, oder er versteht dieses Kapitel nicht und keins der folgenden; und das durch seine eigene Schuld.

langen, fürchterlichen Zweikampfe um Freiheit oder Sklaverei auf. Überwindest du, sagte sie uns, so will ich dein Sklav' sein. Ich werde dir ein sehr brauchbarer Diener sein können; aber ich bleibe immer ein unwilliger Diener, und sobald du mein Joch erleichterst, empöre ich mich gegen meinen Herrn und Überwinder. Überwinde ich dich aber, so werde ich dich beschimpfen und entehren und unter die Füße treten. Da du mir zu nichts nütze sein kannst, so werde ich nach dem Rechte eines Eroberers dich ganz zu vertilgen suchen.

In diesem Kampfe nun muß mit der Sinnlichkeit zweierlei geschehen. Sie soll erstlich bezähmt und unterjocht werden; sie soll nicht mehr gebieten, sondern dienen; sie soll sich nicht mehr anmaßen, uns unsere Zwecke vorzuschreiben oder sie zu bedingen. Dies ist die erste Handlung der Befreiung unseres Ich: die *Bezähmung* der Sinnlichkeit. – Aber damit ist noch lange nicht alles geschehen. Die Sinnlichkeit soll nicht nur nicht Gebieter, sie soll auch Diener, und zwar ein geschickter, tauglicher Diener, sein; sie soll zu brauchen sein. Dazu gehört, daß man alle ihre Kräfte aufsuche, sie auf alle Art bilde und ins Unendliche erhöhe und verstärke. Das ist die zweite Handlung der Befreiung unseres Ich: die *Kultur* der Sinnlichkeit.

Hierbei zwei Anmerkungen! Zuvörderst, wenn ich hier von Sinnlichkeit rede, so verstehe ich nicht etwa bloß das darunter, was man sonst wohl mit diesem Namen bezeichnete, die niederen Gemütskräfte oder wohl gar bloß die körperlichen Kräfte des Menschen. Im Gegensatze gegen das reine Ich gehört alles zur Sinnlichkeit, was nicht selbst dieses reine Ich ist, also alle unsere körperlichen und Gemütskräfte, welche und insofern sie durch etwas außer uns bestimmt werden können. Alles, was bildsam ist, was geübt und verstärkt werden kann, gehört dazu. Die reine Form unseres Selbst ist es, die keiner Bildung fähig ist: sie ist völlig unveränderlich. In diesem Sinne des Worts gehört demnach Bildung des Geistes oder Herzens durch das reinste Denken, oder durch die erhabensten Vorstellungen aus der Religion, nicht minder zur Bildung der Sinnlichkeit, des sinnlichen Wesens in uns als etwa die Übung der Füße durch den Tanz.

Zweitens dürfte etwa die vorgeschlagene Übung und Erhöhung der sinnlichen Kräfte jemanden auf den Gedanken bringen, daß dadurch die Macht der Sinnlichkeit selbst vermehrt und sie mit neuen Waffen gegen die Vernunft werde ausgerüstet werden. Aber das ist nicht. Gesetzlosigkeit ist der ursprüngliche Charakter der Sinnlichkeit; nur in ihr liegt ihre eigentümliche Stärke, sowie dieses Werkzeug ihr entwunden wird, wird sie kraftloser. – Alle jene Bildung geschieht wenigstens nach Regeln, wenn auch nicht nach Gesetzen, auf gewisse Zwecke hin, mithin zum wenigsten gesetzmäßig; es wird durch sie der Sinnlichkeit gleichsam die Uniform der Vernunft angelegt, die Waffen, die diese gibt, sind ihr selbst unschädlich, und sie ist gegen sie unverwundbar.

Durch die höchste Ausübung dieser beiden Rechte des Überwinders über die Sinnlichkeit nun würde der Mensch *frei*, d. i. bloß von sich, von seinem reinen Ich abhängig werden. Jedem *Ich will*, in seiner Brust müßte ein *Es steht da* in der Welt der Erscheinungen entsprechen. Ohne die Ausübung des ersteren könnte er auch nicht einmal *wollen*; seine Handlungen würden durch Antriebe außer ihm, wie sie auf seine Sinnlichkeit wirken, bestimmt; er wäre ein Instrument, das zum Einklange in das große Konzert der Sinnenwelt gespielt würde und jedesmal den Ton angäbe, den das blinde Fatum auf ihm griffe. Nach Ausübung des ersteren Rechts könnte er zwar selbsttätig wollen; aber ohne das zweite geltend zu machen, wäre sein Wille ein *ohnmächtiger* Wille; er wollte, und das wäre es alles. Er wäre ein Gebieter – aber ohne Diener, ein König – aber ohne Untertanen. Er stünde noch immer unter dem eisernen Zepter des Fatums, wäre noch an seine Ketten gefesselt, und sein Wollen wäre ein ohnmächtiges Gerassel mit denselben. Die erste Handlung des Überwinders versichert uns das *Wollen*; die zweite, des Anwerbens und Wehrhaftmachens unserer Kräfte, versichert uns das *Können*.

Diese Kultur zur Freiheit nun ist der einzig mögliche Endzweck des Menschen, *insofern er ein Teil der Sinnenwelt ist;* welcher höchste sinnliche Endzweck aber wieder nicht Endzweck des Menschen an sich, sondern letztes Mittel für Erreichung seines höheren geistigen Endzwecks ist, der völligen Übereinstimmung seines Willens mit dem Gesetze der Vernunft. Alles, was Menschen tun und treiben, muß

sich als Mittel für diesen letzten Endzweck in der Sinnenwelt betrachten lassen, oder es ist ein Treiben ohne Zweck, ein unvernünftiges Treiben.
Freilich hat der bisherige Gang des Menschengeschlechtes diesen Zweck befördert. – Aber ich bitte, erlauchte Vormünder desselben, nehmt dies nur nicht so voreilig als einen großen Lobspruch eurer weisen Leitung auf und wartet noch ein wenig, ehe ihr mich so zuversichtlich unter die Klasse eurer Schmeichler versetzt. Laßt mich erst geduldig mit euch untersuchen, was ich mit jenem Ausspruche vernünftigerweise kann sagen wollen. – – – Wenn ich nämlich diesem Gange hinterher nachdenke und annehme, er könne einen Zweck gehabt haben, so kann ich vernünftigerweise meiner Betrachtung keinen anderen Zweck unterlegen als den jetzt entwickelten, weil er der einzig mögliche ist. Ich sage also dadurch gar nicht, ihr oder irgendein Wesen habe sich diesen Zweck bei der Richtung des Ganges bestimmt gedacht; sondern nur: ich denke mir ihn bestimmt zum Behuf einer möglichen Beurteilung seiner Zweckmäßigkeit. – „*Wenn* dieser Gang wirklich durch ein vernünftiges Wesen geleitet und der Begriff jenes Zwecks seiner Leitung zugrunde gelegen hätte, hätte es dann die tauglichsten Mittel zur Erreichung desselben gewählt?" frage ich mich. Ich sage nicht, *daß* es so gewesen sei: was weiß ich das? – Und was werde ich nun in dieser Untersuchung finden?
Fürs erste: niemand *wird kultiviert*, sondern jeder hat sich *selbst zu kultivieren*. Alles bloß leidende Verhalten ist das gerade Gegenteil der Kultur; Bildung geschieht durch Selbsttätigkeit und zweckt auf Selbsttätigkeit ab. Kein Plan der Kultur kann also so angelegt werden, daß seine Erreichung notwendig sei; er wirkt auf Freiheit und hängt vom Gebrauche der Freiheit ab. Die Frage steht also so: sind Gegenstände vorhanden gewesen, an denen freie Wesen ihre Selbsttätigkeit auf den Endzweck der Kultur hin üben konnten?
Und was in der ganzen Welt der Erfahrung könnte denn so beschaffen sein, daß Wesen, die tätig sein wollen, ihre Tätigkeit daran nicht üben könnten. Dieser Forderung ist also leicht entsprochen, denn sie ist nicht zudringlich. Wer sich bilden will, bildet sich an allem. – Der Krieg, sagt man, kultiviert; und es ist wahr, er erhebt unsere Seelen zu

heroischen Empfindungen und Taten, zur Verachtung der Gefahr und des Todes, zur Geringschätzung von Gütern, die täglich dem Raube ausgesetzt sind, zum innigeren Mitgefühl mit allem, was Menschenantlitz trägt, weil gemeinschaftliche Gefahr oder Leiden sie enger an uns andrängen; aber haltet dies ja nicht für eine Lobrede auf eure blutgierige Kriegssucht, für eine demütige Bitte der seufzenden Menschheit an euch, doch ja nicht abzulassen, sie in blutigen Kriegen aneinander aufzureiben. Nur solche Seelen erhebt der Krieg zum Heroismus, welche schon Kraft in sich haben; den Unedlen begeistert er zum Raube und zur Unterdrückung der wehrlosen Schwäche; er erzeugte Helden und feige Diebe, und welches wohl in größerer Menge? – Wenn ihr bloß nach diesem Grundsatze beurteilt werdet, so würdet ihr weiß bleiben wie Schnee; und wenn ihr ärger wäret, als eures Zeitalters Nervenlosigkeit es euch erlaubt. Der härteste Despotismus kultiviert. Der Sklave hört in dem Todesurteile seines Despoten den Ausspruch des unabänderlichen Verhängnisses und ehrt sich mehr durch freie Unterwerfung seines Willens unter das eiserne Schicksal, als irgend etwas in der Natur ihn entehren kann. Dies Schicksal, das heute den Sklaven aus dem Staube erhebt und ihn an die Stufen des Thrones stellt und morgen ihn in sein Nichts zurückschleudert, läßt am Menschen nichts übrig als den Menschen und gibt den edleren Sarazenen und Türken jene milde Sanftheit, die aus ihren Romanen haucht, und jene Aufopferung für Fremdlinge und Leidende, die in ihren Handlungen herrschet: eben das Schicksal, das den unedleren Japaner zum entschlossenen Verbrecher macht, weil Unsträflichkeit ihn nicht schützt. – Werdet also auch sogar Despoten. Wenn wir sonst wollen, werden wir noch in den Schlingen eurer seidenen Schnur uns veredlen.

Mittel zur Kultur sind immer da; und jetzt entsteht die zweite Frage: Sind wir wirklich gebraucht worden? Läßt sich ein Fortschritt des Menschengeschlechts zur vollkommenen Freiheit im bisherigen Gange desselben nachweisen? – Laßt euch nicht bange sein vor dieser Untersuchung; wir urteilen nicht nach dem Erfolge wie ihr. Wenn sich kein merklicher Fortschritt zeigen sollte, so dürft ihr dreist sagen: das ist eure Schuld; ihr habt die vorhandenen Mittel

nicht gebraucht – und wir werden hierauf nichts Gründliches zu antworten haben und, da wir keine Sophisten sind, gar nichts antworten.
Aber ein solcher Fortschritt zeigt sich wirklich, und das war denn auch von der Natur des Menschen, die schlechterdings nicht stillstehen kann, nicht anders zu erwarten. Die sinnlichen Kräfte der Menschheit sind allerdings, seitdem wir ihrem Gange nachschauen können, auf mannigfaltige Art gebildet und gestärkt worden. Sollen wir dies nun euch verdanken, oder wem bringen wir's in Rechnung?
Ist denn wirklich die Möglichkeit und die Leichtigkeit unserer Kultur bei Gründung und Regierung eurer Staaten euer Endzweck gewesen? Ich sehe eure eigenen Erklärungen darüber nach, und soweit ich zurückgehen kann, höre ich euch von Behauptung *eurer* Rechte und *eurer* Ehre und von der Rache *eurer* Beleidigungen reden. Hier scheint es ja fast, als ob euer Plan gar nicht auf *uns*, als ob er überhaupt nur auf *euch* angelegt wäre und als ob wir in denselben nur als Werkzeuge für *eure* Zwecke aufgenommen wären. Oder, wo sich eures Mundes eine seltene Großmut bemächtiget, redet ihr gar viel vom Wohle eurer treuen Untertanen. Verzeiht, wenn eure Großmut uns ein wenig verdächtig wird, wo ihr für uns auf einen Zweck ausgeht, den wir selbst völlig aufgeben – auf sinnlichen Genuß.
Doch vielleicht wißt ihr euch nur nicht auszudrücken; vielleicht sind eure Handlungen besser als eure Worte. Ich spüre demnach, so gut es durch das dädalische Labyrinth eurer krummen Gänge, durch die tiefe, geheimnisvolle Nacht, die ihr über sie verbreitet, möglich ist, nach einer Einheit in den Maximen bei euren Handlungen, die ich ihnen als Zweck unterlegen könnte. Ich forsche vor Gott, gewissenhaft, und finde – *Alleinherrschaft eures Willens im Innern – Verbreitung eurer Grenzen von außen.* Ich beziehe den ersteren Zweck als Mittel auf unseren höchsten Endzweck, Kultur zur Freiheit; und ich gestehe, nicht zu begreifen, wie es unsere Selbsttätigkeit erhöhen könne, wenn niemand selbsttätig ist als ihr; wie es zur Befreiung unseres Willens abzwecken könne, wenn niemand in eurem ganzen Lande einen Willen haben darf als ihr; wie es zur Herstellung der reinen Selbstheit dienen möge, wenn ihr die einzige Seele seid, welche Millionen Körper in Bewegung setzt. Ich ver-

gleiche den zweiten Zweck mit jenem Endzwecke und bin wieder nicht scharfsichtig genug, einzusehen, was es unserer Kultur verschlagen könne, ob euer Wille an die Stelle noch einiger Tausend mehr trete oder nicht. Meint ihr, daß es den Begriff von unserem Werte um ein großes erhöhen werde, wenn unser Besitzer recht viele Herden besitzt?
Doch freilich kann auch dieses alles niemand einsehen, der nicht so glücklich ist, in die tiefen Geheimnisse eurer Politik*, besonders in den Abgrund von allem, das Geheimnis des Gleichgewichts von Europa, eingeweiht zu sein. Ihr wollt, daß euer Wille alleinherrschend in euren Staaten sei, damit ihr die ganze Kraft derselben, im Falle einer Gefahr jenes Gleichgewichtes, plötzlich gegen sie aufbieten könnt; ihr wollt, daß euer Staat von innen so mächtig, von außen so ausgebreitet sei als möglich, damit ihr dieser Gefahr eine recht große Kraft entgegenzusetzen habt. Die Erhaltung dieses Gleichgewichtes ist euer letzter Endzweck, und jene beiden Zwecke sind Mittel für die Erreichung desselben.
Also, euer wirklich *letzter* Endzweck wäre dieser? Erlaubt mir, daran noch einen Augenblick zu zweifeln. Von wem hat denn dies Gleichgewicht so viel Schlimmes zu fürchten als von euresgleichen? Es muß doch also wirklich welche unter ihnen geben, die es zu stören suchen. Welches ist denn der letzte Endzweck dieser Ruhestörer? Ohne Zweifel eben das, was ihr für Mittel zu eurem höheren Endzwecke ausgebt: die unumschränkteste und ausgebreitetste Alleinherrschaft.
Es muß sich doch ohngefähr bestimmen lassen, wie groß die Macht eines jeden Staates sein müsse, dem die Politik die Erhaltung dieses Gleichgewichts aufträgt, wenn die Waagschale schwebend erhalten werden soll. Hier findet ihr ja eure bestimmte Grenze; geht bis zu ihr fort und laßt den anderen auch in Ruhe bis zu ihr vorschreiten, wenn es auch wirklich sonst um nichts als um das Gleichgewicht zu

* Besonders befällt den oben belobten Schriftsteller ein geheimer Schauder, wenn einer sagt: es gehöre nur gesunder Menschenverstand dazu, um zu begreifen, was ihm bis jetzt zu begreifen noch so schwer wird. Ich gestehe ihm, daß ich der gleichen Meinung bin. – „Aber der Geschmack an Gründlichkeit wird ausgehen; man wird oberflächlich werden, wenn man das laut sagt!" – Dagegen lasse Herr R. seine Gegner sorgen!

tun ist und wenn ihr es alle ehrlich meint. – Aber der andere hat diese Grenzen überschritten; ihr müßt sie nun auch überschreiten, damit das unterbrochene Gleichgewicht wiederhergestellt werde? – Wenn die Schalen vorher waagerecht standen, so hättet ihr ja nicht nötig gehabt, sie ihn überschreiten zu lassen; ihr hättet es ja verhindern sollen. Ihr werdet verdächtig, es nur darum zugelassen zu haben, damit auch ihr einen Vorwand fändet, die eurigen zu überschreiten, weil ihr euch in der Stille mit der Hoffnung schmeicheltet, ihn dabei zu übervorteilen und ein paar Schritte weiter zu tun als er; damit auch ihr wieder an eurem Teile das Gleichgewicht stören könntet. Man hat in unseren Zeiten Verbindungen großer Mächte gesehen, welche Länder unter sich teilten – um das Gleichgewicht zu erhalten. Das wäre ebensogut geschehen, wenn keiner von allen etwas genommen hätte. Warum wählten sie denn das erstere Mittel vorzüglich vor dem letzteren? – Es mag freilich wahr sein, daß ihr euch begnügt, Erhalter dieses Gleichgewichtes zu sein, solange ihr nicht Kraft genug habt, zu werden, was ihr lieber wäret: Störer desselben; und daß ihr zufrieden seid, andere zu verhindern, es aufzuheben, damit ihr es selbst einst aufheben könnt. Aber es ist eine durch Gründe *a priori* und durch die ganze Geschichte bestätigte Wahrheit: *Die Tendenz aller Monarchien ist nach innen uneingeschränkte Alleinherrschaft, und nach außen Universalmonarchie.* Durch die Behauptung von einem bedrohten Gleichgewichte gestehen unsere Politiker dies ja sehr naiv selbst ein, indem sie bei dem anderen sicher voraussetzen, wessen sie sich selbst wohl bewußt sind. Ein Minister muß lachen, wenn er den anderen ernsthaft über dieses Gleichgewicht sprechen hört; und sie müssen beide lachen, wenn wir anderen, die wir dabei keinen Fußbreit Landes und keine Pension zu gewinnen haben, unbefangen in ihre wichtigen Untersuchungen eingehen. Wenn keine der neueren Monarchien sich der Erreichung ihres Zweckes sonderlich genähert hat, so hat es wahrlich nicht am *Wollen*, es hat am *Können* gefehlt.

Aber gesetzt, dieses Gleichgewicht wäre wirklich euer letzter Endzweck, wie er es doch erweislich nicht ist, so muß er doch darum nicht der unserige sein. Wir wenigstens werden diesen Zweck auf unseren letzten Endzweck als Mittel beziehen müssen. Wir wenigstens werden fragen dürfen: Warum soll denn auch das Gleichgewicht erhalten werden?

Sobald es umgestürzt wird, sagt ihr, wird ein schrecklicher Krieg eines gegen alle entstehen, und dieser eine wird alle verschlingen. – Also, diesen *einen* Krieg fürchtet ihr so sehr für uns, der, wenn alle Völker unter *einem* Haupte vereinigt würden, einen ewigen Frieden gebären würde? Diesen *einen* fürchtet ihr, und um uns vor ihm zu verwahren, verwickelt ihr uns in unaufhörliche? – Die Unterjochung durch eine fremde Macht fürchtet ihr für uns, und um uns vor diesem Unglück zu sichern, unterjocht ihr uns lieber selbst? Oh, leiht uns doch nicht so ganz zuversichtlich eure Art, die Sachen anzusehen. Daß es euch lieber ist, wenn ihr es seid, die uns unterjochen, als wenn es ein anderer wäre, ist zu glauben: warum es uns um vieles lieber sein sollte, wüßten wir nicht. Ihr habt eine zärtliche Liebe zu unserer Freiheit, ihr wollt sie allein haben. – Die völlige Aufhebung des Gleichgewichtes in Europa könnte nie so nachteilig für die Völker werden, als die unselige Behauptung desselben es gewesen ist.

Aber wie und unter welcher Bedingung ist es denn auch wohl notwendig, daß auf die Aufhebung des berufenen Gleichgewichtes jener Krieg, jene allgemeine Eroberung erfolge? Wer wird sie denn veranstalten? Eines der Völker, welche eurer Kriege herzlich überdrüssig sind und sich schon gern in friedlicher Ruhe gebildet hätten? Glaubt ihr, daß dem deutschen Künstler und Landmanne sehr viel daran liege, daß der lothringische oder elsässische Künstler und Landmann seine Stadt und sein Dorf in den geographischen Lehrbüchern hinfüro in dem Kapitel vom deutschen Reiche finde und daß er Grabstichel und Ackergerät wegwerfen werde, um es dahin zu bringen? Nein, der Monarch, der nach Aufhebung des Gleichgewichtes der mächtigste sein wird, wird diesen Krieg erheben. Seht also, wie ihr argumentiert und wie wir dagegen argumentieren. – Damit nicht *eine* Monarchie alles verschlinge und unterjoche, sagt ihr, müssen mehrere Monarchien sein, welche stark genug sind, sich das Gegengewicht zu halten, und damit sie stark genug seien, muß jeder Monarch sich im Innern der Alleinherrschaft zu versichern und von außen seine Grenzen von

Zeit zu Zeit zu erweitern suchen. – Wir dagegen folgern so: dieses stete Streben nach Vergrößerung von innen und außen ist ein großes Unglück für die Völker; ist es wahr, daß sie es ertragen müssen, um einem ungleich größeren zu entgehen, so laßt uns doch die Quelle jenes größeren Unglückes aufsuchen und sie ableiten, wenn es möglich ist. Wir finden sie in der uneingeschränkten monarchischen Verfassung; jede uneingeschränkte Monarchie (ihr sagt es selbst) strebt unaufhörlich nach der Universalmonarchie. Laßt uns diese Quelle verstopfen, so ist unser Übel aus dem Grunde gehoben. Wenn uns niemand mehr wird angreifen wollen, dann werden wir nicht mehr gerüstet zu sein brauchen; dann werden die schrecklichen Kriege und die noch schrecklichere stete Bereitschaft zum Kriege, die wir ertragen, um Kriege zu verhindern, nicht mehr nötig sein – nicht mehr nötig sein, daß ihr so geradehin auf die Alleinherrschaft eures Willens arbeitet. – Ihr sagt: da uneingeschränkte Monarchien sein sollen, so muß sich das menschliche Geschlecht schon eine ungeheure Menge von Übeln gefallen lassen. Wir antworten: da sich das menschliche Geschlecht diese ungeheure Menge von Übeln nicht gefallen lassen will, so sollen keine uneingeschränkten Monarchien sein. Ich weiß, daß ihr eure Folgerungen durch stehende Heere, durch schweres Geschütz, durch Fesseln und Festungsstrafe unterstützt; aber sie scheinen mir darum nicht die gründlicheren.

Ehre, dem Ehre gebührt; Gerechtigkeit jedem! Das Reiben des mannigfaltigen Räderwerkes dieser künstlichen politischen Maschine von Europa erhielt die Tätigkeit des Menschengeschlechtes immer in Atem. Es war ein ewiger Kampf streitender Kräfte von innen und von außen. Im Innern drückte, durch das wunderbare Kunststück der Subordination der Stände, der Souverän auf das, was ihm am nächsten stand, dieses wieder auf das, was zunächst unter ihm war, und so bis auf den Sklaven herab, der das Feld baute. Jede dieser Kräfte widerstrebte der Einwirkung und drückte wieder nach oben herauf, und so erhielt sich durch das mannigfaltige Spiel der Maschine und durch die Elastizität des menschlichen Geistes, der es belebte, dieses sonderbare Kunstwerk, das in seiner Zusammensetzung gegen die Natur sündigte, und brachte, auch wo es von einem

Punkte ausging, die verschiedensten Produkte hervor: in Deutschland eine föderative Republik, in Frankreich eine unumschränkte Monarchie. Von außen, wo keine Subordination stattfand, wurde Wirkung und Gegenwirkung durch die stete Tendenz zur Universalmonarchie, die darum, weil sie nicht immer deutlich gedacht wurde, nicht weniger das letzte Ziel aller Unternehmungen war, bestimmt und erhalten; vernichtete in der politischen Reihe ein Schweden, schwächte ein Österreich und Spanien und erhob ein Rußland und Preußen aus dem Nichts und gab an moralischen Phänomenen der Menschheit eine neue Triebfeder zu heroischen Taten, den Nationalstolz ohne Nation. Die Betrachtung dieses mannigfaltigen Spieles kann dem denkenden Beobachter eine erweckende Gemütsergötzung geben, aber befriedigen und über das, was ihm not ist, belehren kann es den Weisen nicht.

Wenn wir also auch nicht bloß *unter* euren politischen Verfassungen, sondern auch mit *durch* sie an Kultur zur Freiheit gewonnen hätten, so haben wir euch dafür nicht zu danken, denn es war nicht nur euer Zweck nicht, es war sogar gegen ihn. Ihr ginget darauf aus, alle Willensfreiheit in der Menschheit, außer der eurigen, zu vernichten; wir kämpften mit euch um dieselbe, und wenn wir in diesem Kampfe stärker wurden, so geschah euch damit sicher kein Dienst. – Es ist wahr, um euch volle Gerechtigkeit widerfahren zu lassen, ihr habt einige unserer Kräfte sogar absichtlich kultiviert: aber nicht, damit wir für unsere Zwecke, sondern damit wir für die eurigen tauglicher würden. Ihr ginget mit uns ganz so um, wie wir mit uns selbst hätten umgehen sollen. Ihr unterjochtet unsere Sinnlichkeit und zwanget sie, ein Gesetz anzuerkennen. Nachdem ihr sie unterjocht hattet, bildetet ihr sie zur Tauglichkeit für allerlei Zwecke: soweit war alles recht, und wäret ihr hier stehengeblieben, so wäret ihr wahre Vormünder der unmündigen Menschheit geworden. Nun aber sollte eure Vernunft, und nicht die unsere, euer Ich will, und nicht das unsere, der obere Beherrscher sein, welcher dieser gezähmten und gebildeten Sinnlichkeit ihre Zwecke bestimmte. Ihr ließet uns in mancherlei Wissenschaften unterrichten, deren Form und Inhalt schon nach euren Absichten eingerichtet waren, damit wir lenksamer für sie würden. Ihr ließet uns mancherlei

Künste lehren, damit wir euch und diejenigen, die euch umgeben, entweilen könnten oder damit wir euch und den Werkzeugen der Unterdrückung in euren Händen, wo eure Hände selbst nicht hinreichen konnten, den Prunk verschafften, womit ihr die Augen des Pöbels blendet. Ihr unterwieset endlich Millionen – und das ist das Meisterstück, worauf ihr euch am meisten zugute tut – in der Kunst, sich auf einen Wink rechts und links zu schwenken, aneinandergeschlossen wie Mauern sich plötzlich wieder zu trennen und in der fürchterlichen Fertigkeit zu würgen, um sie gegen alles zu brauchen, was euren Willen nicht als sein Gesetz anerkennen will. Das sind, soviel ich es weiß, eure absichtlichen Verdienste um unsere Kultur.

Dagegen habt ihr von einer anderen Seite sie absichtlich gehindert, unsere Schritte aufgehalten und Fußangeln auf unsere Bahn geworfen. Ich will euch nicht an die Taten des Ideals aller Monarchien, derjenigen, die die Grundsätze derselben am festesten und folgerechtesten ausdrückte, an das Papsttum, erinnern. Das ist derjenige Unfug, an welchem ihr unschuldig seid; ihr waret damals selbst Werkzeuge in einer fremden Hand, wie wir es jetzt in der eurigen sind. Aber inwieweit sind denn, seitdem ihr frei seid, eure Grundsätze von den Grundsätzen eures großen Meisters, dem nur wenige unter euch die schuldige Dankbarkeit zeigen*, abgewichen? – Um den letzten Keim der Selbsttätigkeit im Menschen zu zerdrücken, um ihn bloß passiv zu machen, lasse man seine Meinungen von fremder Autorität abhängen – war der Grundsatz, auf welchem diese fürchterliche Universalmonarchie aufgeführt war; ein Satz, der so wahr ist, als je der Witz der Hölle einen erfand; ein Satz, mit welchem die unumschränkte Monarchie unausbleiblich entweder steht oder fällt. Wer nicht bestimmen darf, was er glauben will, wird sich nie unterstehen, zu bestimmen, was er tun will; wer aber seinen Verstand frei macht, der wird in kurzem auch seinen Willen befreien. – Das rettet deine Ehre bei der richtenden Nachwelt, unsterblicher *Friedrich* [II. von Preußen], erhebt dich aus der Klasse der zertretenden Despoten und setzt dich in die ehrenvolle Reihe der Erzieher der Völker für Freiheit. Diese

* Doch ja! man fängt an, seine Pflicht zu erkennen und zu erfüllen.

natürliche Folge unbemerkt sich entgehen lassen, konnte dein hellsehender Geist nicht; doch wolltest du den Verstand deiner Völker frei; du mußtest also sie selbst frei wollen, und hätten sie dir reif für die Freiheit geschienen, du hättest ihnen gegeben, wozu du unter einer zuweilen harten Zucht sie nur bildetest. – Aber ihr anderen, was tut ihr? – Konsequent verfahrt ihr freilich, vielleicht konsequenter, als ihr selbst es wißt: denn es wäre nicht das erstemal, daß jemanden der Instinkt richtiger geführt hätte als seine Folgerungen. Wenn ihr herrschen wollt, so müßt ihr zuerst den Verstand der Menschen unterjochen; hängt dieser von eurer Willkür ab, so wird das übrige ihm ohne Mühe folgen. Neben uneingeschränkter Denkfreiheit kann die uneingeschränkte Monarchie nicht bestehen. Das wißt ihr, oder fühlt es, und nehmt eure Maßregeln darnach. So erhob sich, daß ich euch ein Beispiel anführe, aus der Mitte der Geistessklaverei ein mutiger Mann, den ihr jetzt in eure Grüfte der Lebenden einmauern würdet, wenn er jetzt käme, und entwand das Recht, über unsere Meinungen zu sprechen, der Hand des römischen Despoten und trug es auf ein totes Buch über. Das war für den ersten Anfang genug, besonders da jenes Buch der Geistesfreiheit einen weiten Spielraum ließ. Die Erfindung mit dem Buche gefiel euch, aber nicht der weite Spielraum. Was einmal geschehen war, ließ sich nicht ungeschehen machen: aber für die Zukunft nahmt ihr eure Maßregeln. Ihr zwängtet jeden in den Raum ein, den bei jenem Aufschwunge der Geister der seinige eingenommen hatte, verpfähltet ihn hier, wie ein beschworenes Gespenst in seinem Banne, mit Distinktionen und Klauseln, bandet an diese Klauseln seine bürgerliche Ehre und Existenz und sprachet: da du nun leider einmal hier bist, so wollen wir dich wohl hier lassen, aber weiter sollst du nicht kommen, als diese Pfähle gesteckt sind – und jetzt waret ihr unserer Geistessklaverei versicherter als je. Unsere Meinungen waren an einen harten, unbiegsamen Buchstaben gebunden; hättet ihr uns doch lieber den lebendigen Meinungsrichter gelassen! Durch keinen Widerspruch gereizt, wäre er wenigstens in einiger Entfernung dem Gange des menschlichen Geschlechts gefolgt, und wir wären wahrlich heute weiter. – Das war euer Meisterstück! Solange wir nicht begreifen werden, daß

nichts darum wahr ist, weil es im Buche steht, sondern daß das Buch gut, heilig, göttlich, wenn wir wollen, darum ist, weil wahr ist, was darin steht, werdet ihr an dieser einzigen Kette uns festhalten können.
Diesem Grundsatze seid ihr hier, ihr seid ihm in allem treu geblieben. Ihr habt nach allen Richtungen hin, die der menschliche Geist nehmen kann, Grenzpfähle, privilegierte Grundwahrheiten zu betiteln, gesteckt und gelehrte Klopffechter dabeigestellt, die jeden, der über sie hinaus will, zurücktreiben. Da ihr nicht immer auf die Unüberwindlichkeit dieser gemieteten Kämpfer rechnen konntet, so habt ihr zu mehrerer Sicherheit einen bürgerlichen Zaun zwischen den Pfählen geflochten und Besucher an die Pförtchen desselben gesetzt. Daß wir innerhalb dieser Umzäunung uns herumtummeln, mögt ihr dulden; werft auch wohl, wenn ihr bei guter Laune seid, einige Schaupfennige unter uns, um euch an unserer Geschäftigkeit, sie aufzufangen, zu belustigen. Aber wehe dem, der sich über diese Umzäunung hinauswagt – der überhaupt keine Umzäunung anerkennen will als die des menschlichen Geistes. Schlüpft ja einmal einer hindurch, so kommt das daher, weil weder ihr noch eure Besucher etwas merken. Sonst ist alles, was darauf abzweckt, die Vernunft in ihre unterdrückten Rechte wieder einzusetzen, die Menschheit auf ihre eigenen Füße zu stellen und sie durch ihre eigenen Augen sehen zu lassen, oder – damit ich euch ein Beispiel gebe, das euch auf der Stelle überzeugt – Untersuchungen wie die gegenwärtige vor euren Augen eine Torheit und ein Greuel.
Dies wäre demnach unsere Abrechnung mit euch über die Fortschritte in der Kultur, die wir unter euren Staatsverfassungen gemacht haben. – Ich übergebe den Einfluß derselben auf unsere unmittelbare moralische Bildung: ich will euch hier nicht an das sittliche Verderben erinnern, das sich von euren Thronen aus rund um euch her verbreitet und nach dessen verstärktem Anwachs man die Meilen berechnen kann, die man noch bis zu euren Residenzen zu reisen hat.
Daß, wenn wirklich Kultur zur Freiheit* der einzige End-

* Ich begegne hier noch einem möglichen Mißverständnisse, das ich vom ungelehrten Publikum nicht, das ich nur von Gelehrten er-

zweck der Staatsverbindung sein kann, alle Staatsverfassungen, die den völlig entgegengesetzten Zweck der Sklaverei aller und der Freiheit eines einzigen, der Kultur aller für die Zwecke dieses einzigen und der Verhinderung aller Arten der Kultur, die zur Freiheit mehrerer führen, zum Endzwecke haben, der Abänderung nicht nur fähig seien, sondern auch wirklich abgeändert werden müssen, ist nun erwiesen; und wir stehen nun beim zweiten Teile der Frage: wenn nun eine Staatsverfassung gegeben würde, welche diesen Endzweck erweislich durch die sichersten Mittel beabsichtigte, würde nicht diese schlechterdings unabänderlich sein?

Wären wirklich taugliche Mittel gewählt, so würde die Menschheit sich zu ihrem großen Ziele allmählich annähern; jedes Mitglied derselben würde immer freier werden, und der Gebrauch derjenigen Mittel, deren Zwecke erreicht wären, würde wegfallen. Ein Rad nach dem anderen in der Maschine einer solchen Staatsverfassung würde stillestehen und abgenommen werden, weil dasjenige, in welches es zunächst eingreifen sollte, anfinge, sich durch seine eigene Schwungkraft in Bewegung zu setzen. Sie würde immer einfacher werden. Könnte der Endzweck je völlig erreicht werden, so würde gar keine Staatsverfassung mehr nötig sein; die Maschine würde stillestehen, weil kein Gegendruck mehr auf sie wirkte. Das allgemeingeltende Gesetz der Vernunft würde alle zur höchsten Einmütigkeit der Gesinnungen vereinigen, und kein anderes Gesetz würde mehr über ihre Handlungen zu wachen haben. Keine Norm würde mehr zu bestimmen haben, wieviel von seinem Rechte je-

---

warte. Es muß aus dem ganzen bisherigen Gange dieser Abhandlung klar sein, daß ich dreierlei Arten von *Freiheit* unterscheide: die *transzendentale*, die in allen vernünftigen Geistern die gleiche ist: *das Vermögen, erste unabhängige Ursache zu sein;* die *kosmologische, der Zustand, da man wirklich von nichts außer sich abhängt* – kein Geist besitzt sie als der unendliche, aber sie ist das letzte Ziel der Kultur aller endlichen Geister; die *politische, das Recht, kein Gesetz anzuerkennen, als welches man sich selbst gab.* Sie *soll* in jedem Staate sein. – Ich hoffe, daß nirgends zweideutig bleibt, von welcher Art derselben ich eben rede. – Sollte jemand verwirren wollen, was ich auseinandersetzte, es vielleicht verwirren wollen, um mich für seinen eigenen Fehler abzustrafen, so sei diese Note ein kräftiger Riegel für ihn.

der der Gesellschaft aufopfern sollte, weil keiner mehr fordern würde als nötig wäre und keiner weniger geben würde: kein Richter würde mehr ihre Streitigkeiten zu entscheiden haben, weil sie stets einig sein würden.
Hier ist es, wo der Verehrer der Menschheit auch nicht einen flüchtigen Blick hinwerfen kann, ohne sein Herz von einem sanften Feuer durchdrungen zu fühlen. Ich darf noch nicht jenen Umriß ausmalen, ich bin noch beim Reiben der Farben. Aber schon hier bitte ich euch, laßt euch doch durch jenen Gemeinspruch: so viele Köpfe, so viel verschiedene Gesinnungen, nicht schrecken. Er widerspricht dem anderen: die Menschheit muß und soll und wird nur *einen* Endzweck haben, und die verschiedenen Zwecke, die Verschiedene sich vorsetzen, um ihn zu erreichen, werden sich nicht nur vertragen, sondern auch einander gegenseitig erleichtern und unterstützen – nicht im geringsten. Laßt euch doch diese erquickende Aussicht nicht durch den mißgünstigen Gedanken verleiden, daß das doch nie in Erfüllung gehen werde. Freilich, ganz wird es nie in Erfüllung gehen; aber – es ist nicht bloß ein süßer Traum, nicht eine bloß täuschende Hoffnung, der sichere Grund beruht auf dem notwendigen Fortgange der Menschheit – sie soll, sie wird, sie muß diesem Ziele immer näher kommen. Sie hat vor euren Augen an einem Ende einen Durchbruch begonnen; sie hat unter einem harten Kampfe mit dem gegen sie verschworenen Verderben, das an ihr selbst und außer ihr seine ganzen Kräfte gegen sie aufbot, etwas geleistet, das doch wenigstens besser ist als eure despotischen Verfassungen, die auf die Herabwürdigung der Menschheit ausgehen. – Doch ich will meinem Gegenstande nicht vorgreifen – nicht ernten, ehe ich gesäet habe.
Keine Staatsverfassung ist unabänderlich, es ist in ihrer Natur, daß sie sich alle ändern. Eine schlechte, die gegen den notwendigen Endzweck aller Staatsverbindungen streitet, muß abgeändert werden; eine gute, die ihn befördert, ändert sich selbst ab. Die erstere ist ein Feuer in faulen Stoppeln, welches raucht, ohne Licht noch Wärme zu geben; es muß ausgegossen werden. Die letztere ist eine Kerze, die sich durch sich selbst verzehrt, so wie sie leuchtet, und welche verlöschen würde, wenn der Tag anbräche.

Die Klausel im gesellschaftlichen Vertrage, daß er unabänderlich sein solle, wäre mithin der härteste Widerspruch gegen den Geist der Menschheit. Ich verspreche, an dieser Staatsverfassung nie etwas zu ändern oder ändern zu lassen, heißt: ich verspreche, kein Mensch zu sein noch zu dulden, daß, soweit ich reichen kann, irgendeiner ein Mensch sei. Ich begnüge mich mit dem Range eines geschickten Tiers. Ich verbinde mich und verbinde alle, auf der Stufe der Kultur, auf die wir hinaufgerückt sind, stehenzubleiben. So wie der Biber heute ebenso baut, wie seine Vorfahren vor tausend Jahren bauten, so wie die Biene heute ihre Zellen ebenso einrichtet wie ihr Geschlecht vor Jahrtausenden: so wollen auch wir und unsere Nachkommen nach Jahrtausenden unsere Denkart, unsere theoretischen, politischen, sittlichen Maximen immer so einrichten, wie sie jetzt eingerichtet sind. – Und ein solches Versprechen, wenn es auch gegeben wäre, sollte gültig sein? – Nein, Mensch, du durftest das nicht versprechen; du hast das Recht nicht, auf deine Menschheit Verzicht zu tun. Dein Versprechen ist rechtswidrig, mithin rechtsunkräftig.

So weit also hätte die Menschheit ihrer selbst vergessen können, daß sie das einzige Vorrecht, welches ihre Tierheit vor anderen Tieren auszeichnet, das Vorrecht der Vervollkommnung ins unendliche, aufgegeben; daß sie unter dem eisernen Joche des Despoten für ewig sogar auf den Willen Verzicht getan hätte, es zu zerbrechen? – Nein, verlaß uns nicht, heiliges Palladium der Menschheit, tröstender Gedanke, daß aus jeder unserer Arbeiten und jedem unserer Leiden unserem Brudergeschlechte eine neue Vollkommenheit und eine neue Wonne entspringt, daß wir für sie arbeiten, und nicht vergebens arbeiten, daß an der Stelle, wo wir jetzt uns abmühen und zertreten werden und – was schlimmer ist als das – gröblich irren und fehlen, einst ein Geschlecht blühen wird, welches immer darf, was es will, weil es nichts will als Gutes; indes wir in höheren Regionen uns unserer Nachkommenschaft freuen und unter ihren Tugenden jeden Keim ausgewachsen wiederfinden, den wir in sie legten, und ihn für den unsrigen erkennen. Begeistere uns, Aussicht auf diese Zeit, zum Gefühl unserer Würde und zeige uns dieselbe wenigstens in unseren Anlagen, wenn auch unser gegenwärtiger Zustand ihr widerspricht. Gieß

Kühnheit und hohen Enthusiasmus auf unsere Unternehmungen, und würden wir darüber zerknirscht, so erquicke – indes der erste Gedanke: ich tat meine Pflicht, uns erhält –, erquicke uns der zweite Gedanke: kein Samenkorn, das ich streute, geht in der sittlichen Welt verloren; ich werde am Tage der Garben die Früchte desselben erblicken und mir von ihnen unsterbliche Kränze winden.
Jesus und Luther, heilige Schutzgeister der Freiheit, die ihr in den Tagen eurer Erniedrigung mit Riesenkraft in den Fesseln der Menschheit herumbrachet und sie zerknicktet, wohin ihr grifft, seht herab aus höheren Sphären auf eure Nachkommenschaft und freut euch der schon aufgegangenen, der schon im Winde wogenden Saat: bald wird der Dritte [Immanuel Kant], der euer Werk vollendete, der die letzte stärkste Fessel der Menschheit zerbrach, ohne daß sie, ohne daß vielleicht er selbst es wußte, zu euch versammelt werden. Wir werden ihm nachweinen; ihr aber werdet ihm fröhlich den ihn erwartenden Platz in eurer Gesellschaft anweisen, und das Zeitalter, das ihn verstehen und darstellen wird, wird euch danken.

ZWEITES KAPITEL

Vorzeichnung des weiteren Ganges dieser Untersuchung

Wer seine Sätze aus ursprünglichen Grundsätzen der Vernunft durch strenge Folgerungen ableitet, ist ihrer Wahrheit und der Unwahrheit aller Einwendungen dagegen schon im voraus sicher; was neben ihnen nicht bestehen kann, muß falsch sein, das kann er wissen, ohne es auch nur angehört zu haben. Ist demnach im vorigen Kapitel aus dergleichen ursprünglichen Grundsätzen durch richtige Folgerungen erwiesen – ob es geschehen sei, überlasse ich der Entscheidung schärferer Denker –, *wenn* aber erwiesen ist, daß das Recht eines Volkes, seine Staatsverfassung zu verändern, ein unveräußerliches, unverlierbares Menschenrecht sei, so sind alle Einwendungen, die man gegen die Unverlierbarkeit dieses Rechts anführt, gewiß erschlichen und gründen sich auf falschen Schein. Die Untersuchung über die Rechtmäßigkeit der Revolutionen überhaupt, und mithin jeder einzelnen, wäre, wenn wir der Strenge nach gehen wollten, geschlossen; und jeder, der anderer Meinung wäre, hätte uns entweder einen Fehler in unserer Annahme oder in unseren Folgerungen nachzuweisen oder seine Meinung, auch wenn er dem falschen Scheine, auf den sie sich gründet, nicht auf die Spur käme, als falsch und unrichtig aufzugeben. Es ist nicht überflüssig, dies bei jeder schicklichen Gelegenheit zu erinnern und einzuschärfen, damit doch allmählich unser Publikum – ich meine hier nicht bloß das unphilosophische – sich gewöhne, seine Überzeugungen oder Meinungen unter festen haltbaren Grundsätzen zu einem Systeme zu vereinigen und den Geschmack am Zusammenflicken sehr ungleichartiger Lappen und am Disputieren durch Konsequenzenmacherei verliere. Was aus einem erwiesenen Satze durch richtige Schlüsse folgt, ist wahr, und ihr werdet den entschlossenen Denker durch das gefährliche Aussehen desselben nicht erschrecken; was ihm widerspricht, ist falsch und muß aufgegeben werden, und wenn die Achse des Erdballs darin zu laufen schiene.

Da diese notwendige Konsequenz aber vorderhand und im allgemeinen vielleicht noch auf sehr lange Zeit bloß ein frommer Wunsch ist, so würde man bei der jetzigen Lage der Sachen dem Publikum einen sehr schlimmen Dienst erzeigen, wenn man es nach Feststellung der ersten Grundsätze der Beurteilung stehenließe und die Sorge, sie anzuwenden und seine übrigen Meinungen damit zu vereinigen oder nach ihnen zu berichtigen, ihm selbst übertrüge. Wir werden demnach tun, was wir der strengen, schriftstellerischen Schuldigkeit nach nicht tun müßten; wir werden alle möglichen Einwürfe gegen die Unverlierbarkeit dieses Rechts aufsuchen und den falschen Schein derselben aufdecken.

Eine *Widerlegung* müßte aus ursprünglichen Vernunftgrundsätzen geführt werden, da der Beweis aus ihnen geführt worden ist. Sie müßte zeigen, daß Kultur zur Freiheit nicht der einzig mögliche Endzweck der bürgerlichen Gesellschaft sei; daß es kein unveräußerliches Menschenrecht sei, in dieser Kultur bis ins unendliche fortzuschreiten, und daß Unveränderlichkeit einer Staatsverfassung diesem Fortgange ins unendliche nicht widerspreche.

Da eine solche Widerlegung bisher noch nicht möglich gewesen ist, weil, soviel ich wenigstens weiß, noch niemand jene Sätze in dieser Verbindung aufgestellt hat, so habe ich mich auf keine einzulassen. Alles, was ich zu tun hatte, war das, dem künftigen Widerleger zu zeigen, was er zu leisten hätte, welches der Widerleger nicht allemal weiß: und ich tat es. – Eine andere Widerlegung ist nicht möglich.

Mißverständnisse aber sind möglich, nämlich wenn man sagt: das Recht eines Volkes, seine Staatsverfassung zu verändern, muß wohl veräußerlich sein, denn *es ist wirklich veräußert worden*. Ein solcher Einwurf aber entdeckt die völlige Ungeschicklichkeit seines Urhebers zur vorliegenden Beurteilung, indem er deutlich zeigt, daß er auch nicht einmal wisse, wovon die Rede sei. Hätten wir nämlich behauptet, es sei gegen das Gesetz der Naturnotwendigkeit, dieses Recht zu veräußern, es *könne* nicht veräußert werden (die Veräußerung sei *physisch* unmöglich), so wäre die Antwort, die uns daraus, daß *es wirklich geschieht*, zeigt, daß es geschehen *könne*, entschieden sieghaft; da wir aber jenes gar nicht, sondern bloß so viel behauptet haben: es sei gegen das Gesetz der Sittlichkeit, es *solle* nicht geschehen (es sei *moralisch* unmöglich), so trifft uns ein Einwurf nicht, der aus einer ganz anderen Welt hergenommen ist. Leider geschieht manches in der wirklichen Welt, was nicht geschehen sollte; aber dadurch, daß es geschieht, wird es nicht recht.

Doch man bleibt dabei: es ist veräußert worden; und wir müssen wohl ganz allmählich und Stück vor Stück diese Behauptung von ihrem falschen Scheine entkleiden und nicht bloß im allgemeinen zeigen, daß er falsch sein müsse.

Eine solche Veräußerung könnte nur *durch Vertrag* geschehen sein; das gibt sogar Herr *Rehberg* gewissermaßen, und wo er glaubt, daß es keiner merken werde, völlig zu. Sollte jemand noch härter sein, so bitte ich denselben, sich so lange an den Anfang meines ersten Kapitels zu halten, bis ich die allerletzte Sophisterei gegen diesen Satz werde entblößt haben. Das Recht könnte *an Mitglieder des Staats* selbst oder *an jemanden außer dem Staate* veräußert worden sein; in dem Staate durch den Vertrag *aller mit allen* oder durch den Vertrag *der gemeinen mit den begünstigten Ständen oder Innungen* oder mit *einem Begünstigten*, dem *Souverän*; außer dem Staate *an andere Staaten*: in allen diesen Fällen *ganz* oder *zum Teile*.

In der Untersuchung dieses Einwurfs werden wir folgende zwei Fragen zu beantworten haben; die erstere, welche historisch ist: ist es denn auch wirklich geschehen – läßt sich ein solcher Vertrag nachweisen? – Die zweite, welche aus dem Naturrechte zu beantworten ist: hätte es *in diesem Falle* geschehen sollen und dürfen? Nach unserer vorhergehenden Erinnerung weiß der Leser schon im voraus, wie die Antworten ausfallen werden, er weiß, daß wir diese Untersuchungen gar nicht anheben, um unsere Grundsätze zu berichtigen, sondern um sie durch Anwendung deutlicher zu machen. Hofft er also etwa in den folgenden Kapiteln günstigere Erklärungen für seine vorgefaßten Meinungen zu finden, so raten wir ihm mit aller Aufrichtigkeit, das Buch wegzuwerfen, wenn er es noch nicht weggeworfen hat.

DRITTES KAPITEL

Ist das Recht, die Staatsverfassung zu ändern, durch den Vertrag aller mit allen veräußerlich?

Durch Dämmerung geht der Weg aus der Finsternis zum Lichte. Ich kann meine Leser keinen anderen Weg führen, als den die Natur führt. Ich habe im vorhergehenden vom Rechte eines Volkes, seine Staatsverfassung zu ändern, gesprochen und habe den Begriff des Volkes nicht bestimmt. Was außerdem ein großer Fehler ist, ist keiner, wenn die Natur der Sache ihn mit sich führt. – Solange die größte Gesellschaft, die ganze Menschheit, das ganze Geisterreich, wenn wir wollen, bloß auf das Sittengesetz bezogen wird, ist es zu betrachten als ein Individuum. Das Gesetz ist das gleiche, und auf seinem Gebiete gibt es nur *einen* Willen. Mehrere Individua sind erst da, wo uns jenes Gesetz auf das Feld der Willkür übergehen läßt. Auf diesem Felde herrscht der Vertrag; ihn schließen mehrere. Wenn zu Ende dieses Kapitels der Begriff des Volkes *noch* unbestimmt ist, dann habe ich unrecht.

Durch dieses ganze Kapitel herrscht die Voraussetzung, daß alle Mitglieder des Staats, als solche, gleich seien und daß im Bürgervertrage keiner mehr versprochen habe, als

alle ihm versprachen. *Daß* es so sei oder sein solle, will ich dadurch gar nicht erschleichen. Ich werde in den folgenden Kapiteln davon zu reden haben. Im gegenwärtigen untersuche ich bloß, was daraus auf die Abänderlichkeit der Staatsverfassung folgen werde, *wenn* es so sei.
Das Recht, die Staatsverfassung zu verändern, könnte durch den Vertrag aller mit allen auf zweierlei Art vergeben sein; nämlich, daß entweder alle allen versprochen hätten, dieselbe überhaupt nie abzuändern, oder daß alle allen versprochen hätten, es nicht ohne die Einwilligung eines jeden einzelnen zu tun.
Von dem ersteren Versprechen ist schon oben in Rücksicht auf seine *Materie* – auf seinen Gegenstand, die Unveränderlichkeit einer Staatsverfassung, gezeigt, daß es schlechterdings unstatthaft sei, weil es geradezu gegen den höchsten Endzweck der Menschheit streitet. In Absicht der *Form* hätten dies Versprechen alle allen getan; es wäre der gemeinsame Wille; das Volk hätte *sich selbst* ein Versprechen gegeben. Wenn es nun späterhin der gemeinsame Wille, der Wille aller würde, die Verfassung abzuändern, wer hätte denn das Recht, Einspruch dagegen zu tun? – Ein solcher vermeinter Vertrag verstößt gegen die formelle Bedingung alles Vertrags, daß wenigstens zwei moralische Personen dazu gehören. Hier wäre nur eine: das Volk. – Diese Voraussetzung ist mithin in sich unmöglich und widersprechend, und es bleibt bloß die zweite übrig, daß nämlich im Bürgervertrage die Übereinkunft getroffen worden, die Verfassung solle nicht ohne den gemeinsamen Willen, ohne den Willen aller, abgeändert werden; alle hätten jedem versprochen, sie würden ohne seine besondere Einwilligung nicht abändern.
Es scheint sowohl in der Natur der Sache als auch in unseren eigenen, oben festgestellten Grundsätzen zu liegen, daß ein solches Versprechen im Bürgervertrage gegeben worden und daß es gültig und verbindlich sein müsse. Und es ist wahr oder auch nicht wahr, je nachdem man es nimmt. Da es aber unsere Art nicht ist, den Leser die Sache nehmen zu lassen, wie er will, so haben wir den angenommenen Satz vor allem ein wenig zu zergliedern. – Ein solches Versprechen nämlich enthält in sich folgende zwei: Alle würden ohne Einwilligung jedes einzelnen *nichts Altes aufhe-*

ben und: sie würden keinen der Bürger zwingen, das an seine Stelle gesetzte *Neue* ohne seine eigene Einwilligung *anzunehmen*.

Der zweite Teil des Versprechens, daß keinen ohne seine Einwilligung neue Veranstaltungen verbinden sollen, kann vernünftigerweise durch Vertrag gar nicht gegeben werden; das Gegenteil würde, wie oben erwiesen ist, gegen das erste aller Menschenrechte verstoßen. Wer mir durch Vertrag verspricht, kein unveräußerliches Menschenrecht in mir zu kränken, verspricht mir nichts; das durfte er vor allem Vertrage vorher nicht. Der Staat mag es versprochen haben oder nicht: keine neue Veranstaltung verbindet den Bürger der alten Verfassung ohne seine Einwilligung, und das nicht vermöge Vertrags, sondern vermöge Menschenrechts.

Die Frage über den ersteren Teil des Versprechens scheint auf den ersten Anblick geradeso leicht und geradeso zu beantworten, und ich sehe voraus, daß die mehresten meiner Leser, welche mit mir denken, eine solche Antwort geben werden. Die Einrichtungen im Staate sind Bedingungen des Bürgervertrags, werden sie sagen; alle haben gegen alle sich verbunden, diese Bedingungen zu erfüllen; wenn einige ohne Einwilligung der übrigen sie aufheben, so brechen sie einseitig den Vertrag und handeln gegen ihre in demselben übernommenen Verbindlichkeiten. Es versteht sich also von selbst, daß keine Einrichtung im Staate ohne die Einwilligung aller aufgehoben werden könne.

Wenn diese Schlüsse so ganz richtig wären, so liefe unsere Theorie große Gefahr, zwar nicht umgestoßen zu werden, aber doch den Vorwurf zu verdienen, daß sie im Leben nicht anwendbar sei. Möchte noch so scharf erwiesen sein, daß jede Staatsverfassung vermöge des durch das Sittengesetz geforderten Fortgangs der Kultur von Zeit zu Zeit abgeändert und verbessert werden müsse: wann würde in der wirklichen Welt je eine solche Verbesserung zustande kommen können, wenn jedes Mitglied des Staats zu der geringsten Veränderung erst seine Einwilligung geben müßte? Und was würde unser Beweis weiter gewesen sein als ein Kunstwerk der Schule, ein Probestück des Vernünftelns? – Aber ehe wir so rasch schließen, laßt uns nur erst ein wenig tiefer in die Natur des Vertrages eingehen, als es gemeinhin zu geschehen pflegt.

Wenn über natürliche Menschenrechte kein Vertrag stattfindet, wie er denn nicht stattfindet; so bekomme ich durch Vertrag auf jemanden ein Recht, das ich nach dem bloßen Vernunftgesetze nicht hatte, und er gegen mich eine Verbindlichkeit, die er nach diesem Gesetze ebensowenig hatte. Was ist es, das ihm diese Verbindlichkeit auflegt? Sein Wille; denn nichts verbindet, wo das Sittengesetz schweigt, als unser eigener Wille. Mein *Recht* gründet sich auf seine *Verbindlichkeit*, mithin zuletzt auf seinen Willen, auf den diese sich gründet. Hat er den Willen nicht, so bekomme ich das Recht nicht. – Ein lügenhaftes Versprechen gibt kein Recht. – Man lasse sich nicht durch die anscheinende Härte dieser Sätze schrecken. Es *ist* so, und man darf sagen, wie es ist. Die Moralität, die Heiligkeit der Verträge, wird sich schon unter unseren Folgerungen zu retten wissen.

Ich gebe ein Versprechen dagegen. Ich habe wirklich den Willen, es zu halten, lege mir mithin eine Verbindlichkeit auf und gebe dem anderen ein Recht. Er hatte den Willen nicht und gab mir kein Recht. Hat er mich betrogen? Hat er mich hinterlistigerweise um ein Recht gebracht?

„Ich habe nach dem Naturrechte kein vollkommenes Recht auf die Wahrhaftigkeit des anderen. Tut er mir ein lügenhaftes Versprechen, so kann ich nicht eher über Verletzung klagen, bis ich durch dasselbe zu einer Leistung verleitet bin", sagt der scharfsinnigste und konsequenteste Lehrer des Naturrechtes, den wir bis jetzt haben.* Das folgende sei ein Kommentar und, wo es not tut, eine Berichtigung dieser Sätze.

Als ich ihm mein wahrhaftes Versprechen gab, nahm ich da wohl an, daß er löge, oder nahm ich nicht vielmehr an, er meine es ebenso aufrichtig als ich? Wenn ich vorausgesetzt hätte, daß er löge, würde ich ihm dann wohl ehrlicherweise versprochen haben – würde ich dann den Willen gehabt haben, mein Versprechen zu halten? Mein Wille war also bedingt. Das *Recht*, das ich ihm durch meinen *Willen* gebe, ist

* Herr [Theodor Anton Heinrich] *Schmalz* in seinem *reinen Naturrechte* [Königsberg 1792]; der mir es verzeihe, daß ich ihm hier meine Achtung bezeuge. Daß ich nicht aus seinen Grundsätzen, sondern aus den meinigen folgere, wird jeder Kenner schon sehen.

bedingt. Log er, so erhielt er kein Recht, weil ich keins erhielt. – Es ist *gar kein Vertrag geschlossen*, denn es ist *kein Recht erteilt* und *keine Verbindlichkeit übernommen.*

Du sagst mir: wenn auch *er* log, so will doch *ich* kein Lügner sein; seine Treulosigkeit soll *meine* Treue nicht aufheben; ich will ihm redlich halten, was ich versprach: und du tust wohl daran; nur mußt du die Begriffe nicht vermengen; du mußt nicht aus den Grenzen des Naturrechtes in die der Moral übergehen. – Du bezahlst ihm dann keine Schuld; du warst ihm nichts schuldig: du schenkst ihm etwas. Du hältst dein Versprechen nicht auf Anforderung seines Rechtes an dich, er hatte keins: sondern auf Aufforderung deiner Selbstachtung. Es ist dir nicht darum, *ihm* nicht – es ist dir darum, *dir* selbst nicht verächtlich zu werden.

Wahrhaftigkeit ist also die ausschließende Bedingung jedes Vertrages. Wenn einer von beiden nicht Wort halten will – noch mehr, wenn beide es nicht wollen, ist gar kein Vertrag geschlossen.

Beide meinen es in der Stunde des Versprechens aufrichtig. Es ist ein Vertrag zwischen ihnen. Sie gehen hin, und einer von beiden oder beide bedenken sich eines anderen und nehmen in ihrem Herzen ihren Willen zurück. Der Vertrag ist aufgehoben; die Versprechen sind ungeschehen gemacht; denn Recht und Verbindlichkeit sind aufgehoben.

Bis jetzt verbleibt die ganze Sache auf dem Gebiete des inneren Richterstuhles. Jeder weiß, wie er selbst es meine; aber keiner weiß, wie der andere es meint. – Ob wirklich ein Vertrag *da ist* oder *nicht*, weiß kein Wesen als dasjenige, in welchem für beide der gemeinschaftliche innere Richterstuhl ist, die exekutive Macht des Sittengesetzes, Gott.

Jetzt leistet der eine, was er versprochen hat, und nun geht die Sache in die Welt der Erscheinungen über. – Was folgt hieraus, und was folgt nicht hieraus? – Er macht ohne Zweifel durch seine Handlung klar und sichtbar, daß er es ehrlich gemeint und von dem anderen geglaubt hat, er meine es gleichfalls ehrlich, daß er wirklich im Vertrage mit dem anderen zu stehen, daß er ihm ein Recht auf sich gegeben und eins auf ihn erhalten zu haben *glaubt*. – Aber *erhält* er etwa durch diese seine Handlung dieses Recht auf den anderen oder *bestärkt* er es auch nur, wenn er es vorher nicht hatte oder nur halb hatte? Wie wäre das möglich? Ist sein Wille, daß der andere leisten solle, nicht verbindend für den anderen, solange dieser noch an der Wirklichkeit desselben zweifeln konnte, so wird er es dadurch gar nicht mehr, daß seine Wirklichkeit in der Welt der Erscheinungen sich bestätigt. Das eine wie das andere Mal ist es doch nur sein Wille; und ein fremder Wille verbindet nie. – Oder, um jede mögliche Ausflucht abzuschneiden, bekommt er etwa durch das äußerliche Zeichen seiner Wahrhaftigkeit ein vollkommenes Recht auf die Wahrhaftigkeit des anderen, d. i., verbindet er etwa durch seine Leistung den anderen, *wirklich zu wollen*, was er versprochen hat und durch diesen *seinen eigenen Willen* sich zu verbinden? Wenn ich auf die Wahrhaftigkeit des anderen nie ein vollkommenes Recht habe, wie kann ich es denn durch meine eigene Wahrhaftigkeit bekommen? Verbindet meine Moralität den anderen zu der gleichen Moralität? Ich bin nicht Exekutor des Sittengesetzes überhaupt: das ist Gott. Dieser hat die Lügenhaftigkeit zu strafen: ich bin nur Exekutor meiner durch das Sittengesetz mir verstatteten Rechte, und unter diese Rechte gehört die Aufsicht über die Herzensreinigkeit andrer nicht.

Also selbst durch die Leistung von meiner Seite bekomme ich kein Recht auf die Leistung des anderen, wenn nicht sein freier Wille, dessen Richtung ich nicht kenne, mir dieses Recht gegeben hat und fort gibt. – Aber ich werde ja durch die Wortbrüchigkeit des anderen um diese meine Leistung verkürzt. Wie kann nach solchen Grundsätzen noch irgend jemand einen Vertrag zu machen wagen? Man gehe mit Anwendung derselben nur noch einen Schritt weiter, und alles ist klar und die Schwierigkeit befriedigend gelöst.

Ich habe geleistet, in der Meinung, der andere habe ein Recht auf meine Leistung; sie sei nicht *mein*, sie sei *sein*; meine Kräfte, die ich dabei verwandte, die Früchte dieser Kraftanwendung seien ein Eigentum des anderen. Ich habe mich darin geirrt: sie waren *mein*, da der andere kein Recht auf mich hatte, weil er mir keins auf sich gab. Vor den Augen des obersten Richters aller Moralität waren sie mein; kein endlicher Geist konnte wissen, wessen sie seien. Der andere leistet nicht, und nun wird, was vorher nur dem obersten Richter bekannt war, auch in der Welt der Erscheinungen klar. Durch seine Unterlassung *wird* nicht etwa meine Leistung *wieder* mein; sie war es vom Anfange an: es wird nur bekannt, daß sie mein ist. Ich behalte mein Eigentum – das Produkt meiner Leistung ist mein. – Auch das von meiner Kraftanwendung, was auf reinen Verlust verloren ist, ist mein Eigentum. Daß es verloren ist, geht mich nichts an; es sollte nicht verloren sein. In den Kräften des andern ist es zu finden; auf sie habe ich meine Anweisung. Ich kann ihn zum völligen Schadenersatz zwingen. Nun habe ich doch durch die Wortbrüchigkeit des andern nichts verloren; er nichts gewonnen. Wir sind beide in den Zustand, der vor unserer Verabredung herging, zurückversetzt; alles ist ungeschehen gemacht, und so sollte es sein, denn es war kein Vertrag zwischen uns.

Nur durch die vollendete Leistung an seinem Teile nimmt der andere meine Leistung in sein Eigentum auf. Sie *war* sein, kraft meines freien Willens; daß sie es aber sei, wußte niemand als der Herzenskündiger, welcher wußte, daß er leisten würde. Durch seine Leistung beweiset er auch in der Welt der Erscheinungen, daß sie es sei. – Vor dem unsichtbaren Richterstuhle ist der Vertrag geschlossen, sobald der wahrhafte Wille beider zur versprochenen Leistung da ist; in die Welt der Erscheinungen tritt er nicht eher ein, bis beide Leistungen völlig vollzogen sind. Der Augenblick, der ihn hier einführt, vernichtet ihn.

Laßt uns dies auf eine fortdauernde Verbindung zu gegenseitigen Leistungen, wie der Bürgervertrag eine ist, anwenden! – Alle haben allen ein Recht auf sich gegeben und dagegen ein Recht auf sie übernommen, wenigstens ist das vorauszusetzen, weil anzunehmen ist, sie seien ehrliche Leute. Daß sie es waren, haben sie in der Welt der Erscheinungen gezeigt; sie haben alle, jeder an seinem Teile, geleistet, durch Handeln, durch Unterlassen, durch Unterwerfung unter die gesetzmäßige Buße, wenn sie unterließen, wo sie handeln, oder handelten, wo sie unterlassen sollten. Solange keiner durch Worte oder Handlungen einen veränderten Willen zeigt, ist anzunehmen, er sei im Vertrage.

Jetzt ändert einer seinen Willen, und von diesem Augenblick an ist er vor dem unsichtbaren Richterstuhle nicht mehr im Vertrage; er hat kein Recht mehr auf den Staat, der Staat keins mehr auf ihn. Er zeigt seinen veränderten Wil-

len entweder durch eine offene Erklärung oder dadurch, daß er die vertragsmäßige Hilfe unterläßt und sich der im Falle der Unterlassung gesetzmäßigen Abbüßung nicht unterwirft.* Wie verhält er sich nunmehr zum Staate und dieser sich zu ihm? Haben beide Teile noch gegenseitige Rechte und Pflichten, und welche?
Offenbar sind sie gegeneinander in den bloßen Naturstand zurückgesetzt; ihr ihnen noch jetzt gemeinschaftliches Gesetz ist das Sittengesetz. Was nach diesem Gesetze, im Falle der unterlassenen Leistung, nachdem der eine Teil geleistet hat, Rechtens sei, haben wir oben gesehen: Zurücknahme des Produkts der Leistung und Schadenersatz.
Aber tritt denn dieser Fall auch wirklich hier ein? Wenn in einer bürgerlichen Gesellschaft alle gleiche Rechte und gleiche Pflichten haben – und nur davon ist im gegenwärtigen Kapitel die Rede – und jeder, im Unterlassungsfalle durch Abbüßung, treulich leistet, was er nach Zeit, Ort und Umständen leisten soll, so sehe ich nicht ein, wie sie je in Abrechnung kommen können. – Bis diesen Augenblick habt ihr mir geleistet, was ihr schuldig waret; ich euch. Von diesem Augenblicke leistet ihr nicht mehr, und ich nicht. Gleich gegen Gleich geht auf; wir sind quitt. – Es kann sein, wenn ihr große Rechner *des Nützlichen* seid, daß ich bei euch in dieser Rücksicht sehr in Rest bin. Aber wir reden jetzt nicht davon; wir reden vom *Rechte.* Wenn *ich* in die Lage gekommen wäre, weit mehr für euren Nutzen tun zu müssen, als ihr für den meinigen tun konntet, so war es meine Schuldigkeit, es zu tun; es war *euer Recht*: ich darf

* Nur so viel in der Note! – Wenn das angehe, werde jeder, der gestraft werden solle, aus der Verbindung treten, und so werde die Bestrafung gänzlich unmöglich werden, dürfte man hier sagen; und ich antworte folgerecht: das mag jeder, wenn er will, und der Staat kann ihn dann ohne die höchste Ungerechtigkeit nicht strafen. Vernünftigerweise kann sich niemand der Strafe unterwerfen, als um ferner im Staate bleiben zu dürfen. – Was hieraus auf die Todesstrafe folge? Oh! um zu zeigen, daß jede Todesstrafe auf bürgerliche Vergehungen Mord sei, bedarf es dieser Umwege nicht.
Beleidigt der Bürger an der Gesellschaft unveräußerliche Menschenrechte (nicht bloße Vertragsrechte), so ist er nicht mehr *Bürger*, er ist *Feind*; und die Gesellschaft läßt ihn nicht *büßen*; sie *rächt* sich an ihm, d. h., sie behandelt ihn nach dem Gesetze, das er aufstellte.

keine Restitutionsklage anstellen; denn was ich für euch tat, war laut des Vertrages nie mein, es war euer Eigentum. Was ihr für mich tatet, dürftet ihr zurückfordern? – es ist rechtlich mein Eigentum.

Diese letztere Bemerkung deckt denn völlig den falschen Schein aller Sophistereien auf, die man gegen das Recht des Bürgers, seine Konstitution zu ändern, aus dem langen Kapitel der großen Wohltaten ableitet, die er ihr zu verdanken haben soll. Sie alle reden von Dankbarkeit, von Billigkeit; sie alle rechnen auf milde Spenden: davon ist in einer solchen Beurteilung nicht die Rede; die Rede ist vom strengen Rechte und von Schuldforderungen. Laßt uns nur erst diese Rechnung ins reine bringen; dann werden wir ja sehen, was wir zu verschenken übrigbehalten. – So ermahnt uns einer von ihnen [d. i. Rehberg], nachdem er seine Klagen über die nichtsbedeutenden Predigten und stumpfen, witzigen Einfälle der Deklamatoren, welche Moral und Politik verwechseln, kaum beschlossen hat, die Kultur, die wir doch bloß unserer guten Mutter verdankten, doch nicht zu ihrer eigenen Zerfleischung anzuwenden: aber – lassen wir die Kinder mit ihrer Mutter spielen und reden als Männer von der Sache!

Welches wären denn die Leistungen, auf welche der Staat eine Restitutionsklage gegen uns anstellen könnte? Unser ganzes Eigentum, sagen einige, das hat er euch verliehen, unter der Bedingung, daß ihr seine Mitglieder sein solltet – wenigstens das Grundeigentum, sagen andere, denn der Grund gehört sein: und diese sind wahrhaftig um nichts großmütiger. Indes die einen uns nackend ausziehen, verweisen die anderen uns in die Luft; denn Erde und Meer sind ja bereits okkupiert, und sogar das noch Unentdeckte durch den Papst, vermöge göttlichen Rechtes, verschenkt. Sollte es mit diesen Drohungen völliger Ernst sein, so müßten wir uns freilich die Lust vergehen lassen, je aus der bürgerlichen Gesellschaft zu treten. Eine Untersuchung über den Rechtsgrund des Eigentums überhaupt, und des Grundeigentums besonders, wird die Sache klarmachen.

Ursprünglich sind wir selbst unser Eigentum. Niemand ist unser Herr, und niemand kann es werden. Wir tragen unseren, unter göttlichem Insiegel gegebenen Freibrief tief in unserer Brust. Er selbst hat uns freigelassen und gesagt: sei von nun an niemandes Sklave. Welches Wesen dürfte uns sich zueignen?

Wir sind *unser* Eigentum, sage ich und nehme dadurch etwas Zweifaches in uns an: einen Eigentümer und ein Eigentum. Das reine Ich in uns, die Vernunft, ist Herr unserer Sinnlichkeit, aller unserer geistigen und körperlichen Kräfte; sie darf sie als Mittel zu jedem beliebigen Zwecke gebrauchen.

Um uns herum sind Dinge, die nicht ihr eigenes Eigentum sind; denn sie sind nicht frei: ursprünglich aber auch nicht das unsere; denn sie gehören nicht unmittelbar zu unserem sinnlichen Ich.

Wir haben das Recht, unsere eigenen sinnlichen Kräfte zu jedem beliebigen Zwecke zu gebrauchen, den das Vernunftgesetz nicht gebietet. Das Vernunftgesetz verbietet nicht, durch unsere Kräfte jene Dinge, die nicht ihr eigenes Eigentum sind, als Mittel für unsere Zwecke zu gebrauchen, noch, sie geschickt zu machen, es zu sein. Wir haben also das Recht, unsere Kräfte auf diese Dinge zu verwenden.

Haben wir Dingen diese Form eines Mittels für unsere Zwecke gegeben, so kann kein anderes Wesen sie gebrauchen, ohne entweder die Wirkung unserer Kräfte, mithin unsere Kräfte selbst, die doch ursprünglich unser Eigentum sind, für sich zu verwenden; oder ohne diese Form zu zerstören, d. i. unsere Kräfte in ihrer freien Wirkung aufzuhalten (denn daß das unmittelbare Wirken unserer Kräfte vorüber ist, tut nichts zur Sache; solange die Wirkung dauert, dauert unser Wirken): das aber darf kein vernünftiges Wesen; denn das Sittengesetz verbietet ihm, die freie Wirkung irgendeines freien Wesens zu stören, und diesem Verbote entspricht in uns ein Recht, eine solche Störung zu verhindern. – Wir haben also das Recht, jeden anderen von dem Gebrauche einer Sache auszuschließen, die wir durch unsere Kräfte gebildet haben, der wir unsere Form gaben. Und dieses Recht heißt bei Sachen *das Eigentum.*

Diese Bildung der Dinge durch eigene Kraft (Formation) ist der wahre Rechtsgrund des Eigentums; aber auch der einzige naturrechtliche*. Herr *Rehberg* hätte also weniger

* Das, was Herr *Schmalz* Akzession nennt, gründet sich zuletzt auf Formation.

naiv finden können, daß in Schlözers Staatsanzeigen gesagt wird: wer nicht arbeite, solle auch nicht essen. – Wer nicht arbeitet, darf wohl essen, wenn ich ihm etwas zu essen schenken will: aber er hat keinen rechtskräftigen Anspruch aufs Essen. Er darf keines anderen Kräfte für sich verwenden; ist keiner so gut, es freiwillig für ihn zu tun, so wird er seine eigenen Kräfte anwenden müssen, um sich etwas aufzusuchen oder zuzubereiten oder Hungers sterben, und das von Rechts wegen.

Aber der Mensch könne doch nichts Neues hervorbringen, nichts erschaffen, bemerkt Herr *Rehberg*; die Materie, der er seine Form gebe, müsse doch vorher vorhanden gewesen sein: wenn er also gleich einen rechtsgegründeten Anspruch auf die Form derselben dartun könne, so sei es doch nie möglich, ein Eigentum auf die Materie zu beweisen. – Es hat uns aufrichtig leid getan, daß Herr R. aus der einzigen Bemerkung in seinem ganzen Buche, welche scharfsinnig war und zu belehrenden Erörterungen führen konnte, eine falsche Folgerung zog. Er wendet nämlich diese Bemerkung auf das Grundeigentum an; und da nach ihr nach natürlichem Rechte niemand Eigentümer des Bodens sein könne, so müsse er dieses Recht vom Staate haben, meint er.

Herr R. hat aus diesem Grundsatze lange nicht genug gefolgert. Nicht nur der Boden ist Materie, die wir nicht hervorbringen; allem, was je unser Eigentum werden kann, liegt solche Materie, die ganz ohne unser Zutun vorhanden ist, zugrunde. – Das Kleid, das ich trage, war freilich ein rechtmäßiges Eigentum des Schneiders, der es verfertiget hatte, das er durch Vertrag auf mich übertrug; das Tuch dazu war Eigentum des Webers, ehe es an den Schneider kam; die Wolle, aus der es verfertiget wurde, Eigentum des Herdenbesitzers; dem wurde die Herde durch seine angeerbten oder durch Vertrag erworbenen Schafe zugeboren; das erste Schaf wurde Eigentum dessen, der es zähmte und ernährte: aber woher doch dieses erste Schaf selbst? Es war ohne sein Zutun organisierte Materie. Übertrug der Staat diese an den ersten Besitzer, so besitze ich ohne Zweifel auch mein Kleid bloß durch die Vergünstigung des Staates. Trete ich aus der Verbindung, so läßt er es mir ausziehen.

Aber, vor allen Dingen, wie kommt denn der Staat zu einem Rechte, das keiner von den einzelnen Mitgliedern hat, aus denen er besteht? Keiner hat ein Eigentumsrecht an der Materie, wie ihr sagt; wenn aber alle ihre Rechte vereinigen, soll ein solches Recht daraus werden? Setzt ihr aus mehreren gleichartigen Teilen ein Ganzes zusammen, das von anderer Art ist als die Teile? Meint ihr, wenn jeder Rum in die Schale gieße, werde Punsch daraus werden? – Das ist unlogisch.

Es ist an sich völlig richtig, daß sich nicht nur kein Eigentumsrecht auf die Materie *als solche*, sondern daß sich auch das Widersprechende eines solche Rechtes handgreiflich dartun läßt. Ein solches Recht widerspricht dem Begriffe der *rohen Materie im naturrechtlichen Sinne.* Ist nämlich keine andere Art der Zueignung möglich als durch Formation, so ist notwendig alles, was noch nicht formiert, was roh ist, noch nicht zugeeignet, niemandes Eigentum. Auf die rohe Materie haben wir das *Zueignungsrecht*, auf die durch uns modifizierte das *Eigentumsrecht.* Das erstere bezeichnet die moralische Möglichkeit, das zweite die moralische und physische Wirklichkeit. Könnt ihr uns die Materie nicht nehmen, ohne die Form mitzunehmen, und dürft ihr diese Form uns nicht nehmen, so wollen wir uns über das Eigentum der Materie, von der Form abgesondert *gedacht*, nicht mit euch streiten; wenn ihr sie nur nicht *wirklich* absondern könnt. Wenn sie nicht unser Eigentum ist, so ist es auch nicht das eure; und da ihr uns die Form lassen müßt, so werdet ihr uns die Materie wohl auch lassen müssen. – Man kann, wenn auch nicht streng philosophisch, doch bildlich richtig sagen, Gott sei der Eigentümer der rohen Materie, wir seien von ihm damit belehnt, jeder mit der ganzen Materie, die da ist, das Freiheitsgesetz in unserer Brust sei sein Belehnungsbrief, und bei unserer Formation übertrage er uns den wirklichen Besitz. Man hätte also immer jenen alten Gedanken weniger trivial finden können; nur muß man freilich diese Belehnung nicht von Adam oder von den drei Söhnen Noahs auf uns forterben lassen. Geerbt haben wir sie nicht; jeder hat sie unmittelbar zugleich mit dem Geschenke der moralischen Freiheit erhalten.

Und sollte es denn anders sein? Wenn die rohe Materie als solche irgend jemandes Eigentum sein könnte, wie sollten wir denn je zu einem Eigentum kommen? Was sollten wir uns denn zueignen? Einen Beweis des Eigentumsrechtes auf die Materie suchen heißt alles Eigentum überhaupt aufheben wollen.

Jeder Mensch – um diese Sätze auf das Grundeigentum anzuwenden – hat ursprünglich ein Zueignungsrecht auf den ganzen Erdboden: daß keiner dieses Recht in seiner völligen Ausdehnung geltend mache, dagegen ist schon, teils durch eines jeden eigene Schwäche, teils dadurch, daß jedes Individuum das gleiche Recht hat, gesorgt – wo ein anderer schon okkupiert hat, ist für ihn nichts mehr zu okkupieren. Daß alle Menschen auf einen gleichen Teil Landes rechtlichen Anspruch haben und daß der Erdboden zu gleichen Portionen unter sie zu verteilen sei, wie einige französische Schriftsteller behaupten, würde nur dann folgen, wenn jeder nicht bloß das *Zueignungs-*, sondern das wirkliche *Eigentumsrecht* auf den Erdboden hätte. Da er aber erst durch Zueignung vermittelst seiner Arbeit etwas zu seinem Eigentume macht, so ist klar, daß der, welcher mehr arbeitet, auch mehr besitzen darf und daß der, welcher nicht arbeitet, rechtlich gar nichts besitzt. – Stellt euch einen Haufen Menschen vor, die mit Ackergerät und Zugvieh auf einer wüsten, unangebauten Insel ankommen. Jeder setzt seinen Pflug in die Erde, wo er will; wo der seinige steht, kann kein anderer stehen. Jeder ackert um, was er kann, und wer am Abend das größte Stück urbar gemacht haben wird, wird das größte Stück rechtlich besitzen. – Jetzt ist die ganze Insel umgeackert. Wer den Tag verschlafen hat, wird nichts besitzen, und das von Rechts wegen.

Herr R., indem er die Frage aufwirft*, woher sich das Recht *schreibe***, die Gegenstände, die uns nicht gehören, zu bearbeiten? – eine Frage, die ich oben beantwortet habe und die auch schon vorher, z. B. in Hrn. *Schmalz* Naturrechte***, gründlich beantwortet war –, schiebt ein akzentuiertes „Ausschließlich" ein, welches entscheiden soll und welches die Waagschale auch nicht um eines Haares Breite neigt. Wenn ich ein Stück rohe Materie unmittelbar in den

* S. 13 seines oben angeführten Buches.

** Man hört doch, womit die Leute umgehen!

*** Ein Buch, welches Herr R. entweder lesen mußte, ehe er das seinige schrieb, oder es widerlegen mußte, wenn er es gelesen hatte.

Händen habe, so ist das andere ja wohl ausgeschlossen; denn er kann es nicht bearbeiten, ohne mir es zu entreißen, und das darf er nicht. Hätte er, indem ich es vom Boden aufnehmen wollte, geschwinder zugegriffen, so wäre es in seinen Händen, und *ich* wäre ausgeschlossen. Als es noch auf dem Boden lag, hatten wir beide gleiches Recht darauf; jetzt habe ich das ausschließende oder, wie Herr R. das ausdrücken würde, das *ausschließliche** Recht, es zu bearbeiten. Ich halte es unmittelbar in meinen Händen.

Doch er redet auch nicht von solchen Dingen, die man unmittelbar in den Händen haben kann, ohnerachtet er im allgemeinen von Gegenständen redet, diese scheinen seiner Gründlichkeit entgangen zu sein: sein Beispiel ist von Grund und Boden hergenommen. „Wenn ich einen Acker besäen will, ein anderer aber, der keinen tauglichen Acker zur Hand hat oder eben diesen vorzieht, will ihn auch bearbeiten: woher sollen die Entscheidungsgründe genommen werden?“ fragt er. – Wenn das Stück Land, worüber die Frage entsteht, nur wirklich *ein Acker* ist (oder steht dies Wort nur darum hier, um die anderen, welche müde sind, abzulösen?), so ist die Entscheidung leicht, und man dürfte sagen: wer so frage, sei keiner Antwort wert. Ein Acker ist umgeackert; es muß ihn jemand umgeackert haben; dieser Jemand ist nach dem Naturrechte Eigentümer, und es wolle doch kein anderer sich die vergebliche und widerrechtliche Mühe machen, ihn noch einmal zu bearbeiten. Jeder Acker hat einen Eigentümer, so gewiß er das ist; denn er ist nicht mehr rohe Materie, sondern hat eine Form. Herr R. will den bewußten Acker gar schon *besäen* – (wenn nicht dieses alles, und vielleicht sein ganzes Buch, bloß um der beliebten *copia dicendi* willen dasteht): mithin muß er wirklich frisch umgeackert sein. Das, sollte ich meinen, wäre Grund genug, um jeden anderen von der Bearbeitung desselben auszuschließen. – Doch wir wollen uns nicht durch einen Advokatenkniff der Ungeschicklichkeit unseres Gegners bedienen: wir

**Ausschließlich*, soviel als *ausschließbar*; als ob der Bearbeiter ausgeschlossen zu *werden* und nicht vielmehr alle anderen selbst auszuschließen forderte. – Jedem anderen Schriftsteller so etwas aufzurücken wäre unanständige Silbenstecherei; dem, der gegen andere sich seines Tones bedient, geschieht recht daran. *Metiri – quemque suo modulo ac pede verum est.*

wollen untersuchen, um zu belehren. – Wenn auch der Akker nicht frisch umgeackert wäre, wenn er es auch seit einer Reihe von Jahren nicht wäre, so bleibt der erste Bearbeiter, oder sein Stellvertreter, doch immer rechtmäßiger Eigentümer, solange noch die geringste Wirkung der ersten Bearbeitung im Boden ist – und wann könnte die je verschwinden? Ist die äußere Spur derselben verschwunden, so ist freilich der, der sich seiner bemächtigt, ohne von der ehemaligen Bearbeitung zu wissen, ein redlicher Besitzer, aber kein rechtlicher. Auf den Einspruch des wahren Eigentümers muß er seine Bearbeitung unterlassen.
Die folgende Frage Herrn R.s läßt eine richtigere Deutung zu, und wir wollen diese annehmen, so verdächtig auch die Frage durch ihre Nachbarschaft mit der ersteren wird. „Womit will ich", fragt er, „aus der bloßen Vernunft beweisen, daß dieser Boden, auf dem beide stehen, einem eher als dem anderen gehöre?" Wir wollen annehmen, Boden heiße hier, was es heißen muß, wenn wir uns auf die Frage einlassen sollen: kein urbares, sondern ein rohes, noch nie bearbeitetes Stück Land; und dann verdient die Frage eine Antwort. – Welches ist denn dieser Boden, von dem er redet? Dieser eine und ebenderselbe Boden, auf welchem beide stehen sollen? Wo begrenzt er ihn denn? Wo schneidet er ihn denn von anderem Boden ab, der nicht mehr derselbe Boden ist, auf dem beide stehen? Hat ihm nicht etwa seine Phantasie hier den Streich gespielt, ihm ganz in aller Stille Umzäunungen, Gräben, Raine, Grenzsteine unterzuschieben? Das Etwas kann nicht dasein, sonst ist der Boden schon okkupiert und gehört entweder dem einen oder dem anderen oder keinem von beiden, sondern einem Dritten ausschließend. Verzeihung also wegen *des Bodens:* reden wir lieber *vom Platze*! – Auf einem und ebendemselben Platze können beide nicht stehen; das ist gegen das Gesetz der Undurchdringlichkeit der Materie. Von dem Platze, auf dem der eine steht, ist der andere ausgeschlossen; er kann nicht da stehen, ohne jenen wegzustoßen, und das darf er nicht. Jeder ist rechtmäßiger und ausschließender Eigentümer des Platzes, auf welchem er steht, wenn dieser Platz nicht schon vorher einen Eigentümer hatte. Er ward es dadurch, daß er sich darauf stellte. Weiter aber, als er es mit seinem Körper bedecken kann, geht sein Eigentum auch

nicht. – Jetzt zieht der eine eine Furche. Die Furche ist sein; sie ist das Produkt seiner Arbeit. Die Furche zu ziehen, war er vermöge seiner vernünftigen Natur berechtigt. – Er könne sein Eigentum an den Erdschollen nicht beweisen, sagt ihr. – Das kümmert ihn wenig. Wenigstens ist die Furche, zu der er jetzt die Erdschollen umgestaltet hat, sein: nehmt ihm doch die Erdschollen, aber laßt ihm die Furche! – Sein Nachbar zieht hart neben der seinigen auch eine Furche. Das darf er wohl tun, aber wo der erstere gezogen hat, kann er nicht ziehen, ohne die Furche desselben zu zerstören, und das darf er nicht. – So läßt sich demnach die Frage, warum auf nicht okkupiertem Boden der Platz, auf dem jemand steht, und die Furche, die er gezogen hat, ihm und nicht demjenigen, der nicht darauf steht und der sie nicht gezogen hat, gehöre, befriedigend beantworten, und wir haben in diesem Augenblicke eine von Herrn R.s Unmöglichkeiten wirklich gemacht.

Überhaupt – der rechtmäßige Eigentümer der *letzten* Form ist Eigentümer des Dinges. – Ich gebe ein Stück Gold, welches ich rechtmäßig, sei es durch eigene Bearbeitung oder durch Vertrag, besitze, an den Goldschmied mit dem Auftrage, mir einen Becher daraus zu machen. Ich habe ihm einen gewissen Lohn dafür versprochen; zwischen uns scheint ein Vertrag zu sein. Er bringt den Becher, und ich gebe ihm seinen Lohn nicht. Es war kein Vertrag zwischen uns: seine Arbeit war sein und bleibt sein. – Aber das Gold ist ja mein? – Mag ich es zurücknehmen, wenn ich kann, ohne den Becher mitzunehmen oder ihn zu zerstören. Will er mich für meinen Verlust entschädigen, so ist das recht und gut; aber einen rechtlichen Anspruch auf seinen Becher habe ich nicht. Er ist *rechtmäßiger* Besitzer der letzten Form; denn er hat meinem Golde mit meiner Bewilligung *seine* Form gegeben. Wäre er unrechtmäßiger Besitzer derselben – hätte er ohne meine Einwilligung mein Gold zum Becher gemacht, so müßte er, mit oder ohne seine Form, mir das Gold zurückgeben.

Aus diesem allen erhellet, daß nicht der Staat, sondern die vernünftige Natur des Menschen an sich die Quelle des Eigentumsrechtes sei und daß wir allerdings nach dem bloßen Naturrechte etwas besitzen und alle anderen rechtlich vom Besitze desselben ausschließen können.

Aber was kann uns, die wir im Staate geboren sind, dieses helfen? sagt man. Wir hätten, es sei zugegeben, nach dem bloßen Naturrechte uns ein Eigentum erwerben und es *so* gänzlich unabhängig vom Staate machen können. Aber wir haben nun einmal das unsere nicht so erworben; wir verdanken es den Anordnungen des Staates und werden es ihm, wenn wir aus der Verbindung mit ihm treten, wohl zurückgeben müssen. – Wir werden sehen, ob diese Befürchtung gegründet sei.
Wir wurden freilich arm, nackend und hilflos geboren. Was der Staat zur Entwicklung unserer Kräfte getan haben will, seine Behauptung, daß wir noch diesen Augenblick ebenso arm, nackend und hilflos sein würden, wenn er nicht getan hätte – darüber hernach! – Jetzt sei mir ein Sprung über die Jahre der unbeholfenen Tierheit hinweg verstattet; unsere Kräfte sollen entwickelt sein, wir sollen uns selbst helfen können: die Verdienste des Staates um diese Entwicklung werde ich hernach schon anzuerkennen wissen, wenn sie sich aufzeigen lassen. – Unsere Kräfte sind also entwikkelt; wir wollen uns etwas zueignen, richten unsere Augen rund um uns herum, und alles hat seinen Eigentümer, außer Luft und Licht – aus dem einfachen Grunde, weil sie keiner fremden Form empfänglich sind. – Wir dürften die Erde umwandern, ohne etwas zu finden, worauf wir unser Zueignungsrecht, das auf alle rohe Materie sich erstreckt, geltend machen könnten. Es gibt fast keine rohe Materie mehr. – Wollen wir etwa dem Staate darüber Vorwürfe machen, als ob er schon alles weggenommen und uns nichts übriggelassen habe? Nein, dadurch würden wir eine große Ungeschicklichkeit verraten und zeigen, daß wir von der Sache nichts verstehen. Der Staat ist es nicht, der alles schon in Besitz genommen hat: die einzelnen sind es. Wollten wir mit diesen rechten, daß sie nicht auf uns gewartet, daß sie nicht auf uns gerechnet haben, ehe wir da waren? Wollen wir ein Recht in der Welt der Erscheinungen fordern, ehe wir erschienen? Daß alle Plätze schon besetzt sind, ist freilich schlimm für uns; aber warum wurden wir auch nicht eher geboren? Jemanden von seinem Platze herabstoßen, weil wir eines bedürfen, dürfen wir einmal nicht. Wir mögen also sehen, wie wir zurechtkommen. Das ist unsere Sorge.
Hier nun, meint man, tritt der Staat ins Mittel. Er setzt uns

vorläufig in die Mitherrschaft über das Eigentum unserer Eltern, wenn sie eins haben, und nach ihrem Tode zu Erben desselben ein. – Das wäre großmütig vom Staate, einem Übel abzuhelfen, das er, wie wir eben zugestanden, nicht verursacht hat. Aber man erlaube mir nur vorläufig zur Erweckung der Aufmerksamkeit zu fragen: Woher hat denn der Staat das Recht, mir erst die Mitherrschaft und dann die völlige Herrschaft über ein fremdes Eigentum zu schenken? Können alle ein Recht haben, das kein einzelner hat? Habe ich nicht schon gesagt, daß kein Punsch entstanden sein könne, wenn jeder bloß Rum in die Schale gegossen habe?

Wie es mit der Mitherrschaft der Kinder über das Eigentum ihrer Eltern nach Grundsätzen des Naturrechts beschaffen sei, werden wir sehen, wo von der Kultur die Rede sein wird. Jetzt vom Erbe! – Nach dem Naturrechte findet kein Erbschaftsrecht statt, sagt man. Ei? – Gar ein großes, ausgedehntes; nur muß man die Begriffe rein aufzufassen wissen und nicht fremdartige, aus der Gewohnheit entlehnte Merkmale durch die Phantasie in sie einmischen lassen.

Sobald einer aus der Welt der Erscheinungen heraustritt, verliert er seine Rechte in derselben. Sein Eigentum wird wieder so gut als rohe Materie, denn niemand ist Besitzer seiner Form. Die ganze Menschheit ist der rechtmäßige Erbe jedes Verstorbenen; denn die ganze Menschheit hat das uneingeschränkte Zueignungsrecht auf alles, was keinen Besitzer hat. Wer es sich zuerst wirklich zueignen wird, wird der rechtmäßige Eigentümer sein. – So hat die Natur durch das allmähliche Abrufen der alten Besitzer vom Schauplatze für diejenigen gesorgt, die sie nachgebiert. Natur und Sittengesetz sind hier im vollkommensten Einverständnisse. Die erstere ist hier, was sie immer sein sollte, Dienerin des letzteren. – Du sollst keinen von seinem Platze herabstoßen, sagt das Gesetz. Ich muß aber einen Platz haben, sagst du. Hier ist dein Platz, sagt die Natur und stößt herunter, den du nicht herunterstoßen durftest.*

* Der zu Anfange des ersten Kapitels belobte Naturrechtslehrer deute mir dies und das folgende nicht so, als ob ich ein historisches Faktum erzähle, als ob ich, seinem Ausdrucke nach, meine, dies sei *in der Zeit* geschehen! Ich finde in meinen Heften darüber keine Nachricht.

Dieses Rennen nach einem Besitze, das doch vergeblich sein kann; diese Streitigkeiten und Feindschaften, die darüber entstehen müssen, gefallen uns nicht, sagten die Menschen, als sie Bürger wurden, und sie sagten wohl daran. Jeder nehme hinfüro, was ihm am nächsten ist, so erspart er sich und anderen den Gang. Er nehme, was in seiner väterlichen Hütte und um seine väterliche Hütte seines Vaters war; jeder von uns tut Verzicht auf sein Zueignungsrecht an diesen erledigten Besitz, wenn er an seinem Teile auf sein Zueignungsrecht an die Habe jedes anderen verstorbenen Mitbürgers Verzicht tun will. – Du hast demnach das bürgerliche Erbrecht nicht umsonst; du hast ein veräußerliches Menschenrecht – das, jeden Verstorbenen zu beerben, wenn du kannst – dagegen aufgegeben. Hast du nun nur wirklich nicht, solange du im Staate lebtest, okkupiert, so hast du deine Bedingung erfüllt und der Staat die seinige. Dein väterliches Erbe ist dein, laut des von dir erfüllten Vertrags. Besitze es mit gutem Gewissen, auch wenn du aus dem Staate heraustrittst; fordert er es zurück, so fordere du von ihm alles, was du während der Zeit vom Hinterlasse verstorbener Bürger dir hättest zueignen können, und er wird es dir wohl lassen.

Die zweite Art, wie wir im Staate zu einem Eigentume gelangen, ist vermittelst Vertrages durch Arbeit. Bloße Arbeit gibt im Staate selten oder nie ein Eigentum; denn es ist selten oder nie rohe Materie da. Was irgend wir bearbeiten wollen, hat schon seine Form; wir dürfen es nicht bearbeiten ohne Einwilligung des Eigentümers der letzten Form. Trägt uns dieser die weitere Bearbeitung des Dinges, gegen eine Entschädigung für unsere verwendete Kraft, die ursprünglich unser Eigentum ist, auf, so wird das, was er von seinem Eigentume an uns abtritt, unser, durch Vertrag und Arbeit. Er verkauft es uns. – Gibt er uns seine Einwilligung, das Ding willkürlich zu bearbeiten (schon das Ansichnehmen ist eine verwendete Mühe), ohne etwas dagegen von uns zu verlangen, so wird das Ding selbst, gleichfalls durch Vertrag und Arbeit, unser: denn ehe wir eine Mühe darauf verwendet haben, können wir ihn nicht nötigen, sein Versprechen zu halten; er könnte den Willen gar nie gehabt haben, es uns zu geben, oder ihn geändert haben, und dann wäre es, laut obiger Auseinandersetzungen, nicht unser. Da er aber nichts dagegen in sein Eigentum aufnimmt, so verkauft er es uns nicht; er schenkt es uns. – Erbe und Arbeitsvertrag erschöpfen alle Arten, auf welche wir im Staate zu einem Besitze gelangen. Handel ist nur ein Tauschvertrag über Besitzungen, deren Besitz schon Erbe oder Arbeitsvertrag voraussetzt.

„Diese Verträge nun werden doch im Staate, unter dem Schutze des Staates, vermöge der Existenz des Staates, dessen erster Vertrag die Grundlage aller möglichen folgenden Verträge ist, geschlossen; wir verdanken mithin alles, was wir dadurch erlangen, dem Staate." – Viel auf einmal, und rasch entschlossen! Wir brauchen Zeit, um diese Dinge auseinanderzusetzen.

Fürs erste muß ich hier eine Verwirrung der Begriffe rügen, die, soviel ich weiß, bis auf diesen Tag allgemein geherrscht und so sehr bis in das Innere der Sprache sich verwebt hat, daß es schwerfällt, ein Wort zu finden, um ihr ein Ende zu machen. Das Wort „Gesellschaft" nämlich ist die Quelle des leidigen Mißverständnisses. Man braucht es als gleichlautend bald mit Menschen, die überhaupt in einem Vertrage, bald mit Menschen, die in dem besonderen Bürgervertrage stehen, mit dem Staate; und schleicht sich dadurch über die wichtige Erörterung weg: wie es mit Menschen beschaffen sei, die um-, neben-, zwischeneinander leben, ohne in irgendeinem Vertrage, geschweige denn im Bürgervertrage zu stehen? Ich unterscheide beim Worte „Gesellschaft" zwei Hauptbedeutungen; einmal, indem es eine physische Beziehung mehrerer aufeinander ausdrückt, welches keine andere sein kann als das Verhältnis zueinander im Raume, dann, indem es eine moralische Beziehung ausdrückt, das Verhältnis gegenseitiger Rechte und Pflichten gegeneinander. In der letzteren Bedeutung brauchte man das Wort und ließ diese Rechte und Pflichten durch Verträge entweder überhaupt oder durch den besonderen Bürgervertrag bestimmt werden. Und so war und mußte notwendig jede Gesellschaft durch Vertrag entstanden sein, und ohne Vertrag war keine Gesellschaft möglich.

Warum vergaß man doch die erstere Bedeutung des Wortes „Gesellschaft" so gar? – Wesen, die einmal nicht bloß Körper sind, können auch selbst als Körper nie ohne moralische Beziehungen beieinander im Raume sein. – Richtig!

aber? Daran hatte jene alte falsche Vorstellung vom Naturzustande des Menschen schuld; jener Krieg aller gegen alle, der da Rechtens sein sollte, jenes Recht des Stärkeren, das auf diesem Boden herrschen sollte. Zwei Menschen könnten sich nicht auf eines Fußes Breite nahekommen, meinte man, ohne daß jeder das vollkommene Recht erhielte, den anderen für einen guten Fund zu erklären, ihn zu ergreifen und zu braten. Wenn keiner recht wisse, ob er auch der Stärkere sein werde, so müßten sie einander sagen: Iß mich nicht, Lieber, ich will dich auch nicht essen – und von nun an sei es nicht mehr Rechtens, sich untereinander aufzufressen, denn sie hätten sich's ja versprochen; und ob sie gleich an sich das völlige Recht hätten, sich aufzufressen, so hätten sie doch das Recht nicht – einander ihr Wort nicht zu halten. Nun dürften sie sicher beieinanderleben. Eine gründliche Philosophie! Selbst in denjenigen Systemen, wo jene Vorstellung gänzlich verworfen wird, zeigen sich doch nähere oder entferntere Folgesätze derselben.

Die Menschen können allerdings, d. h., es ist moralisch möglich, in Gesellschaft in der ersteren Bedeutung des Worts, d. i. um-, neben-, zwischen-, untereinander leben, ohne in Gesellschaft in *eurer* zweiten Bedeutung, im Vertrage, zu stehen. Sie sind dann nicht ohne gegenseitige Rechte und Pflichten. Ihr gemeinschaftliches Gesetz, welches diese scharf genug bestimmt, ist das Freiheitsgesetz; der Grundsatz: hemme niemandes Freiheit, insofern sie die deinige nicht hemmt. – Aber *würden* sich denn auch die Menschen ohne Zwangsgesetze diesem Grundsatze unterwerfen? Würden sie nicht immer mehr darnach fragen, was sie vermöchten, als darnach, was sie dürften?" – Ich weiß, daß ihr euch immer auf eine ursprüngliche Bösartigkeit der Menschen beruft, von der ich mich nicht überzeugen kann; aber es sei; diese Zwangsgesetze gelten auch im Naturzustande; wer meine Freiheit hemmt, den darf ich rechtlich zwingen, sie selbst und alle Wirkungen derselben wiederherzustellen. – „Du *darfst*; aber wirst du allemal *können* – allemal der Stärkere sein?" Immer nur davon, was ich *würde* oder *werde*; ich rede davon, was ich *sollte*. Wenn das Sittengesetz die Natur beherrschte, *würde* ich allemal der Stärkere sein, wenn ich recht habe; denn ich *soll* es dann sein. Ihr versetzt mich unaufhörlich in das Gebiet der Naturnotwendigkeit. Eine kleine Geduld, und ich werde euch die Einwendung, die ihr auf dem Herzen habt, entwunden haben, ohne mich mit euch in die Untersuchung der Hypothese, was der Mensch im Naturzustande *wirklich sein würde*, einzulassen.

Die Menschen können auch in Gesellschaft, in eurer zweiten Bedeutung des Worts, d. i. im Vertrage überhaupt, stehen, ohne eben im Staate, im Bürgervertrage zu leben. Was beim Vertrage überhaupt rechtlich sei, wird nicht erst durch eine besondere Art des Vertrages, durch den bürgerlichen, bestimmt. Das würde (im Vorbeigehen sei auch das noch für diejenigen erinnert, denen es so einleuchtender ist) ein greiflicher Zirkel sein. – Wir machen einen Vertrag, daß Verträge überhaupt gültig sein sollen; und derselbe Vertrag ist gültig, weil, laut unseres Vertrages, Verträge überhaupt gültig sind. – Es ist, wie oben gezeigt worden, durch das Sittengesetz genau bestimmt: gegenseitige Leistung oder Zurückgabe der einseitigen Leistung und Schadenersatz. Darauf zu dringen erhalte ich das Recht nicht vom Staate; ich erhielt es zugleich mit dem Geschenke der Freiheit zu meiner Ausstattung vom gemeinschaftlichen Vater der Geister.

Ich habe diese Auseinandersetzung nicht zum bloßen Vergnügen übernommen, sondern um eine wichtige Folgerung daraus zu ziehen. – Kann uns der Staat die Rechte, die ursprünglich unser sind, weder nehmen noch geben, so müssen alle diese Beziehungen in der bürgerlichen Gesellschaft wirklich fortdauern. Ein Recht, daß ich als Mensch besitze, kann ich nie als Bürger, *insofern ich das bin*, besitzen. Ein Recht, das ich als Bürger besitzen soll, kann ich nicht schon als Mensch besessen haben. Es ist also ein großer Irrtum, wenn man glaubt, der Naturzustand des Menschen werde durch den bürgerlichen Vertrag aufgehoben; der darf nie aufgehoben werden; er läuft ununterbrochen mit durch den Staat hindurch. – Der Mensch im Staate läßt sich in viererlei Beziehungen betrachten. Zuvörderst isoliert, mit seinem Gewissen und dem höchsten Exekutor seiner Aussprüche allein. Dies ist seine höchste Instanz, der alle seine übrigen Beziehungen untergeordnet sind. Hier kann kein Fremder (die Gottheit ist ihm nicht fremd) sein Richter sein. Das Gesetz, wonach der unsichtbare Richter dieses Gerichtshofes spricht, ist das Sittengesetz, insofern es sich bloß auf die Geisterwelt bezieht. In dieser ersten Beziehung ist er *Geist*. – Dann ist er zu betrachten in Gesellschaft, unter anderen seinesgleichen lebend. In diesem Verhältnisse ist sein Gesetz das Sittengesetz, inwiefern es die Welt der Erscheinungen bestimmt und Naturrecht heißt. Vor diesem äußeren Gerichtshofe ist jeder sein Richter, mit dem er lebt. Er ist in dieser Beziehung *Mensch*. – Jetzt schließt er Verträge. Das Feld der Verträge ist die Welt der Erscheinungen, insofern sie durch das Sittengesetz nicht völlig bestimmt ist. Sein Gesetz auf demselben ist die *freie* (vom Gesetz befreite) Willkür. Verletzt er durch Zurückziehung seiner Willkür die Freiheit des anderen, so ist seine Willkür nicht mehr frei; sie tritt unter das Gesetz zurück, und er wird nach dem Gesetze gerichtet. Er kann solcher Verträge schließen, so viele und so mancherlei er will. – Er kann unter ihnen auch den besonderen Vertrag eines mit allen und aller mit einem schließen, den man den Bürgervertrag nennt. Das Feld dieses Vertrages ist ein beliebiger Teil des Gebietes der freien Willkür. Gesetz und Rechte sind, wie bei dem Vertrage überhaupt, wovon dieser eine Art ausmacht. Inwiefern er in diesem Vertrage steht, heißt er Bürger. – Man ziehe, um sich den Umfang und das Verhältnis dieser verschiedenen Gebiete anschaulich zu machen, einen Zirkel. Diese ganze Scheibe sei das Gebiet des Gewissens. Man ziehe innerhalb seines Umkreises einen viel kleineren. Dieser umfaßt die sichtbare Welt; denjenigen Teil vom Gebiete des Gewissens, auf welchem, unter ihm, auch noch das Naturrecht, das Gesetz der vollkommenen Pflichten richtet. Man ziehe innerhalb dieses zweiten einen dritten kleineren. Innerhalb seines Umkreises richtet, unter Gewissen und Naturrecht, auch noch das Vertragsrecht. Innerhalb dieses dritten einen vierten kleineren gezogen, gibt den Platz, auf welchem unter obigen Richtern der besondere bürgerliche Vertrag richtet. Um meinen Gedanken anschaulicher zu machen, erlaube ich mir folgende Zeichnung hinzuzufügen:

Nur das ist noch anzumerken, daß die höheren Gerichtshöfe unsichtbar ihr Gebiet durch die Felder der niederen durchführen, daß das Naturrecht selbst in seinem Gebiete nur über solche Gegenstände spricht, die das Gewissen frei gelassen hat, usf. Die eingeschlossenen Zirkel umfassen gar nicht *eben das*, welches innerhalb ihrer Umkreise die ausgeschlossenen umfassen; sondern in diese Umkreise fallen nur ganz andere Gegenstände, über welche ihr Gericht sich erstreckt. Um es ganz anschaulich zu machen, müßte man vier dergleichen Zirkel ausgeschnitten übereinanderlegen. – Das Gebiet des Gewissens umfaßt alles, das des Bürgervertrages das wenigste. Es muß jedem erlaubt sein, sich vom Mittelpunkte aus gegen den Umkreis, selbst aus dem Gebiet des Naturrechts heraus, wenn er auf einer wüsten Insel leben will, zurückzuziehen; aber aus dem Gebiete des Gewissens geht er nie heraus, wenn er kein Tier ist. – Man urteile jetzt, mit welcher Befugnis der Staat, dessen Gebiet doch auf den engsten Raum eingeschlossen ist, über seine Grenze hinübergreift; das Feld der Verträge überhaupt, wohl gar das des Naturrechts, und, so Gott will, selbst das des Gewissens zu erobern sucht.*

Was ich während meines Lebens im Staat durch irgendeinen Vertrag gewonnen habe, ist demnach mein, als *Mensch*, und nicht als *Bürger*. Mußte ich nicht eine moralische Person sein, um einen Vertrag schließen zu können? Bin ich denn, als Bürger betrachtet, eine moralische Person? Habe ich denn als solcher einen freien Willen? O nein, nur wenn ich mit allen zusammengenommen werde, entsteht erst diese moralische Person: durch den Willen aller entsteht also erst der Wille des Staats. Soll ich überhaupt einen Vertrag schließen können, so muß ich ihn als Mensch schließen. Als Bürger kann ich nicht. – Der andere, der ihn mit mir schloß, hat ihn gleichfalls als Mensch geschlossen, und das aus dem angeführten Grunde.

Selbst wenn ich den Vertrag mit dem Staate geschlossen hätte, habe ich ihn nur als Mensch schließen können, und das ist in diesem Falle fast noch einleuchtender als im vorigen. Die zwei freiwilligen Entschließungen, die zum Ver-

* Nur durch Unterscheidung dieser verschiedenen Gebiete entwikkeln sich die Trugschlüsse jenes griechischen Sophisten [Protagoras] und seines würdigen Schülers [Euathlos]. – – – Wenn du deinen ersten Prozeß gewinnst, zahlst du mir hundert Talente; verlierst du ihn, so zahlst du mir nie etwas, sagte der erste zum letzteren und unterrichtete ihn in seiner Kunst. Der Lehrer brauchte Geld; der Termin der Zahlung verzog sich; er ging und belangte seinen Schüler vor Gericht. – Er zahlt mir in jedem Falle die hundert Talente, ihr Richter, sagte er – vermöge eures Ausspruchs, wenn ihr ihn zur Zahlung verurteilt – vermöge unseres Vertrags, wenn er den Prozeß gewinnt; er hat dann seinen ersten Rechtshandel gewonnen. Nein, antwortete der würdige Schüler, ich zahle in keinem Falle etwas; zahle nicht, wenn euer Urteil günstig für mich ausfällt, vermöge eures Richterspruchs; zahle ebensowenig, wenn es ungünstig ausfällt, vermöge unseres Vertrags: denn ich habe dann meinen ersten Rechtshandel nicht gewonnen. Die Richter – es waren Athenienser – gaben einen Einfall, wo sie keine Entscheidung geben konnten. – Jeder Leser – Sie verzeihen mir, wenn ich zuweilen unerwartet examiniere –, der die obige Theorie verstanden hat, entscheidet diesen Handel auf den ersten

trage gehören, sind die des Staats und die meinige. Wäre mein Wille in dem Willen des Staates mit eingeschlossen gewesen, so war nur ein Wille; der Staat schloß einen Vertrag mit sich selbst, welches sich widerspricht. Habe ich geleistet und der Staat geleistet, so ist der Vertrag vollzogen; meine Leistung bleibt dem Staate und die des Staates mir.
Aber, sagt man, wenn der Staat nicht täte, so würdest du auf die Heiligkeit der Verträge, die du doch immer als Mensch schließen magst, nicht sehr rechnen können. Hielte der andere sein Wort nicht, so hättest du freilich nach dem Naturrechte die Befugnis, ihn zu Rückgabe der Leistung und Schadenersatz zu zwingen; aber du würdest nicht immer der Stärkere sein. Dieses nun ist an deiner Stelle der Staat. Er verhilft dir zu deinem Rechte, das du doch immer ein Menschenrecht nennen magst – wenn es jemand verletzt; die Scheu vor ihm ist der Grund, daß es seltener verletzt wird – und so hätten wir denn den Einwurf, dessen Widerlegung wir oben versprachen, mehr in der Nähe.
Gegen wen hat der Staat mein Recht geschützt – gegen einen Fremden oder gegen einen Mitbürger? Hat er es gegen den Fremden geschützt, so war er durch den bloßen Vertrag dazu verbunden. Ich war damals im Vertrage. Ich ge-

Anblick. Wer ihn nicht entscheidet, hat sie nicht verstanden und denke sie so lange durch, bis er ihn entscheidet!
Wer sieht nicht, daß der alte und der junge Sophist den Handel dadurch verwirren, daß sie von einem Gebiete in das andere überspringen wollen, und daß der alte durch die sonderbare Bedingung des Vertrags es auf eine solche Verwirrung angelegt hatte?
Jeder will auf das Feld des Staats flüchten, wenn der andere ihn auf dem Gebiete der Verträge, und in das Gebiet der Verträge, wenn der andere ihn auf dem Felde des Staats suchen wird; und wenn ihnen das erlaubt ist, so werden sie nie aufeinandertreffen.
Hättet ihr sie an ihren wahren Gerichtshof gewiesen, atheniensische Richter! Was bei Verträgen Rechtens sei, sagt kein Areopagus; dies Gesetz ist älter als er. Ihr gegenwärtiger Handel gehört gar nicht vor euren Richterstuhl; es ist kein *bürgerlicher* Prozeß.
Laßt sie hingehen und an dem Schüler die Bedingung des Vertrags bei einem *wahren* Prozesse erfüllt werden, dann sprecht nicht ihr, sondern die Sache selbst das Urteil. Mag dann der Lehrer kommen und den Staat *nicht um Entscheidung, was Rechtens sei,* sondern um *die dem Bürgervertrage gemäße Beschützung* seines *natürlichen* Rechts anflehen. Dann habt ihr ein Geschäft; jetzt noch nicht.

hörte auf eine oder die andere Art – sei es auch bloß dadurch, daß ich ihm keine Störung in den Weg legte – selbst mit zum schützenden Körper. Ich half die Rechte anderer Mitbürger auch schützen. Ich tat das Meine, der Staat das Seine. Das ist nun vorbei. Unser Vertrag ist vollzogen, und jeder behält das Seine. – Wenn ich aus dem Vertrage heraustrete, so fällt freilich die vollkommene Pflicht des Staates, mein Recht zu schützen, weg; weil die meinige, das Recht anderer schützen zu helfen, wegfällt. Ich muß dann sehen, wie ich mir selbst helfe.
Hat er es gegen einen Mitbürger geschützt, so wiederhole ich das obige; aber ich setze noch weit mehr hinzu. – Ich schloß mit meinem und eurem Mitbürger den Vertrag, als Mensch mit dem Menschen. Das Naturrecht und kein anderes ist hier unser Gesetz. Er verletzt mich und setzt sich dadurch zu mir in das Verhältnis eines Feindes. Ich habe das Recht, ihn feindlich zu behandeln, bis ich in mein völliges Eigentum wieder eingesetzt bin. Ihr wollt nicht, daß ich euren Mitbürger feindlich behandle? Nun wohl, so verhelft ihr selbst mir friedlich zu meinem Rechte. Sobald ihr dadurch, daß ihr euch meiner rechtmäßigen Verfolgung desselben entgegensetzt, seine Partei ergreift, so wird die Sache eure Sache. Ihr alle seid nunmehr die *eine* moralische Person, die vor dem Gerichtshofe des Naturrechts angeklagt wird; und ich bin die zweite moralische Person, welche klagt. Ich bin jetzt nicht Bürger. Gebt mir friedlich mein Recht, oder ich überziehe euch mit Krieg. Ich sei euer Mitbürger oder ich sei ein Fremder; ich sei aus eurem Staate herausgetreten oder ich sei überhaupt nie darin gewesen – das tut hier nichts zur Sache: in dieser Handlung bin ich überhaupt nicht Bürger. „Wie? Du einzelner willst den ganzen Staat mit Krieg überziehen? Du bist sicher der Schwächere." – So? Habt ihr euch vereiniget, ungerecht zu sein, und tritt man darum mit euch in Verbindung, um ungestraft rauben zu können? Wenn ihr so philosophiert, so lasse ich euch stehen und setze meinen Gang weiter fort.
Es ist jetzt erwiesen, daß alles Eigentum, das wir im Staate erworben und er uns geschützt hat, rechtlich unser bleibe, wenn wir auch aus dem Staate heraustreten: und wir stehen bei dem zweiten Gegenstande, über welchem er uns mit einer Restitutionsklage bedroht, bei unserer in demselben er-

worbenen *Kultur*. – So fürchterlich auch der erstere Prozeß war, so ist dieser es doch noch weit mehr. – Hätte man uns auch, wie man drohte, nackend ausgezogen und von Erde und Meer verwiesen, so hätten wir doch vielleicht ein Mittel ausfindig gemacht, um in die Luft zu entkommen, und da hätten wir denn ruhig existieren dürfen. Aber um alle unsere körperlichen und geistigen Fertigkeiten uns abzunehmen, dazu gibt es kein Mittel als das, uns mit einem großen Hammer auf den Kopf zu schlagen.

Unsere Kultur also fordert der Staat, als das Seine, zurück. Können wir sie ihm nicht wiedergeben, so bleiben wir ohne jemalige Rettung an ihn gefesselt. Wir gestehen, daß er ein Mittel – das beste, wohltätigste Mittel, wird er sagen – gefunden hat, um uns auf immer an sich zu ketten. Was wollen wir sagen? Menschheitsrechte zurückfordern? Wir verdanken ihm ja, wenn auch nicht die Möglichkeit, Menschen zu sein, doch das Bewußtsein dieser Menschheit selbst. – Verehre die Menschheit in mir, sagst du: Undankbarer, antwortet der Staat, wärest du denn ein Mensch, wenn ich dich nicht dazu gemacht hätte? Wendest du Ansprüche gegen mich, die ich selbst erst in dir geltend gemacht habe? Oh! hätte ich dich doch nie ahnden lassen, daß du mehr seiest als ein Tier, so würde ich jetzt nicht so viel Not mit dir haben.

Also, du hast mich zu dem Endzwecke gebildet, o Staat, daß ich dir für deine Zwecke nützlich würde, nicht mir für die meinigen. Du hast mich behandelt wie ein Stück rohe Materie, das dir zu etwas nütze sein sollte. Jetzt gebe ich selbst mir Zwecke auf und will sie selbst ausführen. Dazu hast du mich nicht gebildet, sagst du. – Nun wohl. Also habe ich diese Art von Kultur nicht von dir und gebe sie nicht zurück. Wenn du mir nur diese lassen mußt; die für *deine* Zwecke – ich will dir mein Ehrenwort geben, sie nie zu gebrauchen.

Die Bildung, die du mir gabst, gabst du mir also nur unter der Bedingung, daß ich auf immer der deinige sei? Hast du mich denn gefragt, ob ich diese Bedingung eingehe? Habe ich denn die Sache überlegt und gesagt: ja? – Ich komme hungernd herab in die Herberge der Pilger. Ich finde gerade vor meinem Platze ein rotes Linsengericht, nehme es begierig an mich und danke in meinem Herzen dem unbekannten großmütigen Geber. Du fällst aus deinem Schlupfwinkel heraus, ergreifst mich und sprichst: du bist mein; warum hast du dies Gericht gekostet? Es war der Kaufpreis für deine himmlische Erstgeburt. – Das ist weder großmütig noch gerecht.

Hättest du mich aber auch gefragt, hätte ich dir auch geantwortet; hätten wir wirklich einen Vertrag geschlossen: worüber hätte doch dieser Vertrag sich erstrecken können? Du hättest mir gesagt: ich will dich aus einem bloß leidenden Tiere zu einem selbsttätigen Menschen machen; und ich hätte dir dagegen versprochen, nie selbsttätig zu werden; du hättest mir gesagt: ich will dich dahin bringen, daß du selbst urteilen könnest; und ich hätte dir feierlich zugesagt, nie selbst zu urteilen? – Du gestandest ja, daß ich noch unausgebildet sei; denn wozu hättest du mich sonst ausbilden wollen? Ehe du aber die Hand ans Werk legest, soll ich deine Verfassung beurteilen und billigen? Wie kann ich das doch jetzt, Lieber? Vollende erst dein Werk; mache mich erst zu einem vernünftigen Menschen, dann werden wir ja sehen. Du magst freilich den Nebenzweck haben, mich durch die Kultur, die du mir gibst, in den Stand zu setzen, deine Verfassung schön und vortrefflich zu finden und sie aus Überzeugung lieben zu lernen; aber dazu kannst du mich nicht im voraus verbinden; wenn du anders nicht etwa mich nicht kultivieren, sondern verdrehen und verkünsteln, nicht mein Auge schärfen, sondern ein gefärbtes Glas darauf setzen willst. Gib mir die verheißene Kultur. Werde ich durch sie zur Liebe deiner Verfassung gebracht, so hast du ja deinen Zweck erreicht. Werde ich nicht dazu gebracht, so taugt entweder die vorgebliche Kultur nichts, die du mir gabst, und du hast dein Wort nicht gehalten; oder, wenn sie taugt, so muß deine Verfassung nichts taugen. Kann ich dein Geschenk besser anwenden als zu deiner eigenen Verbesserung? – Doch, was antworte ich auch den Leuten nach ihrer Weise? – Was tummele ich mich auch mit den Sophisten auf ihrem eigenen Felde herum? Sie verdauen wohl größere Widersprüche als diese. Ich rede mit dem unparteiischen Wahrheitsforscher.

Die Kultur läßt sich dem Menschen nicht so aufhängen wie ein Mantel auf die nackten Schultern eines Gelähmten. Gebrauche deine Hände, greif zu und halte fest und schmiege

das Gewand in alle die eigenen Biegungen deines Wuchses: oder du wirst ewig Blößen geben und frieren. Was ich bin, verdanke ich zuletzt mir selbst, wenn ich für mich etwas bin. Bin ich nur mit, in oder an anderen etwas – ein Hausrat, der das Zimmer putzt und selbst wieder vom Zimmer seinen höchsten Reiz entlehnt, oder ein Degen, der nur in der belebten Hand verwundet, oder eine Flöte, der ihre süßen Töne erst der Mund des Virtuosen einhauchte, so seid sicher, daß ich nicht selbst aus eurem Zimmer gehen, eurer Hand mich entwinden, von eurem Munde mich abziehen werde. Hast du mich dazu gemacht, o Staat, und habe ich mich dazu machen lassen, so magst du das vor einem anderen Richterstuhle verantworten; ich wenigstens werde dich nie zur Rechenschaft ziehen. – Wer seine Kultur gegen den Staat wendet, der hat sie nicht vom Staate; und wer sie vom Staate hat, wendet sie nicht gegen den Staat.
Soll ich meinem Leser alles sagen? Soll ich den eben erst entwickelten Unterschied zwischen Gesellschaft und Staat auch hier anwenden? Kultur geben kann weder die erstere noch der zweite; niemand *wird* kultiviert. Der Mittel zur Kultur gibt die erstere ungleich mehrere und ungleich brauchbarere als der letztere. Beider Einfluß auf unsere Kultur verhält sich wie ihr beiderseitiges Gebiet.
Ich will hier nicht des Grundzuges in der sinnlichen Natur des Menschen gedenken, daß sie vor der Hilflosigkeit ihre ganze Stärke auszieht und bei ihrem Anblicke nichts fühlt als Erbarmen gegen die Schwäche. Ist es der Staat, der diesen Zug in unser Inneres zog? Ich will nicht des animalischen Instinktes im Menschen gedenken, das aus sich oder seinem Weibe Geborene zu lieben. Ist es der Staat, der ihn uns einprägte? Ich will nicht erinnern, daß der Augenblick der Erscheinung eines Menschen für ein menschliches Wesen notwendig ein Augenblick der Freude ist, weil derselbe es einer drückenden Bürde und quälender Schmerzen entlastet; will nicht erwähnen, daß der erste Zug aus der Brust meiner Mutter mich mit einem menschlichen Wesen in das süße Verhältnis des gegenseitigen Wohltuns versetzte. Sie gab mir Nahrung, und ich entledigte sie einer Last.* Ist es

* Deine Mutter hat vielleicht andere Mittel gefunden, sich derselben zu entledigen. Sie mochte nichts von dir annehmen, um dir

der Staat, der dieses heilige Naturgesetz gab? – Ich will dies alles nicht erwähnen, denn ich will den Menschen hier nicht betrachten als Tier, sondern als Geist: ich will nicht von den Zügen seiner sinnlichen Natur, sondern von seinen Rechten reden.
Mein erster Schritt in die Welt der Erscheinungen geschieht an einer fremden Hand; und diese Hand gibt mir, indem sie sich mir bietet, vollgültige Ansprüche an sich. Hast du mich darum hervorgezogen, um mich hilflos verderben zu lassen? Verderben konnte ich ohne dich; du sagst mir die Erhaltung zu: hältst du dein Wort nicht, so klage ich dich über alle die Leiden an, die ich seit deiner Hervorziehung an das Licht des Tages bis zu meinem Abschiede von ihm erdulde. Ich darf klagen, denn ich trage das dir wohlbekannte Gepräge der Vernunft an mir.
Mein erstes Weinen ist ein Aufruf an die Welt der Geister, daß wieder einer von ihnen in die Welt der Erscheinungen eingetreten sei und seine Rechte in ihr geltend machen wolle – ist eine feierliche Erklärung und Ankündigung dieser Rechte für die gesamte Natur, ist eine feierliche Besitznehmung derselben. Durch nichts anderes konnte ich sie auch in Besitz nehmen als durch dieses ohnmächtige Wei-

nicht etwas geben zu müssen. Aber laß das! Du hattest wohl eine Amme. Geh und danke ihr, oder weine eine Träne auf ihr Grab, wenn sie tot ist. Mag sie doch auch in aller Menschen Augen ein verächtliches Geschöpf gewesen sein; mag sie doch auch mit ihrer Milch das Gift in deinen Körper gegossen haben, das bis diesen Augenblick deine Nerven zerreißt und sie zerreißen wird bis an das Grab; das ist wenig – dennoch band sie, was deine Mutter nicht tun wollte, an dein Herz den einzigen Endpunkt der großen Kette, die in die Ewigkeit hinausgeht und die von ihr, dem ersten Punkte aus, endlich alle Wesen mit demselben verbinden wird – die des gegenseitigen freien Gebens und Nehmens.
Fahre hin, geschärfter Pfeil, und zerreiße das Herz jeder Mutter, das du triffst: aber entfliege nicht ohne den lindernden Balsam, daß – höchstmöglichster Ersatz des verursachten Schadens, Besserung für die Zukunft oder, wo diese nicht möglich ist, gegründete Überzeugung, daß man im vorkommenden Falle anders handeln würde, Warnung und Ermahnung für andere – aber auch *nur* das, das Geschehene völlig ungeschehen mache. Und möchtest du dann doch immer tief verwunden, um den alten bösen Schaden aufzustechen und ihn zu heilen.

nen; ich kann nichts weiter. Du, der du es hörst, erkenne in mir deine Rechte und eile herbei, sie zu beschützen, bis ich es selbst könne. Du schützest in mir die Rechte der gesamten Menschheit.

Das ist der Rechtsgrund der elterlichen Gewalt. Wenn einer, der menschlich Antlitz trägt, unfähig ist, seine Menschenrechte zu behaupten, so hat die ganze Menschheit Recht und Pflicht, sie statt seiner auszuüben. Sie werden ein gemeinsamer Anteil und ihre Behauptung eine gemeinsame Pflicht des ganzen Geschlechtes; in ihrer Verletzung wird das ganze Geschlecht verletzt. – Etwas, worauf die ganze Menschheit gemeinschaftliche Ansprüche hat, fällt dem anheim, der sich seiner zuerst bemächtiget. – Das unvernünftige Ding wird selbst ein Eigentum; das des Gebrauches der Vernunft unfähige Wesen kann nicht selbst Eigentum sein, aber seine Rechte werden ein Eigentum desjenigen, der sich ihrer bemächtiget. Bemächtigung geschieht hier durch Ausübung derselben. Die Geburtshelferin, die mich an das Licht hervorzog und in die Welt der Erscheinungen hinlegte, übte in ihr mein erstes Recht aus. Ich hatte Anspruch auf einen Ort im Raume. Ich konnte ihn nicht selbst einnehmen; sie tat es statt meiner, als sie mich hinlegte, wo ich selbst mich nicht hinstellen konnte. Hätte sie nicht durch Vertrag meinen Eltern versprochen, ihr Recht auf mich an sie zurück abzutreten, hätte sie nicht überhaupt dieses Vertrages im Namen meiner Eltern gehandelt, so wären meine Rechte durch diese erste Ausübung derselben die ihrigen; so aber sind sie meinen Eltern. – Ich darf rechtlich jedes auch noch so fremden Kindes Rechte okkupieren, wenn ich es bei seinem Eintritte in die Welt auffasse und kein Vertrag mich verbindet, sie zurückzugeben. Daß gemeinhin die Eltern der Rechte ihrer Kinder sich bemächtigen, kommt daher, weil sie bei Erscheinung derselben die nächsten sind, sie vorhersehen und schon im voraus Anstalten zu ihrem Empfange in die Welt getroffen haben. Es ist demnach zufällig. Ein ausschließendes Recht auf ihre Kinder, *als* Eltern derselben, haben sie nach dem Naturrechte nicht. Sie machen ihr mit der ganzen Menschheit gemeinschaftliches Zueignungsrecht nur durch Okkupation zu einem Eigentumsrechte. – Die Anwendung dieser Theorie auf wahnsinnig Gewordene

überlasse ich dem Leser und ersuche ihn, sich daran zu prüfen, ob er sie richtig gefaßt habe.
Habe ich die Rechte eines ohne Gebrauch der Vernunft vernünftigen Wesens zu den meinigen gemacht, so bleiben sie gegen jeden fremden Einspruch die meinigen, ebendarum, weil sie mein sind. – Du verlangst dieses unmündige Kind, dessen Rechte ich rechtlich okkupiert habe, in deinen Schutz. Und wärst du sein Erzeuger oder seine Gebärerin, so darf ich dir sagen: nein. Hätte wohl dieses unmündige Kind, wenn es nicht unmündig, sondern seiner Vernunft mächtig wäre, das Recht, dir zu sagen: ich will deines Schutzes nicht? Hätte es ohne Zweifel dieses Recht, so habe ich es, wenn seine Rechte die meinigen sind, und ich sage dir als Exekutor seiner Rechte: ich will deines Schutzes nicht. Willst du dich mit mir darüber vertragen, so magst du das wohl, und ich mag es. Aber rechtlich sie von mir zurückzufordern, hat keiner das Recht als er selbst. Er wird, so wie seine Vernunft sich entwickelt, eins nach dem anderen selbst ausüben, er wird sich Schritt vor Schritt von meinem Ich ablösen, um ein eigenes zu bilden: und das wird mir Winkes genug sein, in keines Fremden Rechte einzugreifen, und tue ich es, so wird er rechtlich mich in meine Grenzen zurückweisen. – Ich weiß, daß über die hier hereinfallenden Punkte der Staat von jeher mancherlei verordnet hat; ich weiß aber auch, daß der Staat von jeher gearbeitet hat, uns auf jede Art zu gewöhnen, Maschinen zu sein, statt selbständige Wesen zu sein.
Übernahm ich seine Rechte, so übernahm ich zugleich seine Pflichten, vermöge deren er allein Rechte hat. Ich handle ganz in seine Seele, und meine Vernunft tritt völlig an die Stelle der seinigen. Ich übernahm seine Verbindlichkeiten gegen andere. Dieses Kind hat dir Schaden zugefügt; dein Schaden muß ersetzt werden; an dasselbe kannst du dich nicht halten, es ist seiner Vernunft nicht mächtig. Du hältst dich an mich, der ich statt seiner Vernunft zu haben mich anheischig gemacht. Ich bin dir gleichsam das Unterpfand für ihn. – Ich übernehme seine noch weit höheren Verbindlichkeiten gegen sich selbst, seine Beziehungen auf das Sittengesetz an sich. Er ist berufen, durch Kultur auf den höchsten Endzweck aller moralischen Wesen hinzuarbeiten. Um das zu können, muß er vor allen Dingen in der

Welt der Erscheinungen, in die er aufgenommen ist, leben können. Ich bin ihm Unterhalt schuldig, denn er selbst ist ihn sich schuldig, und ich handle an seiner Stelle. Dagegen habe ich das Recht, die Produkte seiner sich entwickelnden Kräfte in mein Eigentum aufzunehmen, denn seine Kräfte sind die meinigen. Dies ist das Miteigentum im Naturstande, welches richtiger das Recht des Mitgenusses heißen würde; denn ein eigentliches Eigentum kann keiner haben, der nicht okkupieren kann, und ein Kind kann das nicht. – Er hat Pflicht und Recht, die Mittel zur Kultur aufzusuchen und anzuwenden. Ich habe seine Pflichten und Rechte statt seiner übernommen: er hat demnach das vollkommene Recht, diese Mittel, inwiefern sie in meiner Gewalt stehen, von mir zu fordern. Es ist nicht mein guter Wille, es ist meine unnachlaßliche Pflicht, auf seine Kultur aus allen Kräften hinzuarbeiten. – Man dürfte – ich erinnere dies nur im Vorbeigehen – sagen, niemand werde sich leicht mit der Vormundschaft für Unmündige befassen, da unserer eigenen Deduktion nach die Last derselben weit größer sei als der geringe Vorteil, wenn nicht der Staat wohltätig ins Mittel getreten und es den Eltern zur bürgerlichen Pflicht gemacht hätte: aber da zeigt sich wieder euer Mißtrauen gegen die menschliche Natur, die ihr nicht aufhört zu verleumden, nachdem ihr sie durch eure bürgerlichen Verordnungen, die unaufhörlich in fremde Grenzen eingreifen, erst verdorben habt. Jeder Grundzug derselben ist gut, und nur durch ihre Ausartung werden sie schädlich. – Jeder mag gern der Obere sein, mag lieber beschützen als beschützt werden. Er erhebt sich dadurch in seinen eigenen Augen und bekommt vor sich selbst eine gewisse Wichtigkeit. Jeder mag gern in anderen sich wieder darstellen und ihre charakteristischen Eigenheiten zum Abdrucke der seinigen machen. Diese, solange sie nicht in die Freiheit anderer eingreifen, trefflichen Grundzüge würden uns immer antreiben, uns der Unmündigen anzunehmen und uns selbst in ihnen wieder darzustellen und uns vor unseren eigenen Augen zu erheben, wenn ihr nicht das unselige Geheimnis gefunden hättet, uns die Schande der Erniedrigung ehrenvoll und den Schein in anderer Augen angenehmer zu machen als die Ehre in den unserigen, kurz, wenn ihr nicht unseren edlen Stolz aus unserer Seele ge-

tilgt hättet, um eure kleinliche Eitelkeit an seine Stelle zu setzen.
Das taten meine Vormünder für mich, und sie taten nichts als ihre Pflicht. Aber sie selbst lebten in der Gesellschaft, und jeder, der mit ihnen einen Berührungspunkt gemein hatte, bildete mit an mir; jedes Wort, das sie redeten, diente mit dazu, meine Fähigkeiten zu entwickeln. – Dank sei der guten Natur und dem glücklichen Zufalle, der mich in der Gesellschaft geboren werden ließ, insofern sie dies nicht bezweckten; Dank sei außer jenen auch noch ihrem eigenen guten Herzen, wenn sie es wirklich bezweckten! Sie gaben dann dem Dürftigen aus freier Güte ein Almosen; sie bezahlten keine Schuld; und ich gebe, was allein sich für Geschenke geben läßt, meinen Dank. – Aber was hat hier der Staat zu tun? Kann er nicht beweisen, daß die Gesellschaft überhaupt bloß kraft seiner da ist, so sind die Verdienste der Gesellschaft nicht die seinigen; das aber kann er nicht beweisen; wir haben bewiesen, daß er selbst kraft der Gesellschaft da ist. Verdanke er selbst der Gesellschaft, was er ihr zu verdanken hat; wir werden uns schon ohne seine Vermittelung mit ihr abfinden.
Aber mein Gesichtskreis erweitert sich; ich betrete die Schwellen der höheren Geisteskultur. Ich finde niedere und höhere Schulen, bereit mich aufzunehmen. Diese wenigstens sind doch vermöge der Anordnungen des Staates da? Es würde nicht schwer werden, zu zeigen, daß auch sie Institute nicht des Staates, sondern der Gesellschaft seien und daß ihr Dasein sich nicht auf den Bürgervertrag, sondern auf andere besondere Verträge kleinerer oder größerer Gesellschaften gründe; daß höchstens dasjenige in ihnen, was den Geist niederdrückt und seine freie Schwungkraft lähmt, hier mönchische Disziplin, dort Aufsicht über Rechtgläubigkeit aller Art, Anhänglichkeit an das Alte, *weil* es alt ist, vorgeschriebene Lehrbücher und Lehrgänge, seiner Fürsorge beizumessen sei. Aber ich will nicht alles ängstlich genau nehmen; einmal wenigstens will ich den Staat seiner Neigung überlassen, alles Gute, was in der Gesellschaft ist, sich, und alles Böse in derselben unserer Widersetzlichkeit gegen seine heilsamen Verfügungen zuzuschreiben. Er mag jene Institute gestiftet, die Lehrer auf dieselben berufen und bezahlt haben. Ich will ihn selbst daran nicht erinnern,

daß ich, ohngeachtet seiner weisen Fürsorge, doch nie weder gelehrt noch klug geworden wäre, wenn ich nicht meine eigenen Kräfte gebraucht hätte. Mag er doch sogar das Vermögen besitzen, die Menschen wider ihren Willen weise zu machen, und mag er uns an seinen erhabenen Stützen, an denjenigen, auf die er ja wohl seine besten Kunststücke verwenden wird, an seinen Fürstenkindern und seinem Adel, glänzende Proben davon geben.
Berufen also und besoldet hat er unsere Lehrer? Sein Ruf war es, der jene Fähigkeit, in unser Inneres einzudringen und ihren Geist in uns überzuflößen, jene zärtliche Teilnahme an uns, als an Kindern ihres Geistes, über sie ausgoß? Sein kärglicher Sold war es, der sie für die tausend Unannehmlichkeiten ihres Standes, für alle die Sorgen und anhaltende Mühen, die sie ertrugen, entschädigte, für die Behauptung des menschlichen Geistes auf dem errungenen Standpunkte, oder auch wohl für den mächtigen Fortstoß, den sie ihm gaben, bezahlte? Oh, glaubt doch dem Staate eher alles andere als dieses. Wen sein heller, biegsamer Geist und sein für Menschenwert warm schlagendes Herz nicht längst zum Menschenlehrer verordnete, den macht keine Vokation dazu; sie kann nichts weiter als einen leeren Platz mit einem Manne besetzen, welcher, wenn er den höheren Ruf nicht längst zuvor erhalten hatte, den Würdigeren verdrängt und seine Stelle vergeblich drückt. Freie Mitteilung der Wahrheit ist das schönste Vereinigungsband, das die Welt der Geister zusammenhält; ein Geheimnis, das niemand kennt, denn der es empfangen hat. Die Wahrheit ist ein gemeinsames Erbgut dieser höheren Welt, frei wie der Äther, und von Myriaden zugleich zu genießen, ohne sich zu verzehren. Ihr händigtet mir meinen Anteil davon ein, nicht als mein Eigentum, sondern als ein auf eure späteren Nachkommen zu überlieferndes heiliges Unterpfand. Ich werde, ich muß es abliefern; wohl mir, wenn es in meinen Händen gewuchert hat; nur dadurch kann ich meinen Platz in der Welt der Geister bezahlen. Ich bezahle allerdings eine Schuld, aber nicht an dich, o Staat; dein Reich gehört nicht zu der Welt, mit der ich in Abrechnung stehe. – Du redest von Besoldung? Deine Anweisungen gelten nicht in derselben Welt, und der Lehrer der Menschheit macht sich durch eine Münze bezahlt, die du nicht ausge-

prägt hast. Sooft er einem anderen die Wahrheit mitteilt, fällt ihm selbst eine neue Beleuchtung darauf, und jeder Schüler, den er zu ihr bekehrt, zeigt ihm eine neue Seite an ihr. Alle Freuden und alle Belohnungen, die du ihm geben kannst, sind nichts gegen diejenigen, die er täglich erneuert schmeckt – Einmütigkeit im Denken hervorzubringen und einen menschlichen Geist mit dem seinigen in eins zu verschmelzen. Die Aussichten auf diese kurze Spanne Leben, die du ihm eröffnen könntest, sind nichts gegen die seinigen, daß die Früchte seiner Arbeiten fortdauern werden in die Ewigkeit und daß nichts in der unendlichen Reihe der Ursachen und Wirkungen zur Vervollkommnung des Menschengeschlechtes vergeben wird, das er in sie brachte. Der Jünger ist nicht größer als sein Meister, wenn er nichts als Jünger und Lehrling ist und nichts kann als nachmachen; aber groß und glücklich wäre der Meister, der alle seine Schüler größer machen könnte, als er selbst war. Welch eine Saat von Menschenwert und Menschenglück, aus dem Korne, das er warf, entsprossen, müßte vor seinem Auge dämmern! – Gehe doch mein Name verloren, und die Silben desselben rollen nicht über die Zungen der Nachwelt, wenn nur in der großen Kette der Vervollkommnung meines Brudergeschlechtes meine Existenz ein Glied ausmacht, in welches sich Glieder schlingen, bis in die Ewigkeit hinaus; wenn es auch keiner weiß, wenn es nur so ist.

Nein, Geister der Vorwelt, deren Schatten mich unsichtbar umschweben, Griechen und Römer, an deren noch fortlebenden Schriften mein Geist sich zuerst versuchte, die ihr diese Kühnheit, diese Verachtung der List, der Gefahr und des Todes, dieses Gefühl für alles, was stark und groß ist, unmerklich in meine Seele hauchtet – und ihr anderen zum Teil noch lebenden Lehrer, an deren Hand ich noch täglich tiefer in die Natur unseres Geistes und seiner Begriffe einzudringen und von eingewurzelten Vorurteilen mich immer mehr zu entfesseln suche: fern sei von mir der entehrende Gedanke, daß ich alles das durch die paar armseligen Groschen bezahlt habe, die ich für eure Schriften gab. Mein Geist fliegt in dieser Minute sehnend zu euren unbekannten Gräbern oder zu den Städten, wo ihr weilt und von denen Länder und Seen mich trennen, und möchte gerührt, aber männlich auf eurem Grabe danken oder euch die Hand drücken und euch sagen: ihr seid meine Väter, Teile von eurem Geiste sind in den meinigen übergegangen. – Und ihr meine mündlichen Lehrer, besonders du, verehrungswürdiger G*** [Johann Gottfried Geisler], bei dessen geradem harmonischen Gedankengange durch Blumengefilde mein Geist zuerst aus dem langen Schlummer erwachte und sich selbst fand: euch werde ich vielleicht noch danken können, und das wird der Lohn sein, womit ihr euch begnügt.

Vergebens also fordert der Staat eine Kultur zurück, die er mir weder gab noch geben konnte; vergebens beklagt er sich, daß ich ein Geschenk gegen ihn wende, das nicht von ihm ist. – Jeder hat das vollkommene Recht, aus dem Staate zu treten, sobald er will; er wird weder durch den Bürgervertrag, der nur so lange gilt, als jeder es will, und dessen Rechnung sich in jedem Augenblicke abschließen läßt, noch durch besondere Verträge über sein Eigentum oder über seine erworbene Kultur gehalten: sein Eigentum bleibt sein; seine Kultur, die sich ihm überdies nicht abnehmen läßt, gibt dem Staate keine Befugnis, über Verletzung eines Vertrages oder über Undankbarkeit zu klagen.

Kann einer aus dem Staate treten, so können es mehrere. Diese stehen nun gegeneinander und gegen den Staat, den sie verließen, unter dem bloßen Naturrechte. Wollen die, welche sich abgesondert haben, sich enger untereinander vereinigen und einen neuen Bürgervertrag auf beliebige Bedingungen schließen, so haben sie vermöge des Naturrechts, in dessen Gebiet sie sich zurückgezogen haben, dazu das vollkommene Recht. – Es ist ein neuer Staat entstanden. Die zur Zeit nur noch einen Teil umfassende Revolution ist vollendet. – Zu jeder Revolution gehört die Lossagung vom ehemaligen Vertrage und die Vereinigung durch einen neuen. Beides ist rechtmäßig, mithin auch jede Revolution, in der beides auf die gesetzmäßige Art, d. i. aus freiem Willen, geschieht.

Bis jetzt bestehen noch zwei Staaten neben- und ineinander, die sich verhalten, wie alle Staaten sich gegeneinander verhalten, d. i. wie einzelne, die ohne besondere Verträge unter dem bloßen Gesetze des Naturrechtes stehen. – Aber hier stoße ich auf den mächtigen Einwurf von der Schäd-

lichkeit des Staates im Staate, welcher Fall hier offenbar eintreten würde. Ich habe mich losgerissen und bin in die neue Verbindung eingetreten. Meine beiden Nachbarn rechts und links stehen noch in der alten; und so ist über die ganze unabsehbare Strecke alles vermischt. Welche Verwirrungen und Unordnungen werden daraus nicht entstehen?
Aber fragt doch nicht immer zuerst, was daraus entstehen *wird*, sondern untersucht vor allen Dingen, was ihr tun *dürft* oder *nicht dürft*, um es abzuwenden. Mich verhindern, aus eurer Verbindung zu gehen und in eine neue einzutreten, dürft ihr nun einmal nicht; ihr würdet ein Menschenrecht in mir verletzen. Euch zwingen, daß ihr die alte aufgebt und mit mir in die neue tretet, darf ich ebensowenig: dann würde ich das Menschenrecht in euch verletzen. Wir müssen uns also beide einrichten, so gut wir können, und ertragen, was wir nicht hindern dürfen. Es kann wohl sein, daß es einem Staate unangenehm ist, einen Staat in sich entstehen zu lassen; aber davon ist hier nicht die Frage. Die Frage ist, ob er es rechtlich verhindern dürfe; und darauf antworte ich: nein.
Aber ich bitte euch, ist es denn auch nur wahrscheinlich, daß so gar viel Unheil daraus erfolgen würde? Ihr, die ihr die Gefahr eines solchen Verhältnisses so sehr fürchtet, habt ihr denn noch nie über eure eigene Lage nachgedacht, noch nie entdeckt, daß diese Gefahren euch immerfort hundertfach umringen?
Fast durch alle Länder von Europa verbreitet sich ein mächtiger, feindselig gesinnter Staat, der mit allen übrigen im beständigen Kriege steht und der in manchem fürchterlich schwer auf die Bürger drückt; es ist das Judentum. Ich glaube nicht, und ich hoffe es in der Folge darzutun, daß dasselbe dadurch, daß es einen abgesonderten und so fest verketteten Staat bildet, sondern dadurch, daß dieser Staat auf den Haß des ganzen menschlichen Geschlechtes aufgebaut ist, so fürchterlich werde. Von einem Volke, dessen Geringster seine Ahnen höher hinaufführt als wir anderen alle unsere Geschichte, und in einem Emir, der älter ist als sie, seinen Stammvater sieht – eine Sage, die wir selbst unter unsere Glaubensartikel aufgenommen haben –, das in allen Völkern die Nachkommen derer erblickt, welche sie

aus ihrem schwärmerisch geliebten Vaterlande vertrieben haben; das sich zu dem den Körper erschlaffenden und den Geist für jedes edle Gefühl tötenden Kleinhandel verdammt hat und verdammt wird; das durch das Bindendste, was die Menschheit hat, durch seine Religion, von unseren Mahlen, von unserem Freudenbecher und von dem süßen Tausche des Frohsinns mit uns von Herz zu Herzen ausgeschlossen ist; das bis in seinen Pflichten und Rechten und bis in der Seele des Allvaters uns andere alle von sich absondert – von so einem Volke sollte sich etwas anderes erwarten lassen, als was wir sehen, daß in einem Staate, wo der unumschränkte König mir meine väterliche Hütte nicht nehmen darf und wo ich gegen den allmächtigen Minister mein Recht erhalte, der erste Jude, dem es gefällt, mich ungestraft ausplündert. Dies alles seht ihr mit an, und könnt es nicht leugnen, und redet zuckersüße Worte von Toleranz und Menschenrechten und Bürgerrechten, indes ihr in uns die ersten Menschenrechte kränkt; könnt eurer liebevollen Duldung gegen diejenigen, die nicht an Jesum Christum glauben, durch alle Titel, Würden und Ehrenstellen, die ihr ihnen gebt, kein Genüge tun, indes ihr diejenigen, die nur nicht ebenso wie ihr an ihn glauben, öffentlich schimpft und ihnen bürgerliche Ehre und mit Würde verdientes Brot nehmt. Erinnert ihr euch denn hier nicht des Staates im Staate? Fällt euch denn hier nicht der begreifliche Gedanke ein, daß die Juden, welche ohne euch Bürger eines Staates sind, der fester und gewaltiger ist als die eurigen alle, wenn ihr ihnen auch noch das Bürgerrecht in euren Staaten gebt, eure übrigen Bürger völlig unter die Füße treten werden?*

* Fern sei von diesen Blättern der Gifthauch der Intoleranz, wie er es von meinem Herzen ist!
Derjenige Jude, der über die festen, man möchte sagen unübersteiglichen Verschanzungen, die vor ihm liegen, *zur allgemeinen Gerechtigkeits-, Menschen- und Wahrheitsliebe* hindurchdringt, ist ein Held und ein Heiliger. Ich weiß nicht, ob es deren gab oder gibt. Ich will es glauben, sobald ich sie sehe. Nur verkaufe man mir nicht schönen Schein für Realität! – Möchten doch immer die Juden nicht an Jesum Christum, möchten sie doch sogar an keinen Gott glauben, wenn sie nur nicht an zwei verschiedene Sittengesetze und an einen menschenfeindlichen Gott glaubten. – Menschenrechte müs-

Neben diesen hin flicht sich ein beinah ebenso fürchterlicher Staat durch militärische Monarchien: das Militär. Durch eben das, was ihren Stand hart macht, die strenge Mannszucht, und die mit Blut geschriebenen Gesetze desselben an ihn angefesselt, finden sie in ihrer Erniedrigung ihre Ehre und in der Ungestraftheit bei Vergehungen gegen

sen sie haben, ob sie gleich uns dieselben nicht zugestehen; denn sie *sind* Menschen, und ihre Ungerechtigkeit berechtigt uns nicht, ihnen gleich zu werden. Zwinge keinen Juden wider seinen Willen und leide nicht, daß es geschehe, wo du der nächste bist, der es hindern kann; das bist du ihm schlechterdings schuldig. Wenn du gestern gegessen hast und hungerst wieder und hast nur auf heute Brot, so gib es dem Juden, der neben dir hungert, wenn er gestern nicht gegessen hat, und du tust sehr wohl daran. – Aber ihnen Bürgerrechte zu geben, dazu sehe ich wenigstens kein Mittel als das, in einer Nacht ihnen allen die Köpfe abzuschneiden und andere aufzusetzen, in denen auch nicht eine jüdische Idee sei. Um uns vor ihnen zu schützen, dazu sehe ich wieder kein anderes Mittel, als ihnen ihr gelobtes Land zu erobern und sie alle dahin zu schicken.
Vorherrschende Toleranz der Juden in Staaten, wo für Selbstdenker keine Toleranz ist, zeigt sonnenklar, worauf eigentlich abgesehen wird. – Die Aufrechthaltung deines Glaubens liegt dir so sehr an deinem Vaterherzen. Siehe diese Juden; sie glauben überhaupt nicht an Jesum Christum; das mußt du nicht leiden; und ich sehe, daß du sie mit Wohltaten überhäufst. – „Oh, sie haben Aberglauben, und das ist mir genug. Glaube du doch an Zoroaster oder Confucius, an Moses oder Mahomet, an den Papst, Luther oder Calvin, das gilt mir gleich; wenn du nur an eine fremde Vernunft glaubst. Aber du willst *selbst* Vernunft haben, und das werde ich nie leiden. Sei unmündig, sonst wächsest du mir zu Kopfe." – Ich will nicht etwa sagen, daß man die Juden um ihres Glaubens willen verfolgen solle, sondern daß man überhaupt niemand deswegen verfolgen solle.
Ich weiß, daß man vor verschiedenen gelehrten Tribunalen eher die ganze Sittlichkeit und ihr heiligstes Produkt, die Religion, angreifen darf als die jüdische Nation. Denen sage ich, daß mich nie ein Jude betrog, weil ich mich nie mit einem einließ, daß ich mehrmals Juden, die man neckte, mit eigener Gefahr und zu eigenen Nachteil in Schutz genommen habe, daß also nicht Privatanimosität aus mir redet. Was ich sagte, halte ich für wahr; ich sagte es *so*, weil ich das für nötig hielt: ich setze hinzu, daß mir das Verfahren vieler neuerer Schriftsteller in Rücksicht der Juden sehr folgewidrig scheint und daß ich ein Recht zu haben glaube, zu sagen, *was* und *wie* ich denke. Wem das Gesagte nicht gefällt, der schimpfe nicht, verleumde nicht, empfinde nicht, sondern *widerlege obige Tatsachen*.

den Bürger und Landmann ihre Entschädigung für die übrigen Lasten desselben. Der roheste Halbbarbar glaubt mit der Montur die sichere Überlegenheit über den scheuen, von allen Seiten geschreckten Landmann anzuziehen, welcher nur zu glücklich ist, wenn er seine Neckereien, Beschimpfungen und Beleidigungen ertragen kann, ohne noch dazu von ihm vor seinen würdigen Befehlshaber geschleppt und zerschlagen zu werden. Der Jüngling, der mehr Ahnen, aber nicht mehr Bildung hat, nimmt sein Degenband als einen Berechtigungsbrief, auf den Kaufmann, den würdigen Gelehrten, den verdienten Staatsmann, der ihn vielleicht selbst in der Ahnenprobe besiegen würde, höhnend herabzusehen, ihn zu necken und zu stoßen oder unsere Jünglinge, die sich den Wissenschaften widmen, von ihren etwanigen Unarten durch Fußtritte zu heilen.*

Weniger gefährlich, seitdem er nicht mehr der ausschließende Besitzer der Reichtümer und der dürftigen Kultur unmündiger Völker ist, aber doch noch immer ein wirklicher Staat im Staate ist der Adel, abgesondert durch seinen Zunftgeist, durch seine Verheiratungen untereinander und durch das noch immer ausschließende Recht auf gewisse Bedienungen; allenfalls nur da gut, wo das Volk noch einer

* Daß hier kein Zug sei, der sich nicht mit zahlreichen Tatsachen belegen ließe, weiß jeder, der gewisse starke Garnisonen kennt. Daß übrigens eben dieser Stand manche edle Tugend vorzüglich pflege und nähre, daß schnelle und mutige Entschlossenheit, daß männliche und offene Freimütigkeit, die Würze des gesellschaftlichen Lebens, in unserem Zeitalter fast nur noch bei gebildeten Offizieren angetroffen werde, setze ich hinzu und bezeuge allen würdigen Männern, die ich in diesem Stande kenne oder nicht kenne, meine desto innigere Verehrung. – Aber das Urteil im allgemeinen ist hier gar nicht auf die größere oder geringere Anzahl der Tatsachen, sondern auf Gründe gebaut. Wenn ein Stand dem allgemeinen Gerichtshofe entzogen und vor einen besonderen geführt wird, wenn die Gesetze dieses Gerichtshofes von den allgemeinen Gesetzen aller Sittlichkeit sehr verschieden sind und mit strenger Härte bestrafen, was vor diesen kaum ein Fehler ist, und Vergehungen übersehen, die diese streng ahnden würden: so erhält dieser Stand ein abgesondertes Interesse und eine abgesonderte Moral und wird ein gefährlicher Staat im Staate. Wer den Verführungen einer solchen Verfassung entgeht, ist ein um so edlerer Mann; aber er widerlegt nicht die Regel; er macht nur die Ausnahme.

solchen Vormauer gegen den Despotismus bedarf. – Ich erwähne nicht der fortdauernden furchtbaren Gewalt der Hierarchie, weil ich zunächst für protestantische Länder schreibe; wenn aber auch unsere Geistlichkeit durch ihre ausschließende Subordination unter Oberkonsistorien, Konsistorien und Superintendenten, durch ihren abgesonderten Gerichtshof und durch die hier und da noch sehr herrschende Maxime, manches nicht zu Gad und Askalon zu verkündigen, um den Philistern nicht ein Lachen zuzubereiten, kurz, durch ihren abgesonderten Staat nicht öffentlicher und stärker auf die ausgeschlossenen Bürger drückt, so beweist dies nichts weiter, als daß die Reformation wirklich einen besseren Geist ins Christentum gebracht hat. Und ist es denn nicht auch unserer Geistlichkeit gelungen, den Fortgang des menschlichen Geistes aufzuhalten und wichtigen Verbesserungen sich mit Glück zu widersetzen? – Kleinere Neckereien begehen die Zünfte der Künstler und Handwerker, die man bloß darum weniger fühlt, weil man mit größeren Plagen zu kämpfen hat.

Alles dieses sind ja Staaten im Staate, die nicht nur ein abgesondertes, sondern ein allen übrigen Bürgern entgegengesetztes Interesse haben – Wahrheiten, deren ich hier bloß im Vorbeigehen erwähne, die ich aber, wenn ich meine Leser je wiedersehe, im folgenden Kapitel auf Grundsätze zurückzuführen habe. Es sind wirklich feindselige Staaten. Warum erinnert man sich doch nur hier seines Grundsatzes nicht?

Kein Staat wird dadurch gefährlich, daß er dem Raume nach in einem anderen Staate ist, sondern dadurch, daß er ein dem anderen entgegengesetztes Interesse hat. Wenn nun alle Staaten, so wie isolierte Menschen, unter dem Gesetze des Naturrechtes stehen und dieses Gesetz jedem schlechthin verbietet, die gesetzmäßige Freiheit des anderen zu hemmen, inwiefern sie die seinige nicht hemmt, so kann ein solcher Widerstreit gar nicht entstehen, wenn nicht in einem von beiden oder in beiden Staaten die Mitglieder sich verbunden haben, ungerecht zu sein. Das sollten sie nicht; sie haben demnach gar nicht über den Druck der Umstände, sondern über ihren eigenen bösen Willen zu klagen. Sie dürften nur alle gerecht sein, und sie würden, ganz ver-

mengt und doch abgesondert voneinander, die verschiedensten Geschäfte treiben können.
Habt ihr nie gesehen, daß in verschiedenen Strichen des deutschen Reiches die gedrückten und ausgesogenen Ländereien größerer und kleinerer Despoten sich durch die gesegneten Fluren milder und menschenfreundlicher Fürsten hindurchwinden: und daß dennoch der verwelkende Sklave neben dem starken Landmanne ruhig ackert? Seid ihr nie aus dem Gebiete einer gewissen Reichsstadt, auf welchem der genährte, gebildete und geehrte Landmann es nicht neu findet, daß er euresgleichen sei, da er ein Mensch sei, über Grenzen getreten, welche statt des Wappens überall durch das Bild der Hand unter dem Beile und des an die Karre Gefesselten bezeichnet werden, auf welchen euch ausgetrocknete Mumien in Lumpen begegneten, die vor eurem ganzen Rocke den Rest ihrer Kopfbedeckung abzogen, ehe sie noch in euren Gesichtskreis kamen? Die letzteren leben ruhig neben und unter den ersteren und verbluten jetzt ihren letzten Tropfen Blutes für den, der ihre vorherigen verkaufte. Hier sind ja wohl sehr verschiedene Staaten im gleichen Raume, und es entsteht kein Widerstreit derselben gegeneinander.
Mögen doch also diejenigen, die aus der alten Verbindung getreten sind, sich durch eine neue vereinigen und ihren Bund durch freiwilligen Beitritt mehrerer stärken; sie haben dazu das vollkommene Recht. Hat endlich die alte Verbindung gar keinen Anhänger mehr und haben alle sich zur neuen freiwillig gewendet, so ist die *gänzliche* Revolution rechtmäßig vollzogen.
Und hier lege ich denn die Feder nieder, um sie ebenda wieder aufzunehmen, wenn ich finden sollte, daß ich nicht vergebens gearbeitet, und wenn das Publikum den gewohnten Vorwurf, daß es zu solchen Untersuchungen noch lange nicht reif sei, einmal durch die Tat widerlegt. Wo nicht, so laufe ich meine Bahn in einer anderen Sphäre.

ZWEITES HEFT

VIERTES KAPITEL

Von begünstigten Volksklassen überhaupt, in Beziehung auf das Recht einer Staatsveränderung

Bis jetzt ging unser Weg die ebene Heerstraße des Naturrechts; von nun an windet er sich durch die finstern Hohlwege gotischer Meinungen und durch die Hecken und die Büsche einer halbbarbarischen Politik. Ich muß den Leser, der bis zu diesem Punkte mit mir kam, hier um Erneuerung seiner Nachsicht und seines Mutes bitten. Es ist nichts Leichtes, vor dem Richterstuhle der Vernunft gewissen Meinungen, die so wenig gewohnt sind, die Sprache derselben zu reden, ihr volles Recht widerfahren zu lassen, ihrer Unberedtheit noch selbst zustatten zu kommen, Verteidiger des Angeklagten und gerechter Richter zu gleicher Zeit zu sein. Wenigstens ist es nicht mein Wille, unbillig zu verfahren: nach der Maxime des Richters, jeden für so ehrlich zu halten, als es angeht, werde ich der Beklagten allenthalben die besten Gründe leihen, welche aufzufinden sind – sollte auch dann ihre Sache sich nicht behaupten, so wird es um so weniger zweifelhaft bleiben, ob sie sachfällig sei, wo sie sich mit schlechteren behilft.

Ausgezeichnete Staatsbürger sind solche, gegen welche die übrigen sich zu besonderen Leistungen verpflichtet haben, die ihnen jene nicht zurückgeben – etwa gegen andere Leistungen von ihrer Seite, die der ausgezeichnete von den übrigen Bürgern ebensowenig zurückerhält. – Über diese pflichtgemäßen Gegenleistungen der Ausgezeichneten laßt uns hier nicht hart sein! – selbst ihre Herablassung, die Ehrenbezeugungen der geringeren Bürger anzunehmen und einen Wert auf dieselben zu setzen, oder ihre Mühe, die Vorrechte, die wir ihnen verstattet haben, zu gebrauchen, unsere Dienste zu benutzen und die an sie abgetretenen

Einkünfte zu verzehren, mögen diese Gegenleistungen sein, wenn sie wollen, daß wir es dafür aufnehmen. – Daß diese gegenseitigen Rechte und Verpflichtungen nur auf Vertrag sich gründen können und daß die Gültigkeit oder Ungültigkeit dieses besonderen Vertrags auf den Grundsätzen der Verträge überhaupt, welche wir oben entwickelten, beruhe, fällt, ohne weitere Untersuchung, jedem sogleich in die Augen.

Meist alle Angriffe, die man auf die Gültigkeit dieser Art von Verträgen getan hat, schienen sich auf den Zweifel zu gründen, ob auch wohl die gegenseitigen Leistungen der ausgezeichneten und der übrigen Staatsbürger als gleichgeltend zu betrachten seien oder ob etwa der wahre innere Wert der einen den der anderen unverhältnismäßig überwiege, ob der erstere durch seine Leistung den letzteren für die seinige auch wirklich bezahle oder ob er etwa bei ihm noch sehr im Rest bleibe, ob da wirklich ein Tausch von Vorteilen vorgehe oder etwa ein Teil von beiden über alle Maßen bevorteilt werde. Der Verdacht, daß mehrenteils wirklich der letztere Fall vorhanden sei, hat gemacht, daß man die Ausgezeichneten auch *Begünstigte* genannt hat; und da ich nicht leugnen will, daß ich den gleichen Verdacht hege, so sei mir's erlaubt, die gleiche Benennung von hier an zu verfrühen, bis ich sie rechtfertigen werde. Nach unseren oben festgestellten und entwickelten Grundsätzen findet jene Bevorteilung über alle Maßen ganz sicher da statt, wo ein unveräußerliches Menschenrecht veräußert worden. Für ein solches ist gar kein gleichgeltender Ersatz möglich; ein solches dürfen wir nicht aufgeben, solange wir nicht aufhören, Menschen zu sein; ein Vertrag, in welchem es aufgegeben wird, ist schon an sich völlig ungültig und nichtig. Wir können demnach, zufolge unserer obigen Betrachtungen, als ausschließende Bedingung der Gültigkeit jedes Begünstigungsvertrages festsetzen:

daß kein unveräußerliches Menschenrecht durch ihn veräußert sein müsse. Diese Bedingung ist von großer Ausdehnung; sie ist aber die einzige. Unsere veräußerlichen Rechte können wir vergeben, wie und gegen welche Bedingungen wir wollen; wir können sie umsonst verschenken; der andere hat nichts zu tun, als sie an sich zu nehmen; und der Vertrag ist vollzogen und in die Welt der Erscheinungen eingeführt.

Es ist ein unveräußerliches Recht des Menschen, auch einseitig, sobald er will, jeden seiner Verträge aufzuheben; Unabänderlichkeit und ewige Gültigkeit irgendeines Vertrages ist der härteste Verstoß gegen das Recht der Menschheit an sich. Für den Bürgervertrag insbesondere ist dies schon oben aus dem Materiellen desselben, aus seinem Endzwecke, erwiesen worden; für alle Verträge überhaupt läßt es sich aus den oben festgestellten Grundsätzen über die Form des Vertrages an sich ohne Mühe folgern.

Nämlich, im Vertrage ist die gegenseitige freie Willkür Grund der Rechte und der Verbindlichkeit. Daß nur über Dinge, die in unserer Willkür stehen, welche veränderlich ist, nicht aber über solche, in deren Rücksicht unser Wille durch das Sittengesetz unveränderlich bestimmt sein soll, ein Vertrag stattfinde, ist oben erwiesen. Daß, sobald eines von beiden Willkür über den Gegenstand des Vertrages sich geändert, die gegenseitigen Rechte und Verbindlichkeiten, mithin der Vertrag selbst, aufgehoben seien, ist an dem gleichen Orte dargetan worden. Hier also bleibt nur die Frage noch zu beantworten, ob ein Mensch nicht etwa das Recht habe, sich im voraus zu verbinden, *seine Willkür* über einen gewissen Gegenstand *nie zu ändern* – etwa so, wie er verbunden ist, seinen Willen, seine Pflicht zu tun, nie zu ändern? Von ihrer Beantwortung hängt die Beantwortung der aufgeworfenen Frage ab: ob die Unabänderlichkeit eines Vertrages mit dem unveräußerlichen Rechte der Menschheit vereinbar sei oder nicht. Da nämlich die Fortdauer des Rechts und der Verbindlichkeit im Vertrage sich auf nichts als auf die Fortdauer der freien Willkür gründen kann, so setzt die Unabänderlichkeit eines Vertrages notwendig das Versprechen voraus, daß man seine Willkür über den Gegenstand des Vertrages nie abändern wolle. – Ich mache einen unabänderlichen Vertrag heißt: ich mache mich anheischig, meinen jetzigen Willen über die im Vertrage begriffenen Gegenstände nie zu ändern.

Die *Willkür* an sich, insofern und weil sie das ist, ist vom verbindenden Vernunftgesetze völlig befreit; ihre Richtung hängt ab von physischen Ursachen, die das Maß unserer Einsichten bestimmen. Ich ergreife die Entschließung, die mir jedesmal die nützlichste und zuträglichste scheint, und ich habe durch die Erlaubnis des Sittengesetzes dazu das

vollkommenste Recht. Meine Willkür ändert sich notwendig, so wie meine Einsichten ab- oder zunehmen. Das Versprechen, sie nicht zu ändern, wäre ein Versprechen, seine Einsichten nicht zu vermehren und zu vervollkommnen. Ein solches Versprechen aber darf kein Mensch geben. Jeder hat *die Pflicht*, mithin auch das *unveräußerliche* Recht, ins unendliche an seiner Vervollkommnung zu arbeiten und seinen besten Einsichten jedesmal zu folgen. Er hat demnach auch das unveräußerliche Recht, seine Willkür nach dem Grade seiner Vervollkommnung abzuändern; keineswegs aber das Recht, sich zu verbinden, daß er sie abändern wolle. Die Klausel in einem Vertrage, von welcher Natur er auch sei, daß er unabänderlich sein solle, ist demnach völlig leer und nichts bedeutend, weil sie gegen ein unveräußerliches Menschenrecht verstößt; es ist völlig so gut, als ob sie nicht da wäre.
Dennoch steht die einseitige Aufhebung selbst des nachteiligsten Vertrages unter den Bedingungen aller einseitigen Vertragsaufhebungen. Sosehr du auch bevorteilt seiest, du hast nicht nur *das* Recht nicht, die Wiedererstattung desjenigen zu fordern, was der andere einmal mit deinem guten Willen in sein Eigentum aufgenommen hat, sondern du hast sogar ihm den Schaden, in den er erweislich durch die Rechnung auf die Fortdauer deines zurückgenommenen guten Willens gekommen ist, zu ersetzen. Das Vergangene ist vergangen: für die Zukunft magst du deine Maßregeln besser nehmen. Du hast Rechte, mit denen du nichts anfangen konntest, verschenkt; jetzt hast du gelernt, sie besser zu nutzen: fordere die Ausübung derselben zurück, aber ahnde nicht den Mißbrauch, den man vorher von deiner unbedachten Güte machte; du hast allein dir ihn zuzuschreiben. Du hast edle Vorzüge gegen ein Linsengericht verkauft; du bist freilich bevorteilt: wenn du das erkennst, so nimm sie zurück und koste seines Linsengerichtes nicht mehr. Es wäre höchst ungerecht, dich zu nötigen, ein Tor zu bleiben, weil du es einmal warst; aber es ist gar nicht ungerecht, daß du die Folgen deiner vorigen Torheit tragest.
Sobald demnach der unbegünstigtere Bürger anfängt zu merken, daß er durch den Vertrag mit dem begünstigten bevorteilt sei, so hat er das völlige Recht, den nachteiligen

Vertrag aufzuheben. Er entbindet jenen seines Versprechens und nimmt dagegen das seinige zurück. Er hebt entweder die Leistungen, zu denen jener sich verpflichtet hatte, ganz auf, weil er ihrer entbehren zu können glaubt, oder er denkt darauf, sie um einen wohlfeileren Preis zu haben. Er findet es etwa nicht mehr so ehrenvoll für sich, daß eine Handvoll Adeliger oder Prinzen auf seine Kosten einen glänzenden Hofstaat bilde, oder nicht mehr so zuträglich für das Heil seiner Seele, daß eine Schar von Bonzen sich von dem Marke seiner Ländereien mäste – oder er bietet etwa die wenigen ihm nötigen Kriegsdienste gegen erträglichere Bedingungen aus. Wer ihm die gelindesten macht, dem wird er jene Leistungen übertragen. Wer dürfte dies dem Staate wehren?

Dem Staate, sagte ich; und indem stehe ich vor einem mächtigen Einwurfe, dem: der Begünstigte ist auch Staatsbürger; es läßt mithin ohne seine Zustimmung über die Aufhebung seiner Privilegien nichts allgemein Verbindendes sich ausmachen. – Aber das ist nicht wahr: der Begünstigte, insoweit er das ist, ist sicher nicht Bürger. Er hat einen Vertrag mit den übrigen Bürgern geschlossen, sagt ihr. Konnte er das als Staatsbürger, der keinen eigenen Willen hat und der erst in Verbindung mit allen übrigen eine moralische Person ausmacht? Er war Partei, als er seinen Vertrag schloß; er ist es, indes dieser Vertrag durch die andere Partei aufgehoben werden soll: er wird sich gefallen lassen, zu schweigen, solange über die Aufhebung desselben beratschlagt wird. Wenn diese Sache abgetan sein wird, dann wird er sein Stimmrecht als Staatsbürger wiedererhalten. Wenn es in Frage kommen wird, wie und auf welche Bedingungen die von ihm erledigten Verwaltungen wieder besetzt werden sollen, dann mag er seine Meinung sagen. Wenn z. B. die Frage über den Adel entstände, so darf er wohl sagen: es sollen in unserem Staate Adelige sein; aber er darf nicht sagen: ich will in unserem Staate ein Adeliger sein.

Aber unsere Begünstigten nehmen sich anders. Indem wir den Vertrag mit ihnen aufheben und ihre etwanigen Leistungen auf mildere Bedingungen anderen übertragen wollen, zeigen sie uns ihre persönliche Berechtigung vor, diese Leistungen ausschließend vor allen anderen zu verwalten, ein Verbot für jeden anderen, sich damit zu befassen: und wenn ihnen das durchgeht, so sind wir schlimmer daran als vorher. Wir müssen diese Leistungen fernerweitig von ihnen annehmen; wir dürfen sie nicht aufheben; denn sie sind darauf angewiesen, sie zu verrichten; wir dürfen sie keinem anderen auftragen, sie sind *ausschließend* darauf angewiesen; wir können mit ihnen nicht markten, sie verhindern alle Konkurrenz; sie schlagen uns ihre Dienste so hoch an, als sie wollen, und wir haben nichts zu tun als zu bezahlen. – Wir wollen z. B. keine Verzierungen an unserem Staatsgebäude mehr, die weiter nichts sind als Verzierungen. „Nein", sagen sie, „solche Verzierungen müssen sein, denn *wir* sind dazu da, diese Verzierungen auszumachen, wenn *sie* nicht mehr sind, so werden auch *wir* nicht mehr sein." – „Wohl", sagen wir, „aber warum sollt ihr denn auch sein?" – „Weil Verzierungen sein müssen", antworten sie. – „Wir wollen unnütze Dinge abschaffen." – „Nein", sagen sie, „diese Dinge sind gar nicht unnütz, sie sind *uns* nütze." – „Ja, aber was nützt *ihr* denn?" – *Wir* nützen, um jene Dinge zu benutzen – und wir sind um keinen Schritt weiter mit ihnen. Wir müssen demnach wohl, ohne weiter auf sie zu hören, untersuchen, was das denn eigentlich für eine Berechtigung ist, die sie vorzeigen.

Sie, nur sie sind ausschließend berechtiget. – Wer sind denn diese „sie"; durch was werden sie denn von allen anderen, die nicht diese „sie" sind, unterschieden; was ist denn ihr ausschließendes Kennzeichen? Nicht auf jenen vorausgesetzten Vertrag gründet es sich, den wir aufheben wollten; ihr Recht soll ja älter als jeder Vertrag mit ihnen sein. Es muß demnach wohl ein angebornes, ein auf sie vererbtes Recht sein. Nun kennen wir keine angebornen Rechte als die allgemeinen Menschenrechte, und deren ist keins ausschließend. Ihr Recht müßte demnach doch zuletzt, wenn auch gleich nicht von ihnen, dennoch von einem anderen *erworben* sein, der es auf sie übertragen hätte; und zwar *durch Vertrag* müßte es erworben sein, da kein Recht auf Personen anders erworben werden kann. – Wir wollen jetzt nicht nach diesem Vertrage suchen. Es leuchtet aus dem obigen ein, daß wir das völlige Recht hätten, die Verbindlichkeit desselben für uns aufzuheben und zu vernichten; wir wollen jetzt nur von der sonderbaren Rechtsübertragung reden, deren rechtskräftige Gültigkeit hier vorausgesetzt wird.

Jedes Recht auf Personen beruht auf einer Verbindlichkeit des anderen Teils; und hier, da von keinem natürlichen Menschen-, sondern von einem erworbenen Bürgerrechte die Rede ist, auf einer Verbindlichkeit, die nicht das Vernunftgesetz, sondern die eigne freie Willkür auflegte; und es setzt demnach einen Vertrag voraus. Das Recht wird *übertragen* heißt: *der eine Teil setzt statt seiner eine andere Person in den Vertrag ein.* Daß dies wenigstens mit *Wissen* des verbundenen Teils geschehen müsse, ist offenbar, denn wie sollte er sonst wissen, gegen *wen* er seiner Verbindlichkeit genugzutun habe? Daß es auch mit seinem *Willen* geschehen müsse, folgt in unserem Systeme unmittelbar daraus, weil nur durch seinen fortdauernden Willen sogar mit dem ersten eigentlichen Kontrahenten der Vertrag fortgedauert hätte; aber wir können hier dem Gegner dies völlig schenken. Wenn der eingesetzte Teil nur auf die *gleichen* Bedingungen in den Vertrag eingesetzt worden, so könne dies der anderen Partei völlig gleichgültig sein, mag er immer sagen; solange diese.zweite Partei nur *eine und ebendieselbe* Person bleibt.

Aber bei der Rechtsübertragung, von welcher hier die Rede ist, bei *der Rechtsvererbung* in unseren Staaten, bleibt sie nicht eine und ebendieselbe Person; auch der, welcher die Verbindlichkeit übernommen hat, soll einen anderen an seine Stelle in den Vertrag eingesetzt haben. Wenn es wirklich ein Vertrag zwischen einer begünstigten und einer bevorteilten Partei ist, so ist völlig zu erwarten, daß der Stellvertreter des Begünstigten freiwillig und gern in den Vertrag eingetreten sei; aber ist wohl der Stellvertreter des Bevorteilten ebenso freiwillig in ihn eingetreten, oder konnte der Bevorteilte ganz willkürlich seine Verbindlichkeit auf einen anderen übertragen, ohne bei ihm anzufragen, ob er sie übernehmen wolle? oder, welches eben das heißt, verbindet diesen ein fremder Wille? *Ein fremder Wille verbindet nie;* das ist der erste Grundsatz alles Vertragsrechtes. – Mag doch hier immer der Begünstigte leugnen, daß der Bevorteilte noch während seines Lebens, sobald er wolle, seinen Vertrag aufheben dürfe; stirbt dieser Bevorteilte, so hört doch dann seine Verbindlichkeit gewiß auf, weil er ihr gar keine

Genüge mehr tun kann. Wer aus der Welt der Erscheinungen herausgetreten ist, ist seiner Rechte darin verlustig und seiner Verbindlichkeiten entledigt. Verfolge ihn doch der Begünstigte in die andere Welt und mache dort seine Ansprüche auf ihn geltend, wenn er kann; in dieser ist er einmal nicht mehr anzutreffen. – Aber den ersten, den besten zu ergreifen und ihm zu sagen: ich hatte Anforderungen auf jemanden; er hat durch seinen Tod sich denselben entzogen; mir muß Genüge geleistet werden; komm, *du* sollst mir für ihn einstehen – wie sollte das angehen? – Aber er hat mich auf dich angewiesen, sagst du mir. – Dann bedaure ich, daß du dich hintergehen ließest; er hatte kein Recht, über mich zu verfügen; das hat niemand als ich selbst. – Aber du bist sein Sohn. – Aber darum nicht sein Eigentum. – Er hat als Verwalter deiner Rechte, während deiner Unmündigkeit, dich in den Vertrag mit mir eingeschlossen. – Das durfte er wohl tun, bis auf den Zeitpunkt, wo ich mündig sein würde, nicht aber länger. Jetzt bin ich mündig und Verwalter meiner Rechte selbst und gebe dir keines auf mich.
Geschah es aus einem kaum denkbaren Unverstande oder geschah es in der deutlich gedachten unredlichen Absicht, die Untersuchung zu verwirren und die Bestimmung zu erschleichen, die er durch Gründe nicht zu erzwingen hoffte, daß Herr Rehberg* unter der Benennung *Erbrecht* das Recht, *Sachen* zu erben, die nicht ihr eigenes Eigentum sind, und das Recht, Verbindlichkeiten von *Personen* zu erben, die doch wohl alle ihr eigenes Eigentum sind, ohne weitere Unterscheidung zusammenfaßte? Ich sollte meinen, beide, das erstere wohlgegründete und das letztere erdichtete und der Vernunft widersprechende Recht, wären sichtbar genug verschieden. Der Rechtsgrund des bürgerlichen ausschließenden Erbrechts auf Sachen ist oben (S. 105–107) entwikkelt worden. Er gründete sich auf einen Vertrag aller Staatsbürger untereinander, ihr *gemeinsames* Erbrecht auf die Güter *jedes* Verstorbenen gegen das *ausschließende* Erbrecht auf die Güter *gewisser* Verstorbenen aufzugeben. Beim Gegenstande des Vertrages, den Gütern, hatten sie hierüber

* S. 32 seiner oben angeführten Schrift [Untersuchungen über die Französische Revolution].

nicht anzufragen; sie waren sehr sicher, daß diese gegen ihre Verfügungen keinen Einspruch machen würden. – Der Rechtsgrund eines Erbrechts auf übernommene Verbindlichkeiten der Personen könnte nur auf einem Vertrage der begünstigten Staatsbürger beruhen, ihr *gemeinsames* Erbrecht auf die Verbindlichkeiten *aller* Bevorteilten und Unterdrückten gegen das *ausschließende* Erbrecht auf die Verbindlichkeiten *gewisser* Bevorteilten und Unterdrückten aufzugeben. Und jenes vorausgesetzte gemeinsame, gegen ein ausschließendes veräußertes Erbrecht selbst – wenn es nicht etwa auf das Recht des Stärkeren, auf den rechtskräftigen Krieg aller gegen alle sich gründen, wenn jener Vertrag nicht etwa der Vertrag von Straßenräubern sein soll, die in einer Höhle ihre Beute friedlich teilen, damit sie nicht mit dem Schwerte übereinander herfallen und einander alle morden, wie er es doch nicht wohl sein soll – worauf, sage ich, könnte denn dieses gemeinsame Erbrecht sich gründen als auf einen vorhergegangenen Vertrag mit den bevorteilten Bürgern, ihre aufgegebenen Rechte nie zurückzufordern? – Hier gänzlich davon abgesehen, daß, laut obigem, ein solcher Vertrag an sich rechtsunkräftig ist, weil das unveräußerliche Menschenrecht, seine Willkür, zu verändern, darin veräußert wird – wo sollen denn nach dem Absterben der ersten bevorteilten Bürger andere herkommen? wo sollen die zu vererbenden Verbindlichkeiten her entstehen? Will man denn die Personen, welche sie übernehmen sollen, ebensowenig darüber fragen, als man im Erbvertrage über Sachen die Sachen fragte? Ohne Zweifel wird man auch auf diese Frage ohne Bedenken ja antworten, in einem Systeme, wo gar keine Gleichheit unter den Menschen zugegeben wird als die vor Gott in Beziehung auf die Kirche: und wenn gefragt würde, ob nicht die Menschen selbst als ein Eigentum sich vererben, vertauschen, verkaufen, verschenken ließen, so müßte man, seinem Systeme zufolge, auch darauf ja antworten.

Wo man sehr erleuchtende Dinge sagt, überführt man am wenigsten, sagt Montesquieu; und es ist mir keineswegs unbekannt, daß ich hier Sachen vortrage, die gegen die allgemeinen Meinungsfragmente der Völker – sonst auch mit einem ehrlichen Namen gemeiner Menschensinn genannt – gewaltig verstoßen. Aber was kümmert das mich? Nehmt euch die Mühe, zu den Grundsätzen zurückzugehen, und stoßt diese um; oder wenn ihr sie stehenlassen müßt, so seid versichert, daß alles, was durch richtige Folgerungen daraus herfließt, notwendig richtig und eure Meinung, die ihm widerstreitet, notwendig falsch ist, und ob vom Anfange des Menschengeschlechtes an bis jetzo alle Menschen eurer Meinung gewesen wären. Von dem ersten gesetzgebenden Volke, das wir kennen, von den Ägyptern an, ist es freilich in allen Staaten angenommen gewesen, daß der Sohn in die Verbindlichkeiten des Vaters einzutreten schuldig sei, und darum meint der nach Autoritäten sich bestimmende Undenker, daß es doch wohl wahr sein müsse. Aber in mehreren der Staaten, welche mit ihren Gesetzen ihre Meinungen auf uns fortgepflanzt haben, wurde es auch für rechtmäßig gehalten, daß der Vater sein neugebornes Kind wegsetze oder sein erwachsenes am Leben strafe, ohne daß irgend jemand das Recht habe, ihn zu fragen, warum? Wie kommt es doch, daß man neben der ersteren Meinung nicht auch die letztere beibehalten hat? – Oder liegt nicht etwa beiden der gleiche Satz zum Grunde, daß das Kind ein Eigentum des Vaters sei, mit welchem er nach Belieben schalten könne? – Oder ist es etwa härter, ein junges, noch gar nicht zum vollen Bewußtsein seiner selbst gekommenes Kind hülflos verderben zu lassen, das vielleicht bei seinem Tode weniger empfindet als eine Taube, die ihr würgt, oder ein erwachsenes allen Mühseligkeiten des Lebens durch einen schnellen Tod auf einmal zu entziehen, als es hart ist, dasselbe im vollen Gefühl seiner Kraft und seines Rechts zu nötigen, aus Furcht des Todes ein Knecht zu sein sein Leben lang? – Aber das kommt daher: das Christentum hat eine andere Meinung – für euch ist es nichts mehr als Meinung – von einer unsterblichen Seele des Menschen und von dem Einflusse seines hienieden zugebrachten Lebens, besonders seiner letzten Stunden, auf das Schicksal dieser Seele in einem anderen Leben unter euch gebracht, die einer so willkürlichen Verfügung über *Menschenleben* widerstreitet. Dasselbe, oder vielmehr seine dem Despotismus verkauften Diener haben vergessen, eine Meinung zu verbreiten, die der willkürlichen Verfügung über *Menschenfreiheit* widerspräche; und der Philosoph kann einmal nicht so der Volksmeinung gebieten wie der begeisterte göttliche

Gesandte. – In Absicht des ersteren Fragments eurer unzusammenhängenden Meinungen habt ihr euch durch eine sanftere, menschlichere Religion umstimmen lassen; in Absicht des zweiten bestimmt euch noch immerfort die rohe Denkungsart halber Wilden, die jetzt den ersten Schritt taten, sich vom Menschenfleische zu entwöhnen. Kann es eine andere Denkungsart sein als eine solche, welche von der gedrückten Lage eines Mitmenschen, der nun einmal keine gute Mahlzeit verspricht, doch allen möglichen übrigen Vorteil zu ziehen sucht – die ihm das Versprechen einer lebenslänglichen Sklaverei, mit der gänzlichen Verzichtleistung auch nur auf den Wunsch der Freiheit, abfordert; und wenn der Geängstete das versprochen hat, sich die Untertänigkeit seiner Kinder gegen die Kinder des Unterdrückers – und wenn er in der Angst seines Herzens auch das versprochen hat, sich die gleiche Untertänigkeit für das dritte, dann für das vierte, dann für das fünfte Glied und dann für alle möglichen Generationen ins unendliche hinaus versprechen läßt? – und kann das jemand versprechen als im Angesichte des brennenden Holzstoßes und des Spießes, an welchem er geröstet werden soll? – Sehet da eure Autoritäten?

Selbst der starkmütige Herr R. will Männern, die bei Anwendung solcher Grundsätze auf den gegenwärtigen Zustand der Welt etwas fühlen sollten, das sich in ihrem Herzen empöre, nicht alle Einsicht absprechen und ihnen ihre wehmütigen Empfindungen nicht zum Argen auslegen: aber seine Gutmütigkeit ist nicht von langer Dauer. „Man zerstört einmal", sagt er, „alle Möglichkeit einer bürgerlichen Ordnung, wenn das, was ein Vorfahr, und wäre es auch vor einer Million Jahren gewesen, vielleicht aus Not getan" (wozu er sich verbunden hat, will er sagen*) „nicht noch diesen späten Erben binden soll. Kein Staat könnte bestehen, wenn nicht Kinder oder andere Erben genötigt wären, in die Stelle der Verstorbenen zu treten." Soll dies heißen: keiner der jetzt bestehenden Staaten könne, so wie er jetzt ist, bestehen, wenn nicht auch jene Verfassung, so

* S. 60 – Fast keine Zeile dieses Mannes, der nicht aufhört, über unbestimmtes Geschwätz zu schreien, kann man abschreiben, ohne ihm die Ausdrücke verbessern zu müssen.

wie sie jetzt ist, bleiben sollte, so hat er völlig recht, und es bedurfte seines Scharfsinns nicht, um uns dies zu entdekken. Soll es aber heißen, es sei überhaupt keine bürgerliche Vereinigung ohne diese Veranstaltung denkbar und diese sei in jenem Begriffe als Merkmal enthalten, so würde ich daraus folgern, daß die bürgerliche Vereinigung an sich völlig vernunftwidrig und unrechtmäßig sei und daß keine geduldet werden müsse. – Es soll eine bürgerliche Verfassung sein: dies ist ohne Ungerechtigkeit nicht möglich: mithin müssen Ungerechtigkeiten begangen werden – wäre dann Herrn R.s Folgerung. Ich hingegen würde so folgern: es sollen keine Ungerechtigkeiten begangen werden: ohne diese ist keine bürgerliche Verfassung möglich; mithin muß keine bürgerliche Verfassung sein. Die Entscheidung unseres Streites würde dann von der Beantwortung der Frage abhangen, ob es letzter Endzweck des Menschengeschlechtes sei, in der bürgerlichen Vereinigung zu leben oder ob recht zu tun. – Die Prüfung der R.schen Behauptung an sich, daß ohne jene Einrichtung, die bürgerlichen Verbindlichkeiten forterben zu lassen, gar keine Staatsverfassung möglich sei, gehört hieher nicht. Ich rede noch nicht von den möglichen Einrichtungen einer bestimmten Staatsverfassung, sondern von den ausschließenden Bedingungen der moralischen Möglichkeit aller Staatsverfassungen überhaupt.
Bis jetzt haben wir die Gültigkeit der Begünstigungsverträge in Absicht auf *ihre Form* untersucht und haben gefunden, daß nicht nur keine Vererbung der Begünstigungen stattfinde, wie man vorgeben wollte, sondern daß sogar der unmittelbare erste Kontrahent jeden Vertrag, durch den er sich bevorteilt glaubt, aufheben könne, sobald er wolle. Wir erinnerten, daß in diesem Falle der einseitig Aufhebende zur Zurückgabe und Schadenersatz verbunden sei. Um diesen Ersatz schätzen zu können, haben wir jetzt noch eine Untersuchung über Vergünstigungsverträge ihrer möglichen *Materie* nach, d. h. über die Gegenstände solcher Verträge, anzustellen. – Nur *einen* denkbaren Gegenstand eines solchen Vertrages müssen wir sogleich, ehe wir ihn in seiner Reihe finden, vorausschicken. Nämlich, es dürfte jemand glauben, die gemeinen Glieder des Staates könnten in einem Vertrage an eine begünstigte Bürgerklasse oder auch wohl an *einen* Begünstigten das Recht, etwas an der Staats-

verfassung zu ändern, ausschließend abgetreten haben. Wäre ein solcher Vertrag geschlossen, so wären dadurch alle übrigen Begünstigungsverträge, als zur Staatsverfassung gehörig, für die ausgeschlossenen Bürger befestigt und unverletzlich gemacht. Dürften sie diesen ohne vorhergegangene Entschädigung nicht brechen, so würden sie auch keinen aller übrigen Begünstigungsverträge aufheben können, weil für die Aufhebung des ersteren keine gleichgeltende Entschädigung möglich ist als die Beibehaltung der übrigen, mithin jenes Vertrages selbst. – Aber ein solcher Vertrag ist schon an sich null und nichtig, eben darum, weil er alle übrigen Begünstigungsverträge für einen Teil der Staatsmitglieder unabänderlich macht, mithin das unveräußerliche Menschenrecht, seine Willkür, zu ändern, aufhebt. – Ich tue gänzlich Verzicht auf das Recht, an dieser Verfassung irgend etwas abzuändern, und übertrage es einem anderen – heißt, ich will meine freie Willkür über die mir darin aufgelegten Verbindlichkeiten nicht abändern, ich will dasjenige, was ich heute für notwendig und nützlich halte, so lange dafür halten, als es ein gewisser anderer dafür halten wird – und ein solches Versprechen ist doch wohl vernunftwidrig? Ein solcher Vertrag ist so gut als nicht geschlossen: durch ihn wird demnach kein Staatsmitglied verhindert, seine Begünstigungsverträge aufzuheben.

Nur veräußerliche Rechte können, wie in allen Verträgen überhaupt, also auch in diesem, aufgegeben werden. Ein Leitfaden zur Auffindung aller veräußerlichen Rechte, wenn sich ein solcher sollte auffinden lassen, würde demnach das sichere Mittel sein, alle möglichen Gegenstände der Begünstigungsverträge sowie aller Verträge überhaupt zu erschöpfen.

Veräußerliche Rechte sind insgesamt Modifikationen unveräußerlicher Rechte: die letzteren können auf mannigfaltige Art ausgeübt werden; zu jeder Art der Ausübung hat das freie Wesen ein Recht; aber eben darum, weil es mehrere derselben gibt, ist ihrer keine an sich unveräußerlich. Übe ich es auf diese Art nicht aus, so übe ich es auf eine andere: auf irgendeine Art ausüben muß ich es freilich, denn das Urrecht ist unveräußerlich.

Alle Urrechte der Menschheit lassen sich auf folgende zwei

Klassen zurückführen: *Rechte der unveränderlichen Geistigkeit* und *Rechte der veränderlichen Sinnlichkeit.* – Durch das Sittengesetz in mir wird die Form meines reinen Ich unabänderlich bestimmt: ich soll ein Ich – ein selbständiges Wesen, eine Person sein – ich soll meine Pflicht immer wollen; ich habe demnach ein Recht, eine Person zu sein und meine Pflicht zu *wollen*. Diese Rechte sind unveräußerlich, und aus ihnen entspringen keine veräußerlichen Rechte, weil mein Ich in dieser Rücksicht gar keiner Modifikation fähig ist. – – Alles in mir, was nicht selbst dieses reine Ich ist, ist Sinnlichkeit (in der allerweitesten Bedeutung des Wortes, Teil der Sinnenwelt), mithin veränderlich. Ich habe ein Recht, dieses veränderliche Ich in mir zu jener gegebenen Form des reinen Ich durch allmähliche Bearbeitung desselben (welches eine Modifikation ist) zu bilden: ich habe das Recht, meine Pflicht zu *tun*. Da jene reine Form meines Ich unabänderlich bestimmt ist, so wird auch die in meinem sinnlichen Ich hervorzubringende Form dadurch unabänderlich bestimmt (nämlich in der Idee). Das Recht, meine Pflicht zu tun, ist nur auf *eine* Art ausübbar und keiner Modifikationen fähig; mithin entspringen daher keine veräußerlichen Rechte. – – – Es sind aber in diesem meinen sinnlichen Ich noch eine Menge Modifikationen übrig, die auf jene unveränderlichen Formen des reinen Ich nicht zu beziehen sind; Modifikationen, über welche das unabänderliche Sittengesetz nichts festsetzt, deren Bestimmung daher in meiner Willkür steht, welche selbst veränderlich ist. Da sie dies ist, so kann sie jene Modifikationen auf mannigfaltige Art bestimmen; zu jeder Art derselben hat sie ein Recht; aber alle sind an sich veräußerlich; und hier erst ist es, wo wir auf das Feld der veräußerlichen Rechte treten.
Durch diese Willkür werden entweder meine inneren Kräfte, das, was in meinem Gemüte vorgeht, modifiziert oder meine äußeren körperlichen Kräfte. Ich darf, in Rücksicht der ersteren, meine Betrachtungen auf einen gewissen Punkt hinrichten, über diesen oder über andere Gegenstände nachdenken und urteilen; ich darf dadurch mich dahin bringen, daß ich dies begehre, jenes verabscheue, diesen verehre, jenen geringachte, diesen liebe, jenen hasse. Da dieses alles veränderliche Bestimmungen meines Gemütes sind, so wären die Rechte zu ihnen in moralischer Ab-

sicht nicht unveräußerlich; aber sie sind es in physischer. Sie dürften wohl veräußert werden, aber sie können es nicht, weil kein fremdes Wesen wissen könnte, ob ich meiner übernommenen Verbindlichkeit gegen dasselbe nachkäme oder nicht. – Man könnte bildlich sagen, sie würden oft an uns selbst, an unsere Urteilskraft veräußert. Diese rät uns oft an, unsere Gedanken von diesem Gegenstande abzuziehen, ihn auf jenen zu richten; und die freie Willkür verwandelt diesen guten Rat in ein Gesetz für uns.* – Es findet also gar kein rechtskräftiges Versprechen darüber statt, daß man über gewisse Dinge oder über gewisse Grenzen hinaus nicht nachdenken wolle, daß man einem anderen hold sein, ihn lieben, ihn verehren wolle: denn, gesetzt auch, das stände gänzlich in unserer Willkür – wie könnte der andere sich je versichern, daß wir ihm Wort hielten?

Es bleiben demnach gar keine durch einen Vertrag zu veräußernden Rechte übrig als die auf den Gebrauch unserer körperlichen Kräfte, auf unsere äußeren Handlungen.

Unsere Handlungen gehen auf *Personen* oder *Sachen*. Auf Personen üben wir entweder ein *natürliches* oder *erworbene* Rechte aus. Das erstere, das Recht der Selbstverteidigung durch Zwang, das Kriegsrecht, kann an einen anderen abgetreten werden; doch mit zwei Einschränkungen. Wir müssen uns das Recht vorbehalten, oder vielmehr es bleibt notwendig, auch ohne ausdrücklichen Vorbehalt unser, uns gegen einen schleunigen Angriff, der einen unersetzlichen Besitz, den unseres Lebens, in Gefahr bringt und der das Erwarten fremder Hilfe unmöglich macht, selbst – und gegen den höchsten Verteidiger unserer Rechte *immer* in eigener Person zu verteidigen. Über das erstere dieser Rechte hat im allgemeinen nie ein Zweifel stattgefunden, ohngeachtet es in den mehresten Staaten merklich gekränkt worden durch jene Rechtsängstlichkeiten, durch jene Forderung eines Erweises vom Falle der Notwehr, der jedem so

* Leider bin ich hier für alle die, welche sich einer gesetzgebenden freien Willkür noch nie bewußt geworden, sondern beständig durch die blinde Einbildungskraft, dem Strome ihrer Ideenassoziation nach, geleitet worden sind, völlig unverständlich. Aber da liegt die Schuld nicht an mir. – Auch die Gedankenrichtung des Menschen ist frei; und wer sie noch nicht frei gemacht hat, ist gewiß keiner anderen Art der Freiheit empfänglich.

einleuchte, als in der Stunde der Angst uns selbst die Gefahr einleuchtete. Das zweite hat man in den mehresten Staaten völlig untergeschlagen und durch alle Mittel, besonders durch Beredungsgründe, aus der christlichen Religion entlehnt, zur stummen Ertragung alles Unrechtes, das unsere Verteidiger nicht rächen wollen oder, weil sie selbst es uns zufügten, nicht rächen können, zur willigen Hingebung unter die Hand unseres Scherers oder unseres Schlächters uns zu überreden gesucht. Aber weil es unterdrückt wurde, ist es darum nicht minder fest gegründet? – Du verteidigst uns gegen alle Gewalt anderer; das ist recht und gut: aber wenn du nun entweder selbst unmittelbar Gewalt gegen uns ausübst oder dadurch, daß du die versprochene Verteidigung unterlässest, die wir selbst nicht übernehmen dürfen, die Gewalttätigkeiten anderer zu deinen eigenen machst, wer soll uns dann gegen dich selbst verteidigen? Du selbst kannst nicht dein eigener Richter sein; dürfen wir gegen dich uns nicht selbst Recht verschaffen, so haben wir das Recht der Selbstverteidigung, insofern es sich auf dich bezieht, völlig aufgegeben, und das durften wir nicht; denn nur die Arten, dieses Recht auszuüben, ob es z. B. durch uns selbst oder durch einen Stellvertreter geschehen solle, nicht aber das Recht selbst ist veräußerlich. *Ob* und *wie* diese Verteidigung gegen die höchste Gewalt in einem Staate ohne Unordnung und Zerrüttung möglich sei, habe ich hier noch nicht zu untersuchen: ich hatte bloß zu zeigen, *daß* sie stattfinde und notwendig stattfinden müsse. Da übrigens diese Verteidigung unserer Rechte gegen andere an sich eine beschwerliche Pflicht und keineswegs ein Gewinn ist, so läßt sich nicht denken, wie derjenige, dem wir diese Sorge abnehmen, dadurch in Schaden kommen und einen Ersatz desselben von uns verlangen könnte, er müßte uns denn jene an sich ungerechte und rechtsunkräftige Ungestraftheit seiner eigenen Gewalttätigkeiten gegen uns oder den nicht weniger ungerechten und rechtsunkräftigen Überschuß über die Schadenerstattung, den er etwa von unseren Beleidigern erpreßt und für sich behält, für den verlorenen Gewinn anrechnen: welches Anbringen aber eine offenbare Bitte sein würde, daß wir ihm doch erlauben möchten, auch fernerhin ungestraft ungerecht zu sein und folglich ohne weiteres abzuweisen wäre. Oder fürchtet er etwa die Einziehung desjenigen, was er für seine Verteidigung von uns erhält und was die Mühe derselben am Werte vielleicht sehr weit überwiegt? Unmittelbar mit der Aufhebung seines Auftrages ziehen wir seinen Sold noch gar nicht ein. Wir werden auf diesen Sold in seiner Reihe zu reden kommen und finden, was über ihn von Rechts wegen zu beschließen ist. – *Einer* Art der Belohnung aber müssen wir hier sogleich gedenken, weil wir unserem Plane nach im Verfolg nicht auf sie treffen werden. – Wir sagten oben: es sei kein bindendes Versprechen möglich, daß man jemanden lieben oder verehren wolle, weil der andere Teil nie wissen könnte, ob man seiner Verbindlichkeit Genüge leiste oder nicht. Aber es sind Beschäftigungen möglich, die ihrer Natur nach die Liebe und die Verehrung der Menschen auf sich ziehen, und fast macht nichts ehrwürdiger als der hohe Beruf, die Wehrlosen zu verteidigen und die Unterdrückten vor Gewalttätigkeiten zu schützen. Die Achtung wenigstens, die mit diesem Berufe notwendig verbunden sei, die ihm durch die Gewohnheit, sie zu genießen, zum Bedürfnis geworden und auf deren fortdauernden Besitz zu rechnen er durch unseren Vertrag berechtigt worden, werde ihm durch Aufhebung desselben geraubt, könnte unser bisheriger Schutzherr sagen. Wir antworten ihm: nichts schändet auch mehr als Ungerechtigkeiten an einem solchen Platze begangen, Unterdrückung der wehrlosen Unschuld durch eine Macht, die zur Verteidigung derselben eingesetzt ist: haben wir ihm die Möglichkeit, die Verehrung der Nationen auf sich zu ziehen, geraubt, so haben wir ihn zugleich der Versuchung, sich vor ihrem Angesichte öffentlich zu schänden, ihr Fluch und ihr Abscheu zu werden, entzogen. Gleiches gegen Gleiches hebt sich. – Aber nur *er* ist seiner Unbestechbarkeit, seiner Unparteilichkeit, seines Mutes und seiner Kraft sicher; *er* würde sicher sich nie entehrt haben. – Wohlan, ohnedem hätte nicht sein Auftrag, sondern die treue Erfüllung seines Auftrages ihn geehrt: hätte er in ihm alles mögliche getan, so hätte er doch nur getan, was wir von ihm erwarten durften, was er laut seines Auftrages zu tun schuldig war. – Freie Ausübung edler Taten, die kein Gebot heischt, ehrt noch mehr: er ist jetzt frei – es wird immer noch gewalttätige Unterdrücker des Wehrlosen geben, die Menschheit wird noch immer, hier und da, leiden – wende er jetzt seine Kraft dazu an, dem ungerechten Mächtigen kühn ins Angesicht zu widerstehen, auf seinen Schultern der Menschheit aus dem Abgrunde des Elends heraufzuhelfen, und unsere Verehrung wird ihm wahrlich nicht entgehen. An Veranlassungen, sich Verehrung zu erwerben, fehlt es nie, an Männern, die unter Mühe und Anstrengung sie erringen möchten, fehlt es öfter.

Erworbene Rechte auf Personen werden durch Vertrag erworben. Wir haben das Recht, Verträge zu schließen, und können dieses Recht *ganz* oder *zum Teile* veräußern. Ganz, sage ich: da aber diese Veräußerung selbst nur durch Vertrag möglich ist, so ist klar, daß der Veräußerung dieses Rechtes wenigstens die einesmalige Ausübung desselben vorhergegangen sein muß – sonst wäre auch eine solche Veräußerung widersinnig, da, wie oben gezeigt worden, kein natürliches Menschenrecht an sich, sondern nur besondere Modifikationen desselben veräußert werden können. – Der eine Teil verspricht dem anderen: Ich will, solange ich mit dir im gegenwärtigen Vertrage stehen werde, weder mit dir selbst noch mit irgendeinem anderen einen anderweitigen Vertrag schließen. Ein solcher Vertrag ist seiner Form nach völlig rechtskräftig, seinem Inhalte nach durch seine fürchterliche Ausdehnung schrecklich, und wird er dabei als unabänderlich gedacht, wie er bei dem an das Landeigentum geknüpften Landbauer gedacht werden soll, so wird durch ihn der Mensch völlig zum Tiere herabgesetzt. Auch ohne diese schon an sich rechtsunkräftige Unabänderlichkeit zu denken, tut der Bevorteilte auf jede Anforderung besserer Bedingungen bei dem Begünstigten, er tut auf jede Beihilfe anderer, die ihn vielleicht milder behandeln möchten, förmlich Verzicht, solange es ihm nicht möglich ist, sich von seinem Unterdrücker völlig unabhängig zu machen. Die Welt wird für ihn menschenleer und ohne ein Wesen seinesgleichen. Ein Augenblick der höchsten Angst, der vielleicht nie wieder zurückkehren wird, wird in einem solchen Vertrage hastig ergriffen und, soviel es vom Unterdrücker abhängt, verewigt.

Das Recht, Verträge zu schließen, wird *teilweise* veräußert, wenn der eine Teil verspricht, entweder nur mit gewissen Personen nicht oder nur über gewisse Gegenstände nicht

Verträge zu schließen. Ob dergleichen Versprechungen an sich rechtskräftig seien, kann keine Frage sein, da sogar dem Versprechen, überhaupt keinen Vertrag zu schließen, die Rechtskräftigkeit nicht streitig gemacht werden konnte. Über die Ausnahme gewisser Personen vom Rechte, einen Vertrag mit ihnen zu schließen, ist weiter nichts zu sagen. In Absicht der Gegenstände werden (außer dem Ehevertrage, der bekannterweise allenthalben auf mannigfaltige Art eingeschränkt wird und den der Leibeigene überhaupt nicht ohne Erlaubnis seines Gutsherrn schließen kann) Verträge geschlossen, entweder über *Kräfte*, der Arbeitsvertrag, oder über *Sachen*, der Tausch- und Handelsvertrag. In Absicht der ersteren Art von Verträgen veräußert der eine Teil entweder überhaupt sein Recht, über Anwendung seiner Kräfte mit irgend jemandem, außer dem *einen* Begünstigten, einen Vertrag zu schließen, für irgendeinen anderen zu arbeiten – oder er veräußert es nur insofern, inwiefern sein Kontrahent seine Arbeit selbst brauchen kann; er verbindet sich, sooft er Zeit übrig habe, für einen anderen zu arbeiten, erst bei jenem anzufragen, ob *er* ihn nicht brauchen könne. Es kann hierbei auch noch etwas über den Lohn für die Arbeit im voraus auf immer bedungen sein; so daß der Arbeiter gehalten sei, so oder so viel um einen gewissen Preis zu arbeiten, wenn er auch von anderen mehr bekommen könnte. Es wird hier immer vorausgesetzt, daß der eine Teil nicht schon durch den ersten Begünstigungsvertrag das Recht, über den Gebrauch seiner Kräfte überhaupt zu verfügen, aufgegeben habe; denn in diesem Falle, von welchem wir weiter unten reden werden, fände gar kein anderweitiger Arbeitsvertrag statt. – In Absicht des *Handelsvertrages* kann entweder das Recht, seine Produkte oder Fabrikate an irgend jemand als an den einzigen Begünstigten abzusetzen, überhaupt oder nur auf den Fall veräußert sein, daß der Begünstigte sie ankaufen wolle, so daß er entweder den *Alleinverkauf*, wie mehrere Kantonsstädte Helvetiens von ihren Landleuten, oder daß er den *Vorkauf* habe, wie viele deutsche Gutsbesitzer von ihren Untertanen. Besonders im letzteren Falle kann etwas über den Preis der Ware festgesetzt sein, so daß der Verkäufer verbunden sei, sie dem Begünstigten um ein gewisses Geld abzulassen, wenn er auch anderwärts mehr dafür bekommen könnte. Oder es kann umgekehrt abgeschlossen sein, daß der eine Teil entweder *alle* seine Waren oder diejenigen, die der Begünstigte hat, oder nur *gewisse* Waren von dem Begünstigten ausschließend kaufen oder daß er sie um einen gewissen Preis von ihm kaufen müsse, wenn er sie anderwärts auch wohlfeiler haben könnte, so daß der Begünstigte den *Alleinhandel* oder den *Vorhandel* habe. Die grausamste und gehässigste Modifikation dieser Art des Vertrages ist die, wenn der leidende Teil verbunden ist, von einer gewissen Ware schlechterdings eine bestimmte Menge zu nehmen und sie zu einem bestimmten Preise zu bezahlen, wie in mehreren Ländern die Regierung es mit dem Salze hält und wie Friedrich der Zweite eine Zeitlang jeden Juden nötigte, bei seiner Verheiratung eine bestimmte Menge Porzellans zu nehmen.

Die zweite Art von Rechten, die durch unsere Verträge mit Begünstigten veräußert werden konnten, waren die Rechte auf *Sachen*, das Recht des Eigentums im weitesten Sinne des Wortes. Man nennt nämlich gewöhnlicherweise nur den *fortdauernden* Besitz einer Sache das Eigentum derselben; da aber nur der *ausschließende* Besitz eigentlicher Charakter des Eigentums ist, so ist auch der unmittelbare Genuß eines Dinges, das nur einmal genossen wird und durch den Genuß sich verzehrt, ein wahres Eigentum; denn während irgend jemand es genießt, sind alle übrigen ausgeschlossen.

Dieses Recht des Eigentums nun läßt sich ebensowohl als das Recht der Verträge *ganz* oder *zum Teil* veräußern. Es läßt sich ganz veräußern. Das unmittelbarste, alles übrige Eigentum des Menschen begründende Eigentum sind seine Kräfte. – Wer den freien Gebrauch dieser hat, hat schon unmittelbar an ihnen ein Eigentum, und es kann ihm nicht fehlen, durch den Gebrauch derselben auch bald ein Eigentum an Sachen außer sich zu bekommen. Eine gänzliche Veräußerung des Eigentumsrechtes läßt sich mithin nicht anders als *so* denken, daß der freie Gebrauch unserer Kräfte veräußert, daß einem anderen das Recht übertragen sei, über ihre Anwendung frei zu verfügen, und daß sie dadurch *sein* Eigentum geworden seien. Dies war dem Buchstaben des Gesetzes nach bei den alten Völkern der Fall aller Sklaven und ist bei uns der Fall aller zum

Grundeigentume gehörigen Landbauern; wollte oder will der Herr von seinem strengen Rechte nachlassen, so ist das Güte von ihm, aber er ist verfassungsmäßig nicht dazu verbunden. – Dennoch findet diese Veräußerung nur unter *einer* Bedingung statt: der Herr muß dem Sklaven, der ihm die Verfügung über seine Kräfte überläßt, seinen Unterhalt zusichern; dies ist nicht Güte; der Unterworfene hat das völlige Recht, es von ihm zu fordern. Jeder Mensch muß leben: das ist sein unveräußerliches Menschenrecht. Es gilt hier nicht, zu sagen: wenn ich meinen Sklaven nicht ernähre, so stirbt er mir; ich verliere ihn, und der Schade ist mein: die Klugheit wird mich wohl treiben, ihn zu erhalten. Es ist hier nicht von deinem Schaden, sondern von seinem Rechte, und nicht von deiner Klugheit, sondern von deiner unerläßlichen Pflicht die Rede; dein Sklave ist Mensch. Der Besitzer eines Tieres darf es umkommen lassen, wenn es die Kosten seiner Erhaltung nicht abwirft, oder es abschlachten; nicht so der Besitzer der Kräfte eines Menschen. Dieser schuldige Unterhalt ist sein Eigentum, das er im Eigentume seines Herrn hat; und sooft er ißt, ist das, was er ißt, sein unmittelbares Eigentum. Also ist auch eine gänzliche Veräußerung des Eigentumes nicht möglich; wie sie denn auch nicht möglich sein konnte, da kein Menschenrecht an sich, sondern nur besondere Modifikationen desselben veräußert werden können. Außer diesem Eigentum hat derjenige, der sich der freien Verfügung über seine Kräfte entäußerte, auf alles Eigentum Verzicht getan, wie an sich klar ist.

Das Eigentumsrecht kann auch nur teilweise veräußert sein. Das Eigentum der *Kräfte* kann zum Teil veräußert sein, so daß eine gewisse Portion derselben dem Begünstigten angehöre, wir mögen sie nun selbst brauchen können oder nicht: wie bei den *gemessenen** Frondiensten, oder daß der Überschuß derselben, dessen wir selbst nicht bedürfen,

* Für die wenigen, die das nicht wissen! – Der Leibeigene *(glebae adscriptus)* hat *unangemessene* Frondienste; er muß arbeiten, soviel der Gutsherr verlangt. In der Regel verlangt er sechs Tage Spanndienste auf seinem Acker und den siebenten Botschaftgehen oder Fuhren nach der Stadt. Der freiere Bauer, an dessen Boden der Gutsherr nur einen Teil des Eigentumsrechtes hat, hat *gemessene* Dienste; er tut eine bestimmte Anzahl von Frondiensten.

ihm bedingungsweise oder ohne Bedingung angehöre, wie bei der Einschränkung des Rechtes, Arbeitsverträge zu schließen, davon wir oben redeten. – – Das Eigentum gewisser Sachen kann veräußert sein, so daß wir diese auf keine Art uns zueignen dürfen. Dahin gehört das ausschließende Recht, zu jagen, zu fischen, Tauben zu halten u. dgl.; die Anordnung in einigen Gegenden, daß die Eiche, die auf dem Grund und Boden des Landbauers wächst, nicht dem Bauer, sondern dem Gutsherrn gehöre; die Hütungs- und Triftgerechtigkeit usw.

Daß alle diese Rechte auch einseitig von der bevorteilten Partei aufgehoben werden können, darüber ist nach dem oben Gesagten kein Zweifel mehr übrig. Hier ist nur die Frage von der Entschädigung im Falle der einseitigen Aufhebung. – Bei der ersteren Art der Einschränkung unseres Rechtes, Verträge zu schließen, wo es ganz aufgehoben wird, läßt im allgemeinen (auf das Besondere werden wir sogleich zu reden kommen) keine Klage des Begünstigten sich denken als die, daß er in Hoffnung auf die Fortdauer unseres Vertrages seinerseits versäumt habe, die ihm nützlichen und vorteilhaften Verträge zu schließen. Diese aber läßt sich kurz so beantworten: wir haben unsererseits, durch den Vertrag mit ihm dazu verpflichtet, gleichfalls versäumt, die *uns* nützlichen und vorteilhaften Verträge zu schließen: bis jetzt haben wir keinen geschlossen. Nun kündigen wir ihm auf, er weiß von nun an, wessen er sich zu uns zu versehen hat; benutze er von nun an seine Zeit, so gut er kann; wir werden die unserige gleichfalls zu benutzen suchen; wir haben ihn nicht übervorteilt, wir haben uns auf gleichen Fuß mit ihm gesetzt. – Doch seine Klagen werden bestimmter. In Rücksicht der ausschließenden Arbeitsverträge sowie in Rücksicht der ganz oder zum Teil veräußerten Verfügung über unsere Kräfte wird er sich beklagen, daß er seine Arbeit nicht mehr werde besorgt bekommen, wenn wir ihm den Kontrakt zurückgeben. Er hat also entweder mehr zu arbeiten, als ein einziger bestreiten kann, oder er kann oder will nicht selbst arbeiten. Die erstere Voraussetzung würde, so wie sie dasteht, richtig übersetzt soviel heißen: er hat mehr Bedürfnisse, als ihrer durch die Kräfte eines einzigen befriedigt werden können, und er verlangt zu ihrer Befriedigung die Kräfte anderer zu gebrauchen, welche sich so viel an ihren Bedürfnissen abbrechen sollen, als sie Kraft auf die Befriedigung der seinigen verwenden. Ob eine solche Klage abzuweisen sei, das bedarf wohl keiner weiteren Untersuchung. Aber er führt einen gültigeren Grund an, das größere Heer seiner Bedürfnisse zu rechtfertigen. Hat er auch nicht unmittelbar mehr Kräfte als andere, so hat er doch *das Produkt mehrerer Kräfte*, das vielleicht durch eine lange Reihe von Vorfahren auf ihn fortgepflanzt worden: er hat mehr Eigentum, zu dessen Benutzung die Kräfte mehrerer erforderlich sind. – Wohl, dieses Eigentum ist sein und muß sein bleiben; bedarf er zur Benutzung desselben fremder Kräfte, so mag er zusehen, auf welche Bedingungen er ihrer habhaft werden kann; es entsteht ein freier Tauschhandel über Teile seines Eigentums und die Kräfte derer, die er zur Bearbeitung des Ganzen dingt, wobei jeder Teil zu gewinnen sucht, soviel er kann. Wer ihm die gelindesten Bedingungen macht, dessen mag er sich bedienen. Überhebt er sich seiner Übermacht über den Gedrückten in der Stunde seiner Not, so mag er den Nachteil tragen, daß dieser ihm den Kauf aufkündigt, sobald die drückende Not vorüber ist; macht er ihm billige Bedingungen, so wird er den Vorteil haben, daß seine Verträge dauernder sind. – Aber er wird dann, wenn jeder ihm seine Arbeit so hoch anschlägt, als er kann, sein Eigentum nicht mehr so hoch nützen können als bisher; der Wert desselben wird sich ansehnlich verringern. – Das mag wohl geschehen; aber was geht das uns an? Wir haben ihm von seinen liegenden Gründen keines Haares Breite abgepflügt; wir haben ihm von seinem baren Gelde keinen Heller genommen. Das durften wir nicht. Aber den uns nachteilig scheinenden Vertrag mit ihm aufheben durften wir, und das haben wir getan. Wird sein Erbgut dadurch geringer, so muß es doch vorher durch unsere Kräfte vermehrt worden sein, und unsere Kräfte sind einmal nicht sein Erbgut. – Und warum ist es denn auch notwendig, daß dem, der tausend Hufen hat, jede seiner tausend Hufen so viel eintrage als dem, der eine hat, seine einzige? – Man klagt fast in allen monarchischen Staaten über die ungleiche Verteilung der Reichtümer, über die unermeßlichen Besitzungen einiger wenigen neben jenen Heeren von Menschen, die nichts haben; und diese Erscheinung nimmt euch bei der jetzigen

Verfassung dieser Staaten wunder? – und ihr könnt die Auflösung des schweren Problems nicht finden, ohne Eingriff in die Rechte des Eigentums eine gleichmäßigere Verteilung der Güter zu bewirken? Wenn die Zeichen des Werts der Dinge sich vermehren – sie vermehren sich durch die herrschende Sucht der meisten Staaten, vermittelst des Commerces und der Fabriken sich auf Kosten aller übrigen zu bereichern, durch den schwindelnden Handel unseres Zeitalters, der seinem Einsturze immer näher rückt und alle, die auf die entfernteste Art daran Anteil haben, mit einer gänzlichen Zerrüttung ihrer Vermögensumstände bedroht, durch den unbegrenzten Kredit, der das ausgeprägte Geld von Europa mehr als verzehnfacht – wenn, sage ich, die Zeichen des Wertes der Dinge sich so unverhältnismäßig vermehren, so verlieren sie immer mehr ihren Wert gegen die Dinge selbst. Der Besitzer der Produkte, der Landeigentümer, verteuert unablässig die Dinge, die wir haben müssen, und seine Ländereien selbst steigen eben dadurch unablässig im Werte gegen das bare Geld. Vergrößern sich denn aber auch seine Ausgaben? Allenfalls weiß sich der Kaufmann, der ihm die Bedürfnisse des Luxus liefert, schadlos zu halten; weniger der Handwerker, der ihm das Unentbehrliche arbeitet und der von beiden in die Enge getrieben wird – aber der Landbauer? Noch immer ist er entweder ein Stück des Grundeigentumes oder tut Frondienste unentgeltlich oder um einen unverhältnismäßig geringen Lohn; noch immer dienen seine Söhne und Töchter, als Zwangsgesinde, dem Gutsherrn für ein Stück Geld, das selbst vor Jahrhunderten in keinem Verhältnisse gegen ihre Dienste stand. Er hat nichts und wird nie etwas haben als den kümmerlichen Lebensunterhalt auf den heutigen Tag. Wüßte der Gutsbesitzer seinen Luxus einzuschränken, so wäre er längst – oder erleidet das jetzige Handelssystem eine Umwälzung, wie es sicher erleiden wird –, so wird er dann gewiß der ausschließende Besitzer aller Reichtümer der Nation, und außer ihm wird kein Mensch etwas haben. Wollt ihr dies verhindern, so tut, was ihr ohnedies zu tun schuldig seid: gebt den Handel mit dem natürlichen Erbteile des Menschen, mit seinen Kräften, frei; ihr werdet das merkwürdige Schauspiel erblicken, *daß der Ertrag des Grundeigentums und alles Eigentums in umgekehr-*

tem Verhältnis mit der Größe desselben stehe, der Boden wird, ohne gewalttätige Ackergesetze, die allemal ungerecht sind, von selbst allmählich sich unter mehrere verteilen, und euer Problem wird gelöst sein. Wer Augen hat, zu sehen, der sehe; ich gehe meines Weges weiter fort.

Hat der Begünstigte nicht diese gültige Ausflucht eines angeerbten Eigentums, so muß er arbeiten, er mag wollen oder nicht. Schuldig, ihn zu ernähren, sind wir einmal nicht. – Aber er *kann* nicht arbeiten, sagt er. Im Vertrauen, daß wir fortfahren würden, ihn durch unsere Arbeit zu ernähren, hat er es verabsäumt, seine eigenen Kräfte zu üben und zu bilden; er hat nichts gelernt, wodurch er sich ernähren könnte; und jetzt ist es zu spät, jetzt sind seine Kräfte durch den langen Müßiggang viel zu sehr geschwächt und gleichsam verrostet, als daß es noch in seiner Macht stehen sollte, etwas Nützliches zu erlernen. – Daran haben wir freilich durch unseren unklugen Vertrag Schuld. Hätten wir ihn nicht von Jugend auf glauben lassen, daß wir ihn schon ohne alle sein Zutun ernähren würden, so würde er freilich etwas haben lernen müssen. Wir sind demnach gehalten, und das von Rechts wegen, ihn zu entschädigen, d. h. ihn zu ernähren, bis er gelernt haben wird, sich selbst zu ernähren. Aber wie sollen wir ihn ernähren? sollen wir fortfahren, das Notwendige zu entbehren, damit er im Überfluß schwelgen könne; oder ist es genug, wenn wir ihm das Unentbehrliche reichen? – Und so stünden wir denn vor einer Frage, deren gründliche Beantwortung unter die Bedürfnisse unseres Zeitalters gehört.

Man hat unter uns wehmütige Gefühle gesehen und bittere Klagen gehört über das vermeinte Elend so vieler, die aus dem größten Überflusse plötzlich in einen weit mittelmäßigeren Zustand herabsanken – von *denen* sie beklagen gehört, welche in ihren glücklichsten Tagen es nie so gut hatten als jene in ihrem größten Unsterne und welche die geringen Überbleibsel vom Glücke jener für ein beneidenswertes Glück hätten halten dürfen. Die ungeheure Verschwendung, die bisher an der Tafel eines Königs geherrscht hatte, wurde in etwas eingeschränkt, und Leute, die nie eine Tafel hatten noch haben werden, wie jene eingeschränkte, bedauerten diesen König [Ludwig XVI.]; eine Königin hatte eine kurze Zeitlang Mangel an einigen Kleidungsstücken [Marie Antoinette im Temple], und diejenigen, welche sehr glücklich gewesen wären, wenn sie *diesen* Mangel hätten teilen dürfen, beklagten ihr Elend. Fehlt es auch unserem Zeitalter an manchen lobenswürdigen Eigenschaften, so scheint wenigstens die Gutmütigkeit nicht darunter zu gehören! – Setzt man etwa bei diesen Klagen ganz unbedingt das System voraus, daß nun einmal eine gewisse Klasse von Sterblichen, ich weiß nicht welches Recht habe, alle Bedürfnisse, die die ausschweifendste Einbildungskraft nur irgend sich erdichten könne, zu befriedigen, daß eine zweite nur nicht ganz so viele als diese, eine dritte nur nicht ganz so viele als die zweite usw. haben müsse, bis man endlich zu einer Klasse herabkomme, die das Allerunentbehrlichste entbehren müsse, um jenen höheren Sterblichen das Allerentbehrlichste liefern zu können? Oder setzt man diesen Rechtsgrund bloß in die Gewohnheit und schließt so: weil *eine* Familie bisher das Unentbehrliche von Millionen von Familien verzehrt hat, so muß sie notwendig fortfahren, es zu verzehren? Eine auffallende Folgenlosigkeit in unserer Denkungsart ist es immer, daß wir so empfindlich für das Elend einer Königin sind, die einmal kein frisches Linnen hat, und den Mangel einer anderen Mutter, die dem Vaterlande auch gesunde Kinder gebar, welche sie, selbst in Lumpen gehüllt, nackend vor sich herumgehen sieht, indes in ihren Brüsten aus Mangel an Unterhalt die Nahrung austrocknet, die das jüngstgeborne mit entkräftetem Wimmern fordert – daß wir diesen Mangel sehr natürlich finden. – Solche Leute sind es gewohnt, sie wissen's nicht besser, sagt mit stickender Stimme der satte Wollüstling, während er seinen köstlichen Wein schlürft; aber das ist nicht wahr; an den Hunger gewöhnt man sich nie, an widernatürliche Nahrungsmittel, an das Hinschwinden aller Kräfte und alles Mutes, an Blöße in strenger Jahreszeit gewöhnt man sich nie. Daß nicht essen solle, wer nicht arbeitet, fand Herr R. naiv; er erlaube uns, nicht weniger naiv zu finden, daß allein der, welcher arbeitet, nicht essen oder das Uneßbarste essen solle.

Der Grund dieser Folgenlosigkeit läßt sich leicht auffinden. Unser Zeitalter ist im ganzen weit empfindlicher gegen die Bedürfnisse der Meinung als gegen die der Natur. Das Unentbehrliche haben jene Beurteiler so ziemlich alle und haben es von Jugend auf gehabt; alles, was sie davon abbrechen konnten, haben sie auf das Entbehrliche, auf die Bedürfnisse des Luxus gewendet. Diese Bedürfnisse nicht alle in dem Maße befriedigen zu können, wie es jeder wünscht, ist das allgemeine Los. Du hast modernes Hausgerät; aber noch mangelt dir eine Bildergalerie; du bekommst sie vielleicht; dann wird es dir nur noch an einem Antiquitätenkabinett fehlen. – Jener Königin mangelte nur noch das kostbare Halsband [sog. Halsband-Affaire 1785/86]; aber sei versichert, sie litt nicht weniger dabei, als deine modische Gemahlin litt, als ihr ein Kleid von der neuesten Farbe noch abging. – Aber nicht genug, daß wir die steigenden Begierden, so wie sie steigen, nicht immer befriedigen können; wir sind sogar oft genötigt, zurückzugehen, Bedürfnisse abzubrechen, die wir schon gewohnt sind, befriedigt zu sehen, die wir schon unter die Unentbehrlichkeiten rechneten. Dies ist ein Leiden, das wir aus Erfahrung kennen; jeder, der es fühlt, ist unser Mitbruder in der Trübsal, mit ihm sympathisieren wir innig. Unsere Einbildungskraft versetzt durch ihre Zauberkünste uns alsbald an seine Stelle: jenem unglücklichen Könige wurde eine Anzahl seiner Gerichte abgezogen; der reiche Domherr dachte *sich* ohne seinen feinen Wein oder ohne seine Lieblingspasteten, die kleine Bürgerin oder die wohlhabendere Bäuerin ohne ihren Milchkaffee, jedes Mitglied der feineren oder minder feinen Welt ohne Befriedigung desjenigen Bedürfnisses, das es zuletzt errungen hatte; und wie hätte nicht alles inniges Mitleid für ihn empfinden sollen? – Wir berechnen und unterscheiden *Entbehrliches* und *Unentbehrliches* nur *nach der Gewohnheit, es zu besitzen,* weil wir selbst gar wohl erfahren haben, wie durch die Gewohnheit uns manches unentbehrlich worden, das es vorher nicht war; von der wahren Verschiedenheit desselben *der Art* nach haben wir gar keine Vorstellung, oder hätten wir auch durch Nachdenken uns einen Begriff davon verschafft, so haben wir doch keine durch die Einbildungskraft belebte und unsere Empfindung in Bewegung setzende Vorstellung, weil wir selbst nie auf dieser äußersten Grenze standen und vor dem Anblicke anderer darauf uns von jeher sorgfältig hüteten. „Das ist unnatürlich, so hungert sich's nicht", sagen wir mit jenem Finanzpächter beim Diderot, weil *wir* nie so gehungert haben.

An fortdauernden Nahrungsmangel, oder Frost, oder Blöße, oder erschöpfende Arbeit soll man sich, meinen wir, so gewöhnen, wie wir uns etwa gewöhnt haben, die reicher besetzte Tafel eines Großen oder die prächtigere Kleidung oder das beständige selige Farniente desselben ohne große Mühe zu entbehren: wir wissen nicht oder fühlen nicht, daß diese Dinge nicht bloß der *Grade* nach, sondern daß sie der *Art* nach verschieden sind. – Wir vergessen, daß wir eine Menge der Dinge, die wir uns versagen, uns mit einer Art von Freiwilligkeit versagen und daß wir sie etwa wohl auf eine Zeitlang haben könnten, wenn wir uns dem nachherigen Mangel des Unentbehrlichsten aussetzen wollten, daß aber bei den Entbehrungen jener auch nicht *eine* Spur des freien Willens übrig ist und daß sie alles entbehren müssen, was sie entbehren. Wir rechnen ja sonst so sehr auf den Unterschied zwischen der freiwilligen und erzwungenen Aufopferung, wo wir die Sache der Begünstigten führen, warum vergessen wir sie denn nur hier, wo von der Sache der Unterdrückten die Rede ist?
Nicht die Gewohnheit entscheidet über das *an sich* Entbehrliche und das *an sich* Unentbehrliche, sondern die Natur. Eine dem menschlichen Körper zuträgliche Nahrung in der zur Ersetzung der Kräfte nötigen Quantität, eine nach Verhältnis des Klimas gesunde Kleidung und feste und gesunde Wohnung muß jeder haben, der arbeitet: das ist Grundsatz.
Über diese Grenze hinaus, auf dem Felde der Dinge, die die Natur nicht für unentbehrlich erklärt, entscheidet allerdings die Gewohnheit; und hier steigt das Leiden ohngefähr in dem Grade, in welchem angewöhnte Bedürfnisse nicht befriedigt werden. Ich sage bloß *ohngefähr*, und das aus zwei Gründen: – Ein großes Heer unserer Bedürfnisse sind bloß und einzig Bedürfnisse der Einbildungskraft; wir bedürfen ihrer bloß darum, weil wir ihrer zu bedürfen glauben: sie verschaffen uns keinen Genuß, wenn wir sie haben; ihr Bedürfnis macht sich bloß durch die unangenehme Empfindung kund, wenn wir sie entbehren. Dinge dieser Art haben das ausschließende Kennzeichen, daß wir sie bloß um anderer willen haben. Zu ihnen gehört alles, was zur Pracht gehört, die bloß Pracht ist, alles, was zur Mode gehört, insofern es weder durch Schönheit noch durch Be-

quemlichkeit, noch durch irgend etwas von Dingen dergleichen Art sich auszeichnet als dadurch, daß es Mode ist. Wir können dabei keine andere Absicht haben als die, anderen nicht unseren Geschmack, denn durch Schönheit sollen diese Dinge sich nicht auszeichnen – sondern bloß unsere Gefügigkeit in die allgemeinen Formen und unsere Wohlhabenheit bemerklich zu machen. Da diese Dinge bloß auf andere berechnet sind, so können diese anderen von der Verbindlichkeit, sie zu haben, uns vollgültig lossprechen. Sie haben uns bisher die Kosten dazu hergegeben: ziehen sie diese zurück, so ist begreiflich, daß sie die Fortsetzung dieser Art des Aufwandes nicht mehr von uns fordern. Unsere Umstände sind nun weltkundig; es ist weltkundig, daß unsere Einnahme nicht mehr hinreicht, jenen Aufwand mit Ehren fortzusetzen. Verlangen wir ihn dennoch fortzusetzen, d. h., verlangen wir durch unsere Entehrung zu glänzen? Ein solches Verlangen ist so töricht, das Leiden über die Versagung desselben ist so unsinnig, daß es gar keine Schonung verdient und daß vernünftige Menschen es sich gar nicht in Rechnung können bringen lassen. Durch Versagung dieser Bedürfnisse wird dem, der sie weltkundig auf Kosten anderer befriedigte, kein Leiden zugefügt, und sie sind beim Aufnehmen des Verhältnisses von der Summe abzuziehen. – – Insofern zweitens die Befriedigung der Bedürfnisse wirklich einen grob oder fein sinnlichen Genuß, einen Kitzel der Nerven oder eine leichtere Bewegung der Einbildungskraft verursacht, läßt sich doch nicht leugnen, daß im Grade desselben und mithin im Grade des durch die Gewohnheit entstandenen Bedürfnisses eine große Verschiedenheit sei. Es gibt ohngefähr eine äußerste Grenze der Reizbarkeit der menschlichen Natur; über diese hinaus wird sie sehr schwach und unmerklich. Es ist wohl kein Zweifel, daß der Luxus unseres Jahrhunderts diese Grenze nicht erreicht und hier und da sie nicht überschritten habe. Die Entbehrung dessen, was hart an dieser Grenze, vielmehr dessen, was über sie hinaus liegt, kann bei weitem die unangenehme Empfindung nicht verursachen, welche durch unbefriedigte Begierden erregt wird, die noch innerhalb der Grenzen der größeren Reizbarkeit stehen. Auch hierauf ist beim Aufnehmen des richtigen Verhältnisses zwischen Versagungen und Leiden Rücksicht zu nehmen.

Abgezogen, was abgezogen werden muß, bleibt allerdings eine Summe von Leiden der Begünstigten übrig, die aus den Einschränkungen des gewohnten Luxus durch unsere Vertragsaufhebung für sie entstehen müssen: Leiden, an denen wir, durch unser gutmütiges Versprechen, ihnen die Bedürfnisse eines unbegrenzten Luxus fortdauernd zu liefern, allerdings die völlige Schuld haben. Wir sind verbunden, diese Leiden aufzuheben, insofern es diese Gerechtigkeit von der einen Seite *zuläßt*, von der anderen *erfordert*.
Insofern sie es von der einen Seite zuläßt. – Jeder muß das Unentbehrliche haben, so wie wir es oben bestimmten; das ist unveräußerliches Menschenrecht: insofern ihr Vertrag mit uns irgendeinen von uns der Möglichkeit beraubte, dieses zu haben, war er an sich rechtsunkräftig und ohne allen Schadenersatz aufzuheben. Solange auch nur noch *einer* da ist, dem es um ihrer willen unmöglich ist, durch seine Arbeit dies zu erwerben, muß ihr Luxus ohne alles Erbarmen eingeschränkt werden. – Durch seine Arbeit es zu erwerben, sage ich: denn nur unter Bedingung der zweckmäßigen Anwendung seiner Kräfte hat er Anspruch auf sein Unentbehrliches, und es wird gar nicht gefordert, daß der Begünstigte alle Müßiggänger ernähren solle. Wer nicht arbeitet, soll nicht essen, wenden wir mit nicht geringerer Strenge auf den gemeinen Bürger an, als wir es auf den Begünstigten anwenden würden, wenn er arbeiten könnte.
Insofern die Gerechtigkeit von der anderen Seite es erfordert. – Er beruft sich auf die Kraft der Gewohnheit, nichts zu arbeiten und viel zu verzehren. Sein Rechtsgrund sei auch der unsere. Sein eigentliches Übel, die Quelle aller seiner Leiden, die wir eröffnet haben, müssen wir auch wieder verstopfen. So wie er allmählich sich zum Nichtstun und zur Verschwendung gewöhnt hat, so muß er sich auch allmählich wieder entwöhnen. Er muß von der Stunde der Aufhebung unseres Vertrages an seine Kräfte bilden, wozu er noch kann, und sie gebrauchen, so gut er kann. Das Leiden, das diese Kraftanwendung ihm verursachen möchte, kommt gar nicht in Rechnung, denn es ist ein Leiden, das uns zu wohltätigen Zwecken die Natur aufgelegt hat und dessen wir gar nicht das Recht hatten ihn zu entledigen. Kein Mensch auf der Erde hat das Recht, seine Kräfte ungebraucht zu lassen und durch fremde Kräfte zu leben. Es

muß sich ohngefähr berechnen lassen, binnen welcher Zeit er es dahin bringen könne, daß der Gebrauch derselben ihm das Unentbehrliche verschaffe. Bis dahin müssen wir für seinen Unterhalt sorgen; aber dagegen haben wir auch das Recht der Aufsicht, ob er sich wirklich geschickt mache, sich denselben auf die Zeit hin, da wir ihn nicht mehr ernähren wollen, selbst zu erwerben. – Er muß von der Stunde der Aufhebung unseres Vertrages an sich allmählich die Befriedigung immer mehrerer Bedürfnisse versagen lernen; wir werden ihm anfangs, nach Abziehung des oben Berechneten, geben, was von seinen vorherigen Einkünften übrigbleibt; dann weniger, dann allmählich immer weniger, bis seine Bedürfnisse mit den unsrigen ohngefähr ins Gleichgewicht gekommen sind; und so wird er sich weder über Ungerechtigkeit noch über unbillige Härte zu beklagen haben. Er wird uns, wenn er durch diese Bemühungen überdies noch gut und weise werden sollte, noch einst danken, daß wir ihn aus einem verschwenderischen Müßiggänger zu einem frugalen Arbeiter und aus einer unnützen Last der Erde zu einem brauchbaren Mitgliede der menschlichen Gesellschaft gemacht haben.

FÜNFTES KAPITEL

Vom Adel insbesondere, in Beziehung auf das Recht einer Staatsveränderung

„Alle alten Völker haben ihren Adel gehabt", sagen Staatsmänner, die man zugleich für große Geschichtskundige hält, und lassen uns daraus in aller Stille folgern, daß der Adel so alt sei als die bürgerliche Gesellschaft und daß in jedem wohlgeordneten Staate einer sein müsse. Es ist sonderbar, daß eben diese Männer, bei denen die Notwendigkeit des Adels in jedem Staate sich von selbst versteht, wenn sie sich etwa zum Überflusse noch darauf einlassen, den Ursprung des heutigen Adels zu erklären, sich in Mutmaßungen verlieren, die sie auf nichts als auf andere Mutmaßungen stützen können.
Ich rede nicht vom *persönlichen* Adel – von der Berühmtheit oder den Vorteilen, die der große Mann durch *eigene* Taten

sich erwirbt; ich rede, wie man es will, vom *Erbadel*, von der Berühmtheit oder den etwanigen Vorteilen, die er durch das Andenken dieser seiner Taten *auf seine Nachkommen überliefert.*

Ich unterscheide an diesem Erbadel zwischen dem Adel *der Meinung* und dem Adel *des Rechtes.* Diese Unterscheidung scheint mir der Leitfaden, welcher uns aus den Irrgängen der Mutmaßung auf eine ebene gerade Bahn führen müsse; ihre Vernachlässigung war ohne Zweifel der Grund aller Irrtümer, welche über diesen Gegenstand unter uns herrschen.

An jener Behauptung von einem Adel der alten Völker ist etwas Wahres, aber auch etwas Falsches. Sie hatten meist alle einen Adel der Meinung; sie hatten – einige kurz vorübergehende Fälle abgerechnet, welche durch gewaltsame Unterdrückung und nicht durch die Staatsverfassung herbeigeführt wurden – keinen Adel des Rechtes.

Der Meinungsadel entsteht notwendig, wo Menschenstämme in fortdauernder Verbindung und Bekanntschaft leben. Es ist fast *kein* Gegenstand, worauf er nicht haften könne. Es gibt einen Gelehrtenadel. Zwar hinterlassen große Gelehrte selten Kinder; wir dürfen in keinem *Leibniz*, keinem *Newton*, werden in keinem *Kant* Nachkommen jener großen Männer zu erblicken glauben: aber wer kann einen ihm unbekannten *Luther* sehen, ohne in ihm einen Nachkommen jenes großen deutschen Mannes zu vermuten und seine nähere Aufmerksamkeit auf ihn zu richten? Es gibt einen Kaufmannsadel – und wir würden bei Nennung gewisser Namen, die in der Geschichte der Handlung verewigt sind, öfter die Nachkommen der Männer zu erblicken glauben, welche sie verewigten, wenn nicht das vorgesetzte „Graf" oder „Freiherr" oder „von" uns diesen Gedanken verböte* oder wenn nicht etwa gar der würdige Name sich höchst unähnlich erschiene – wenn nicht etwa der Mann sich in einen Berg oder in ein Tal oder in eine Ecke umgewandelt hätte. – Es gibt einen Adel tugendhafter Großta-

* Daß doch noch immer der berühmte Kaufmann nach der Ehre geizt, ein unberühmter Edelmann zu sein! Fern sei und bleibe doch von würdigen deutschen Gelehrten diese Entadelung ihrer erlauchten Namen!

ten. – Jeder, der seinem Namen eine gewisse Berühmtheit gibt, pflanzt *mit* diesem Namen zugleich die Berühmtheit desselben auf sein Geschlecht fort.
Wo Menschen in einem Staate leben, muß sehr bald, um wenig daß der Staat fortgedauert habe, ein ähnlicher Bürgeradel entstehen. Ein Name – der in der Geschichte unseres Staates öfters vorkömmt, der in den Erzählungen derselben unsere Aufmerksamkeit öfters auf sich gezogen hat; mit dessen merkwürdigen Besitzern wir hier Mitleid, dort Angst oder Furcht, dort die Ehre durchgeführter Großtaten innig empfunden haben – ist uns ein alter Bekannter. Wir erblicken einen, der ihn trägt; und *mit* diesem Namen knüpfen sich an unsere Einbildungskraft alle die ehemaligen Bilder. Wir übersehen sogleich die Abstammung des Unbekannten, noch ehe er sie uns erzählt, wissen, wer sein Vater, sein Großvater, seine Seitenverwandten waren, was sie taten – alles geht vor unserer Seele vorüber. Unsere Aufmerksamkeit wird dadurch auf den Besitzer dieses merkwürdigen Namens gezogen und unsere Teilnehmung erregt; wir beobachten ihn von nun an genauer, um unsere Vergleichung zwischen ihm und seinen großen Ahnen fortzusetzen. – Dies drückt das Wort *„Nobilis"*, womit die Römer einen, ihrer Denkungsart nach, Adligen bezeichneten, treffend aus; einen sehr Erkennbaren nannten sie ihn, von welchem man mancherlei weiß, den man genauer beobachten und bald noch näher kennen wird. – Nichts ist ferner natürlicher, als daß diese Aufmerksamkeit bald in Achtung und Zutrauen zu dem Manne mit dem berühmten Namen sich verwandle, daß man, wenn er uns nur nicht förmlich unseres Irrtumes überführt, die Talente seiner großen Vorfahren oder Verwandten in ihm voraussetze. Kommt eine Unternehmung vor, die das besondere, ganz eigene Geschäft irgendeines großen Mannes in unserer Geschichte wäre, und dem wir sie auftragen würden, wenn wir ihn jetzt nicht unter uns vermißten – wohin wird von ihm das Andenken sich eher wenden als auf einen seiner Nachkommen; und da wir es ihm selbst nicht übertragen können – wem werden wir es lieber übertragen als seinem Namen? Ein Scipio war es, der Karthago seinem Untergange nahebrachte; von keinem sicherer als von einem Scipio erwartete man die völlige Vertilgung dieses Staates.

Ein solcher Adel der Meinung war bei den alten Völkern. – Er war bei den *Griechen*; aber weniger bemerkbar – weil der bei ihnen herrschende Gebrauch, daß der Sohn nicht den Namen des Vaters, sondern einen eigenen führte und daß die Geschlechtsnamen nicht üblich waren, jene Täuschung der Einbildungskraft, die sich an ein bloßes Wort hängt, nicht unterstützte. Man mußte erst nach der Abstammung des jungen Griechen sich erkundigen, oder er mußte sie selbst anzeigen; und durch dieses Verweilen, bei Einziehung der Nachrichten, oder durch diese abgenötigte Selbstanzeige verlor um ein großes der Eindruck, auf den der junge Grieche bei seiner Erscheinung in der großen Welt rechnete. Dennoch erneuerte gewiß das Auftreten eines Kimon oder eines Konon das Andenken der Marathonischen Schlacht. – – Einen Adel *des Rechtes*, d. i. ausschließende Vorrechte gewisser Familien, finde ich wenigstens in dem freien Griechenlande nirgends als etwa zu Sparta an dem Königsgeschlechte daselbst, den Herakliden. Aber abgerechnet, daß dieses, seit Lykurgs Gesetzgebung, höchst eingeschränkte, unter der strengen Oberaufsicht der unerbittlichen Ephoren stehende Regiment mehr eine erbliche Verbindlichkeit als ein erblicher Vorzug war – läßt die Auszeichnung dieser Familie sich auf ganz andere Grundsätze zurückführen als auf die Vererbung persönlicher Vorzüge durch Geburt. Sie gründete sich auf das Erbeigentum von Lakonien; und ihr Adel war daher eher mit unserem Lehnsadel – von welchem weiter unten – als mit unserem Geschlechtsadel zu vergleichen. Herkules hatte – nach dem zu seiner Zeit in Griechenland herrschenden Systeme, daß Königreiche sich auf Kinder und Kindeskinder forterben und unter sie verteilen ließen – Ansprüche auf einige Länder des Peloponnes. Seinen späteren Nachkommen gelang es endlich nach mancherlei Versuchen, dieses Erbrecht durch die Gewalt ihrer Waffen geltend zu machen. Zwei Brüder setzten sich in Sparta und betrachteten Lakonien als ihr Erbe. Daher ihr Familienvorzug.

In Rom hatte dieser Adel der Meinung, diese Nobilität – auch mit wegen der bei ihnen eingeführten Geschlechtsnamen –, einen weiteren Spielraum und wurde in eine Art von System gebracht. Die Einteilung ihrer Bürger in Patrizier, Ritter und Plebejer scheint zwar auf einen anderen als einen bloßen Meinungsadel hinzudeuten, aber wir werden davon weiter unten reden. Jene Nobilität gründete sich auf die Verwaltung der drei ersten Staatsämter – des Konsulats, der Prätur und einer Art der Aedilität –, welche curulische Würden genannt wurden. Je mehr eine Familie Männer unter ihren Vorfahren aufzählen konnte, die diese Würden verwaltet hatten, desto edler war sie; die Bilder jener betitelten Vorfahren wurden in dem Innersten ihrer Häuser aufgestellt und bei ihren Leichenbegängnissen der Leiche vorgetragen. – Es ist sehr natürlich, daß das Volk bei seinen Wahlen eben um jener Meinung willen die alten Geschlechter vorzüglich begünstigte; aber diese hatten auf jene Würden so wenig ein *ausschließendes Vorrecht*, daß vielmehr eben dieses Volk von Zeit zu Zeit sich das Vergnügen machte, ein noch unbekanntes neues Geschlecht zu erheben. Diese Stammväter neuer Geschlechter schämten sich der Dunkelheit ihres Ursprunges nicht im geringsten, sondern setzten sogar ihren Stolz darein, öffentlich zu erinnern, daß sie sich selbst, durch eigene Kraft, von keinem Ruhme der Vorfahren unterstützt, emporgeschwungen hätten. – Es zeigt eine lächerliche Unwissenheit, wenn man *diese* Nobilität *unserem* Adel und *diese* Stammväter neuer Häuser *(novi homines) unseren* Neugeadelten gleichsetzt. Wenn bei uns die Begleitung gewisser Staatsbedienungen in den Adelsstand erhöbe, wenn z. B. die Nachkommen eines Staatsministers, eines Generals, eines Prälaten notwendig schon vermöge ihrer Geburt und ohne alle weitere Förmlichkeit adelig wären, dann fände eine Vergleichung statt.

Zwar könnte man aus der Einteilung der römischen Bürger in Patrizier, Ritter und Plebejer auf einen anderen Adel als den der bloßen Meinung schließen; aber bei einer solchen Folgerung würde man das Wesentliche und das Zufällige, das Recht und die gewalttätige Anmaßung, Zeiten und Orte vermischen. – Romulus war es, der den Grund zu dieser Einteilung legte und der dadurch vorübergehende persönliche Würden und Verhältnisse im Staate, keineswegs aber erbliche Vorrechte gewisser Familien – als von welchen er keinen Begriff haben konnte –, bezeichnen wollte. Die *Väter* und die nachmalige Vermehrung derselben, die Konskripten, wählte er nach dem Alter, das sie im Kriege entbehrlich, zum Ratgeben und zur inneren Regierung des

Staates desto tauglicher machte. Sie waren bestimmt, bei den ununterbrochenen Kriegen, die er führte, in der Stadt zu bleiben und der Staatsverwaltung vorzustehen. Glauben wir, daß dieser unersättliche Krieger und eigenwillige Regent gemeint gewesen sei, die jungen und starken Söhne derselben das väterliche Vorrecht, nicht mit zu Felde zu ziehen, erben zu lassen oder daß er sich in der Wahl der künftigen Senatoren, sowie diese durch den Tod abgehen würden, auf diese Söhne habe einschränken wollen und sich nicht die Freiheit vorbehalten habe, inskünftige, so wie bisher, aus der ganzen Bürgerschaft die Betagtesten und Weisesten zu wählen, ob sie auch vorher Ritter oder Plebejer gewesen wären? Höchstwahrscheinlich wurden die Söhne seiner ersten Senatoren – dieser Ritter, jener Plebejer, so wie es dem Könige am bequemsten dünkte. – Die *Ritter*, bestimmt, zu Pferde zu dienen, wählte er nach dem Reichtume. Sie mußten vermögend sein, ein Pferd zu unterhalten. – Wer nichts hatte als körperliche Stärke – welches unter diesem erst jetzt entstehenden Volke gewiß keine Unehre war –, wurde bestimmt, zu Fuße zu dienen, und hieß *Plebejer*. Ich wünschte, daß man dem Ursprunge dieses Wortes auf die Spur kommen könnte. Täuscht mich nicht alles, so bedeutete es ursprünglich einen Soldaten zu Fuße, ohne die geringste verächtliche Nebenbedeutung. – Es läßt sich nicht dartun, nach welchen Grundsätzen man unter den folgenden Regierungen diese Verhältnisse der Bürger geordnet habe. Es *ist* wahrscheinlich, daß der Sohn des Ritters meistens wieder ein Ritter wurde, weil bei ihm das dazugehörige Vermögen aus der Erbschaft seines Vaters am sichersten vorauszusetzen war; aber – ohnerachtet die Senatoren sich schon durch Romulus' gewaltsamen Tod eine gewisse Übermacht verschafft hatten, wenn dies nicht etwa eine spätere Erfindung der plebejischen Eifersucht war – es *ist nicht* wahrscheinlich, daß jeder Sohn eines Senators wieder ein Senator wurde und daß kein Sohn eines Ritters oder eines Plebejers es habe werden können. Man bedurfte *weiser* Räte, und die Weisheit wird nicht stets durch die Geburt fortgeerbt. Einem Numa läßt diese Bemerkung sich schon zutrauen.

Diese einfache Verfassung wurde unter Servius Tullius durch die Einführung des Census um ein großes verwickelter. Es entstand ein Adel des Reichtums, der während der Dauer der Republik wichtig genug war und an äußerlicher Auszeichnung endlich das Roscische Gesetz hervorbrachte, der aber gar nicht unmittelbar auf die Geburt, sondern auf die vermittelst ihrer ererbten Reichtümer sich gründete. Die Nachkommen eines Bürgers der ersten Klasse sanken unter die Aerarier herab, wenn sie ihr Erbgut verloren oder verschwendet hatten, und wurden mit ihrem Vermögen ihres Platzes im Schauspielhause verlustig.

Unter der despotischen Regierung des jungen Tarquinius und noch mehr unter den durch die Revolution herbeigeführten und durch die hinterlistigen Bemühungen der vertriebenen Tarquinier unterhaltenen Verwirrungen bemächtigten sich die *Patrizier*, die Nachkommen der alten Senatoren, großer Vorrechte; und das Volk – durch Bedrükkung der Tyrannen, durch den Aufwand unaufhörlicher Feldzüge, durch seine eigene Unwirtschaftlichkeit und durch die Härte seiner Schuldherren ausgesogen – mußte es geschehen lassen. Nicht als Bürger, sondern als Schuldner abhängig, erhoben sich jene Familien ausschließend zu allen Staatswürden, die sie begehrten und deren Aufwande sie allein durch ihre Reichtümer gewachsen waren. In *diesem* Zeitpunkte war in Rom ein wahrer Geburtsadel des Rechtes; aber die Vorrechte desselben gründeten sich nicht auf die Staatsverfassung, sondern auf Zufall und gewaltsame Unterdrückung – es waren ungerechte Rechte. – Verzweiflung gab den zurückgesetzten Volksklassen die Kräfte wieder, die ein erträgliches Elend ihnen entrissen hatte. Sie errangen im langen Kriege mit den Patriziern alle ihre ihnen mit jenen gemeinschaftlichen Bürgerrechte wieder, und von nun an war der Unterschied zwischen Patriziern, Rittern und Plebejern ein bloßer Name. Jeder konnte ohne Einschränkung alles im Staate werden: der ausschließende Adel des Patriziats verschwand, und jene Nobilität trat an seine Stelle. – Die Ritter scheinen von der Zeit an, da Handlung und Reichtum in die Republik kam, sich vorzüglich auf die Vermehrung ihrer Schätze gelegt, sich mit dem Adel des Reichtums begnügt und die Verwaltung der aufwandsvollen Staatsämter anderen überlassen zu haben. Wir finden wenigere ihrer Geschlechter unter den großen Familien der Republik. Die Plebejer aber ließen den Patriziern keinen

Vorzug: wir finden ebenso viele und in dem gleichen Grade noble Häuser unter den ersteren als unter den letzteren. Die barbarischen Nationen, die den Römern bekannt wurden, hatten keinen anderen Adel als den der Meinung und konnten keinen anderen haben; und wenn römische Schriftsteller eine Nobilität unter ihnen finden, so haben sie dieses Wort sicher nicht anders als im Sinne *ihrer* Sprache gebraucht. – Doch das wird sich sogleich bei Untersuchung der Frage ergeben: was für ein Adel ist denn unser europäischer Adel, und – um dies beurteilen zu können – woher ist er doch entstanden? Denn es ist nicht ohne Nutzen, mit unserem Adel und seinen Verteidigern ein wenig in die Geschichte zu gehen, um ihnen zu zeigen, daß auch sogar da nicht zu finden ist, was sie suchen.
Die meisten und mächtigsten Völker des heutigen Europas entspringen von den *germanischen* Völkerschaften, die frei und gesetzlos, wie die nordamerikanischen Wilden, in ihren Wäldern herumstreiften. Im *fränkischen* Reiche war es zuerst, wo sie sich zu festen Staaten bildeten. Von diesem stammen die ansehnlichsten Reiche Europens, das deutsche Reich, Frankreich, die italienischen Staaten ab. Von diesem, oder von den aus ihm entsprungenen Zweigen, besonders dem wichtigsten, dem deutschen Reiche, sind die übrigen Reiche, die nicht unmittelbar germanischen Ursprungs sind, wechselsweise beherrscht, belehrt, gebildet, fast erschaffen worden. In den Wäldern Germaniens ist der Geist der fränkischen Anordnungen; in diesem Reiche ist der Grund der neueren europäischen Einrichtungen aufzusuchen. – Es gab zwei Stände unter den Germanen: Freie und Knechte. Unter den ersteren gab es einen Adel der Meinung; es gab keinen des Rechts; es konnte keinen geben. Worauf hätten unter diesen Völkern die Vorrechte des Adels sich beziehen sollen? Auf *ihre Mitbürger*? bei ihnen, die in der höchsten Unabhängigkeit lebten, die gar keine festen dauerhaften Gesellschaften, außer den Familienverbindungen kannten und die fast keine Befehle befolgten als für die Dauer einer kurz vorübergehenden einzelnen Unternehmung? Oder auf *Länderbesitz*? bei ihnen, die den Feldbau nicht liebten und die jedes Jahr an einem anderen Platze waren? Wer durch kühne Unternehmungen, durch Stärke und Tapferkeit, durch Raub und Sieg sich auszeich-

nete, auf *den* richteten sich aller Augen; er wurde ein Gegenstand des Gesprächs, er wurde berühmt, nobel – nach dem Ausdrucke der Römer. Bei Erblickung seiner Söhne oder seiner Enkel erinnerte sich seine Völkerschaft seiner Großtaten, ehrte in ihnen sein Andenken und hatte das gute Vorurteil für sie, daß sie ihrem Ahn ähnlich sein würden. Diese, durch dieses gute Vorurteil und durch die Erinnerung jener Taten getrieben, wurden es mehrenteils. – „Sie wählen ihre Könige nach dem Adel, ihre Anführer nach Maßgabe ihrer persönlichen Tapferkeit“, sagt Tacitus.* Wer waren jene Könige, und wer waren diese Anführer; und worin waren sie voneinander verschieden? – Ohne Zweifel führten die ersteren die ganze herumstreifende Horde, leiteten ihre Richtung, bestimmten ihre Standplätze und wiesen ihnen Felder und Triften an. Wer gehorchen wollte, gehorchte; wer nicht wollte, riß mit seiner Familie sich von der Horde los und streifte einsam herum oder suchte sich mit einer anderen Horde zu vereinigen. Ein solcher Hordenführer mußte einiges Ansehen haben; und worauf hätte unter einem Volke, welches auf nichts Wert setzte als auf kriegerische Tapferkeit, dieses sich gründen können als auf das Andenken großer Taten seiner Vorfahren, die er durch eigene – welche dem ganzen Volke bekannt waren, das an der Wahl Anteil hatte – in ihre Erinnerung zurückgebracht? Zog die ganze Horde in den Krieg, so führte eben dieser König sie an. Aber gewöhnlich war das nicht der Fall. Einzelne Parteien machten abgesonderte Streifereien, so wie Kühnheit und plötzliche Einfälle es ihnen rieten.** Der Zweck derselben war die Beute. Hier geriet einer, dort einer auf eine kühne Unternehmung; jeder teilte seinen Entwurf mit und warb sich Gefährten, so viele und so gute er konnte; jede Partei wählte einen der ihr bekanntesten mutigsten Männer zum Anführer; jede zog ihres Weges. Hätte der König alle diese einzelnen Parteien, deren oft mehrere zugleich nach verschiedenen Richtungen hin auf Raub und Plünderung ausgingen, anführen können? Sie kamen zurück, gingen in anderer Gesellschaft auf andere Unternehmungen und wählten vielleicht einen ande-

* *De moribus Germanorum.* Kap. 7.
** Tacitus, *De moribus Germanorum.* Kap. 14.

ren zum Anführer derselben – aber immer kühne tapfere Männer. – Dies sind jene Anführer, von welchen Tacitus redet. Wer auf diese Art oft Anführer war und mit Glück und Mut seine Unternehmungen ausführte, dessen Name wurde in der ganzen Völkerschaft, so wie er nach und nach alle einzelnen Mitglieder derselben angeführt hatte, berühmt; es wurde kein kühnes Wagestück beschlossen, dazu man nicht eben ihn zum Anführer gewünscht hätte; er wurde nun selbst auch nobel, so wie es einst der König geworden war; und starb dieser, so konnte er oder ein unter seinen Augen gebildeter, in seinen Fußtapfen einhergehender Sohn sehr leicht zum Könige gewählt werden. Hier ist also noch nicht die geringste Spur von einem Erbadel des Rechtes.

So war es zur Zeit des Tacitus, als die einzelnen Völkerschaften Germaniens noch enger zusammenhingen, jede noch mehr einen Volkskörper bildete und jedes einzelne Glied desselben noch Gelegenheit hatte, mit den Taten der Tapfersten unter ihnen und mit den Taten ihrer Vorväter bekannt zu werden. Späterhin, als durch die allgemeine Gärung dieser Völker, durch den Druck von Osten her und durch die Ausleerung ihrer Wohnsitze nach Süden und Westen hin, die bisherigen Völkerschaften sich trennten und durch ihre Vermischung untereinander neue entstanden, die ohne Aufhören sich wieder vermischten, um wieder neue zu bilden, deren Namen man in keinem der älteren Geschichtsschreiber findet – mußte auch dieser Adel der Meinung ziemlich verschwinden. Wer heute noch unter seinem Volke war, das seine Taten und seiner Väter Taten kannte und dessen größte und berühmteste Männer er gleichfalls kannte, wurde vielleicht morgen unter einer Nation gedrückt, von deren Helden er ebensowenig wußte als sie von seinem Heldentume. So verhielt es sich mit denjenigen Völkern, welche, weniger gedrückt, in Germanien zurückblieben, als etwa mit den Sachsen, mit den Friesen usw. Aber so verhielt es sich ganz gewiß mit den Völkerschaften, die in das Römische Reich einrückten: mit den Burgunden, Vandalen, Franken, Alemannen – bei welchen letzteren beiden man es schon aus ihrem Namen sieht, daß die ersten aus allerlei freien Männern, die zweiten aus allen möglichen germanischen Völkerschaften zusammengeflossen waren.

Noch blieb eine Art des Zusammenhanges unter gewissen Mitgliedern dieser in einer allgemeinen Auflösung und Vermischung begriffenen Völkerschaften, welche der Grund alles Zusammenhanges wurde, der einst wieder unter sie kommen sollte und deren Untersuchung daher äußerst wichtig ist.
„Jünglinge", erzählt Tacitus* von den Germanen, „um welche nicht schon ihr Ahnenruhm andere Jünglinge versammelt, schließen sich an einen bejahrten, schon längst durch eigene Taten ausgezeichneten Krieger, und keiner schämt sich dieser Waffenbrüderschaft. Kommt es zum Treffen, so würde es einem solchen Führer Schande sein, durch seine Waffenbrüder an Tapferkeit übertroffen zu werden, seinen Waffenbrüdern Schande, ihres Führers Tapferkeit nicht zu erreichen, ein für ihr ganzes Leben dauerndes Brandmal aber, aus einer Schlacht, in welcher er getötet worden, lebendig davongekommen zu sein. Ihn zu decken, zu verteidigen, ihre eigenen Heldentaten ihm in Rechnung zu bringen ist ihr erster und heiligster Eid." – Ein solcher Held war der Vereinigungspunkt seiner Waffenbrüder, auf ihn bezogen sie alles; wo er hinging, begleiteten sie ihn; wo er stand, blieben sie. Dies waren die einzig übriggebliebenen festen Punkte unter den in einem steten Flusse sich befindenden Völkerschaften: und sie mußten die übrigen aufgelösten Elemente an sich ziehen. Die ungewissen, ohne Hirten zerstreuten Völker schlossen sich an, wo sie eine solche Verbindung sahen; und je größer der Haufe war und je tapferere Männer sich unter ihnen befanden, desto zahlreicher schlossen sie sich an. In ihren Wirbel wurde alles mit fortgerissen, und so fielen diese, wie Schneeballen mit jedem Schritte sich vergrößernden Menschenhaufen in die Provinzen des abendländischen Reiches ein und eroberten sie.
Der Eroberer teilte, wie er schuldig war, die Beute unter seine getreuen Waffenbrüder. – „Eine große Waffenbrüderschaft läßt sich nur durch Krieg behaupten", sagt Tacitus.** „Von ihres Führers Freigebigkeit erwarten sie ihr Streitroß und ihren blutigen und siegreichen Speer; und Schmäuse, wo zwar nicht Feinheit, aber Überfluß herrscht, sind ihnen

* *De mor. Germ.* Kap. 13 und 14.
** Am angeführten Orte.

statt des Soldes. Von der Ausbeute des Krieges wird dieser Aufwand bestritten." – Das angenehmere Klima, die angebauteren Ländereien, die mannigfaltigen Genüsse, die ihnen der Luxus der Überwundenen bereitet hatte, luden sie ein, im Frieden zu genießen, was da war, und der herumschweifenden Lebensart ihrer unfreundlichen Wälder zu entsagen. Sie bekamen Geschmack für den Ackerbau und für die damit verbundene bleibende Wohnung. Äcker wurden nun auch Beute für sie; und der Überwinder befriedigte sie mit Äckern. Er ahmte dabei die Politik der Wälder nach und gab sie ihnen nicht zum dauernden Eigentum, um sie nicht durch die Gewohnheit des Besitzes Geschmack am Stillesitzen finden zu lassen, sondern bloß auf willkürliche Zeit zum Genusse.

Sehet da den Ursprung des *Feudalsystems*. Man hat geahndet, daß dieses mit dem Ursprunge unseres heutigen Adels zusammenhänge; die Frage, *ob der Adel die Ursache des Feudalsystems* oder *ob das Feudalsystem die Ursache des Adels sei*, hat man aufzuwerfen vergessen, da doch ihre Beantwortung allein uns in den richtigen Gesichtspunkt stellen konnte.

Der Waffenbruder des Eroberers erhielt von ihm Ländereien zum Lohne. Wurde er etwa durch den Genuß derselben verbunden, ihn im Kriege zu begleiten? Keineswegs; dazu war er längst vorher durch seinen Eid verbunden, er hing durch seine *Person* von ihm ab und nicht durch seinen *Acker*. Wenn er ihm nie einen gegeben hätte, nie einen hätte geben können, so wäre er dennoch verbunden geblieben, ihn bei allen seinen Unternehmungen zu begleiten, laut und in Kraft seines ersten Eides. – Es mag wohl sein, daß durch den Genuß der ruhigen Lebensart und durch die Annehmlichkeiten des verliehenen Besitzes das Geschenk für den Urheber desselben nachteilig wurde und daß der Lehnsmann jetzt, da er von seinem Herrn etwas besaß, sich weigerte, ihn in das Feld zu begleiten – welches er vorher, da er nichts besaß, ohne Bedenken getan haben würde. Das nächste, was der Lehnsherr tun konnte, war freilich das, daß er ihm sein Lehn nahm; aber das war keine angemessene Strafe; es war überhaupt keine Strafe; auch ohne jene Pflichtverletzung hatte er das vollkommene Recht, seine Ländereien zurückzunehmen.

Diese Vasallen des Eroberers waren allerdings im Besitze

der Nobilität der Meinung; es war natürlich, daß die Augen der übrigen freien Männer sich auf Leute richteten, die zunächst an der Seite des mit Sieg gekrönten Eroberers gefochten, die sich vor ihren Augen durch diese oder jene kühne Tat ausgezeichnet hatten, die täglich in der Gesellschaft ihres Fürsten waren, die an seiner Tafel speisten; es war ebenso natürlich, daß das Volk auch ihren Söhnen einen Teil der den Vätern schuldigen Hochachtung zollte, wenn sie sich derselben nicht durch ihre eigene Feigheit unwert machten. Noch aber sehe ich hier keinen *Adel des Rechtes* – oder bestand dieser etwa in ihren ausschließenden Ansprüchen auf die Lehnsgüter ihres Herrn?
Natürlich konnten nur die Begleiter und Waffenbrüder des Eroberers einen Anspruch auf Anteil an der Ausbeute, und insbesondere auf Ländereien, als einen Teil der Beute, machen; die übrigen hatten nichts verlangt als Wohnsitze in den eroberten Ländern. Aber was war es denn eigentlich, das jenen dieses Vorrecht gewährte? War es etwa ihre Geburt, oder war es irgend etwas anderes als die Waffenbrüderschaft des Königs? Jeder andere freie Mann war wirklich von dem Besitze der Lehne ausgeschlossen – aber nicht darum, weil er *weiter nichts als ein freier Mann*, sondern darum, weil er kein *Waffenbruder des Königs* war. Diese Waffenbrüderschaft war die Quelle des Rechtes. Sollte etwas für die damalige Existenz eines ausschließenden Vorrechtes gewisser Familien erwiesen werden, so müßte gezeigt werden, daß nicht jeder freie Mann, sondern nur einige unter ihnen das Recht gehabt hätten, *sich in die Begleitung eines Helden zu begeben.* Wo hätte doch ein solches ausschließendes Recht entstanden sein sollen? *In ihren Wäldern*, wo, nach den ausdrücklichen Worten des Tacitus, gerade diejenigen sich in die Begleitung eines stärkeren Kriegers begaben, die nicht Ahnenruhm genug hatten, um dadurch selbst einen Zirkel von Jünglingen um sich her zu versammeln? oder *nach der Entstehung der Monarchie?* Und im letzteren Falle, *wer* hatte denn das ausschließende Vorrecht? etwa diejenigen, die schon zur Begleitung des Monarchen gehörten? oder etwa ihre Kinder?
Montesquieu, der das Dasein eines ausschließenden Geburtsadels noch vor der Eroberung annimmt, ohne sich jedoch auf obige Unterscheidung zwischen Nobilität der Mei-

nung und Adel des Rechts einzulassen, liefert für dieses Dasein zwei Beweise; er muß also, nach obiger Folgerung, annehmen, daß *nur sein vorausgesetzter Adel berechtigt gewesen, sich in die Begleitung eines auf Eroberung ausgehenden Helden zu begeben*, da er selbst über den Ursprung des Feudalsystems der gleichen Meinung mit uns ist; – und *dies* ist es eigentlich, was seine Beweise beweisen müssen.

Ludwig der Fromme hatte einen gewissen Hebon, der als Sklav' geboren war, frei gemacht und ihn zum Erzbistume von Reims erhoben. Der Lebensbeschreiber dieses Königs, Tegan, verweist diesem Hebon seine Undankbarkeit und redet ihn also an: „Was für einen Dank hast du ihm gegeben? Er hat dich frei gemacht, nicht edel, was nach einer Freilassung unmöglich ist."* Hieraus will Montesquieu erweisen, daß es schon damals einen bürgerlichen Unterschied zwischen einem bloß freien Manne und einem Edelmanne gegeben habe. Aber was sagt doch diese Stelle? – Wir wollen nicht erklären wie der Abt Dubos, dessen Erklärung Montesquieu mit Recht tadelt. – Es ist unmöglich, einem Freigelassenen den Adel zu geben, sagt der Lebensbeschreiber. In welcher Rücksicht ist es unmöglich; in physischer und moralischer? oder in politischer? – aus natürlichen Gründen oder wegen der Reichsverfassung? Entweder Tegan sagt etwas Widersinniges, oder er wollte das letztere nicht sagen. War nur der Besitz des Lehns das Zeichen des Adels; war nur die Waffenbrüderschaft des Königs der Weg, zu einem Lehne zu gelangen – wie Montesquieu zugibt, wofern er konsequent ist –, so war jeder Bischof schon von selbst von diesem Lehnsadel ausgeschlossen. Ohnerachtet die Bischöfe, wenigstens die von germanischer Abkunft, in diesen Zeiten persönlich mit zu Felde zogen, so konnte doch kein der Kirche geweihter Mann einem Könige so innigst und so auf Tod und Leben geweiht sein, wie die Waffenbrüder es waren. Eins schließt offenbar das andere aus. Tegan hätte demnach sagen müssen: es ist unmöglich, *einem Bischofe* den Adel zu geben, aber nicht: es ist unmöglich, *einem Freigelassenen* den Adel zu geben. Tegan redet demnach von keiner politischen, sondern von einer physischen und

* [Montesquieu] *De l'esprit de lois.* B. 30 Kap. 25. – *Fecit te liberum, non nobilem, quod impossibile est post libertatem.*

moralischen Unmöglichkeit und meint die Nobilität der Meinung. Daß Hebon als Sklav' geboren war, war einmal bekannt; es war durch die Verhandlung seiner Freisprechung und durch die hohe Würde, zu der ihn der König erhoben hatte, nur um so bekannter geworden; nach einer solchen lauten Ankündigung konnte der König doch nicht der öffentlichen Meinung gebieten und verlangen, daß man glauben solle, Hebon sei aus altem freiem Stamme geboren. – Vielleicht war Hebon um seiner niedrigen Geburt willen verachtet worden, und dies hatte seine Laune verbittert und seinen Haß gegen den König gereizt, der ihn seiner Meinung nach durch die Erhebung zu jenem hohen Posten derselben bloßgestellt. Tegan sucht den König gegen Hebon gleichsam zu entschuldigen. Alles also, was diese Stelle beweisen könnte, wäre das, daß man in diesem Zeitalter einen in der Sklaverei Geborenen nicht so hoch geachet als einen Freigeborenen – eine Bemerkung, die wohl auf jedes Zeitalter ohne Unterschied passen möchte. – Man mache dieser Erklärung nicht etwa den Vorwurf, daß sie eine philosophische Unterscheidung bei dem Tegan voraussetze, die sich von ihm nicht erwarten lasse! Gab es zu Tegans Zeiten keinen anderen Adel als den der Meinung, wie als erwiesen angenommen wird, so *hatte* Tegan nichts zu unterscheiden, und seine Worte konnten *für seine Zeitgenossen* keinen anderen Sinn haben als den angezeigten. Hingegen muß Montesquieu, um den Worten des Schriftstellers *den* Sinn unterzulegen, den *er* damit verbindet, voraussetzen, daß Tegan schon einen Begriff von einem Geburtsadel des Rechts gehabt, daß mithin zu seiner Zeit schon ein solcher vorhanden gewesen; kurz, er muß zum Behuf seiner Erklärung schon als erwiesen voraussetzen, was er durch sie erweisen will.

Karl der Große machte in seiner Teilungsakte die Anordnung, daß kein Vasall eines seiner Söhne woanders als im Reiche seines Lehnsherrn ein Lehn besitzen*, seine Allo-

* Montesquieu, im angeführten Werke [Vom Geist der Gesetze] B. 31 Kap. 25. – Aus dieser Anordnung folgt unter anderen auch das, daß noch zu Karls des Großen Zeiten die Lehnsverfassung in ihrer alten Gestalt fortdauerte. Seine Söhne hatten, noch ehe sie zur Regierung kamen, ihre Lehnsleute, aber sie hatten noch keine

diengüter* aber, in wessen Teile sie auch lägen, behalten solle; jedem freien Manne aber, dessen Lehnsherr gestorben oder der bisher keinen gehabt, erlaubte er, sich – in *wessen* Teile er wolle – dazu zu erwählen, *wen* er wolle. In einem ähnlichen Teilungstraktate, der im Jahr 587 zwischen Gontran, Childebert und Brunehild zu Andely geschlossen worden und der der Verordnung Karls des Großen fast in allen Stücken ähnlich ist, kommt die gleiche Verfügung über die Vasallen, aber keine über die freien Männer vor; und daraus schließt Montesquieu, daß erst zwischen den Regierungen Gontrans und Karls des Großen die freien Männer sich das Recht erworben, ein Lehn zu besitzen oder – was meiner Meinung nach das gleiche bedeutet – sich zur Begleitung eines Königs oder eines anderen Großen anzutragen. Aber ich sehe nicht, wie das folgt – wenn man es nicht etwa schon im voraus annimmt. Ich will einmal das Gegenteil voraussetzen, und wir wollen sehen, ob jene Verschiedenheit der beiden Teilungsakte sich nicht ebenso natürlich erklären läßt. – – Wenn vom Anfange der Monarchie an, also vor und zu Gontrans Zeiten, der freie Mann das Recht hatte, sich einem Lehnsherrn zu geben, welchem er wollte, so war es völlig überflüssig, im Teilungstraktate von Andely eine Verfügung darüber zu machen. Es sollte und konnte kein neues Recht eingeführt werden: ob ein freier Mann sich dem Gontran oder dem Childebert gab – er wurde sein Lehnsmann und stand unter seinen Befehlen; und er konnte, da das Lehn nur unter der Bedingung der Waffenbegleitung gegeben wurde, diese aber den Lehnsmann an die Person seines Lehnsherrn band, nicht der Lehnsmann des anderen sein noch ein Lehn von ihm besitzen. Soviel folgte, ohne alle weitere Anordnung, aus der Natur der Sache. – Aber eben diese freien Männer, die jetzt Vasallen wurden, besaßen Allodien. Da diese unter keiner Bedingung verliehen waren, so konnten sie auch unter keiner eingezogen werden; sie verblieben unangetastet

Lehne zu vergeben. Mithin waren ihre Vasallen nicht durch den Besitz irgendeines Lehns, sondern durch ihren bloßen Eid, für ihre Person, an ihre Person gebunden.

* Die Ländereien, die ein freier Mann nicht als Lehn, sondern als Eigentum besaß, hießen *Allodien*. Alle Ländereien waren damals eins von beiden: Lehn oder Allodium.

dem Eigentümer. Wenn ein Freier, der in Gontrans Gebiete ein Allodium besaß, sich dem Childebert zu einem Lehne darbot, so konnte er, der Natur der Sache nach, von nun an kein Lehn mehr in Gontrans Gebiete besitzen: aber sein Allodium mußte ihm bleiben. – Jetzt bekamen beide Krieg. Er war, vermöge seines Allodiums, verbunden, unter einem Grafen des Gontran – er war, vermöge seines Vasalleneides, verbunden, unmittelbar unter Childebert Kriegsdienste zu tun. Er konnte sich nicht teilen; das Lehn hatte den Vorzug, weil es unmittelbar seine Person an die Person seines Lehnsherrn band: aber wie sollte Gontran befriedigt werden? In das Eigentumsrecht des Allodiums einen Eingriff tun und es etwa einem anderen, der ihm die darauf ruhenden Kriegsdienste geleistet hätte, übertragen – das durfte er einmal nicht. Hieraus mußten mannigfaltige Streitigkeiten zwischen den Königen entstehen. Höchstwahrscheinlich hatten die Vorfahren Karls des Großen die Veranlassung dieser Streitigkeiten entweder durch den unrechtmäßigen Eingriff in das Eigentumsrecht des Allodiums oder durch den ebenso unrechtmäßigen in das Recht der freien Männer – sich zum Lehnsherrn zu wählen, wen sie wollten – zu heben gesucht: sie hatten entweder die in ihrem Gebiete liegenden Allodien eines Mannes, der sich einen anderen Regenten zum Lehnsherrn gegeben hatte, gleich den Lehnen, eingezogen; oder sie hatten allen Allodienbesitzern in ihrem Anteile verboten, sich einen anderen zum Lehnsherrn zu wählen als sie selbst: und Karl fand, durch die Erfahrung der Vorzeit gewarnt, nötig, *ausdrücklich und mit klaren Worten* zu untersagen, was schon *durch die Natur der Sachen* untersagt war und was, ohne diese vorhergegangene Erfahrung, seine Vorfahren unmöglich untersagen konnten. – Überdies war jetzt ein anderer Ausweg ergriffen worden, jenen Kollisionen der Lehns- und der Allodienpflicht auszuweichen; es war durch ausdrückliche Verfügungen, die man bei Montesquieu angeführt findet, erlaubt worden, die auf den Allodien ruhenden Dienste durch einen anderen verrichten zu lassen.

So beweist dieser Umstand nicht *für* – aber die Worte der Verordnung beweisen alles *wider* Montesquieu und stürzen sein System ohne Rettung zu Boden. – Wer seinen Lehnsherrn durch den Tod verloren, wird hier, ebenso wie derjenige, der nie einen gehabt, *frei* genannt. Was war doch der Lehnsmann vorher, ehe sein Lehnsherr starb; war er da auch *frei*? Das Gesetz nennt ihn in diesem Verhältnisse Vasall. Der freie Mann wird demnach nicht bloß im Gegensatze *gegen den Sklaven*, sondern auch im Gegensatze *gegen den Vasallen* frei genannt; und wirklich war, der ursprünglichen Verfassung nach, niemand weniger frei als der Lehnsmann, wie wir oben aus dem Tacitus gesehen haben. Wie will man also doch einen forterbenden Adel suchen, wo der Lehnsmann sogar für seine eigene Person durch den Tod seines Lehnsherrn seine Eigenschaft als Vasall verlor und in die gemeinsame Klasse der freien Männer zurücktrat? Wie könnte man glauben, daß es *da* etwas Höheres gegeben habe als einen freien Mann, wo der Edelste stets erwarten mußte, es zu werden? Wurde er etwa durch den Tod seines Lehnsherrn seines Adels entsetzt? Nach einem so entscheidenden Beweise sollte man, meine ich, kein Wort weiter verlieren, um jenes System zu verteidigen.

Ich verleugne nicht meine Verehrung gegen den großen Mann, auf dessen Schultern ich mich stellte, wenn ich, durch ihn selbst unterstützt, weiter zu sehen glaube, als *er* sah. Es ist ein mehr warnender als kitzelnder Anblick, einen der größten Männer im Reiche der Literatur eben durch seine unermeßlichen Kenntnisse und durch seinen bewundernswürdigen Scharfsinn zur Verteidigung vorgefaßter Meinungen fortgerissen zu sehen, vor denen jene Eigenschaften ihn verwahren sollten.

Noch finden wir keinen Erbadel des Rechtes; noch finden wir nicht einmal *persönliche Vorrechte* des unmittelbaren Waffenbruders eines Königs als dasjenige, welches aus der Waffenbrüderschaft notwendig folgte, den Anteil an der Beute. – Die Eroberer machten Gesetze, und es war zu erwarten, daß ihre Waffen- und Tischgenossen vorzüglich würden begünstigt werden. Wer einen Freien oder Freigelassenen tötete, zahlte 200, wer einen Getreuen des Königs tötete, zahlte 600 Schilling für den Vertrag mit den Hinterlassenen des Getöteten.* Das war allerdings ein Vorrecht; soll es

* Solidus. Es wird hierbei niemand an unsere Schillinge denken. Es war eine Münze, deren Wert zu bestimmen nicht not tut. – Ganz im Geiste ihrer ehemaligen Verfassung (s. Tacitus [Germania].

aber für einen Erbadel des Rechtes beweisen, so müßte abermals gezeigt werden, daß gewisse freie Familien von der Eigenschaft, womit es verknüpft war, *von der Begleitung des Königs*, ausgeschlossen gewesen; davon aber ist das gerade Gegenteil erwiesen worden. Es war demnach ein bloß persönlicher Vorzug, der mit dem Tode des Lehnsmannes von der Familie wegfiel, den er selbst sogar für seine Person verlor, wenn sein Lehnsherr eher starb als er und er kein Mittel fand, unter die Begleitung seines Nachfolgers aufgenommen zu werden. – Es war einer Lehnsmann Karls des Großen, und wer ihn getötet hätte, hätte 600 Schilling bezahlt. Karl stirbt, und er *will* nicht oder er *kann* nicht Lehnsmann Ludwigs des Frommen werden und heißt jetzt, laut obiger Verfügung Karls, *ein Freier*. Er wird getötet. Wieviel hat, nach obigem Gesetze, sein Mörder zu bezahlen? – Außer diesem hatten sie so wenig Vorzüge vor Gericht, daß jeder Edle, der einen Sklaven angeklagt und ihn zum gerichtlichen Zweikampfe gefordert hatte, verbunden war, sich zu Fuße und im Hemde auf seine Waffen, auf den Stock, mit ihm zu schlagen.* Es ist zu erwarten, daß der Sohn eines solchen Streiters des Königs, vielleicht unter den Augen desselben in den Waffenübungen erzogen, die Verbindlichkeit seines Vaters gern übernahm und daß der König nicht leicht jemandem sie williger übertrug als ihm. Er trat dadurch in die Rechte ein, die sein Vater besessen hatte – aber *nicht* vermöge seiner Geburt von ihm, sondern vermöge seiner *eigenen* Weihung an den König. Dankbares Andenken an die Verdienste der Vorfahren mußte allerdings

Kap. 21) wurde ein Mord nicht als Verletzung des Staates, sondern bloß der Familie – in Ermangelung dieser des Lehnsherrn oder, wenn es ein Sklave war, des Eigentümers – betrachtet. Die letzteren hatten das Recht der Wiedervergeltung. Dieses wurde durch jene im Gesetze bestimmte Summe abgekauft. Noch zahlte späterhin der Mörder den dritten Teil dieser Buße, unter der Benennung *Fredum* (Frieden) an den Gerichtshof, der die Sache schlichtete.

* Siehe Montesquieu, B. 28, Kap. 24, wo er seine Autorität anführt. – *Villain* steht im Texte des Beaumanoir, und das kann nichts anderes heißen als *Sklave*. Jeder Freie war gehalten, Kriegsdienste zu tun, wenn er auch nicht Lehnsmann war, mithin war er im Handwerke der Waffen geübt; nur der Sklave war von den ersteren sowie von den letzteren ausgeschlossen. Es ist hier nicht der Ort, diese Bedeutung des Wortes aus der Sprache zu erweisen.

die Könige bewegen, bei gegebener freier Wahl, die Nachkommen bekannter und berühmter Männer unbekannten und fremden Familien vorzuziehen: aber ein *Gesetz* verband sie dazu nicht. Jene Klagen über die Zurücksetzung alter Häuser und die Hervorziehung unbekannter oder ausländischer Familien, die schon unter einigen *Merowingern* und die lauter und bitterer unter Ludwig dem Frommen und Karl dem Kahlen geführt wurden, gründeten sich demnach gar nicht auf eine Verletzung der Reichsverfassung – welche ohnedem die schon mächtig und unabhängig gewordenen Vasallen sicher nicht geduldet hätten; sie gründeten sich auf eine Vernachlässigung des dankbaren Andenkens, wo sie sich nicht bloß auf den Neid und den Übermut der Edlen gründeten.
Indes hatte immer mehr der Geist des Volkes von der kriegerischen Raubsucht zum friedlichen Genusse dessen, was sie hatten, sich gebildet; die Lehne wurden *auf Lebenslang*, sie wurden endlich *erblich* verliehen, und das ganze System wurde gerade umgekehrt. Vorher war die Waffenbrüderschaft des Königs der Grund des Lehnsbesitzes und der persönlichen Vorrechte – bei dem ersten, der seines Vaters Lehn *erbte*, wurde der Lehnsbesitz Grund der Waffenbrüderschaft des Königs und der damit verbundenen persönlichen Vorrechte: vorher gab der Kriegsdienst *dem Krieger* ein Recht, *das Lehn* zu fordern; jetzt gab das Lehn *dem Könige* ein Recht, *Kriegsdienste* zu fordern. – Der Erbe des Lehns erbte zugleich die Verbindlichkeiten, die darauf ruhten, und nur *kraft dieser Verbindlichkeiten* die damit verknüpften persönlichen Vorrechte. Jetzt erst gab es eine Art von Adel, welcher *Rechte – erbte*: die beiden ausschließenden Kennzeichen unseres neuen Adels. Auch nur auf *diese* Art und nur unter *diesen* Bedingungen konnte irgendein Volk, so barbarisch es auch sein mochte, auf den Gedanken geraten, etwas, das seiner Natur nach nur *freiwillig übernommen*, keineswegs aber *übertragen* werden kann – Verbindlichkeiten und Rechte – zu vererben. Sie banden sie an etwas, das sich allerdings vererben läßt, *an den Boden*; wer diesen nicht wollte, war frei von der Verbindlichkeit und tat Verzicht auf das Vorrecht – das war jedem unbenommen, das Vertragsrecht blieb ungekränkt: *wer* ihn übernahm, übernahm auch die darauf ruhenden Verbindlichkeiten, und das nicht

durch einen stillschweigenden, sondern durch einen förmlichen Vertrag – durch *den Lehnseid*, welcher an die Stelle jenes in den Wäldern üblichen Weihungseides getreten war. Mit diesen Verbindlichkeiten waren persönliche Vorrechte verknüpft, die er nicht etwa mit dem Boden des Lehns ererbt hatte, sondern die er erst durch Übernehmung der darauf ruhenden Verbindlichkeiten – die er demnach nicht durch *Erbe*, sondern durch *Vertrag* erhielt.

Dies ist die erste *Veranlassung zur Entstehung* unseres Erbadels des Rechts; aber er ist es bei weitem noch nicht *selbst*. Noch immer gab nicht *die Geburt* den Adel; sie gab das Lehn; und *das Lehn* erst gab den Adel. Wenn ein unmittelbarer Reichsvasall mehrere Söhne hatte und nur *einer* von ihnen erbte das Lehn, so erbte auch nur dieser *eine* den Adel. Meist gab ein solcher Teile seines Lehns an seine Brüder, als Afterlehne, und diese wurden nun *seine Edlen*, so wie *er* ein Edler des Königs war. – Doch darauf werden wir bald zu reden kommen.

Um der Entstehung unseres heutigen Erbadels auf die Spur zu kommen, der nicht mittelbar durch etwas, das sich vererben läßt – durch Ländereien –, sondern unmittelbar durch die Geburt und nicht vermöge übernommener besonderer Verbindlichkeiten, sondern frei von allen Verbindlichkeiten, Vorrechte zu ererben vermeint, muß man in ein ebenso finsteres, aber verdorbenes Zeitalter herabsteigen, wo die alte Barbarei ohne ihre alte Konsequenz fortherrschte und wo man auf die Folgen eines Systems fortbaute, das man in seinen ersten Grundsteinen längst zerstört hatte.

Jene ursprünglichen Lehne teilten sich in allen Ländern der ehemaligen fränkischen Monarchie ins unbegrenzte hinaus in andere, ihnen untergeordnete Lehne; jedes ward ein Baum, welcher Äste trieb, und die Äste trieben wieder ihre Zweige, und die Zweige ihre Blätter. Jeder Vasall verschaffte sich seine Aftervasallen, und jeder Aftervasall wieder die seinigen – alle in der Absicht, um durch die Macht derselben jeder seinem unmittelbaren Lehnsherrn widerstehen und sich von ihm unabhängig machen zu können; keiner ahndete vorher, was er nach kurzer Zeit erfuhr, daß seine Vasallen bald diejenige Macht, die er sie gegen *seinen* Lehnsherrn zu wenden gelehrt hatte, gegen den *ihrigen* kehren würden. Der größte Lehnsherr, das Reich, verlor zuerst seine Kräfte; ihm folgten die unmittelbaren Lehne nach Verhältnis ihrer größeren Ausdehnung allmählich nach, und so ging die Entkräftung fort zu den mittelbaren und zu den noch mittelbareren. Das Reich teilte sich in so viele Staaten, als es große Lehne hatte, dann diese in so viele Staaten, als sie untergeordnete Lehne hatten, und so weiter hin. Der freie Besitzer seiner Allodien, der niemandes Herr und niemandes Knecht war und der bisher unter dem Schutze des Reiches gestanden hatte, verlor seine Stütze, so wie dieses seine Kraft verlor. War er nicht mächtig genug, sich selbst zu schützen, war sein Allodium nicht ausgedehnt genug, um durch Verteilung desselben sich selbst Vasallen zu verschaffen, so mußte er sich an eine mächtige Partei anschließen und sein Allodium zum Afterlehne von einem mächtigen Reichslehne annehmen und es demselben einverleiben. So wurden allmählich alle Allodien zu Lehnen, und das Reich verlor seinen letzten Besitz, nachdem es seinen ersten, die Lehne, durch die Vererbung derselben schon längst verloren hatte. – In den Unruhen und Kriegen der vorigen Zeiten hatten eine Menge freier Leute ihre Freiheit verloren; wer sie noch erhalten und kein Gut hatte, um die halbe Freiheit, die jetzt noch erlaubt war, damit zu erkaufen, verlor jetzt sie sicher: es gab von nun an nichts mehr als *Sklaven* oder *Lehnsmänner; freie Männer* gab es nicht mehr.

Seitdem Gesetze und Gerichte eingeführt waren, hatten die Lehnsmänner in ihren Lehnsherrschaften die Gerichtsbarkeit. Ähnliche Vorrechte, als sie selbst vor den Reichsgerichten hatten, gaben sie vor den ihrigen – man nannte es ihren *Hof** – ihren Vasallen, und diese wieder den ihrigen, wenn sie welche hatten. Das Reich hatte seine Edlen und jede kleinere Lehnsherrschaft die ihrigen.** Die Grafen, Richter der freien Männer auf den Allodien, hatten die Ge-

* *La cour palatium*; daher *comes palatinus* – ein Beisitzer des unmittelbaren Reichsgerichts, wo die Reichsvasallen gerichtet wurden, im Gegensatz eines Grafen, der im Namen des Reichs die freien Männer auf ihren Allodien richtete.

** Daher die Pairs, *pares*, für unmittelbare Reichsvasallen und Reichsedle. Diese waren sich untereinander gleich, sie standen auf der gleichen Stufe. Der mittelbare und noch mittelbarere Adel in den Lehnsherrschaften und Afterlehnen war ihnen nicht gleich.

richtsbarkeit, die sie *als solche* ausgeübt hatten, längst verloren. Es gab keine Allodien mehr. Sie selbst hatten die Grafschaften sich erblich zugeeignet und besaßen vielleicht den größten Teil derselben als Lehn. Alle Gerichte waren Lehnsgerichte, und vor diesen waren alle Lehnsleute, die dahin gehörten, edel. Es gab demnach nur Edle und Sklaven; keinen dritten Stand gab es damals.
Noch immer beruhte dieser so mehr mittelbare Adel auf dem Besitze eines Lehns. Die Lehnsleute wurden nach ihren Lehnen genannt. Es gab keine Familiennamen.* Solche Abkömmlinge von Vasallen, die kein Lehn bekommen konnten, fielen in ihre Dunkelheit zurück; nichts war, woran man sie erkennen konnte; es ist unmöglich, zu sagen, was aus ihnen geworden ist – *ignotis perierunt mortibus.* – Noch immer gab es keinen Adel durch die bloße Geburt, als eine Kleinigkeit, ein bemaltes Brett, ihn herbeiführte.
Die größeren Vasallen erzogen an ihren Höfen die Kinder ihrer Lehnsleute in den Waffenübungen. Diese Höfe wurden allmählich glänzender und galant; der Geist der Ritterschaft entstand, und mit ihm die Turniere. Von dem Scheitel bis an die Füße mit Eisen bedeckt, wollte der kämpfende Ritter sich durch irgend etwas kenntlich machen und tat es, nach mancherlei anderen Versuchen, durch ein Bild auf seinem Schilde. Durch Taten der Kühnheit und der Stärke berühmt, bekam dieses Bild etwas Feierliches für seine Nachkommen. Der Vereinigungspunkt der Familien war gefunden, und wer nichts von seinem Vater erbte, erbte wenigstens das Bild, das auf seinen Schild gemalt war, und wurde oft auch nach ihm genannt. – Die Namen unserer alten deutschen Familien kommen entweder von ihren ehe-

* Das wird hoffentlich niemand leugnen, der die Geschichte der germanischen Nationen nur ein wenig kennt. Die Benennungen der Merowinger, der Karolinger, der Kapetinger sind erst später von den Geschichtsschreibern zur leichteren Übersicht erfunden. Merowäus (vermutlich wußte Chlodwig höher hinauf seine Ahnen nicht), Karl, Capet waren persönliche Namen, und Ludwig XVI. hatte recht, nicht Capet heißen zu wollen. Wenn er nicht mehr König von Frankreich heißen sollte, so hatte er gar keinen Namen mehr als seine Taufnamen. Kein König oder regierender Fürst hat einen anderen: König, Herzog, Fürst sind Benennungen der Würde, aber nicht Namen.

maligen Lehnen her – und dann wird man meist Dörfer oder Burgen des gleichen Namens aufzeigen können –, oder sie kommen von ihrem Wappen her, und dann ist die Ähnlichkeit sichtbar, und die wichtige Wissenschaft, welche von den Wappen handelt, nennt ein solches Wappen ein redendes Wappen. – Der Name wurde damals vom Wappen entlehnt. Bei den neugeadelten Familien ist es umgekehrt; oft wird da das Wappen vom Namen hergenommen.

Indessen hatte sich auch im Kriege ein Hauptumstand verändert. Ehemals zogen nur die Freien zu Felde. Jetzt hatte die Anzahl dieser – die nun Edle geworden waren – durch Unterjochung aller, die *das* nicht werden konnten, sich ansehnlich verringert, die Zahl der Fehden aber, dadurch, daß jeder Lehnsmann, so klein er auch war, Kriege führte, sehr vermehrt. Der mächtigste Vasall hätte seinen Feinden nicht Widerstand tun können, wenn er bloß seine edlen Lehnsmänner in das Feld geführt hätte – wieviel weniger denn der Besitzer eines geringen Dorfes, der doch auch seine Kriege hatte. Leibeigene Bauern taten jetzt Kriegsdienste. Die mächtigeren Vasallen rechneten, die in den Waffen geübteren Nachkommen ihrer Lehnsmänner, denen sie kein Lehn erteilen konnten, als Anführer jener Leibeigenen in ihren Fehden gebrauchen zu können, und erteilten ihnen wahrscheinlich um dieser Nutzbarkeit willen an ihren Höfen und vor ihren Gerichten die Vorrechte ihrer wahren Lehnsmänner. Dies ward zur Gewohnheit; und jetzt maßten auch diejenigen, denen niemand sie ausdrücklich erteilt hatte, diese Vorrechte, als etwas, das sich von selbst verstünde, sich selbst an: niemand konnte oder wollte es untersuchen, und so entstand die abenteuerliche Meinung, daß man unmittelbar durch die Geburt Vorrechte *vor* anderen Menschen und *auf* andere Menschen erhalten könne.

Daß dies an sich unmöglich sei, weil es wider natürliche unveräußerliche Menschenrechte streitet, habe ich im vorigen Kapitel gezeigt, daß es in keinem der alten Staaten und eine geraume Zeit auch in keinem der neueren so gehalten worden und daß dieses Vorurteil nicht durch die Staatsverfassung begründet, sondern durch Unwissenheit, Mißbrauch und Anmaßung allmählich herbeigeführt worden, in dem gegenwärtigen. – Doch laßt uns jetzt alle Ansprüche des Adels einzeln, einen nach dem anderen, durchgehen!

Zuerst machen sie einen Anspruch auf unsere Meinung: sie wollen für vornehmer gehalten sein. Der Adel der alten Völker imponierte gleichfalls der Meinung: darin kommt der neuere mit ihm im ganzen überein, unterscheidet sich aber auch hierüber, der Art nach, sehr merklich von ihm. – „Ich bin von Adel", sagt uns der moderne Edelmann. – Welch etwas ganz anderes war es, wenn ein Römer sich einen Brutus, einen Scipio, einen Appius oder Cimon sich Miltiades Sohn nannte! *Bestimmte* Taten *bestimmter* Männer gingen dann vor der Seele des Volkes vorüber, dem er sich nannte, und knüpften sich an den Mann, der durch seinen Namen oder durch den Namen seines Vaters das Andenken derselben bei ihnen erneuerte. – Aber was denken *wir* uns bei dem unbestimmten weitschichtigen Begriffe: *Adel*? Etwas Klares wenigstens nicht. – Oder, sagt uns auch der moderne Edelmann seinen Namen: ich bin ein Herr von X***, oder ein Herr von Y***, oder ein Herr von Z*** – so ist er und wir dadurch meistenteils sehr wenig gebessert. Wir sind im allgemeinen in unserer vaterländischen Geschichte weit weniger einheimisch als die alten Völker, weil man uns soviel als möglich abhält, Anteil an öffentlichen Geschäften zu nehmen – und was wir allenfalls wissen, erregt unsere Teilnehmung in weit geringerem Grade, weil es derselben meist so wenig würdig ist. – Wenn wir denn nun von den Taten der Ahnherren des X*** oder des Y*** Hauses sehr genau unterrichtet wären – was würden wir denn nun wissen? Vielleicht, daß der eine bei einem Turniere des Kaisers Friedrich des Zweiten mitgefochten; ein anderer einen Kreuzzug mitgemacht; in den neueren Zeiten ein dritter Minister war, wie alle Minister zu sein pflegen; ein vierter General, wie alle Generale zu sein pflegen; daß ein fünfter als Gesandter einen Tauschvertrag über einige Dörfer abgeschlossen oder eine versetzte Landschaft eingelöst, daß ein sechster in dem oder jenem Treffen brav getan habe. – Recht wohl; aber *wie* hat er denn brav getan? kann man nicht einzelne Züge seines Heldenmutes, nichts Besonderes über die Umstände erfahren? – Was man nicht alles fragt! Genug, er hat brav getan; in dieser oder jener Chronik steht's. – Ich wüßte gegenwärtig kein Land, wo durch die Nennung gewisser Namen kräftige Nebenideen erweckt würden, als etwa die preußischen Staaten. Ich höre einen

Keith, einen Schwerin, einen Winterfeld nennen. Hier fallen mir wohl die Taten der Helden Friedrichs von dem gleichen Namen bei; und ich werde begierig, zu wissen, ob der Unbekannte etwa von ihnen abstamme und ob er in ihre Fußtapfen trete. – Aber bald hängt in der Seele des Menschenfreundes sich auch an diese Erinnerung eine wehmütige Empfindung, wenn man sich erinnert, *für was* – jene Großtaten getan wurden. – Sonst haben die Helden unserer Geschichte fast keine Physiognomie; diese Geschichte hat für den Braven und für den Treuen und für den Geschickten nur *eine* Form, worein sie sie alle gießt. Haben wir *einen* gesehen, so haben wir sie *alle* gesehen. Liegt die Schuld davon an unseren Helden, oder liegt sie an unseren Geschichtsschreibern?
Ein wenig immer an den Helden, und in den neuesten Zeiten fast ganz. – Alles hat bei uns seine bestimmte Regel, und unsere Staaten sind Uhrwerke, wo alles geht, wie es einmal gestellt worden. Die Willkür, der individuelle Charakter hat fast ganz keinen Spielraum, er soll keinen haben; er ist überflüssig, er ist schädlich, und ein guter Vater oder Erzieher sucht sorgfältig seinen Zögling, den er zu den Geschäften bestimmt, vor diesem nachteiligen Hausrate zu verwahren. Jeder Kopf wird mühsam in die konventionelle Form seines Zeitalters gegossen. – „Warum ist doch dies oder jenes so? es könnte auch anders sein; warum ist es nicht anders?" fragt der Zögling. – Schweig, antwortet ihm ein weltkluger Lehrer; das ist so, und es muß so sein, darum, weil es so ist – und um wenig, daß er diese Lehre wiederholt, wird er seinen Zögling überreden, und dieser wird sich seiner unbequemen Fragen hinfüro enthalten. – Bei den Alten hatten nicht nur bestimmte Personen ihre Charaktere; es gab sogar recht stark gezeichnete Familiencharaktere. Man wußte meist ziemlich bestimmt, was man von einem Manne mit einem gewissen Namen zu erwarten hätte. Wollten die Patrizier einen festen unbeweglichen Damm gegen Volksunruhen, sie bedienten sich eines Appiers: dieses waren geborene Feinde der Volksgewalt. Wollten die Römer einen Unterdrücker der Freiheit aus dem Wege geräumt wissen, sie schrieben ihrem Manne: kannst du noch schlafen, Brutus? und dieser bedeutungsvolle Name *Brutus* sagte mehr als die längste Rede. Es war das

Erbamt der Brutusse, die Usurpatoren zu vertilgen. Als Augustus regierte, gab es keine mehr, sonst hätte er nicht lange regiert. – Wolltet ihr mir nicht sagen, welchen bestimmten Familiencharakter die Herren von X*** oder Y*** oder Z*** haben und was ich ganz besonders erwarten darf, wenn man mir einen nennt?
Endlich – der Hauptunterschied zwischen dem Meinungsadel der Alten und dem unsrigen, der die Sache des letzteren völlig verdirbt –, der alte wurde gegeben, der unsrige wird genommen; dort bestimmte die Meinung sich freiwillig, hier wird ihr geboten. Der alte Adel zeichnete sich durch nichts sichtbar aus; der römische Noble führte seine drei Namen geradeso, wie sie der geringste Bürger führte; die Bildnisse der Ahnen waren eine Privatsache; sie blieben in dem Innersten ihrer Häuser verschlossen und verließen sie nur einmal nach dem Tode des Besitzers, wo sie dem Volke nach vollendeter Laufbahn nicht ähnliche Taten versprechen, sondern dasselbe bloß zur Vergleichung des jüngst Verstorbenen mit seinen Ahnen einladen wollten; sie machten keinen Anspruch auf größere Ehrenbezeugungen oder auf besondere Titel in der Gesellschaft und waren um so herablassender, je edler sie waren und je mehr sie wünschten, den Adel ihres Geschlechtes durch neue Würden zu erhöhen. Wieviel anders benehmen sich unsere Edelleute. Bis auf ihren Namen zeichnen sie sich vor uns anderen aus, und um dieses bloßen Namens willen fordern sie – vor wahren Würden – den Vortritt und ausgezeichnete Ehrenbezeugungen; und dies tun sie bei so unendlich geringeren Ansprüchen auf die öffentliche Meinung, als jene hatten, und glauben durch ihre dreisten Forderungen die mangelnden Bewegungsgründe, sie vorzüglich zu achten, zu ersetzen. Aber die Meinung läßt sich nie gebieten und rächt sich an jedem, der sie gegen ihre Natur behandelt. Die Patrizier, zur Zeit, als sie unserem Adel glichen, wurden vom bittersten Hasse und Spotte der übrigen Volksklassen verfolgt; aber sobald sie in ihre Grenzen zurückgewiesen waren und ein anderer Adel, der Adel der bloßen Meinung, sich an ihre Stelle setzte, finden wir nicht weiter, daß bei den Römern der Adel verspottet oder gehaßt worden. Aber welches ist das Schicksal des unsrigen? Seitdem *er* – und Denkmäler von der Denkungsart der Zei-

ten vorhanden sind, ist er immer ein Gegenstand der Furcht, des Hasses und der bitteren Anmerkungen der übrigen Stände gewesen; selbst die Monarchen haben dasjenige, was doch ihre einzige Stütze war und was unseren Augen eine natürliche Stufenleiter bis zu ihrer unnatürlichen Erhöhung hinauf darbot, von jeher herabzusetzen und zu entkräften gesucht, und in unserem Zeitalter ist es so weit gekommen, daß der Edelmann, der weiter nichts als das ist, nur durch übertriebene Demut es dahin bringen kann, in den Zirkeln des angesehenern Bürgerstandes, der Gelehrten, der Kaufleute, der Künstler, geduldet zu werden.
Herr Rehberg, ein einer solchen Sache würdiger Verteidiger, ist zwar auch der Meinung, daß Nachkommen angesehener Männer *von Rechts wegen* geehrt werden müssen. „Es klebt" – der Adel seines Gegenstandes scheint seine Sprache eben nicht veredelt zu haben –, „es klebt dem Hochgeborenen an", sagt er*, „daß seine Vorfahren von jeher zu den Angesehenen des Landes gehört haben. Er kann diese Würde vielleicht durch seine Laster schänden, so wie er sie durch seine Tugend ehrt. Aber vertilgen kann er sie nicht, wenn er es nicht dahin bringt, daß der Verwalter der Gesetze *von Rechts wegen* sein Wappen zerbricht und seinen Titel vernichtet." Ich bitte, ist denn nun jene *Würde*, wenn es eine war, vertilgt? Ist, nachdem der Verwalter der Gesetze sein Wappen zerbrochen hat**, *der* Mann nicht mehr sein Vater, der es vorher war, und dieses Mannes Vater nicht mehr der nämliche; haben nun seine Vorfahren aufgehört, zu den Angesehenen des Landes gehört zu haben, und sind geschehene Dinge ungeschehen geworden? Richtiger als Herr R. räsonierte jene Hofdame: Meine Geburt kann mir Gottvater nicht nehmen. Oder will vielleicht der Mann etwas anderes sagen, als er wirklich sagt, und ist ihm bloß eine kleine Unbestimmtheit entgangen? Soviel aus seinen übrigen Unbestimmtheiten hervorgeht, mag er das wohl wollen. „Ein Altadeliger, dessen Vorfahren seit vielen hundert Jahren zu den Ersten des Landes gehört haben, bekleidet eine sehr respektable Würde, auch sogar, wenn seine

* S. 64
** Ein sauberer Verwalter der Gesetze, der eigenhändig Wappen zerbricht.

Person nicht respektabel sein sollte", sagt er vorher. – „Kein Monarch der Welt" (der Erde?), sagt er tiefer unten, „kann denjenigen, den er adelt, dem Altadeligen gleich machen; – – er kann den Menschen nicht gebieten, daß sie diesen, der selbst eben emporstieg, jenem anderen gleich achten, in dem sie den ganzen alten Stamm ehren." Er scheint demnach von derjenigen *Würde* zu reden, welche die Volksmeinung gibt. Diese kann, seiner eigenen Aussage nach, durch kein Gebot erteilt, aber sie kann durch einen Rechtsspruch genommen werden; es kann uns nicht geboten werden, jemanden zu verehren; aber es kann uns befohlen werden, aufzuhören, jemanden zu verehren. Gewiß, eine gründliche Philosophie! – Doch wir wollen ihn ganz übersetzen, so gut wir es vermögen. Jene Würde, so scheint es, soll allerdings nicht von der freien Meinung abhängen, sie soll rechtsgültig sein: nur soll das Gesetz, das sie dazu macht, nicht ein Machtspruch des Monarchen sein, sondern es soll auf die notwendige Einrichtung der bürgerlichen Gesellschaft überhaupt sich gründen. – „Diese bestehe nicht aus einzelnen Menschen, die einander gleich geboren würden, *so wie das junge Vieh*" – drückt er sich mit seiner gewöhnlichen Anständigkeit aus – *„in einer Herde den Alten vollkommen ähnlich sei, wenn es auf die Welt kommt, und ihm von selbst gleich werde, wenn es heraufwächst;* sie bestehe aus Stämmen." – Wenn das ist, so müssen wir jenen Altadeligen, dem der Rehbergische Verwalter der Gesetze sein Wappen zerbricht, nach wie vor ehren; denn er bleibt von dem gleichen Stamme. – Aber das ist alles Erdichtung und ungeschickte Sophisterei. Wir ehren nie jemanden *von Rechts wegen.* Hochachtung läßt sich nie, weder durch die Staatsverfassung überhaupt noch durch einen einzelnen Machtspruch des Monarchen, gebieten; sie gibt sich freiwillig, und allerdings fällt sie leicht auf den Nachkommen eines verdienten Mannes, wenn er sich derselben durch sein eigenes verächtliches Betragen nicht unwürdig macht. Tut er dies, so wird er verachtet, auch ohne daß sein Adel durch einen Rechtsspruch aufgehoben werde. Ein solcher förmlicher Rechtsspruch könnte höchstens *die* Wirkung haben, daß das Vergehen des Bestraften, als rechtskräftig erwiesen, allgemein bekannt würde; aber die einfache Darlegung der Tatsachen mit ihren Beweisen würde das gleiche auf die

Volksmeinung wirken. Wenn ein Despot einen Altadeligen, der einem ungerechten Begehren desselben kühn und männlich widerstanden hätte, darum seines Adels entsetzte – so würden wir ihn darüber nicht *weniger*, wir würden ihn *mehr* ehren. *So* wenig hängt der Adel in der Volksmeinung von Rechtsaussprüchen und von Rechtsherkommen ab.
Es ist weder Vergnügen noch Ehre, gegen einen Schriftsteller zu Felde zu ziehen, dem die Natur die Talente versagt hat, zu sein, was er gern wäre – ein blendender Sophist –, und der in Gedanken und Ausdruck zur letzten Klasse der Autoren gehört, welche gerade vor den Skriblern hergeht: und gewiß hätte ich mich dieser undankbaren Arbeit überhoben, wenn nicht ebenderselbe durch seinen schneidenden Ton von einigen gutmütigen Lesern ertrotzt zu haben schiene, ihn in die erste Klasse der Schriftsteller Deutschlands zu setzen. Unseren Lesern zum Troste versprechen wir hiermit, uns im Verfolge dieser Schrift sorgfältig zu hüten, daß wir auf unserem Wege ihm nicht wieder begegnen.
Aber, dürfte man noch einwenden – wenn wir auch nicht rechtskräftig verbunden sein können, die Nachkommen großer Männer im Herzen zu ehren, weil dies eine innere Gesinnung ist, die nicht in unserer Macht steht, so läßt sich doch vielleicht eine Verbindlichkeit denken, ihnen gewisse äußere Zeichen der Ehrerbietung zu geben, die allerdings in unserer Macht stehen – eine Verbindlichkeit, über deren Beobachtung der andere Richter sein kann. – Wenn wir fragten, wozu solche äußere Ehrenbezeugungen, von denen man nie wissen könne, ob sie innere Ehrerbietung zur Quelle haben oder nicht, dienen sollten, so läßt sich kaum erwarten, daß unsere Adeligen antworten würden: „Damit wir wenigstens in der süßen Täuschung erhalten werden, daß ihr uns ehret, ob ihr auch vielleicht im Herzen uns verachtet." – Es läßt sich demnach kein anderer Zweck dieser äußeren Ehrenbezeugungen denken als dieser: daß andere, die vielleicht willens sind, den Adeligen bloß um seines Adels willen zu ehren, nicht durch uns in diesem guten Willen gestört werden. Wollen auch *wir* sie nicht ehren, so wollen wir doch durch unser Betragen nicht auch noch diejenigen aufreizen, die sie sonst vielleicht ehren möchten; wir sollen vielmehr durch unser ehrerbietiges Betragen anderen diejenige Ehrfurcht gegen sie einflößen, die wir

selbst einmal ihnen nicht geben können. – Dies hängt entweder von der Beantwortung jener Frage der Klugheit ab: ist es nützlich, daß gewisse Stände im Staate vorzüglich geehrt werden, und insbesondere, daß die Geburt diese Stände bestimme? – deren Beantwortung nicht in das gegenwärtige Buch gehört, als welches bloß vom Rechte, nicht aber von der Nützlichkeit handelt –, oder es ist eine Frage von der Billigkeit: da die Verdienste großer Vorfahren ihren Nachkommen keinen gegründeten Rechtsanspruch auf unsere Achtung geben, ist es nicht wenigstens der Billigkeit gemäß, daß wir ihnen die Möglichkeit, geachtet zu werden, soviel an uns ist, erleichtern? Und diese Frage steht mit unserem Vorhaben allerdings in Verbindung und eröffnet uns überhaupt den Übergang zu der Untersuchung: was folgt denn aus dem Adel der Meinung auf unser Verhalten gegen den Adeligen?

Ich bin von Adel heißt fürs erste soviel: meine Vorfahren haben eine große Anzahl von Generationen hindurch in einer gewissen Wohlhabenheit gelebt; ich selbst bin von Jugend auf an dieselbe gewöhnt worden; und ich habe dadurch eine Art von Anspruch erlangt, bequemer zu leben als ihr anderen, die ihr dessen nicht gewohnt seid. – Nur oft heiße es das, sagte ich: denn es gibt Provinzen, welche ich hier nicht nennen mag, in denen der adelige Ursprung eher auf das Gegenteil, auf eine unter niedrigen Beschäftigungen, unter Schmutz und Mangel zugebrachte Jugend schließen läßt. – Oder *Ich bin von Adel* heißt soviel: meine Vorfahren lebten in einem gewissen Ansehen unter ihren Mitbürgern; ich ward in meiner Kindheit und Jugend um ihrer willen geehrt; ich bin gewohnt, geehrt zu sein, und ich will mich jetzt durch mich selbst ehrwürdig machen; aber auch das heißt es in jenen Provinzen nicht, wo die Väter in der Dunkelheit ein kleines Gütchen mit eigenen Händen bauten. – Wo es aber beides heißt, was könnte daraus folgen? Daß wir den Mann um des Ansehens und der Wohlhabenheit seiner Väter willen verehren und ihn auf unsere Kosten in Wohlhabenheit versetzen müßten, nun einmal nicht. Also nur das: daß er eine höhere Aufforderung habe als wir anderen, die Wohlhabenheit und die Berühmtheit, an deren Genuß er gewöhnt ist, zu erringen, daß er alle seine Kräfte aufbieten möge, um sich über seine Mitbürger emporzuschwin-

gen. Seine Geburt könnte also höchstens ein Freibrief für seinen durch eigene Talente und Kraft unterstützten Ehrgeiz sein. Aber, ich bitte, wem gäben denn diese eigenen Talente und dieses eigentümliche Übergewicht der Kraft nicht auch ohne die Geburt diesen Freibrief? Bediene er sich, so gut er kann, der Volksmeinung, um durch sie ein Übergewicht zu erhalten, das seine persönliche Kraft ihm nicht gibt; wir werden mit unserem Rechte dieses Übergewicht zu schwächen suchen: wir sind in einer offenen Fehde begriffen, und jeder bedient sich seiner Waffen; der Überwundene muß sein Mißgeschick tragen. – Wenn mit gleichen Talenten und gleicher Kraft zwei Männer, der eine aus berühmtem Geschlechte und der andere von unbekannter Herkunft, um die gleiche Würde im Staate ringen – kann der erstere verlangen, daß der letztere ihm weiche? Darf er ihm sagen: du hast einen erhabenen Platz weniger nötig als ich, der ich mit dem Ruhme großer Vorfahren zu kämpfen habe; für dich ist ein niedrigerer hoch genug? Wie, wenn ihm der letztere antwortet: ruhe du auf den Lorbeeren deiner Ahnen; dir wird die Hochachtung des Volkes nicht entgehen; mich ehrt man nur um meiner selbst willen; ich habe die Unberühmtheit meines ganzen Geschlechts zu rächen; ich muß für alle meine tatenlosen Vorfahren mit arbeiten – wollen wir diesem weniger recht geben? Aber, ich glaube, keiner von beiden hat recht. Jeder tue, soviel er kann; Zufall oder Kraftüberlegenheit mag über den Sieg entscheiden.
Ich bin von Adel kann auch heißen: meine Vorfahren haben mit einer Publizität gelebt, die sie nötigte, über die Grundsätze der Rechtschaffenheit und der Ehre streng zu halten. Sie konnten an ihrem erhabeneren Platze keine schlechte Handlung begehen, ohne die Augen der Welt auf sich zu ziehen, entdeckt und bestraft zu werden. – Da sie dies nicht geworden sind, so ist vorauszusetzen, daß sie nichts Entehrendes begangen haben. Diese in einer langen Reihe von Vater auf Sohn überlieferten, der Familie gleichsam zu einem Erbgute gewordenen Grundsätze sind endlich auf mich herabgekommen. Von mir läßt sich sicherer ein ehrenfestes, untadelhaftes Betragen erwarten als von Leuten, von denen man nicht weiß, nach welchen Grundsätzen sie gebildet worden sind – und so stünden wir denn bei der berufenen Ehrliebhaberei *(point d'honneur)* des Adels.

Diejenige Art des Ehrgefühls, die der Adel für sein ausschließendes Erbteil hält, ist eine Reliquie aus Zeiten und von Sitten, die nicht die unserigen sind; soviel es ehemals gewirkt und von so gutem Nutzen es gewesen sein mag, so ist es doch jetzt ganz von keinem; es ist ein Fremdling in unserer Welt, der sich in seine Stelle nicht zu finden und seinen Platz nicht zu behaupten weiß. – Alle neugeborenen Völker, die die Stimmung für den Naturzustand in die ersten Versuche ihrer Staatsverfassungen mit herüberbrachten, setzten die ganze Tugend in Mut und Stärke. So war es bei den ältesten Griechen, so war es bei den germanischen Völkerschaften, und so wird es wieder sein, wenn einst die Wilden von Nordamerika Staaten errichten werden. Die Gesinnungen, welche durch jene Stimmung bewirkt wurden, waren auch wirklich in diesen einfachen Staatsgebäuden hinlänglich. Verachtung der Lüge, der List und des Kriechens, Schonung der Wehrlosen, Großmut gegen den Schwächern. Erzogen, zum Manne aufgewachsen und grau geworden unter Gefahren, die er doch immer besiegt hatte, war des rauhen Kriegers Mut unerschütterlich, und er verachtete es, irgendwo den krummen Weg zu gehen, da er sicher war, auf dem kürzeren geraden durch alle Gefahren hindurch zu seinem Ziele zu kommen. – Sowie ein Volk aus diesem Zustande sich zum Genusse des Friedens und der Künste desselben erhebt, werden seine Bedürfnisse und mit ihnen die Versuchungen, denen es ausgesetzt ist, mannigfaltiger. Es öffnen sich mehrere Wege, anderen zuvorzukommen. Der bloße Mut reicht nicht überall mehr zu: hier erfordert es auch der Klugheit, der Biegsamkeit, des Nachgebens, der ausharrenden stillen Geduld. Der rauhe Krieger wird freilich anfangs in diese neue Ordnung der Dinge sich schwerlich fügen: Klugheit wird ihm List, Biegsamkeit Niederträchtigkeit, Nachgiebigkeit Kriecherei scheinen; aber allmählich wird er zu besserer Erkenntnis kommen, und wer verbürgt ihm, daß sein weniger vorbereiteter Sohn oder Enkel nicht über die schmale Grenzlinie hinübergerissen werde und in die Laster versinke, die sein rauherer Ahnherr schon in den verwandten Tugenden scheute und floh? Der Grund, worauf jenes Ehrgefühl aufgebaut war, ist nun weggerissen: es steht als Luftschloß da, was vorher ein ehrwürdiges festes Gebäude war. – – Wer da sagt: ich habe es nicht getan, gibt dem sich beleidigt Glaubenden völlige Genugtuung, war der erhabenste Grundsatz eurer Väter. – Ja, wohl gab er, der Denkungsart der Zeiten nach, ihm eine schreckliche Genugtuung, wenn er's doch getan hatte; er erniedrigte sich so tief unter ihn, daß er aus Furcht vor ihm log. Er war vor seinem eigenen Gefühle, das lebenslängliche Übung geschärft hatte, entehrt; er war vor Welt und Nachwelt tiefer gebrandmarkt, als eure Brandmale alle gehen, wenn die Lüge entdeckt wurde. Und ein solcher Grundsatz könnte heutzutage noch eine Anwendung haben, wo man es sich gegenseitig gar leicht verzeiht, die Wahrheit verschönert und ihre Härte gemildert zu haben; wo man es sich nicht bloß verzeiht, sondern sogar sich damit rühmt? Das ist der wahre Unterschied zwischen dem Ehrgefühle des ehemaligen Adels und dem des größten Teiles unseres heutigen: jener wollte nichts Unedles *tun*, dieser will nicht *sagen* lassen, daß er es tat; jener war stolz, dieser ist zu eitel, als daß er stolz sein könnte. – Seitdem es Höfe und Höflinge und Hofintrigen und Hofadel gibt, wie viele Familien sind wohl noch übrig, die uns beweisen können, daß keiner ihrer Ahnherren durch niedrige Künste, durch Schmeicheln und Kriechen und Lügen und Beraubung des Wehrlosen ihrem Hause einen Teil desjenigen Glanzes verschafft habe, den sie so gern zur Schau ausstellen? Wir wissen zwar wohl, daß ihr noch immer fertig seid, auf jedes unedle Wort den, der es sagt, zu durchbohren; aber haltet euch an euer Zeitalter, wenn wir von dieser Zartheit eures Ohres nicht mehr so sicher auf die Zartheit eures sittlichen Gefühles schließen, als wir zu eurer Urahnen Zeiten es vielleicht getan hätten. – Es ist wahr, Zweig eines edeln Stammes, es können sehr wohl die ehrenfesten Grundsätze der alten biedern Ritterschaft auf dich herabgeflossen sein; aber es ist ebenso möglich, daß die Grundsätze der Hofkünste dir überliefert seien: wir können beides nicht wissen. Siehe, wir wollen das letztere nicht voraussetzen; mute uns nur nicht zu, das erstere anzunehmen. Gehe hin und handle, und wir wollen dich dann nach dir selbst beurteilen.

Doch es gab vor noch nicht langer Zeit in einigen Provinzen Stämme, von denen das erstere mit großer Wahrscheinlichkeit vorauszusetzen war, und es gibt sie vielleicht noch – jener Kriegsadel, den Friedrich der Zweite, welcher

keinen Hof hielt und in dessen Staaten auch vor ihm kein eigentlicher, d. h. kein verdorbener Hof gewesen war, aus seinen entferntesten Provinzen zog und durch welchen er seine merkwürdigen Schlachten schlug. Mit der ganzen Erbschaft von seinem Vater, dem Degen und einem unbescholtenen Namen, ging der Jüngling in das Feld und sog bald den Nationalstolz ein, der diese Heere begeisterte. Im Schlachtgewühle wuchs er herauf; täglich war er gewohnt, mit seinen Waffengenossen zu teilen, was der Tag brachte: auf den Besitz von Reichtümern konnte seine Leidenschaft nicht fallen. Täglich mit Gefahren kämpfend, lernte er, daß keine sei, durch die der Degen nicht einen Weg bahne. Mut verschaffte ihm alles; leicht entbehrte er anderer Künste, deren er entbehren konnte; und die Blüte der alten Zeiten war, wie ein Wunder, in unserem Zeitalter wiederholt. – Ein solcher Adel ist allerdings da zu brauchen, wo der Mut und das Ehrgefühl, zu dessen Erzeugung dieser hinlänglich ist, alles gilt – im Kriege: hier und solange die Kriege noch notwendig sind, fordere jeder, der zu jenem Adel gehört, kühn den Vortritt; aber er schreite nicht über seine Grenzen in ein fremdes Gebiet hinüber.
Um endlich diese Untersuchung über den Meinungsadel zu schließen – das Vorurteil für den Enkel großer Ahnen ist ein Glücksgut. Benutze jeder, soviel dieses Glück ihm bietet, so gut er kann, wie er jedes andere Glücksgut, z. B. Witz, eine gefallende Gestalt, körperliche Stärke, so gut benutzt, als es ihm möglich ist. Es ist ein freiwilliges Geschenk der Völker, so wie das letztere ein freiwilliges Geschenk der Natur. Es gibt ihm keine Rechtsansprüche; auch nicht einmal auf die Fortdauer dieses Vorurteils, die er nicht erzwingen kann.
Da dieser Adel kein Eigentum ist, noch seiner Natur nach es je werden kann, so hat jeder Staat, den anderweitige Gründe der Klugheit bewegen, das Verschwinden desselben zu wünschen, das vollkommene Recht – nicht etwa diese Art des Adels selbst aufzuheben, das ist physisch unmöglich, die Meinung läßt sich nie gebieten – sondern die etwaigen äußeren Auszeichnungen aufzuheben, an die sich bisher die Meinung gehalten hat. Wo die Volksmeinung noch für den Adel entschieden ist, wird eine solche Aufhebung nur langsam wirken; wo sie schnell wirkt, mußte

schon vorher die Meinung zu verschwinden angefangen haben. Dergleichen Befehle wirken am stärksten, wo sie nicht nötig sind, und am wenigsten, wo sie höchst nötig sind. Es gibt zweckmäßigere Mittel, die Meinung zu bestimmen, als Befehle; und in unserem Falle kann man dem Adel selbst diese Sorge fast ganz allein überlassen. – – Ich begreife nicht, wie der Staat irgendeinem seiner Bürger verbieten könne, sich fernerhin mit einem gewissen Namen zu benennen, oder wie er den Mitbürgern desselben verbieten könne, ihn fernerhin mit diesem Namen zu benennen, wenn sie daran gewöhnt sind und es freiwillig tun wollen; ich sehe nicht ein, wie das mit der natürlichen Freiheit bestehen könne. Aber das glaube ich wohl einzusehen, wie er entweder den bisherigen geringeren Ständen *erlauben* könne, sich gegen die bisherigen höheren gewisser Benennungen nicht mehr zu bedienen, oder auch, wie er allen, die Lust dazu haben, erlauben könne, hinfüro die gleichen Benennungen anzunehmen. Ob der Herr von X ... oder der Ritter oder der Baron oder Graf von Y ... sich fort schreibe, wie er sich bisher geschrieben hat, oder ob er auch seinem bisherigen Namen noch eine Menge Namen hinzufüge, das scheint mir sehr unwichtig. Aber wer darf dem Staate Einrede tun, wenn er allen seinen Bürgern erlaubt und anrät, den Herrn von X ... und den Grafen von Y ... hinfüro geradezu Herr X ... oder Herr Y ... zu nennen, und wenn er ihnen verspricht, sie beim Gebrauche dieser Erlaubnis gegen den vorgeblichen Edelmann zu schützen? Oder auch, wer will ihm verwehren, alle seine Bürger, von dem höchsten bis zum niedrigsten, in den Adelsstand zu erheben und etwa dem armen Hirtenknaben zu erlauben, sich Baron oder Graf, von so viel Grafschaften es ihm gut dünkt, zu nennen? Die Auszeichnung wird sich von selbst verlieren, wenn sie keine mehr ist, und jeder wird sich so kurz benennen, als er kann, wenn die Länge seines Titels ihm nichts mehr hilft. – Ein bekannter aristokratischer Freistaat, dessen regierungsfähige Häuser teils adelig, teils nicht adelig waren, erhob auf einmal alle diese Häuser in den Adelstand. Das war nur eine andere Art von Aufhebung des Adels; eine Auszeichnung, die nicht mehr auszeichnete, war so gut als aufgehoben.

Die Abstammung von großen verdienten Männern erregt

im Volke ein vorteilhaftes Vorurteil für den Abkömmling derselben: dies nannten wir den Adel der Meinung. Dieser Adel *selbst* kann nicht, als von Rechts wegen, gefordert werden, weil die Meinung ihrer Natur nach sich nicht gebieten läßt; und ebensowenig *erfolgen* aus ihm rechtskräftige Ansprüche auf wirkliche Vorrechte, weil in der Wirkung nicht liegen kann, was in der Ursache selbst nicht liegt. Ein Adel, der dergleichen Ansprüche macht, ist folglich mit denselben geradezu abzuweisen. – Um dies für alle besonderen Fälle deutlicher einzusehen, laßt uns jetzt die Vorrechte, die der unserige fordert, einzeln durchgehen! Zwar hat er in neueren Zeiten, aus Gründen, deren Entwicklung hier nicht nötig ist, in mehreren Staaten verschiedene von den Vorrechten, die er vorher ausschließend besaß, mit dem Bürgerstande teilen müssen; dennoch fährt er fort, auch in diesen Staaten einen solchen Fall, wenn er eintritt, bloß für eine Ausnahme von der Regel, keinesweges aber für die Regel selbst zu halten und es als eine Art von gewaltsamem Eingriffe des Bürgers in seine Vorrechte zu betrachten. Wir tun daher im ganzen dem Adel gar nicht unrecht, wenn wir auch diese Rechte unter diejenigen zählen, auf deren ausschließenden Besitz er Anspruch macht. Wenn seine Ansprüche nicht immer befriedigt werden, so liegt wahrlich an ihm selbst die Schuld nicht. Dahin gehört vor allen anderen sein angebliches Vorrecht, Rittergüter zu besitzen. Der Ursprung eines solchen Vorrechtes zwar läßt sich leicht zeigen. Die Rittergüter sind ursprünglich Lehne; da der Besitz derselben zur Waffenbegleitung des Lehnsherrn verband, mit welcher der Adel verknüpft war, so ist es natürlich, daß jeder, der eins besaß, nicht vorher von Adel war, sondern durch den Besitz desselben in den Adelstand erhoben wurde; wie aus unseren obigen Betrachtungen erhellet. Daß aber dieses Vorrecht jetzt, da die Rittergüter vererbt und selbst an Fremde aus anderen Familien verkauft werden und da unmittelbar keine Kriegsdienste mehr darauf ruhen, noch fortdauere – besonders in Staaten fortdauere, wo Rittergüter das einzige reine Landeigentum sind, ist widersinnig, wenn je etwas widersinnig war. – Der Adel versichert, dieser Besitz der Rittergüter sei ein Vorrecht, dessen Behauptung zur Aufrechthaltung des Adelstandes nötig sei und nach dessen Verlust dieser Stand verarmen und untergehen müsse: er muß demnach durch dieses Vorrecht doch etwas Beträchtliches gewinnen, wie sich auch außerdem einleuchtend dartun läßt. – Wir übergehen hier, wie billig, wenn ein Sohn sein väterliches Erbrittergut nicht veräußern will – er will es dann vielleicht als Sohn, als gewohnter Besitzer, nicht aber als Edelmann, erhalten: jeder hat das Recht, sein Eigentum zu behaupten, auf welche Art er will. – Aber es wird ein Rittergut zum Verkauf angeboten; die Nutzung desselben ist ohne Zweifel genau in Anschlag gebracht; wer es bezahlen kann, wird es besitzen. Warum soll nur der Edelmann, der es bezahlen kann, und nicht ebensowohl der Bürger, der das gleiche bezahlen will, das Recht haben, es zu kaufen? – „Der Güterbesitz ist die sicherste und vorteilhafteste Art, sein Geld unterzubringen, und diese vorteilhafte Art soll dem Adel, zur Aufrechterhaltung seines Glanzes, ausschließend vergönnt sein." – So? demnach soll ein und ebenderselbe Taler, wenn er in den Händen eines Edelmannes ist, mehr eintragen, als er in den Händen eines Bürgers eintrug? er soll also in den Händen des ersteren auch einen höheren Wert haben als in den Händen des letzteren? Tausend Taler, die ein Edelmann besitzt, sind der gleichgeltende Preis von einem gewissen Stücke Landes; eben diese tausend Taler, wenn sie der Bürger besitzt, sind nicht der gleichgeltende Preis eben dieses Stückes. – Ich will hier nicht untersuchen, was daraus auf die Belebung des Erwerbungstriebes folge, wenn eben der erwerbendsten Volksklasse untersagt ist, ihr Geld mit Sicherheit anzubringen – und in Staaten, wo alle Freigüter Rittergüter sind, die nur der Adel besitzen kann, ist das offenbar der Fall –, nicht untersuchen, was auf die Verteilung der Reichtümer und die Sicherheit des Eigentums in den Familien daraus erfolge, wenn der Bürger genötigt ist, sein Kapital in dem stets unsicheren Handel umtreiben zu lassen oder es fast ebenso unsicher und gegen unverhältnismäßige Interessen auszuleihen; aber ich kann mich nicht enthalten, die tiefe Politik unserer neueren Zeiten zu bewundern, denen die Erfindung des Geheimnisses vorbehalten war, dem allgemeinen Zeichen des Wertes der Dinge noch einen besonderen, von der Person des Besitzers entlehnten Wert zu geben und zu machen, daß eine Summe durch das bloße Übergehen aus einer Hand in die andere

sich vermehre oder vermindere. – – Diese Rüge leidet nur da eine Ausnahme, wo Landschaftskassen sind, aus denen der Adel allein und ausschließend Anleihen auf angekaufte Rittergüter, meist zu sehr niedrigen Interessen, erhält. Der Ankauf von Ländereien wird ihm dadurch ansehnlich erleichtert, und er muß allerdings bald alleiniger Besitzer der Landschaft werden. Aber diese Leihkassen stiftete der Adel; die Gelder sind sein; es muß ihm, wie jedem Eigentümer, freistehen, sein Eigentum zu verborgen, an wen er will und auf welche Bedingungen er will, und kein anderer hat ihm darüber etwas einzureden. Zunftgeist und grober Egoismus herrscht allerdings in diesen Maßregeln; aber man kann nicht sagen, daß sie geradezu ungerecht sind. Dennoch muß es auch in diesen Staaten dem Bürger freistehen, Rittergüter anzukaufen, wenn er durch die Menge seines baren Geldes dem Kredite des Adels die Waage halten kann. Ein unbedingtes Verbot dieses Ankaufs ist überall unrechtmäßig.
Aber mit dem Rittergutsbesitze sind andere Vorrechte verknüpft, auf die der Adel eifersüchtig ist und die er nicht gern in die Hände des Bürgers fallen lassen möchte. – Wohl, laßt uns doch geradezu diese Vorrechte selbst untersuchen, um zu finden, mit welchem Rechte der Grundbesitzer, sei er nun von Adel oder nicht, Anspruch auf sie mache. – Wir finden zuvörderst Rechte auf *die Güter* des Landbauern: gemessene oder ungemessene Frondienste, Trift- und Hutungsrechte und dergleichen. Wir wollen den *wirklichen* Ursprung dieser Rechte nicht untersuchen; gesetzt auch, wir entdeckten die Unrechtmäßigkeit desselben, so würde doch daraus nichts gefolgert werden können, weil es leicht unmöglich sein könnte, die wahren Nachkommen der ersten Unterdrücker und der ersten Unterdrückten auszufinden und den letzteren den Mann anzuweisen, an welchen sie sich zu halten hätten. – Der *Rechtsursprung* derselben ist leicht zu zeigen. Die Äcker sind entweder nur zum Teil oder sie sind gar nicht ein Eigentum des Landbauern; und dieser trägt entweder von dem Kapitale des Gutsherrn, das auf seinem Acker als ein eiserner Stamm* ruht, oder

* Für wenige, die das nicht wissen – ein Kapital, das auf einem Grund und Boden ruht und von dem Besitzer desselben zu gewissen Prozenten verzinst werden muß, aber nie abgezahlt werden darf, heißt ein eiserner Stamm.

von dem ganzen Gute die Zinsen nicht *in barem Gelde* ab – sondern durch *Dienste* oder durch *Vorteile*, die er auf seinem eigentümlichen oder geliehenen Boden dem Gutsherrn verstattet. Sollten diese Vorrechte auch anfänglich nicht so entstanden sein, so kommt doch durch Verkauf der Ritter- und der Bauerngüter bald alles ins Gleiche. Es ist natürlich, daß der Bauer für seine Hufe Bauerngut um so viel weniger zahlt, als die darauf ruhenden Lasten, als Interessen zu Gelde gerechnet, an Kapital geben würden, und daß der Rittergutsbesitzer für seine Hufe Rittergut um so viel mehr bezahlt, als die dazugehörigen Dienste jenes Bauern, als Kapital berechnet, betragen – daß demnach dieser für jenen ein auf seinem Gute ruhendes Kapital bezahlt hat und die Entrichtung der Interessen mit Recht fordert. Gegen die Rechtmäßigkeit dieser Forderung *an sich* ist demnach nichts zu erinnern; und es war allerdings ein grober Eingriff in das Eigentumsrecht, als vor einigen Jahren die Bauern eines gewissen Staates sich diesen Diensten gewaltsamerweise und ohne die geringste Entschädigung entziehen wollten – ein Eingriff, der allein aus ihrer eigenen Unwissenheit und aus der Unwissenheit eines Teiles ihres Adels, der über den Rechtsgrund seiner eigenen Ansprüche nicht unterrichtet war, entsprang und dem durch gründliche und faßliche Belehrung zweckmäßiger und menschenfreundlicher wäre abgeholfen worden als durch lächerliche Dragonaden* und durch entehrende Festungsbaustrafen. – Gegen *die Art* aber, jene Interessen abzutragen, ist gar viel zu erinnern. Ich will nicht von der allgemeinen Schädlichkeit *des Hutungsrechtes* reden; nach allen Vorstellungen dagegen, die seit geraumer Zeit fruchtlos verschwendet worden, gerät man nicht leicht in die Versuchung, noch mehrere zu verschwenden. Auch will ich nicht von der Zeit- und Kraftverschwendung noch von der moralischen Verunedlung reden, die aus *der Fronverfassung* für den ganzen Staat entsteht.

* „Die Bauern, mit Sensen und Heugabeln bewaffnet, hätten fast den mutigen Angriff zurückgeschlagen; aber der Leutnant N. *rächte die Ehre der S… Waffen*“ – erzählt ein pompöser Geschichtsschreiber [Friedrich Ernst von Liebenroth, Fragmente aus meinem Tagebuch, insbesondere die sächsischen Bauernunruhen betreffend, Dresden-Leipzig 1791.] dieses ruhmvollen Feldzuges.

Ebendieselben Hände, die zur Frone auf dem Acker des Gutsherrn sowenig als möglich arbeiten, weil sie ungern arbeiten, würden auf ihrem eigenen Acker arbeiten soviel als möglich. Der dritte Teil der Fröner, um einen billigen Lohn gedungen, würden mehr arbeiten als jene unwilligen Arbeiter miteinander; der Staat hätte zwei Dritteile der Arbeiter gewonnen; die Ländereien würden besser bearbeitet und höher benutzt; das Gefühl der Knechtschaft, das den Bauer tief verderbt, die gegenseitigen Klagen zwischen ihm und seinem Gutsherrn und das Mißvergnügen mit seinem Stande fielen weg, und er wäre bald ein besserer Mensch, und sein Gutsherr zugleich. – Ich will geradezu den Grund angreifen und fragen: woher entsteht denn das Recht eurer eisernen Stämme? Daß sie zu großem Vorteile derer, die etwas besitzen, besonders zum Vorteile des Adels gereichen, der sie erfunden hat, sehe ich wohl ein; aber ich frage hier nicht nach eurem *Vorteile*; ich frage nach eurem *Rechte*. – Euer Kapital muß euch nicht geraubt werden; das versteht sich von selbst. Auch können wir euch nicht füglich nötigen, es in barem Gelde von uns zurückgezahlt anzunehmen. Ihr seid gleichsam Miteigentümer unseres Gutes, und wir können euch nicht zwingen, euren Anteil daran uns zu verkaufen, wenn er euch nicht feil ist. Es sei! Aber wer sagt uns denn, warum dies *eine* Gut notwendig unteilbar und *ein* Gut sein müsse? Wenn uns euer Miteigentum und die sonderbare Art, wie ihr es benutzt, nicht länger gefällt, warum sollten wir nicht das Recht haben, euch euren Anteil zurückzugeben? Wenn ich zwei Hufen Land besitze und nur die Hälfte ihres Wertes bezahlt habe, weil die zweite Hälfte als euer eisernes Kapital stehenbleiben muß – ist nicht die Hälfte von zwei Hufen *eine*? Ich habe eine bezahlt, und die zweite ist euer: ich behalte die meinige, nehmt ihr die eure zurück. Wer könnte gegen dieses Verfahren einen Einspruch tun? – Es ist euch höchst ungelegen, sie zurückzunehmen? Wohl! wenn es mir gelegen sein kann, sie zu behalten, so wollen wir einen neuen Vertrag über die Entrichtung der Interessen machen, der nicht bloß für euch, der auch für mich vorteilhaft sei. Werden wir einig, so mag es sein. – Dies sind die Rechtsgrundsätze, aus denen sich mannigfaltige Mittel ergeben, das drückende Fronsystem, ohne Ungerechtigkeit und ohne Eingriff in das Eigentumsrecht, aufzuheben – wenn es dem Staate nur damit ein Ernst ist, wenn seine Einwürfe nur nicht bloße Ausflüchte sind – und wenn er nur nicht insgeheim den Vorteil des weniger Begünstigten dem Rechte und dem Vorteile aller vorzieht.

Um eben diesen Grundsatz auf den Landbauer anzuwenden, der an seinem Gute kein Eigentum hat, sondern es bloß zum Gebrauche vom Gutsherrn entlehnt hat, so ist sogleich einleuchtend, daß er das vollkommene Recht hat, das Gut zurückzugeben, wenn die darauf ruhenden Frondienste ihm ungerecht oder drückend scheinen. Will der Gutseigentümer dennoch, daß er es behalte, so mögen sie miteinander handeln, bis sie einig werden.

Aber nein, sagt das hergebrachte Recht – der Landbauer, der gar kein Eigentum am Boden hat, gehört selbst zum Boden; er selbst ist ein Eigentum des Grundherrn; er darf sich nicht vom Gut entfernen, wie er will; des Gutsbesitzers Recht geht auf *seine Person* – und dies ist ein harter Widerspruch gegen das Recht der Menschheit an sich: es ist die Sklaverei in der ganzen Bedeutung des Worts. – Jeder Mensch kann Rechte auf Sachen haben, aber keiner ein unabänderliches Recht auf die Person eines anderen Menschen; daran hat jeder selbst das unveräußerliche Eigentum, wie in dieser Schrift zur Genüge erwiesen worden. Solange der Leibeigene bleiben will, mag er bleiben; sobald er gehen will, muß ihn der Gutsherr gehen lassen, und das kraft seines Rechtes. Er darf hier nicht sagen: ich habe das Recht auf die Person meiner Leibeigenen beim Ankaufe des Gutes mitbezahlt. – Ein solches Recht konnte ihm niemand verkaufen, denn niemand hatte es. Hat er etwas dafür bezahlt, so ist er betrogen und mag sich an den Verkäufer halten. Kein Staat also rühme sich der Kultur, wo dieses unmenschliche Recht noch gilt und wo noch irgend jemand das Recht hat, einem anderen zu sagen: *du bist mein!**

* Zwei benachbarte Staaten trafen einen Vertrag über gegenseitige Auslieferung der Deserteure vom Soldatenstande. In den Grenzprovinzen beider Staaten war die Leibeigenschaft, das Eigentumsrecht auf die Person des Landbauern, eingeführt. Seit langer Zeit hatte zuweilen ein Unglücklicher, um der Unmenschlichkeit seines Herrscherlings zu entgehen, sich über die Grenze geflüchtet und

Unter die Vorrechte, die der Adel ausschließend besitzen möchte und die er zuweilen mit innigem Widerwillen in den Händen eines Bürgers erblicken muß, gehören alle hohen Stellen in der Staatsverwaltung und im Felde. Eine solche Forderung ist offenbar ungerecht. Kein Amt im Staate, wenn es nur ein wirkliches Amt und nicht etwa zum leeren Putze – wenn es nur für das Bedürfnis des Staates und nicht etwa einzig für das Bedürfnis des Besitzers erfunden ist, ist eine bloße Begünstigung; es ist eine schwere Bürde, die der Staat auf die Schultern eines seiner Bürger legt. Je wichtiger dieses Amt ist, desto einleuchtender wird das Recht des Staates, über die Besetzung desselben zu wachen; und je seltener die Talente sich vereinigt finden, die zur Verwaltung desselben erfordert werden, desto ausgedehnter muß der Kreis sein, aus welchem derselbe wählt; oder, wenn er auch das Wahlrecht nicht unmittelbar, sondern durch Stellvertreter ausübte, so hat er das volle Recht, zu fordern, daß diese durch nichts als durch die Anzahl der Bürger eingeschränkt werden. – Aber, kann man sagen – darf nicht ein engerer Kreis ausgewählter Männer festgesetzt werden, aus welchem man die wichtigsten Staatsämter besetze? – und ich antworte: dies darf nicht nur geschehen, sondern es wird auch für die Erleichterung der Wahl und für die schleunigere Besetzung der erledigten Stellen sehr vorteilhafte Folgen haben – aber wodurch soll denn die Wahl in diesem engeren Kreis selbst bestimmt werden? Doch wohl nicht durch die Geburt, wenn auf den wahren Vorteil des Staates abgesehen wird: denn aus welchem Grunde sollte doch folgen, daß – bei gleicher Geistesbildung, was doch in den neueren Zeiten mit dem Adel und dem besseren Bürgerstande in den mehrsten Staaten offenbar der Fall ist – die talentvollen und guten Menschen allein aus gewissen Häusern abstammen und die Abkömm-

war frei, wenn er sie erreicht hatte. Die Gutsbesitzer eilten gegenseitig, den Vertrag auf Auslieferung der Bauern auszudehnen, und unter andern starb ein Leibeigener, der um ein paar entwendeter Weintrauben willen ausgetreten war und wieder ausgeliefert wurde, kurz nach den ihm dafür eigenmächtig zugezählten Stockschlägen – – und das geschah in der letzteren Hälfte des vorigen Jahrzehnts in dem Staate, der sich für den aufgeklärtesten in Deutschland hält!

linge aller übrigen Familien gegen jene Schwachköpfe und unedle Menschen sein würden? So weit hat doch, soviel *mir* wenigstens bekannt ist, noch kein Verteidiger des Adels die Unverschämtheit getrieben, um dies zu behaupten. Die Aufnahme in diesen Kreis auserlesener und zu den wichtigsten Staatsämtern bestimmter Bürger könnte demnach auf nichts anderes sich gründen als auf die durch vorhergegangene kleinere Verdienste dem Staate erprobte Geschicklichkeit und Treue; und wir ständen wieder bei unserer ersten Maxime in Besetzung der Ämter. Jede höhere Würde müßte durch treue und geschickte Verwaltung der niedrigeren verdient werden. Auf dieses Recht, zur Verwaltung seiner öffentlichen Ämter den Fähigsten zu wählen und diesen, nach seiner besten Überzeugung, aus der ganzen Menge seiner Bürger auszulesen, hat kein Staat Verzicht getan und hat keiner Verzicht tun können, ohne seinem Zwecke zu widersprechen und sich selbst aufzuheben. – – Was aber tut eine Kaste, die sich die ausschließende Fähigkeit anmaßt, zu diesen Ämtern gewählt zu werden? – Wir wollen annehmen, diese Kaste wähle nach ihrer besten Überzeugung den Würdigsten, der unter ihr angetroffen wird; so folgt weder, daß dieser der Würdigste unter allen Staatsbürgern überhaupt sei, noch, daß er selbst in dieser Kaste den übrigen Bürgern der Würdigste scheine. Wenn diese Kaste allein die Summe der gesamten Staatsbürger ausmachte, dann wäre ihr Verfahren rechtmäßig; durch dieses Verfahren betragen sie sich als die ganze Summe, mithin als der Staat. Was sind denn nun die übrigen Bürger? Offenbar ein abgesonderter, von jenem unterjochter und eigenwillig beherrschter Staat. Ein solches Vorrecht macht den Adel nicht bloß zu einem Staate im Staate, der ein von den übrigen Bürgern abgesondertes Interesse hat; es vernichtet sogar gänzlich die übrigen Volksklassen in der Reihe der Staatsbürger, hebt ihr Bürgerrecht auf und verwandelt sie, insofern jene Staatsämter, die aus ihrer Mitte nicht besetzt werden können, Beziehung auf sie haben, in eigenwillig beherrschte Sklaven – und was ist unrechtmäßig, wenn dies es nicht ist?

Wir tun dem Adel nicht unrecht. Daß er bloß aus seiner Mitte gewählt wissen wolle, daß er die *wahlfähigen* Bürger hergeben wolle, ist unmittelbar der Inhalt seiner Forderung: daß er selbst wählen, daß er auch die *wählenden* Mitglieder hergeben wolle, folgt geradezu aus dieser Forderung, wenn sie nur einmal befriedigt worden ist. Wer wählt denn zu den obersten Staatsbedienungen? wer besetzt denn die erledigten Stellen? Die Fürsten, die ihre Leute selbst kennen, sind selten; ja es ist für sie unmöglich und zweckwidrig und sogar schädlich, in das einzelne der verschiedenen Zweige der Staatsverwaltung einzugehen und die untergeordneten Mitglieder der verwaltenden Staatskörper genau zu kennen und zu beobachten. Sie müssen die Wahl den höheren Mitgliedern dieser Körper überlassen, welche fähiger sind, über die Tauglichkeit ihrer Untergeordneten zu urteilen. Sind diese höheren Mitglieder einmal *alle* von Adel und sind sie von dem Zunftgeiste ihres Standes beseelt, so werden – so *müssen* sie, zufolge ihrer Grundsätze, jeden, der Bürger ist, von jeder Stelle entfernen, solange noch ein Adeliger vorhanden ist, der sie begehrt. Der Adel ist hierüber sein eigener Richter; und so wie sich die Anzahl der Adeligen mehrt, die der Einkünfte der Staatsämter bedürfen, so breitet sich der Kreis der adeligen Stellen aus, soweit der Adel es will – so wie etwa der Adel in einigen Staaten sich seit kurzer Zeit der Postmeisterstellen und der höheren protestantischen geistlichen Stellen bemächtigt hat, welche vorher dem Bürger überlassen wurden. Welches ist hierüber die Grenze des Adels? Keine andere als die seiner Bedürfnisse. Welches ist sein Gesetz? Kein anderes als sein guter Wille. Wo noch Stellen übrig sind, die dem Bürger gegeben werden, da hat derselbe es lediglich diesem guten Willen zu danken. Wenn sie einträglicher oder ehrenvoller wären, so würden sie nicht bis zu ihm herabgelangen. – Ich behaupte hier nichts Neues und nichts, was sich nicht durch tägliche Erfahrung beweisen ließe. Es wird im Regierungs- oder Justiz- oder Finanzdepartement die Stelle eines Rates erledigt. Neunmal unter zehnen wenigstens wird sie durch einen Adeligen besetzt. Und wie sollte es denn zugehen, daß unter der drei- oder viermal größeren Anzahl der bürgerlichen Sekretäre, die ihr halbes Leben in diesem Fache gearbeitet haben, so sehr selten ein ebenso tauglicher zur Ratsstelle sollte gefunden werden als unter der weit kleineren Anzahl adeliger Sekretäre, die erst kurze Zeit darin arbeiten? Da werden die Stellen doch wohl nicht nach

Maßgabe der größeren Fähigkeit besetzt? – Auch geben konsequente Adelige dies gar nicht vor; sie behaupten, daß sie nach Geburt besetzt werden *müssen*, und hierüber eben bin ich mit ihnen nicht einig; ich behaupte, daß jedes Amt im Staate nach überwiegenden Verdiensten besetzt werden müsse. – – Man wende mir nicht ein, daß der Bürger, zu den höchsten Staatsbedienungen erhoben, sich von dem gleichen Zunftgeiste beherrschen lassen und, mit Ausschluß des würdigeren Adeligen, den Bürger, bloß weil er Bürger ist, zu erheben suchen werde. Ich weiß nicht, ob er das nicht tun werde; ich will dafür nicht einstehen. Aber wo entsteht denn diese Trennung zwischen den zwei Klassen, diese Parteilichkeit von beiden Seiten anders her als von euren vorhergegangenen Ansprüchen, mit denen ich es hier zu tun habe? Wären nie Adelige und Bürger – wären nie etwas anderes als Staatsbürger vorhanden gewesen, so würde weder der Adelige noch der Bürger seinesgleichen vorziehen können, weil *alle* seinesgleichen wären.
Dies ist eine unmittelbare Ungerechtigkeit gegen den Staat. Ich will eine andere, mittelbare, die aus dieser Einrichtung entsteht, nicht weitläufig dartun. – Wer sich einem Zweige der öffentlichen Geschäfte widmet, wird durch die oft kärgliche Besoldung, die man dem Tätigen wie dem Untätigen im gleichen Maße reicht, viel zuwenig angetrieben, alle seine Kräfte an seinem Platze anzustrengen. Es muß eine stärkere Triebfeder in Bewegung gesetzt werden; jeder muß auf dem Platze, den er errungen hat, einen höheren als den Preis der würdigen Behauptung seines gegenwärtigen vor sich erblicken. Was aber sieht der Bürger, der so hoch gestiegen ist, als er der Verfassung nach steigen kann, noch Höheres vor sich? Wird er nicht durch die mächtigeren Triebfedern der uneigennützigen Tugend und der Vaterlandsliebe getrieben, für die ebensowenig jeder Bürger als jeder Adelige Gefühl hat, so wird der Staat, neben der übrigen Kraft des Adels, der auf jeden Fall durch seine Geburt seines Vorrückens sicher ist, auch noch dasjenige von den Kräften dieses Bürgers verlieren, was derselbe nicht notwendig zur Behauptung seines jetzigen Platzes aufwenden muß.
In keinem Fache ist dies so einleuchtend als im Kriegsdienste. – Wo ein Adel vorhanden ist, der die etwas rauhe, aber

kräftige Denkungsart der alten Ritterschaft in seiner Familie als ein Erbgut aufzeigen kann – sei dieser doch in kriegerischen Staaten sogar ausschließend zum Besitz der Offizierstellen berechtigt! Oder, wo auch selbst der Adel durch das Hofleben, durch eine flüchtige Bekanntschaft mit den Wissenschaften und vielleicht selbst durch die Handlung seinem Geiste die alte Stärke benommen und ihm eine dem Bürgerstande ihn völlig gleichstellende Biegsamkeit gegeben hat – behaupte er doch sogar da das erhabene, aber wenig Nachdenken kostende Amt, rechts oder links sich schwenken oder das Gewehr präsentieren zu lassen oder, wenn es ja ernsthafter werden sollte, zu morden oder sich morden zu lassen. Vielleicht wird der Bürger gegen wichtigere Geschäfte, zu denen er sich durch eine anstrengendere Bildung vorbereitet, ihm jenen Vorzug freiwillig und ohne Neid abtreten. Aber daß man den Bürger zu diesem Stande zulasse, ihm aber zur Ersteigung der höheren Stufen desselben die Hoffnung abschneide, wie es in mehreren Staaten geschieht, ist, der ganz eigenen Verfassung dieses Standes nach, höchst widersinnig. War es dem erfindungsvollsten Witze möglich, eine tiefere Herabsetzung des Bürgerstandes ausfindig zu machen als die, ihn zu überreden, daß man ihn dem Adel, in dem Heiligsten, was dieser zu haben vermeint, gleichmachte, während man ihn bloß zur beständigen Betrachtung seiner eigenen Niedrigkeit gerade neben ihn stellte? in einem Stande, wo Subordination über alles geht, den bürgerlichen Hauptmann zu verbinden, einem adeligen Fähnrich oder Leutnant zu befehlen und für sein Betragen einzustehen – indes alle beide recht wohl wissen, daß der Adelige nach Verfluß einiger Jahre der Oberst oder der General des Bürgerhauptmanns sein wird? Welche Aufforderungen soll in einem Stande, welcher Aufopferungen verlangt, die nur die Ehre bezahlen kann, der Bürger, der sein höchstes Ziel erreicht hat, noch fühlen, um diese Aufopferungen zu machen?
Aber dem Adel muß aufgeholfen werden, wiederholt man; und so treffen wir ihn denn gerade bei den Plätzen, die er völlig ausschließend behauptet und deren Besitz eine Ahnenprobe voraussetzt. Ob, warum und inwiefern ihm aufgeholfen werden müsse – davon noch ein paar Worte zum Beschluß! – Nachdem wir gesehen haben, daß man durch

ausschließenden Besitz derjenigen Stellen, welche überwiegende Talente erfordern, ihm nicht aufhelfen dürfe, so laßt uns jetzt nur untersuchen, was denn noch übrig sei, um ihm aufzuhelfen. Wir treffen zuerst auf die *Domherrnstellen*, von denen eine bestimmte Anzahl immer nur vom Adel besessen werden kann. Ich rede nämlich hier bloß von protestantischen Stiftern. Über die katholischen, deren Glieder wahre Geistliche sind, wird das Nötige im folgenden Kapitel vorkommen. – Daß besondere Talente zur Verwaltung dieser Stellen erfordert werden, kann man eben nicht sagen; aus diesem Grunde demnach ließe der ausschließende Besitz derselben sich dem Adel nicht streitig machen – etwa so, wie der ausschließende Besitz der höheren Staatsbedienungen. Aber vielleicht aus anderen.
Wenn wir auf die Geschichte der Errichtung der mehrsten Hochstifter – und im protestantischen Deutschland aller – zurückgehen, so finden wir, daß der Unterhalt derjenigen Männer, die für die Belehrung und Kultur des Volkes zu sorgen hatten, ihr einziger Endzweck war – ein Endzweck, der offenbar das Beste des Staates zur Absicht hat. – Wir haben hier nicht zu untersuchen, von *wem* die Güter zu diesen Stiftungen herkamen. Meist waren sie entweder aus der Beute des Eroberers, der in das Eigentumsrecht gewaltsame Eingriffe getan hatte; oder sie hatten, wo noch kein fester Staat und kein bestimmtes Erbrecht vorhanden gewesen war, gar keinen Eigentümer gehabt. Wenn sie nur nicht aus den Gütern des Adels sind, der damals noch überhaupt kein besonderer Volkskörper war – wofern nicht etwa aller Raub ihm von Rechts wegen zugehört –, wenn nur nicht zu befürchten ist, daß die vorhergehenden rechtmäßigen Eigentümer sich melden möchten – nicht etwa ihre Nachkommen, denn vor Einführung des Erbrechtes könnten diese nicht erben: so sind sie durch die Schenkung zum Besten des Staates dem Staate selbst geschenkt, mithin *sein*, d. i. der gesamten Bürger rechtmäßiges Eigentum geworden. – Tiefe Finsternis fiel herab auf die Völker; und die Kirche, welche etwas ganz anderes ist als der Staat und welche ihr verfinsterndes Dasein mit dem aufklärenden Dasein der Volkslehrer verwechselte, bemächtigte sich jenes Eigentumes. Die Reformation, welche – in dem wahren Sinne des Wortes, dessen Bedeutung wir in der Folge erklären

werden – die *Kirche* vernichtete, stellte dasselbe seinem ersten und rechtmäßigen Besitzer, dem Staate, zurück. Ohne Zweifel hatte der Staat das Recht, über sein Eigentum eine Verfügung zu treffen. War es entweder zur Erreichung seines ursprünglichen Endzweckes überflüssig geworden oder hatte der Staat nähergelegene Endzwecke, zu deren Beförderung er es anwenden wollte, so war er ohne Zweifel berechtigt, es zu tun. Aber wie ist denn eine einzige Kaste zum ausschließenden Besitze desjenigen gekommen, was rechtmäßiges Eigentum der gesamten Staatsbürger war? Sind die ausgeschlossenen Staatsbürger bei der Verfügung darüber zu Rate gezogen worden? haben sie ihr Anteil freiwillig an jene Kaste abgetreten? hatten sie keine angelegenere Sorge als die, jene Kaste zu bereichern? Keineswegs. Der Adel hat sich abermals betragen, als ob er allein der Staat, als ob außer ihm niemand mehr vorhanden wäre. – Daß ein solches Verfahren rechtswidrig und ungültig sei und daß die ausgeschlossenen Bürger das unverjährbare Recht haben, die Zurückstellung des Ganzen zur gemeinsamen Beratschlagung zu fordern – darüber ist wohl nach allem in dieser Schrift bisher Gesagten kein Zweifel möglich.

Und – ich bitte – sind denn etwa jene Güter dem gesamten Staate so ganz entbehrlich – ist er denn in einer so großen Verlegenheit über die Anwendung derselben, daß er sie, um ihrer nur entledigt zu werden, jener Kaste zu einem leeren Zierate leihen muß? Hat denn der Staat gar kein dringenderes Bedürfnis als das, von sich sagen zu machen, daß er einen reichen Adel habe? Sind sie denn auch nur zur Beförderung der ursprünglichen Absicht so ganz entbehrlich geworden? Solange es in diesen Staaten entweder noch unmittelbare Volkslehrer gibt, die in dem drückendsten Mangel schmachten, oder solange es noch eigentliche Gelehrte gibt, die für die Verdienste, welche sie um die Wissenschaften und dadurch mittelbar um die Volksaufklärung haben, kümmerlich oder gar nicht belohnt sind, oder solange noch wichtige Unternehmungen für die Erweiterung der menschlichen Kenntnisse, aus Mangel an Unterstützung, unterbleiben müssen – wie kann doch solange der Adel unverschämt genug sein, jene Güter zur Behauptung seines Standes anwenden zu wollen? Dies ist die wahre Bestimmung der Einkünfte der Hochstifter: zuerst verhältnismäßige Besoldung der Volkslehrer – wenn davon noch etwas übrig ist – Belohnung der Gelehrten und Beförderung der Wissenschaften; und die Möglichkeit dieser Anwendung dauert, scheint es, noch immerfort. –

Die zweite Klasse der Vorrechte, welche der Adel ausschließend besitzt, sind die *Hofämter*. Diese sind entweder bloß dazu gestiftet, um der Meinung genugzutun, und werden insofern sehr passend mit Geschöpfen der Meinung besetzt; oder sie dienen dem wirklichen und nicht bloß dem eingebildeten Bedürfnisse des Fürsten, sie sind sein Umgang und seine Freunde; oder endlich, sie glauben eben dadurch, daß sie das letztere sind, mittelbar sehr viel Einfluß auf die Staatsverwaltung zu haben. – In der ersten Rücksicht wird wohl kein einzelner Bürger, sei er nicht von Adel oder sei er von Adel, der seinen Wert fühlt, den Mann beneiden, der sich zum bloßen Zierat eines glänzenden Hofes herabwürdigt und sich erniedrigt, etwas zu sein, das eine künstlich eingerichtete Sprechmaschine vielleicht noch besser wäre. Aber die gesamten Bürger, wenn sie sich so weit erheben sollten, um dieses Schauspiel entbehren und die falsche Scham vor anderen Staaten, die es ihnen geben, überwinden zu können, sind ohne Zweifel befugt, zu fragen, warum sie durch beträchtliche Aufopferungen diese kostbare Pracht noch länger unterhalten sollen. Sie sind ohne Zweifel befugt, nicht nur das ausschließende Vorrecht des Adels, diese Stellen zu begleiten, sondern sogar die Stellen selbst aufzuheben.

Was die zweite Absicht ihrer Stiftung anbelangt, so hat ganz sicher der Fürst, ebensowohl wie jeder andere, das Recht, sich aus der ganzen menschlichen Gesellschaft zu seinen Freunden und zu seinem Umgange auszusuchen, wen er will. Fällt eine Wahl auf Männer, die von ohngefähr von Adel sind, oder hat er auch einen so sonderbaren Geschmack, daß eine gewisse Reihe von Ahnen die ausschließende Bedingung ist, um zu seinem Umgange zu gelangen, so hat darüber keiner ihm etwas einzureden, so wie er keinem einzureden hat, wen er sich zu Freunden wählen solle. Mag er sich Freunde erwerben, wie man sich Freunde erwirbt; oder mag er auch aus seinem Privatvermögen oder von der Besoldung, die ihm der Staat für seine persönlichen

Bedürfnisse reicht, sich Gesellschafter oder Schmeichler erkaufen, so viele und welche er will oder kann; das ist nicht die Sorge des Staats noch irgendeines Staatsbürgers. – Aber ebensowenig als der Bürger das Recht hat, sich zu beklagen, wenn der Fürst lauter Adelige zu seiner Gesellschaft wählen will, ebensowenig hat der Adel ein Recht, ihm zu wehren oder es zu einer Landesbeschwerde zu machen, wenn er auch Bürger oder sogar lauter Bürger zu seinem Umgange zuläßt. Des Fürsten Wille ist hierüber frei; und das Verbot, ihn einzuschränken, ist für beide Teile gleichgültig. – Es ist zu bewundern, daß der Adel nicht auch die Stelle des Hofspaßmachers, die in einem gewissen Zeitalter an den meisten Höfen wichtig genug war, zu einer ausschließend adeligen Stelle gemacht hat – oder fand er es vielleicht leichter, die Stelle eines Hofmarschalls oder eines Kammerherrn zu versehen als jene, und bedürfte es, um die dazu erforderlichen Talente aufzufinden, eines weiteren Kreises als des eingeschränkten adeligen? Auf alle Fälle gereicht es ihm nicht zur Ehre, daß er die Erholungsstunden des von Regierungssorgen abgematteten Landesvaters nicht so gut ausfüllen konnte, daß ihm eine solche Zuflucht entbehrlich wurde.

Endlich fordert der Adel ausschließend den Umgang des Fürsten, weil es wichtig für das Land sei, daß denselben Leute von guten Grundsätzen umgeben. Wäre dies richtig, so müßte das gerade Gegenteil desjenigen, was der Adel daraus schließen will, gefolgert werden. Dann gehörte der Umgang mit dem Fürsten unter die wichtigsten Staatsbedingungen, welche nach obigen Grundsätzen mit den größten und besten Männern aus der gesamten Masse der Bürger und nicht bloß aus dem Adel zu besetzen sind. Aber ich bekenne schon im voraus, was ohnedem bald an den Tag kommen muß, daß kein Fürst, auf dessen gute Grundsätze und guten Willen sehr viel ankommt und den man, wie ein Kind, vor bösem Einreden hüten muß, mir sonderlich gefalle. *Das Gesetz* muß durch den Fürsten herrschen, und ihn selbst muß es am strengsten beherrschen. Er muß nichts tun können, was dieses nicht will, und muß alles tun müssen, was dieses will; er liebe nun, so Gott will, im Herzen das Gesetz oder er beiße unwillig in den Zaum, der ihn hält und leitet. Der Fürst, als Fürst, ist eine vom Gesetz belebte

Maschine, die ohne jenes kein Leben hat. Insofern er Privatmann ist, mag *er* oder die Gesellschaft für seinen sittlichen Charakter sorgen; der Staat sorgt bloß für den Charakter des Gesetzes. Der Fürst hat keinen Umgang; nur der Privatmann hat einen.
Es bleibt uns also überhaupt kein gesetzmäßiges Mittel übrig, um dem Adel aufzuhelfen. Aber warum soll ihm denn auch aufgeholfen werden? *Rechtsansprüche* hat der Adel als Adel, d. i. als der gegenwärtige durch die Geburt bestimmte Volkskörper, gar nicht zu machen; denn sogar sein Dasein hängt vom freien Willen des Staates ab. Was hat der Staat nötig, sich auf seine Forderungen lange einzulassen? Fällt er ihm dadurch beschwerlich, so hebt er ihn selbst auf und ist dadurch aller seiner Anforderungen entledigt; denn was nicht ist, kann auch keine Ansprüche machen. Ist der Adel aufgehoben, so kann kein anderer begünstigter Volkskörper an seiner Stelle *Rechtsansprüche* auf den Staat machen; denn ehe er Ansprüche macht, muß er sein; und er kann nicht sein, ohne durch die Vergünstigung des Staates: Die Frage ist also überhaupt nicht *vom Rechte*; sie ist eine Frage *der Klugheit* und ist so auszudrücken: *Ist es dem Staate nützlich, daß es eine oder mehrere Volksklassen gebe, die, wegen ihres Ansehens und ihrer Reichtümer, zu wichtigen Geschäften und Unternehmungen für den Staat stets geschickt und bereit seien; und auf welche Art und durch welche Mittel werden solche Volksklassen am schicklichsten bestimmt, hervorgebracht und aufrechterhalten?* Die Beantwortung derselben gehört nicht in das gegenwärtige Buch.

SECHSTES KAPITEL

Von der Kirche, in Beziehung auf das Recht einer Staatsveränderung

Verschiedenheit und Veränderlichkeit ist der Charakter der Körperwelt, Gleichheit und Unveränderlichkeit der Charakter der geistigen. Leibniz behauptete und bewies durch den Augenschein, daß nicht zwei Baumblätter einander gleich wären, und er hätte kühn hinzusetzen können, daß selbst ein und ebendasselbe nicht zwei Sekunden hintereinander sich selbst gleich sei – eben der Leibniz, welcher auf die Allgemeingültigkeit dieser Behauptung und aller seiner metaphysischen Behauptungen für alle richtig denkenden Köpfe mit seinem vollen Rechte Anspruch machte. – Unter allen möglichen Meinungen über den gleichen Gegenstand kann, unser aller Urteile nach, nur *eine* die wahre sein; und wer sie gefunden zu haben glaubt, behauptet, daß vom Anbeginne der Geister an, so lange es ihrer geben wird, jeder, der ihn verstehe und die Gründe seiner Behauptung fasse, notwendig mit ihm übereinstimmen müsse. Irren kann man auf verschiedene Weise: die Wahrheit ist nur *eine*; sie war von Ewigkeit dieselbe und wird auch in Ewigkeit dieselbe bleiben. – *Recht* oder *praktisch wahr* ist auch nur *eins*; und diese Wahrheit, die wichtigste für jeden freien Geist, ist so wenig tief verborgen, daß die Menschen sowohl über die notwendige Allgemeingültigkeit derselben überhaupt als über die einzelnen Sätze, die sie dazu rechnen, sich weit leichter vereinigen als über theoretische Wahrheiten. Die Anerkennung dieser Wahrheit, vor der sie ihre Augen kaum verschließen können, erzeugt in ihnen gewisse Hoffnungen, Aussichten, Ansprüche, von denen in der Welt der Erscheinungen nicht die geringste Spur sich zeigt und deren Gültigkeit sie weder sich noch anderen so dartun können wie etwa die Richtigkeit eines mathematischen Lehrsatzes. Dennoch setzen sie als gewiß voraus, daß alle vernünftigen Geister auch hierüber mit ihnen übereinkommen müssen; und dies erzeugt die – vielleicht allgemeine, wenngleich nicht immer deutlich gedachte, Idee einer unsichtbaren Kirche, einer Übereinstimmung aller vernünftigen Wesen zu dem gleichen Glauben. Eine solche unsichtbare Kirche aber wird selbst nur geglaubt; und das, woran alle übrigen Glaubensartikel sich halten, ist selbst nur ein Glaubensartikel.

Da jedem, der jenen Glauben hat, unendlich viel an der Wahrheit desselben liegt, die er sich doch nie, weder durch Erfahrung noch durch Beweisgründe, völlig sicher dartun kann, so ergreift er alles, um sich in demselben zu bestärken. Von inneren Beweisgründen entblößt, sucht er nach äußeren. „Ist mein Glaube wahr, so müssen alle vernünftigen Geister den gleichen Glauben haben", ist der Satz, von dem er ausgeht; und da er nicht füglich etwas Weiteres, als er schon hat, zum Erweise der Voraussetzung zu finden hoffen darf, so sucht er sich wenigstens über die Schlußfolge zu unterrichten. Er schließt umgekehrt: haben alle vernünftigen Geister den gleichen Glauben, den ich habe, so muß dieser wohl der wahre sein; und *ob* sie ihn haben, darüber sucht er, soweit nur irgend sein Wirkungskreis reicht, nachzuforschen. Da es ihm aber eigentlich gar nicht um Belehrung, sondern um Bestätigung zu tun ist, da er nicht nach Unterricht, sondern nach Beweisen sucht, da er über die Wahrheit an sich schon vorlängst mit sich selbst einig ist und darin bloß befestigt sein will: so mag er nichts hören als das gewünschte „Ja, ich glaube dasselbe"; und wo er es nicht hört, arbeitet er, um den anderen zu überzeugen, bloß in der Absicht, um durch die Überzeugung desselben endlich die erwünschte Glaubensbestätigung zu erhalten. – Es ist überhaupt ein angeborner Hang des Menschen, über Gegenstände aller Art Einstimmigkeit des Denkens hervorzubringen, der sich auf jene notwendige Einförmigkeit alles Geistigen gründet, deren Idee tief im Menschen liegt; aber im Theoretischen bescheidet man sich weit leichter, entweder geteilt zu bleiben und die Sache auf sich beruhen zu lassen oder auch sogar die Überzeugung des anderen statt seiner bisherigen anzunehmen, als im Praktischen. Hier ist man nicht so leicht abzuweisen oder zu bekehren; hier will man selten belehrt werden, sondern fast immer belehren. – Es ist also ein Hang im Menschen, jene unsichtbare und bloß gedenkbare allgemeine Kirche, soviel an ihm ist, in eine sichtbare zu verwandeln, jene Idee in der Sinnenwelt wirklich darzustellen, nicht bloß zu glauben, daß der andere glaube wie er, sondern auch, insoweit das irgend möglich ist, es zu wissen, sein Glaubenssystem wenigstens in *einem* Punkte an etwas, das er weiß, anzuknüpfen. – Dies ist der Grund der kirchlichen Verbindung.

Die sichtbare Kirche ist eine wahre Gesellschaft, die sich auf einen Vertrag gründet. In der *unsichtbaren* Kirche weiß keiner etwas von dem anderen; aus einer jeden Seele entwickelt sein Glaube sich, unabhängig von allem, was außer ihm ist. Die Übereinstimmung, wenn sie da ist, hat sich von selbst gefunden, ohne daß jemand den Zweck hatte, sie hervorzubringen. Ob sie da sei, könnte keiner wissen als ein

Geist, in dessen Wissen die Vorstellungsarten aller Geister sich vereinigten. – Die *sichtbare* Kirche setzt die Übereinstimmung – und die Folge derselben, die Glaubensstärkung, als Zweck voraus. Jeder, der dem anderen sagt, was er glaube, will von dem anderen hören, daß er das gleiche glaube. Der erste Grundsatz des kirchlichen Vertrages ist der Satz: *Sage mir, was du glaubst; ich will dir sagen, was ich glaube.* Da aber, wie schon angemerkt worden, die Absicht der Verbindung gar nicht die ist, verschiedene Meinungen zu sammeln, sich durch Vergleichung derselben zu belehren und die seinige darnach zu bilden – sondern durch die Übereinstimmung der Meinung des anderen mit der unserigen in derselben bestärkt und befestigt zu werden –, so ist jener Satz für die Gründung einer Kirche gar nicht hinlänglich. Es muß nicht bloß bestimmt werden, *daß* der andere sagen solle, was er glaube, sondern auch, *was* er sagen solle, daß er glaube. Der kirchliche Vertrag setzt mithin die Grundlegung eines gesetzlichen Glaubensbekenntnisses voraus, und sein Grundsatz heißt nunmehr so: *Wir wollen alle einmütig das gleiche glauben und diesen unseren Glauben uns gegenseitig bekennen.*

Man dürfte vielleicht in dieser Vertragsformel einen inneren Widerspruch finden. – Wir sollen nicht schweigen, sondern unseren Glauben laut *bekennen.* Unser Stillschweigen würde die Mitglieder der Kirche auf den Verdacht bringen, daß wir entweder gar nichts glaubten oder etwas anderes glaubten als *sie* und sie in ihrem Glauben stören. – Wir sollen *aufrichtig* sagen, was wir glauben, und den Glauben nicht etwa bloß erheucheln. Wenn die Kirche von ihren Mitgliedern annähme, daß ihr Bekenntnis nur Heuchelei, nur ein Werk der Lippen und aus keiner inneren Überzeugung entsprungen sei, so würde der Zweck derselben dadurch abermals vernichtet; ein Glaubensbekenntnis, das man für falsch und heuchlerisch hält, kann uns in unserem Glauben nicht bestärken. – Dennoch sollen wir uns mit dieser völligen Überzeugung ein *bestimmtes, schon vorher vorgeschriebenes* Glaubensbekenntnis ablegen. Wenn wir nun aber von der Wahrheit desselben weder überzeugt sind noch uns davon überzeugen können, was sollen wir dann tun? Keine Kirche nimmt Rücksicht auf diesen Fall: jede konsequente Kirche, d. h. jede, die eine wirkliche ist, muß die Möglichkeit des-

selben schlechterdings leugnen; und alle Kirchen, welche konsequent verfahren sind, haben sie wirklich geleugnet. – Die erste Voraussetzung, ohne welche überhaupt kein kirchlicher Vertrag möglich ist, ist die: daß das ihm zugrunde gelegte Glaubensbekenntnis ohne allen Zweifel die einzige und reine Wahrheit enthalte, auf welche jeder, der die Wahrheit suche, notwendig kommen müsse, daß es der einzige wahre Glaube sei – die zweite, welche unmittelbar aus der ersten folgt: daß es in der Macht jedes Menschen stehe, diese Überzeugung in sich hervorzubringen, wenn er nur wolle, daß der Unglaube immer entweder auf Mangel an aufmerksamer Beherzigung der Beweise oder auf mutwilliger Verstockung sich gründe und daß der Glaube von unserem freien Willen abhänge. Daher gibt es in allen kirchlichen Systemen eine *Glaubenspflicht*; Pflicht aber kann nichts sein, was nicht in unserer Macht steht; das hat noch nie eine Kirche geleugnet. – Beide Sätze kann man in jedem katholischen Lehrbuche finden, das man aufschlagen will. Über das inkonsequente Verfahren der protestantischen Gemeinden, wofern sie anders Kirchen sein und kirchliche Rechte haben wollen, in diesem und noch manchem anderen Punkte werden wir weiter unten Gelegenheit haben, einige Worte zu sagen.
Durch, ich weiß nicht, ob wirkliche oder erdichtete, Tatsachen unterstützt, dürften gegen die Behauptung, daß die Kirche sich auf Vertrag gründe, einige Leser die Einwendung machen, daß sie doch wirklich monarchischen Ursprungs sei und mithin nicht auf einen Vertrag der Mitglieder, sondern auf die Übermacht eines Herrn sich gründe. – Aber wenn es auch wahr wäre, daß die Gewissen ursprünglich sich nicht ergeben hätten, sondern unterjocht worden wären, so würde dadurch zwar ein Trupp abgesonderter Sklaven, die alle dem gleichen Herrn dienten, doch ohne gegenseitig von ihrer gemeinsamen Knechtschaft etwas zu wissen, aber nimmermehr eine Gesellschaft – zwar der gleiche Glaube in dem Herzen aller, aber nimmermehr ein gegenseitiges gleichförmiges Glaubensbekenntnis entstanden sein. Zwei wenigstens müssen den Anfang machen, sich ihre beiderseitige Unterwürfigkeit zu gestehen und die übrigen, die sie etwa im Verdachte der gleichen Unterwürfigkeit hatten, zum Bekenntnisse einladen; sonst wäre aus Mil-

lionen Menschen nie eine Kirche entstanden. – Es ist allerdings physisch, aber freilich nicht moralisch möglich, daß ein irdischer Staat durch Unterjochung entstehe. Ein übermächtiger Eroberer kann sich Sklaven unterwerfen und sie durch seine Befehle in Vereinigung und gegenseitigen Einfluß aufeinander setzen; die Leiber der Untergeordneten und ihre Unterwürfigkeit unter die Gebote ihres Oberherrn erscheinen allerdings in der Sinnenwelt. Daß aber ein geistlicher Staat auf diese Art entstehe, ist physisch ebenso unmöglich, als es moralisch unmöglich ist. Dieser unterjocht nur die Gewissen und nicht die Körper: und die Unterwürfigkeit der Geister zeigt sich nicht, wenn sie sich nicht freiwillig entdeckt. Die Kirche ringt mit einer noch weit größeren Schwierigkeit als mit der oben angezeigten, daß ihr Glaubensbekenntnis vorgeschrieben ist, aus welcher sie sich auf eine so leichte Art zog. – Die Erreichung ihres Zweckes gründet sich auf die *Wahrhaftigkeit* ihrer Mitglieder; kann sie dieser Wahrhaftigkeit sich nicht versichern, kann sie dem Bekenntnisse ihrer Mitglieder keinen Glauben zustellen, so findet die gegenseitige Stärkung des Glaubens nicht statt, sondern die Gemüter werden nur noch mehr geärgert und irregemacht. Es wäre ihnen besser, daß sie in der Stille geglaubt hätten, alle anderen möchten wohl ebenso denken wie sie, als daß sie durch tägliche Bekenntnisse, denen sie nicht trauen, immer tiefer in Zweifel gestürzt werden.

Für die Lüge gibt es an sich keinen äußeren Richterstuhl; dieser ist innerlich in eines jeden Gewissen. Wer lügt, muß sich vor sich selbst schämen; er muß sich verachten. – Im Falle wir durch die Erfahrung uns von der Wahrheit oder Unwahrheit einer vorgeblichen Tatsache nicht überzeugen können, so müssen wir im bürgerlichen Leben es dem Gewissen eines jeden überlassen, ob er wahr reden oder uns belügen wolle; wir müssen ihn der Strafe überlassen, die er bei gesagter Unwahrheit sich selbst zufügt oder auch nicht zufügt. Eine solche innere Bestrafung, die doch immer zweifelhaft bleibt und in keinem Falle an den Tag kommt, kann keiner Gesellschaft, die auf Wahrhaftigkeit aufgebaut ist und mit ihr steht oder fällt, Genugtuung geben.

Fast durch den einmütigen Glauben aller Menschen ist jenes innere Richteramt schon an ein Wesen außer uns, an den allgemeinen moralischen Richter, an Gott, veräußert. Daß ein Gott sei und daß er die Lügen strafe, ist wohl der einstimmige Glaube aller Kirchen. Jede also kann die Bestrafung ihrer heuchlerischen Mitglieder von Gott erwarten. – Aber diese Strafe Gottes ist entfernt; sie erwartet den Sünder erst in jenem Leben; der Zweck der Kirche aber ist für das gegenwärtige berechnet. Dann, wenn diese Strafen ausgeteilt werden, werden sie freilich sehen, wer ihnen die Wahrheit gesagt oder wer den Glauben bloß erheuchelt hat; dann aber bedürfen sie der Glaubensstärkung überhaupt nicht mehr, um deren willen sie eine kirchliche Verbindung eingingen. Wenn der Ungläubige völlig und entschlossen ungläubig ist, so glaubt er überhaupt an keinen Gott, kein künftiges Leben und keine Bestrafung seiner Falschheit; er fürchtet also die angedrohte Strafe Gottes gar nicht und wird dieserhalb kein Bedenken tragen, ein falsches Glaubensbekenntnis abzulegen, wenn er anderweitige Ursachen dazu hat: oder wenn er auch vielleicht nicht ganz ungläubig wäre, so hofft er vielleicht auf andere Art sich mit Gott abzufinden und durch irgendein Mittel der Entdeckung seiner Falschheit und der Strafe zu entgehen. Dies legt der Kirche die Aufgabe auf, die Strafe zu verfrühen und, da sie einmal Gott nicht bewegen kann, um ihretwillen eher zu strafen, als er sonst würde gestraft haben, selbst sein Richteramt an sich zu nehmen. Dadurch wird das innere Richteramt des Gewissens abermals veräußert, und zwar an einen Richter, der das Urteil auf der Stelle sprechen kann, an die sichtbare Kirche.

Diese neue Veräußerung des inneren Richteramtes, dieses Urteilen an der Stelle Gottes, ist Fundamentalgesetz jeder Kirche, die konsequent ist; und ohne dasselbe kann sie sich schlechterdings nicht behaupten. Was sie löset, das muß auch im Himmel gelöset sein, und was sie bindet, das muß auch im Himmel gebunden sein. Ohne dieses Richteramt verlangt sie vergeblich eine Herrschaft über die Seelen der Menschen, die sie durch nichts behaupten kann, drohet vergebens mit Strafen, von denen sie gesteht, daß sie sie nicht zuerkennen könne; läßt die Menschen in ihrem Glauben nach wie vor von sich selbst abhängig, den sie doch vorzuschreiben verlangte – sie hebt ihren eigenen Begriff auf und steht im inneren Widerspruche mit sich selbst.

Da sie über die Herzensreinigkeit von Menschen richten und ihnen nach Maßgabe derselben Strafe und Belohnung austeilen will, deren Inneres sie nicht erforschen kann, so entsteht dadurch eine neue Aufgabe für sie; nämlich diese: ihr Glaubensbekenntnis also einzurichten, daß es sich in äußeren Folgen zeige, ob man von der Wahrheit desselben überzeugt sei oder nicht – sich selbst eine solche Verfassung zu geben, daß sie von dem Gehorsame und der Ergebenheit ihrer Mitglieder aus sicheren und unverdächtigen Merkmalen urteilen könne. Damit sie sicher sei, sich nicht zu irren, wird sie diese Merkmale so in die Augen springend machen, als es ihr möglich ist. – Dies geschieht auf zweierlei Art: durch harte Bedrückungen ihres Verstandes und durch strenge Gebote, die man ihrem Willen auflegt. – Je abenteuerlicher, ungereimter, der gesunden Vernunft widersprechender die Lehren einer Kirche sind, desto fester kann sie von der Ergebenheit solcher Mitglieder überzeugt sein, welche das alles ernsthaft anhören, ohne eine Miene dabei zu verziehen, und es ihr lernbegierig nachsagen und mit Mühe und Arbeit in ihren Kopf einprägen und sich sorgfältig hüten, daß nicht ein Wörtchen auf die Erde falle. Je härter die Versagungen und Selbstverleugnungen, je grausamer die Büßungen sind, die sie fordert, desto fester kann sie an die Treue solcher Mitglieder glauben, welche sich diesem allen unterziehen, um nur mit ihr vereinigt zu bleiben, welche auf alle irdischen Genüsse Verzicht tun, um nur ihrer himmlischen Güter teilhaftig zu werden. Je mehr man aufgeopfert hat, desto stärker muß unsere Anhänglichkeit an dasjenige sein, um dessen willen man alles aufgeopfert hat. – Nachdem sie die Früchte des Glaubens in äußerliche Übungen gesetzt hat, deren Beobachtung oder Unterlassung jedes gute Auge sieht, hat sie sich dadurch eine leichte Aussicht in das Herz selbst eröffnet. Ob jemand an das Primat des heiligen Petrus glaube oder nicht, zu erforschen, möchte etwas schwer sein; ob jemand die durch einen Nachfolger und Stellvertreter desselben gebotenen Fasten gehalten habe oder nicht, entdeckt sich schon leichter. Hat er sie nicht gehalten, so muß sein Glaube an dasselbe und an die Unfehlbarkeit aller seiner Nachfolger und an die Unentbehrlichkeit des Gehorsams gegen alle ihre Gebote zur Seligkeit nicht sehr fest sein, und die Kir-

che kann mit hoher Sicherheit ihn als einen Ungläubigen in Anspruch nehmen.
Durch diese schon an sich notwendige Veranstaltung gewinnt die Kirche noch zwei andere sehr wesentliche Vorteile. Sie verschafft sich fürs erste, wenn sie zweckmäßig erdichtet, durch jene zur Prüfung des Glaubens auferlegten Glaubensartikel zugleich einen reichen Vorrat der mancherlei Strafen und Belohnungen einer anderen Welt, deren sie bedarf, um sie ihren so sehr verschiedenen Mitgliedern – jedem nach Maßgabe seines Glaubens oder Unglaubens, nach Gebühr zuzumessen. Statt des einfachen Himmels bekommt sie unzählige Stufen der Seligkeit und einen unerschöpflichen Schatz von Verdiensten der Heiligen unter ihre gehorsamen Mitglieder zu verteilen; neben der einfachen Hölle bekommt sie ein Fegefeuer, das an Qual und Dauer unendlicher Verschiedenheiten fähig ist, um die Ungläubigen und Unbußfertigen – jeden, nachdem es not tut – damit zu schrecken. – Sie stärkt fürs zweite den Glauben ihrer Mitglieder, indem sie ihn nicht müßig läßt, sondern ihm Arbeit genug gibt. Es scheint auf den ersten Anblick widersprechend, aber es wird durch die häufigsten Erfahrungen bestätigt, und der Grund dieser Erscheinung läßt sich bald auffinden – je unglaublichere Dinge man zu Glaubensartikeln macht, desto leichter findet man Glauben. Man leugnet am ehesten das, was noch so ziemlich glaublich ist, weil es uns zu natürlich vorkommt; aber man baue den geleugneten Satz auf einen wunderbaren und diesen auf einen noch wunderbareren und vermehre Schritt vor Schritt das Abenteuerliche, und der Mensch wird gleichsam schwindelnd; er kommt nicht mehr zur kalten Besinnung; er ermüdet, und seine Bekehrung ist gemacht. Es ist nichts Neues, daß man manchen, der keinen Gott glaubte, durch den Glauben an den Teufel, die Hölle, das Fegefeuer bekehrt habe, und das Tertullianische „Das ist widersinnig, mithin kommt es von Gott" ist, als Beweis für seinen Mann, vortrefflich. – Das kommt daher: einen, zwei, drei Sätze übersieht der gewöhnliche Kopf in ihren natürlichen Gründen und Folgen; er wird dadurch zum Nachdenken über sie eingeladen und glaubt über ihre Wahrheit oder Unwahrheit aus Gründen der Vernunft urteilen zu können: ihr baut sie ihm, um ihn an diesem Unternehmen zu verhindern, auf

andere künstliche Gründe, die selbst wieder Glaubensartikel sind, diese wieder auf andere, und so ins unendliche hinaus. Er kann jetzt nichts mehr übersehen; er irrt ohne Leitfaden in diesem Labyrinthe herum, er erschrickt über die ungeheure Arbeit, die er sich aufgelegt sieht, er ermüdet ob dem vergeblichen Suchen, und aus einer Art von fauler Verzweiflung ergibt er sich blindlings in die Hände seines Führers und ist froh, einen zu haben.

Man verstehe mich nicht unrecht; ich sage nicht, daß alle Stifter oder Erweiterer des kirchlichen Systems die Absicht, durch solche boshafte, aber völlig zweckmäßige Mittel die Gewissen der Menschen zu unterjochen, sich immer deutlich gedacht haben. Nein: ängstlich gewissenhafte, schon vorher in Schrecken versetzte Gemüter gingen, vom Instinkte geleitet, mit sich selbst den Weg, den sie hernach mit anderen einschlugen. Sie täuschten erst sich selbst, ehe sie andere täuschten. *Eine* Ungereimtheit, die nicht aufgegeben, sondern aus Angst und Furcht geglaubt werden muß, führt zu unzähligen, und je scharfsinniger der gewissenhafte Grübler ist, eine desto reichlichere Ausbeute von Träumen wird er aus dem Lande der Chimären zurückbringen. – Aber unseren heutigen Eiferern für die Aufrechterhaltung ihres reinen, alleinseligmachenden Glaubens, die großenteils nicht mit derselben Ehrlichkeit eifern, muß ich eine Lehre geben, die den Verdruß reichlich ersetzt, den ihnen die Durchlesung dieses Kapitels verursachen könnte. – Wenn sie ihren Glauben dadurch zu behaupten suchen, daß sie etwa die abenteuerlichsten Sätze aufgeben und ihn der Vernunft näherzubringen suchen, so ergreifen sie ein Mittel, das geradezu gegen ihren Zweck läuft. Sie erregen durch dieses Nachgeben den Gedanken, daß doch auch wohl im Beibehaltenen Dinge sein könnten, die mit der Zeit auch würden aufgegeben werden. – Doch das ist noch der geringste Schade; aber indem sie das System abkürzen und es von einem Teile seines Wunderbaren entkleiden, erleichtern sie die Prüfung und Übersicht desselben: kam das vorherige, dessen Prüfung schwerer war, in Gefahr – wie will sich dasjenige erhalten, das sie erleichtert? Geht den umgekehrten Weg: jede Ungereimtheit, die in Anspruch genommen wird, beweist kühn durch eine andere, die etwas größer ist; es braucht einige Zeit, ehe der erschrockene

menschliche Geist wieder zu sich selbst kommt und mit dem neuen Phantome, das anfangs seine Augen blendete, sich bekannt genug macht, um es in der Nähe zu untersuchen: läuft es Gefahr, so spendet ihr aus dem unerschöpflichen Schatze eurer Ungereimtheiten ein neues; die vorige Geschichte wiederholt sich, und so geht es fort bis an das Ende der Tage. Nur laßt den menschlichen Geist nicht zum kalten Besinnen kommen, nur laßt seinen Glauben nie ungeübt; und dann trotzt den Pforten der Hölle, daß sie eure Herrschaft überwältigen. – Laßt euch, o ihr Verfinsterer und Freunde der Nacht – laßt euch diesen Rat durch die Vermutung, daß er von einem Feinde herkomme, ja nicht verdächtig werden. Auch sogar gegen euch ist Tücke unerlaubt, ob ihr sie gleich gegen uns braucht. Prüft ihn aufmerksam, und ihr werdet ihn völlig richtig finden.
Nach jenen Grundsätzen richtet auf Erden die Kirche statt Gottes, teilt sie an seiner Stelle die Belohnungen und die Strafen einer anderen Welt unter ihre Mitglieder. Man hat in einer bekannten Kirche sich auch zeitlicher Strafen gegen den Unglauben und die Unbußfertigkeit bedient; aber das ist eine unglückliche, auf Mißverstand und gereizte Leidenschaft sich gründende Maßregel. Zeitliche Folgen der Kirchenzensuren können nichts sein als *Abbüßungen*, denen der Gläubige mit seinem guten Willen und mit dem guten Willen der Kirche sich unterwirft, um den Folgen derselben in jener Welt zu entgehen. Wer für seinen Unglauben sich geißelt und fastet und wallfahrtet, will der Kirche genugtun, um von ihrem Fluche für jenes Leben losgesprochen zu werden; selbst derjenige, der durch das heilige Amt sich verbrennen läßt, kann auf keine andere Bedingung sich verbrennen lassen, als daß er, wenn auch nicht in diesem, doch in jenem Leben, in der Kirche bleiben dürfe: er überliefert dem Satanas sein sündliches Fleisch zum Verderben, auf daß der Geist selig werde am jüngsten Tage. Dies ist auch ursprünglich die Bedeutung jener körperlichen Züchtigungen, wie man deutlich an den Förmlichkeiten sieht, mit denen sie ausgeübt werden. Aus der Fassung gebrachte Rachsucht war es, die sich ihrer als *Strafen* bediente, dadurch den Geist dieser Anstalten veränderte und ihrem eigenen Zwecke geradezu entgegenarbeitete. Werden diese Abbüßungen Strafe, d. h., werden sie *wider seinen Willen* demjeni-

gen aufgelegt, der auf diese Bedingung nicht in der Kirche bleiben, der ihr nicht gehorchen will, der ihren Fluch oder Segen verachtet und verlacht, der entschlossen ungläubig ist, so bewirken sie gerade das, was sie verhindern sollten; sie bewirken *Heuchelei.* Habe ich nichts zu wagen als die Strafen der Kirche in der anderen Welt, so werde ich ihren Büßungen mich sicher nicht unterwerfen, wenn ich ihren Drohungen nicht glaube: mein Unglaube ist entdeckt, die Kirche ist von einem räudigen Schafe gereinigt, das sie nun mit allen Flüchen belegen kann, die sie erfindet. Habe ich aber, ich mag nun glauben oder nicht, in dieser Welt Strafen zu erwarten, so werde ich meinen Unglauben verbergen, solange ich kann, und lieber einem geringeren Übel mich unterwerfen, um dem größeren zu entgehen. – Ich übergehe hier, daß es eine offenbare Ungerechtigkeit ist, wenn die Kirche Menschen straft, die ihr den Gehorsam aufgekündigt oder nie zugesagt haben, über die sie mithin gar kein Recht hat, und daß ein solches Betragen den Abscheu und den unversöhnlichsten Haß aller ungerecht Behandelten gegen sie reizt. – Die römische Kirche, ein Muster von Konsequenz, verfuhr bloß hierin inkonsequent. Alle Verfolgungen der Juden und der geständigen Schismatiker durch die Inquisition, die Hinrichtung jedes Unbußfertigen, solange er noch unbußfertig war, die Verbindung der zeitlichen Acht mit dem geistlichen Banne gegen die Regenten, die Entbindung ihrer Untertanen vom Eide der Treue und der Befehl an dieselben, ihre Fürsten zu verlassen, waren solche Inkonsequenzen, und sie kamen ihr teuer zu stehen.

Eine Kirche hat Glaubensgesetze, und also *eine gesetzgebende Macht.* Diese aber kann sehr geteilt sein. Das *Material* dieser Gesetze, die Glaubensartikel, müssen gar nicht durch die einmütigen Stimmen der Mitglieder hergegeben werden. Entweder *ein* Mitglied, oder mehrere können dazu ausschließend berechtigt sein; die Kirche kann in dieser Rücksicht eine Monarchie oder auch eine Oligarchie sein – das wird durch ein Fundamentalgesetz über diesen Punkt bestimmt: ihrer *Form* nach aber, als Glaubens*gesetze,* werden sie für keinen einzelnen anders als durch die freiwillige Übernehmung verbindend. – Freilich rechnet die Kirche, wie schon oben gezeigt worden, auf ihre ursprüngliche, von

keiner Freiheit der Willkür abhängige Allgemeingültigkeit für alle Menschen, und diesem Grundsatze zufolge ist sie freilich berechtiget, alle zu verfluchen und zu verdammen, die dieselben nicht annehmen; aber sie kann nicht verlangen, daß diese Flüche die geringste Folge in der Welt der Erscheinungen haben sollen, in welcher das Naturrecht herrscht, das von keinem ursprünglichen Glaubensgesetze etwas weiß und jeden berechtigt, sich durch keinen Fremden willkürlich ein Gesetz aufdringen zu lassen. Wer das Gesetz für willkürlich hält, wird an die Verordnungen der Kirche nicht glauben; wer es für ursprünglich verbindend hält, wird sich ihm ohne Mühe unterwerfen.
Diese Gesetze müssen alle gleich verbindend sein; sie dürfen zum Behuf der Beurteilung zwar in wesentliche oder außerwesentliche eingeteilt werden; aber für den Glauben müssen sie alle gleich wesentlich sein. Wer an die geringste kirchliche Verfügung, betreffe sie nun einen Lehrsatz oder eine Tatsache oder die Kirchenzucht, nicht glaubt, dem muß es angerechnet werden, als ob er an alle nicht glaubte. Das Grundgesetz, welches alle übrigen in sich faßt, ist der Glaube an die Kirche, als alleinige untrügliche Gesetzgeberin und Richterin an Gottes Statt, wie oben erwiesen worden. Kein Glaubensartikel muß geglaubt werden, weil er an sich glaubwürdig ist, sondern weil die Kirche ihn zu glauben befiehlt. Die Kirche befiehlt, *alle* zu glauben; wer also dem geringsten widerspricht, widerspricht der Kirche, und der Glaube an die übrigen, die er unmöglich aus Gehorsam gegen die Kirche, aber wohl aus anderen Gründen glauben kann, kann ihm nichts helfen; es ist nicht der geforderte kirchliche Glaube. – Ich warne gewisse meiner Leser wohlmeinend, bei dieser Härte und bei größeren Härten, die noch folgen werden, doch ja nicht zu vergessen, auf welchem Felde wir sind, doch ja nicht die Ungereimtheit zu begehen und mir zu sagen: das alles mag wohl ehemals Grundsatz gewesen sein; jetzt sind die Zeiten viel feiner. – Was ehemals, was jetzt, was jemals Grundsatz gewesen, will ich nicht wissen; ich bin nicht auf dem Felde der Geschichte, sondern auf dem Gebiete des Naturrechtes, welches eine philosophische Wissenschaft ist. Ich entwickele den Begriff einer *sichtbaren Kirche*; ich folgere Satz vor Satz aus diesem Begriffe. *Wenn* jemals eine Gesellschaft sich an-

gemaßt hat, eine sichtbare Kirche sein zu wollen, und *wenn* diese Gesellschaft konsequent war, so hat sie notwendig dies und das annehmen müssen; sage ich. *Ob* es eine solche Gesellschaft gegeben und *ob* sie konsequent gewesen, das weiß ich nicht. Nur wenn ich unrichtig folgere, habe ich unrecht.

Die Kirche hat *ein Richteramt*, und es muß durch die Kirchengesetze, welche, über diesen Punkt so gut als über andere, Glaubensartikel sind, bestimmt werden, wer dieses Richteramt zu verwalten habe. – Das *Lehramt* ist keines von den wesentlichen Ämtern der Kirche, sondern es ist zufällig. Der Lehrer darf nichts hinzu oder davon tun; er hat die Kirchenlehren bloß vorzutragen, wie sie festgesetzt sind. Er ist Gesetzerklärer und Einschärfer, und es ist schicklich, daß dieses Amt von demjenigen verwaltet werde, der zugleich Richter ist, weil beides die gleiche völlige Kenntnis der Gesetze voraussetzt. – Die ausschließende Verrichtung der Priester in kirchlichen Gesellschaften besteht bekanntermaßen nicht im Lehren; lehren darf jeder: sie besteht im Richten, im Beichtehören, Lossprechen oder Verurteilen. Das Meßopfer selbst ist eine richterliche Handlung und der Grund aller übrigen: es ist, wenn wir wollen, die feierlich vor jedermannes Augen und zu jedermannes Nachricht wiederholte Belehnung der Kirche mit dem Richteramte Gottes. Wenn *sie* richten, in der höchsten Instanz richten soll, so muß Gott nichts mehr zu richten haben; und wenn er nichts mehr zu richten haben soll, so muß die Kirche ihm genuggetan haben, sie muß völlig rein, heilig und ohne Sünde sein, sie muß die geschmückte Braut sein, die nicht habe einen Flecken oder Runzel oder des etwas, sondern die da heilig sei und unsträflich. Dies wird sie durch die Verdienste von Kirchenmitgliedern, welche für die ganze Kirche genuggetan haben: Verdienste, die die Kirche in der Messe Gott darbringt und sich dadurch von ihm völlig loskauft. Nur kraft dieser Loskaufung hat die Kirche das Recht, ihre Mitglieder selbst zu richten. – Jeder, der Messe liest, muß Beichte hören können; jeder, der Beichte hört, muß Messe lesen können, und beides ist Folge von der Bevollmächtigung der Kirche, ihre richterlichen Handlungen auszuüben. Die Richtersprüche der Kirche sind untrüglich, weil sie, kraft des Meßopfers, die *alleinige* Richterin für die unsichtbare Welt ist; sie mußten untrüglich sein, wenn eine Kirche möglich sein sollte. Wie kann eine Gesellschaft sich des Gehorsams versichern, wenn sie den Ungehorsam nicht bestrafen kann; und wie könnte die Kirche, deren Strafen in eine unsichtbare Welt fallen, den Ungehorsam bestrafen, wenn es nicht sicher wäre, daß ihre Ansprüche in dieser unsichtbaren Welt gelten und daß die Strafen, die sie aufgelegt hat, dort gewiß erfolgen. – Die lutherische Kirche ist inkonsequent und sucht ihre Inkonsequenz zu bemänteln: die reformierte ist frank und frei inkonsequent. Beide haben Glaubensgesetze – ihre symbolischen Bücher; oder wenn auch nur die Bibel dieses symbolische Buch wäre, so ist schon der Satz: Die Bibel ist Gottes Wort, und was sie enthält, ist wahr, *weil* sie es enthält, ein Satz, der notwendig das ganze kirchliche System, wie wir es jetzt entwickelt haben, begründet. – Wer ihnen glaubt, wird selig; wer ihnen nicht glaubt – dem schadet es an seiner Seligkeit auch nicht. Wenn ich einmal dem Ansehen glauben muß und aus Gründen mich nicht überzeugen kann, so sehe ich nicht ein, warum ich dem Ansehen der einen Kirche lieber als dem Ansehen der anderen glauben solle, da ich in beiden selig werden kann; und wenn ich noch von einer dritten wissen sollte, die das Recht, selig zu machen, ausschließend zu besitzen vorgibt und die alles, ohne Ausnahme, verdammt, was ihr nicht glaubt, so muß ich *notwendig* dieser mich unterwerfen. – Ich will selig werden, das ist mein letzter Endzweck; alle Kirchen versichern, daß das nicht durch eigene Vernunft und Kraft, sondern allein durch den Glauben an sie möglich sei: ich muß also, ihrer eigenen Versicherung nach, ihnen glauben, wenn ich selig werden will. Alle drei Kirchen lehren, daß man in der römischen Kirche selig werden könne; trete ich, um selig zu werden, in die römische Kirche, so glaube ich allen dreien: ich werde demnach, nach Versicherung aller dreier, selig. Die römische Kirche lehrt, daß man in den beiden übrigen nicht selig werden könne; bin ich in einer von diesen beiden und glaube dennoch selig zu werden, so glaube ich *einer* Kirche nicht: ich werde demnach, nach der Versicherung *einer* Kirche, nicht selig. – Der Glaube gründet sich, der einstimmigen Lehre aller Kirchen nach, nicht auf Vernunftgründe, sondern auf Autorität. Wenn die verschiedenen Autoritäten nicht *abgewogen* werden sollen – das könnte nur durch Vernunftgründe geschehen, deren Gebrauch untersagt ist – so bleibt nichts übrig als die *Stimmen zu zählen.* Wenn ich in der römischen Kirche bin, so werde ich durch alle Stimmen selig; wenn ich in einer anderen bin, nur durch zwei, und durch eine verdammt. Ich muß, nach der Lehre aller Kirchen, die größere Autorität wählen; ich muß also, nach der Lehre aller Kirchen, in die römische Kirche treten, wenn ich selig werden will. – Kann den protestantischen Lehrern, welche kirchliche Grundsätze haben, diese leichte Folgerung entgangen sein? Ich glaube kaum. Ich glaube, daß sie in ihrem Herzen alle verdammen, die nicht denken wie sie, und daß sie sich nur nicht getrauen, es laut zu sagen. Dann sind sie konsequent, und dafür gebührt ihnen ihr Lob. – Die reformierte Kirche hat kein Richteramt; die lutherische hat bloß den Schein desselben. Der lutherische Priester vergibt mir die Sünde, mit der Bedingung, daß Gott sie mir auch vergebe; er erteilt Leben und Seligkeit, mit der Bedingung, daß Gott sie auch erteile. – Ich bitte, was tut er denn da Sonderliches, was sagt er mir denn da, das mir nicht ein jeder und das ich mir nicht selbst ebensowohl hätte sagen können, als er mir's sagt? Ich wollte bestimmt wissen, *ob* Gott mir die Sünde vergeben habe; er sagt mir, *er* wolle sie mir vergeben, *wenn* Gott sie mir auch vergäbe. Was bedarf ich *seiner* Vergebung; ich wollte die Vergebung *Gottes.* Wenn ich dieser sicher wäre, so bedürfte ich seiner nicht; ich wollte es mir dann schon selbst sagen. Er muß *unbedingt* vergeben, oder er muß es gar sein lassen. – Der lutherische Priester gibt sich also bloß den Anschein, als ob er Segen erteilen könnte; er kann es nicht wirklich; Strafe auflegen darf er auch nicht einmal zum Scheine. Er kann weiter nichts gegen die Sünde unternehmen als sie vergeben; behalten darf er sie gar nicht als vor der ganzen Gemeine ins blaue Feld hin. Er kann nur den Himmel versprechen; mit der Hölle drohen darf er keinem; sein Mund muß immer in ein segnendes Lächeln gezogen sein. *(D'un air bénin le pêcheur il caresse.)*

Die Kirche hat eine *ausübende Gewalt*; aber nicht in diesem Leben; ihre Richtersprüche werden erst in der zukünftigen Welt vollzogen. Daß die Vollziehung genau mit dem Urteile übereinkommen werde und müsse, daß nicht mehr und nicht weniger geschehen werde, als die Kirche festgesetzt und verordnet hat, folgt schon aus dem obigen; was auf der Erde – in diesem Leben – von der Kirche gebunden ist, ist ebenso und nicht anders im Himmel – in jener Welt – gebunden, und was die Kirche hier losgesprochen hat, muß auch dort losgesprochen sein.* Daß die Vollzieher dieser Urteile keine anderen sein können als Mitglieder der einigen alleinseligmachenden Kirche, weil – und inwiefern sie das sind, folgt gleichfalls aus dem obigen; und es ist auch ohnedies bekannt – Jesus, das Haupt der Kirche, seine ersten Bekenner, die Zwölf Apostel, sitzend auf zwölf Stühlen, alle Heilige, die durch ihr erübrigtes Verdienst zum Schatze der Gnaden, den die Kirche verwaltet, Beiträge geliefert haben, werden, der Lehre der Kirche nach, dort die Urteile vollziehen lassen. – In dieser Welt kann eine konsequente Kirche keine vollziehende Gewalt haben, weil es, wie wir oben gezeigt haben, gegen ihren Endzweck läuft, physische Folgen mit ihren Zensuren zu verknüpfen. Erlaubt sie Abbüßungen, welche an den Büßenden durch bestimmte Diener vollzogen werden müssen, die freilich die Kirche einsetzen kann, so handeln diese bei jenen Vollziehungen nicht im Namen der Kirche, sondern im Namen des büßenden Ungläubigen, der sich selbst freiwillig zur Abbüßung entschlossen und den verordneten Dienern aufgetragen haben muß, sie an ihnen zu vollziehen.

Dies ist das notwendige System der sichtbaren Kirche, welche, wie aus allem Gesagten erhellet, ihrer Natur nach nur eine einige und allgemeine sein kann. Wenn von mehreren Kirchen geredet wird, so ist sicher, daß entweder alle insgesamt oder alle außer einer einzigen inkonsequent verfah-

* Sprachgebrauch und Zusammenhang beweisen *mir* wenigstens, daß die katholische Erklärung dieser und der vorhergehenden Worte (die Anwendung auf den Papst, als Nachfolger Petrus abgerechnet) die einzig richtige sei und daß es keine andere geben könne, ohne beiden die höchste Gewalt anzutun. Diese Stelle verdiente wohl in unseren neueren Zeiten die Revision eines gründlich gelehrten, aber unparteiischen Schrifterklärers. – Wenn sie denn nun auch so erklärt werden müßte, wenn denn nun auch das so sehr gefürchtete Primat und die Unfehlbarkeit Petrus' wirklich hier angetroffen würde – was könnte doch gegen den *wahren Protestanten* daraus gefolgert werden!

ren. Wir haben jetzt das Verhältnis dieser Kirche zum Menschen unter dem Naturgesetze und unter dem Gesetze des Staates, die Beziehung derselben auf die Menschen, als solche, und auf die Menschen als Bürger zu untersuchen. Ob diese selbst abgesondert leben oder sich zu einem Staate vereinigt haben – die Kirche, als abgesonderte Gesellschaft betrachtet, steht gegen die übrigen Menschen und diese gegen sie unter dem Gerichtshofe des Naturrechtes; sie steht gegen ihre eigenen Mitglieder unter dem Gesetze des Vertrages, welches selbst ein naturrechtliches Gesetz ist.
Jeder Mensch ist von Natur frei, und niemand hat das Recht, ihm ein Gesetz aufzulegen, als *er* sich selbst. Die Kirche hat demnach kein Recht, jemandem ihr Glaubensgesetz durch physischen Zwang aufzudringen oder ihn mit Gewalt ihrem Joche zu unterwerfen. Durch physischen Zwang, sage ich; denn das Naturrecht gebietet auch nur über die Welt der Erscheinungen. Gegen moralische Bedrückungen dürfte der Beleidigte mit keinen anderen Waffen kämpfen als mit gleichen – wenn sie anders als in der Welt der Erscheinungen, anders als mit der Einwilligung des anderen Teiles ausgeübt werden könnten. – Du fürchtest mein Einreden, meine Zunötigungen, meine Scheingründe; du scheuest die Vorstellung der schrecklichen Übel jener Welt, die ich dir androhe: kann ich dir dies anders beibringen als durch Äußerung meines Gedankens durch Zeichen? Höre mich nicht an, verstopfe vor mir deine Ohren; jage mich aus deinen vier Pfählen und verbiete mir, je wieder dahin zu kommen, oder, wenn ich es durch Schriften tue, lies sie nicht: zu allem diesen hast du das vollkommene Recht. Aber wenn du dich einmal mit deinem guten Willen mit mir auf den moralischen Kampfplatz begeben hast, so hast du dein Einspruchsrecht an mich veräußert; laß dir nun das Kriegsglück gefallen. Hättest du mich überzeugen können, so wäre ich dir unterworfen worden; da ich dich überzeugt habe, bist du mir unterworfen. Das war unsere Abrede: du hast dich über mich nicht zu beklagen. – Die Kirche, wenn sie das vor ihrem eigenen Gewissen verantworten zu können glaubt, mag verdammen und mit den härtesten Flüchen belegen, wer sich ihr nicht unterwerfen will; solange diese Verdammungsurteile im Gebiete der unsichtbaren Welt bleiben, wohin sie gehören – wer dürfte etwas dagegen ha-

ben? Sie flucht im Herzen, wie jener unglückliche Spieler, und diese Genugtuung kann man jedem gönnen. Sobald aber diese Flüche Eingriffe in die Rechte des anderen in der sichtbaren Welt zur Folge haben, so behandelt derselbe rechtlich die Kirche als Feind und nötigt sie zum Schadenersatz.

Jeder Mensch wird wieder frei, sobald er frei werden will, und hat das Recht, Verbindlichkeiten, die er sich selbst auflegte, sich auch selbst wieder abzunehmen. Jeder kann demnach der Kirche den Gehorsam aufkündigen, sobald er will; und die Kirche hat ebensowenig das Recht, ihn durch physische Mittel zu nötigen, in ihrem Schoße zu bleiben, als sie jenes hatte, ihn durch dergleichen Mittel zu nötigen, in denselben zu flüchten. Der Vertrag ist aufgehoben; er gibt der Kirche ihren himmlischen Schatz, den er noch nicht angegriffen hat, unversehrt zurück und läßt ihr die Freiheit, alle ihre Zornschalen in der unsichtbaren Welt über ihn auszuschütten; und sie gibt ihm seine Glaubensfreiheit wieder. Alle physischen Strafen, die die Kirche irgendeinem Menschen wider seinen Willen auflegt, sind demnach nicht bloß den eigenen Grundsätzen der Kirche – sie sind auch dem Menschenrechte zuwider. Übernimmt er die ihm angetragene Abbüßung der ewigen Verdammnis nicht freiwillig, so glaubt er der Kirche nicht – denn daß er wohlberechneterweise die ewige Verdammnis zu seinem Endzwecke habe, läßt sich nicht annehmen – er ist mithin ihr Mitglied nicht mehr, und sie darf ihn nicht antasten. Tut sie es, so versetzt sie sich gegen ihn in das Verhältnis des Feindes. Jeder Ungläubige, den, bei fortdauerndem Unglauben, die heilige Inquisition hingerichtet hat, ist gemordet, und die heilige apostolische Kirche hat sich in Strömen unschuldig vergossenen Menschenblutes berauscht. Jeder, den die protestantischen Gemeinen, um seines Unglaubens willen, verfolgt, verjagt, seines Eigentums, seiner bürgerlichen Ehre beraubt haben, ist unrechtmäßig verfolgt worden; die Tränen der Witwen und Waisen, die Seufzer der niedergetretenen Tugend, der Fluch der Menschheit lastet auf ihren symbolischen Büchern.

Darf *einer* aus der Kirche heraustreten, so dürfen es *mehrere*. Durften die Mitglieder der ersteren Kirche sich durch einen Vertrag verbinden und eine Kirche ausmachen, so dürfen auch diese sich vereinigen und eine besondere Kirche bilden. Die erstere darf das durch physische Mittel nicht verhindern. Es entstehen mehrere geistige Staaten nebeneinander, die ihre Kriege nicht mit fleischlichen Waffen, sondern mit den Waffen der Ritterschaft, welche geistlich ist, zu führen haben. Mögen sie sich gegenseitig exkommunizieren, verdammen, verfluchen, soviel sie können; das ist ihr Kriegsrecht. – „Aber von mehreren Kirchen werden alle, außer einer, inkonsequent sein." Das mögen sie; und wie, wenn selbst die konsequenteste in ihrem Grundsatze unrecht hätte? Es ist jedem erlaubt, so inkonsequent zu folgern, als er will oder kann, das Naturrecht richtet nur über das Tun, nicht über das Denken.

Jedes Mitglied hat, kraft des Vertrages mit der Kirche, das Recht, über die Reinigkeit des Glaubensbekenntnisses zu wachen. Jeder hat sich zu dem bestimmten Glaubensbekenntnisse mit ihr verbunden, und zu keinem anderen. – Die Kirche hat im Namen aller das Recht, über diese Reinigkeit zu wachen und jeden, der sie verfälscht, mit den gesetzlichen Strafen zu belegen oder, wenn er sich ihr nicht unterwirft, aus ihrer Gemeinschaft auszuschließen. Er bricht dann den Gesellschaftsvertrag. – Da die Kirche das Recht hat, jedes Mitglied, um falschen Glaubens willen, auszuschließen, so kann darüber keine Frage entstehen, ob sie nicht auch das Recht habe, einen Lehrer, um falscher Lehre willen, zu entsetzen oder gar auszuschließen.

Jeder, der der Kirche gehorsam ist, hat kraft des Vertrages einen Rechtsanspruch auf Duldung und auf die durch die Gesetze bestimmten Segnungen derselben. Die Kirche muß ihr Versprechen halten, oder sie vernichtet sich selbst.

Kirche und Staat, als zwei verschiedene abgesonderte Gesellschaften gedacht, stehen gegeneinander unter dem Gesetze des Naturrechtes, wie einzelne, die abgesondert nebeneinanderleben. Daß meistens die gleichen Menschen Mitglieder des Staates und der Kirche zugleich sind, tut nichts zur Sache, wenn wir nur die beiden Personen, die dann jeder ausmacht, in der Reflexion absondern können, wie wir es müssen. Geraten Kirche und Staat in Streit, so ist das Naturrecht ihr gemeinschaftlicher Gerichtshof. Wenn beide ihre Grenzen kennen und die Grenzen des anderen respektieren, so können sie nie in Streit geraten. Die Kirche hat ihr Gebiet in der unsichtbaren Welt und ist von der sichtbaren ausgeschlossen; der Staat gebietet nach Maßgabe des Bürgervertrages in der sichtbaren und ist von der unsichtbaren ausgeschlossen.

Der Staat kann nicht in das Gebiet der Kirche eingreifen; das ist physisch unmöglich – er hat die Werkzeuge eines solchen Eingriffes nicht. Er kann in dieser Welt strafen oder belohnen; dazu hat er die ausübende Gewalt in den Händen, und die Leiber und Güter seiner Bürger stehen in seiner Macht. Er kann nicht in jener Welt Fluch oder Segen ausspenden; das findet nur gegen den statt, der da glaubt; und der Staat hat im Bürgervertrage den Glauben nicht gefordert, keiner hat ihm Glauben versprochen, und er hat nichts getan, um sich denselben zu verschaffen. Er hat, laut des Bürgervertrages, bloß über unsere Handlungen, nicht aber über unsere Gedanken zu richten. Wo es scheint, als ob der Staat etwas dergleichen unternähme, da ist es nicht der Staat; es ist die Kirche, die sich in die Rüstung des Staates verkleidet hat; und hierüber werden wir sogleich weiterreden. – Kleinere oder größere Gesellschaften im Staate oder, wenn wir wollen, der Staat selbst kann Anstalten zur Belehrung der Menschen oder Bürger über die Sittenlehre oder auch über das, was bloß *glaubwürdig* ist (im Gegensatz dessen, was man *weiß*), oder überhaupt zur Geistesaufklärung errichten. Aber das macht noch keine Kirche. Die Kirche ist aufs *Glauben*, diese Anstalten sind auf *das Forschen* aufgebaut; die Kirche *hat* die Wahrheit, diese *suchen* sie; die Kirche fordert *gläubiges Annehmen*; diese suchen zu *überzeugen*, wenn sie können, und lassen es, wenn sie nicht können; sie fragen keinen aufs Gewissen, ob er überzeugt sei oder nicht, sondern überlassen das jedem selbst; die Kirche macht selig oder verdammt, diese Anstalten überlassen jedem, was er sein wolle oder könne; die Kirche zeigt den unfehlbaren Weg zum Himmel, diese Anstalten suchen jeden so weit zu bringen, daß er ihn selbst finden könne. Nur da, wo ein Glaubensbekenntnis und eine Glaubenspflicht und die unfehlbare Verheißung der Seligkeit ist, wenn man dieses Glaubensbekenntnis annimmt, ist eine Kirche; wo aber ein Glaubensbekenntnis ist, und bestehe es auch bloß in dem kurzen Satze: Was in der Bibel steht, ist wahr, *weil* es in der Bibel steht, da ist eine Glaubenspflicht und eine Kirche und alles ohne Ausnahme, was wir oben aus dem Begriffe der Kirche entwickelt haben – so gewiß ist es da, als die Glieder derselben drei bis vier Schlüsse verfolgen können. – Da jene Anstalten keine *gefundene*, sondern eine *aufzusuchende* Wahrheit voraussetzen, so folgt schon daraus, was sich ohnedies aus dem obigen versteht, daß auch der Staat sich den Besitz derselben nicht anmaßen könne, daß er mithin keine Aufsicht über die Vorträge der Lehrer in diesen Anstalten habe. Sie müssen nach der Richtung des *Gemeinsinns* (des ursprünglichen, nicht nach dem Meinungssysteme der Völker) hin arbeiten; dieser ist ihr alleiniger Richter, und er wird, ohne das Zutun der ausübenden Gewalt, schon ein Urteil über sie fällen. Nähern sie sich ihm, so wird man sie hören; widerstreiten sie ihm, so werden sie bald leeren Bänken predigen.

Die Kirche aber kann in die Grenzen des Staates eingreifen, weil ihre Mitglieder physische Kräfte haben. Sie greift darin ein, wenn sie an denselben menschliche oder bürgerliche Rechte kränkt, und der Staat ist laut des Bürgervertrages verbunden, diese Rechte zu schützen und die Kirche, im Falle der Verletzung, zur Genugtuung und Schadenersatz, durch physischen Zwang gegen die Werkzeuge ihrer physischen Unterdrückung, anzuhalten. Kränkt die Kirche an Staatsbürgern diejenigen Rechte, die sie nicht als Menschen oder Bürger, sondern als Kirchenglieder haben, versagt sie ihnen die vertragsmäßigen Belohnungen, überschüttet sie sie mit unverschuldeten Strafen, so hat der Staat darum sich nicht zu kümmern: diese Beeinträchtigungen geschehen in einer anderen Welt, in der der Staat nicht schützen kann noch zu schützen versprochen hat. – Gegen Beeinträchtigungen in der sichtbaren Welt aber muß er schützen. Nötigt die Kirche ein Mitglied des Staates durch Zwangsmittel, ihre Oberherrschaft anzuerkennen, fügt sie irgendeinem, der sich nicht freiwillig der Büßung unterwirft oder der ihr überhaupt den Gehorsam aufkündigt, physische Strafen zu, so hat derselbe den gegründetsten Rechtsanspruch auf den Beistand des Staates. Verknüpft die Kirche gar Folgen im Staate mit dem Ungehorsame gegen ihre Gebote, so greift sie unmittelbar in die Rechte des Staates ein und kündigt ihm den Krieg an. In allen diesen Fällen hat der Staat

nicht nur ein Recht, die Kirche feindlich zu behandeln, sondern er ist sogar, laut des Bürgervertrages, dazu verbunden.
Man hat einen gewissen gegenseitigen Bund der Kirche und des Staates erdacht, kraft dessen der Staat der Kirche seine Macht in dieser und die Kirche dem Staate ihre Gewalt in der zukünftigen Welt freundschaftlich leiht. Die Glaubenspflichten werden dadurch zu bürgerlichen, die Bürgerpflichten zu Glaubensübungen. Man glaubte ein Wunder der Politik vollbracht zu haben, als man diese glückliche Vereinigung getroffen hatte. Ich glaube, daß man unvereinbare Dinge vereinigt und dadurch die Kraft beider geschwächt habe. – Schon oben ist bemerkt worden, daß die Kirche sich selbst widerspreche und ihrem eigenen Zwecke, sich der Lauterkeit ihrer Mitglieder zu versichern, entgegenhandle, wenn sie den Unglauben mit irdischen Strafen belegt. Ich habe also kein Wort weiter hinzuzusetzen, um zu beweisen, daß die Kirche durch dieses sonderbare Bündnis geschwächt werde. Nicht weniger verliert der Staat. Er hat keine so unsichere Herrschaft wie die Kirche über die Gewissen; er gebietet über Handlungen, die sich in der sichtbaren Welt zeigen, und seine Gesetze müssen so eingerichtet sein, daß er auf den Gehorsam gegen dieselben sicher rechnen kann; keins muß ungestraft übertreten werden können; er muß auf den Erfolg jeder Handlung, die er geboten hat, sicher rechnen können, wie man in einer wohlgeordneten Maschine auf das Eingreifen eines Rades in das andere sicher rechnen kann. – Jene Deklamationen, daß der Staat nicht stets wachen, nicht alles beobachten könne, sind seicht und oberflächlich; der Staat muß keine Handlung gebieten, über deren Ausführung er nicht wachen kann; keiner seiner Befehle muß ohne Wirkung sein, oder sie werden es nach und nach alle. Ein Staat, der die Krücke der Religion borgt, zeigt uns nichts weiter, als daß er lahm ist; wer uns um Gottes und um unserer Seligkeit willen beschwört, seinen Befehlen zu gehorchen, der gesteht uns, daß er selbst nicht Kraft habe, uns zum Gehorsam zu nötigen; sonst würde er es tun, ohne Gott zur Hilfe zu rufen. – Was kann denn zuletzt eine solche Vermittelung der Religion helfen? Wie denn, wenn wir nicht an Gott und an keine andere Welt und an keine Belohnungen oder Strafen

derselben glauben? Entweder der Staat hat anderweitige Mittel, uns zum Gehorsam zu zwingen, oder nicht. Hat er sie, so bedarf er des Bewegungsgrundes der Religion nicht; er tut etwas Überflüssiges, wenn er sich ihrer bedient, und macht sich ohne Vergeltung zum Werkzeuge der Kirche. Wollen *wir selbst* im Kampfe gegen unsere Neigungen uns dieser Bewegungsgründe bedienen, um uns das pflichtmäßige Verhalten weniger beschwerlich zu machen, so mögen wir das wohl tun; aber *seine* Sorge ist das nicht. – Hat er keine solche Mittel, so kann er auch durch den Gebrauch der Religion nicht sich unseres Gehorsams versichern, wenn wir entschlossene Ungläubige sind – da er selbst seinen Arm der Kirche leiht, so werden wir uns sorgfältig genug hüten, unseren Unglauben nicht zu verraten: er gebietet demnach ins blaue Feld hin; sind wir rechtgläubig, so werden wir gehorchen; sind wir's nicht, so werden wir es freilich sein lassen, aber – er hat es nur versuchen wollen; es kommt ihm auf *einen* Ungehorsam mehr oder weniger nicht an. Welch ein Staat! – Es steht ihnen allerdings wohl an, uns die Bezahlung in jenem Leben anzuweisen, wenn sie uns in diesem alles nehmen, oder uns mit der Hölle zu drohen, wenn wir uns ihren ungerechten Gewalttätigkeiten nicht unterwerfen wollen. Was glauben sie selbst denn, indes sie so frank und frei ungerecht sind? Entweder nicht Himmel noch Hölle; oder sie denken für ihre Person die Sache mit Gott wohl abzumachen. Wie nun, wenn wir ebenso klug sind als sie? –

Nirgends zeigt sich dies auffallender als in protestantischen Staaten. Eine und ebendieselbe physische Person kann allerdings Fürst sein und Bischof sein; aber die Verrichtungen des Fürsten sind andere als die des Bischofs, und keiner darf den anderen bestechen. In einer und ebenderselben Handlung kann man nicht beides zugleich sein. – Nun haben die protestantischen Fürsten sich sagen lassen, daß sie zugleich Bischöfe seien, und eifrig, wie sie sind, wollen sie auch ihre bischöflichen Pflichten erfüllen. Die Reinigkeit des Glaubens liegt ihnen am Herzen, und diese wird, wenigstens ihren geringen Einsichten nach, verfälscht. Im gerechten Ingrimme tappen sie um sich, ergreifen, was ihnen unter die Hände kommt, und schlagen drein. Es war der Zepter. Aber ist denn der Zepter dazu? Der Hirtenstab sollte es sein. Sind sie Bischöfe, so mögen sie den Ungläubigen verfluchen, verdammen, des Himmels verweisen und in die Hölle gefangensetzen; sie mögen Scheiterhaufen errichten, auf denen jeder sich verbrennen könne, der gern verbrannt sein will, um selig zu werden; aber die Macht des Staates dürfen sie nicht gegen ihn brauchen, sonst fleht er den Staat um Schutz an. – Den Staat? Ach, in welche Hände sind wir geraten! es ist der Staat selbst, der im Namen Gottes auf uns zuschlägt.* Aber die protestantischen Bischöfe haben nicht das Recht, zu verdammen. – So? ich bitte, was ist denn *ein Bischof*? Ich meinte, ein untrüglicher Richter im Namen der Kirche. Und was ist denn die Kirche? Ich meinte, die alleinige und letzte Richterin in der unsichtbaren Welt. Wenn es wahr ist, daß die protestantischen Bischöfe nicht das Recht haben, zu verdammen, so sind sie nicht Bischöfe, und ihre Kirchen sind nicht Kirchen. – Überhaupt, die protestantischen Gemeinen sind entweder höchst inkonsequent, oder sie geben sich gar nicht für Kirchen aus. Es sind Lehranstalten, wie wir sie oben schilderten. Es gibt kein Drittes; man muß sich entweder in den Schoß der alleinseligmachenden römischen Kir-

* „Aber wenn es nun den Fürsten ein wahrer Ernst wäre, für die künftige Seligkeit ihrer Untertanen nach ihrer Art zu sorgen; sollte man dann nicht wenigstens ihre gute Absicht ehren?" – Vielleicht; aber ihren Verstand und ihr Gerechtigkeitsgefühl sicher nicht. Jeder hat das Recht, die Mittel zu seiner Seligkeit selbst zu suchen, zu prüfen, zu wählen, und er duldet mit seinem vollen Rechte keine fremde Hand auf diesem seinem eigentümlichen Boden. – Und *warum* wollen denn wohl eigentlich die Fürsten ihre Untertanen so gern selig haben? ob das wohl in der Regel aus bloßer reiner Liebe zu ihnen oder ob es nicht bisweilen aus Selbstliebe geschieht? Wie kommt es doch, daß es meist eben die vierzehnten Ludwige und ihresgleichen sind, die so angelegentlich für *anderer* Seligkeit sorgen? – Solche Fürsten wissen an ihren Untertanen alles zu brauchen. Die sterblichen Leiber derselben haben sie Glied für Glied schon so hoch in Anschlag gebracht, daß an diesen weiter kein großer Gewinn zu machen ist. – „Aber", sagt ihnen ihr Gewissensrat, „haben ihre Untertanen nicht auch eine unsterbliche Seele?" – und auf diese willkommene Erinnerung entwerfen sie geschwind einen Plan, sie noch im ewigen Leben zu benutzen und selbst dem lieben Gotte die Seelen derselben so teuer, als es gehen will, zu verhandeln.

che werfen, oder man muß entschlossener *Freigeist** werden. Was wollen denn also diejenigen, die uns in unserem Zeitalter wieder an die symbolischen Bücher ketten, wo es nicht leicht viele geben wird, die durch eigenes Nachforschen auf die in denselben vorgelegten Resultate kommen – was wollen sie doch eigentlich? Sobald wir uns irgendeinen Satz, als vor aller Untersuchung vorher ausgemacht, aufdringen lassen, müssen wir entweder auf alle gesunde Logik Verzicht tun oder den gröbsten, härtesten Katholizismus annehmen. Ich weiß wohl, daß die wenigsten protestantischen Eiferer für die symbolischen Bücher dieses einsehen; aber ich weiß gar wohl, wer die sind, die es gar wohl einsehen und die es uns in ihren Schriften gründlich genug zeigen; ich weiß, von welcher Partei aus diese Sache zuerst so eifrig in Anregung gekommen, und das ganze Publikum weiß es. Sind nicht vielleicht jene protestantischen Eiferer Werkzeuge jener uns an Konsequenz und Schlauheit weit überwiegenden Köpfe? Ich weiß nichts von Jesuiten und jesuitischen Machinationen; aber daß an einem großen Verfinsterungssysteme gebrütet werde und welches Mittel das einzige sei,

* Zur Nachricht und Ehrenrettung eines sehr ehrenwerten Wortes! – *Frei* hat doch wohl von jeher die *Form* und nicht die *Materie* bezeichnet? Es kommt also nicht darauf an, *was* man glaube, sondern *aus welchen Gründen* man es glaube, um ein Freigeist zu sein. Wer *der Autorität* glaubt, sei ein Glaubensbekenntnis so kurz es wolle, ist ein *Gläubiger*: wer *nur seiner eigenen Vernunft* glaubt, ist ein *Freigeist*. Wenn jemand an den Esel des Mohammed oder an die unbefleckte Empfängnis der Jungfrau Maria oder an die Gottheit der Apis glaubte, weil er durch eigenes Nachdenken von der Wahrheit dieser Sätze sich überzeugt zu haben wähnt, so ist er ein Freigeist; und wenn jemand auch weiter nichts glaubt, als daß ein Gott sei, weil er etwa in der Bibel, die er auf die Aussage der Kirche hin für Gottes Wort hält, nichts weiter findet, so ist er ein Gläubiger. – Die Reformatoren waren die erklärtesten Freigeister; und vielen würdigen Männern hat es geschienen, daß der Protestantismus überhaupt nichts als Freigeisterei sei, d. h., daß der Protestant alles von sich weisen müsse, wovon er sich nicht selbst überzeugen könne. Da ich wünsche, daß sie konsequent wären, so möchte ich wohl, daß es so wäre. – Aber dann dürfte es kein Luthertum, keine reformierte Religion, keinen Deismus, Naturalismus usw. geben. Katholizismus und Protestantismus sind gerade entgegengesetzte Begriffe: der erstere ein positiver und der zweite ein negativer.

um dieses System durchzuführen, kann jeder wissen, der Augen hat, zu sehen, und einen Kopf, zwei Sätze zusammenzureihen.
Staat und Kirche sind demnach voneinander geschieden: es ist zwischen beiden eine natürliche Grenze, die keines zu überschreiten das Recht hat. Es läuft dem eigentümlichen Geiste der Kirche entgegen, und es ist offenbar ungerecht, wenn sie sich eine Gewalt in der sichtbaren Welt anmaßt; der Staat hat keine Verbindlichkeit und überhaupt auch keine Befugnis, nach unseren Meinungen über die unsichtbare Welt zu fragen. Es entsteht aber noch *die* Frage, ob es nicht in gewissen Fällen *die Klugheit* anraten könne und inwiefern der Staat berechtiget sei, ihrem Rate hierin zu folgen; und wir wollen auch diese Frage mit abhandeln, um unsere Äußerungen vor jedem möglichen Mißverständnisse zu sichern.
Eine Kirche kann ihren Mitgliedern Verbindlichkeiten auflegen, die den Verbindlichkeiten derselben als Staatsbürger widersprechen. Was soll ein Staat tun, wenn ihm dies durch zuverlässige Äußerungen bekannt wird? – Hat der Staat nur über Handlungen, nicht aber über Meinungen zu richten, so tritt seine Verbindlichkeit in diesem Falle nicht eher ein, bis jene kirchliche Meinung bei irgendeinem Bürger zur Tat geworden ist: dann hat er die Tat zu bestrafen. – Aber ein weiser Staat mag lieber der Tat zuvorkommen, als sie hinterher strafen: er mag sie lieber verhindern als rächen. Wohl; aber wie kann er wissen, ob jene Meinung seiner Bürger wirklich in Handlungen übergehen werde? Die Kirche hat ihnen die Verbindlichkeit dazu aufgelegt; und der Bürger hat sie – der Staat weiß nicht, ob gläubig oder heuchlerisch – übernommen. Soll der Staat annehmen, daß er ehrlich gegen die Kirche sei und daß er seinen Grundsätzen zufolge handeln werde? Es scheint. Aber eben dieser Mann hat ja die entgegengesetzte Verbindlichkeit gegen den Staat übernommen. Jenem Grundsatze zufolge müßte der Staat annehmen, daß er auch diese Verbindlichkeit ehrlicherweise übernommen und auch dieser gemäß handeln werde, und dann würden in seiner Seele die kirchliche Verbindlichkeit und die bürgerliche sich gegenseitig aufheben. Die Kirche kann die geforderte Handlung nicht durch äußere Mittel erzwingen; der Staat aber kann es und hat daher

auf seine Übermacht zu rechnen. – Aber man kennt die Kraft der religiösen Meinungen auf die Seelen der Menschen; je größere Aufopferungen sie fordert, desto leichter wird ihr gehorcht; man gehorcht ihr oft eben darum, weil man in ihrem Dienste der Gefahr oder dem grausamsten Tode entgegengeht. – Ich könnte hierauf antworten, daß der Staat und die Gesellschaft diese Schwärmerei mit denjenigen Waffen zu bekämpfen habe, die uns ganz eigentlich gegen sie gegeben sind: mit kalter, gesunder Vernunft – daß er nur desto mehrere und zweckmäßigere Anstalten zur Aufklärung und Geisteskultur seiner Bürger zu treffen habe und daß er auf diese Art vor religiöser Wut sich immer sicherer stellen werde. Aber wenn er dies nun nicht versteht? So bediene er sich seiner Rechte!

Der Staat kann keinen Menschen nötigen, mit ihm in den Bürgervertrag zu treten; ebensowenig kann irgendein Mensch den Staat nötigen, ihn darein aufzunehmen, gesetzt auch, der Staat habe zu dieser Versagung gar keine gegründete Ursache oder er wolle ihm keine sagen. Beide Teile sind gleich frei, und der Bund wird freiwillig geschlossen. Befürchtet der Staat von gewissen Meinungen üble Folgen, so kann er alle, die bekanntermaßen denselben zugetan sind, von der Fähigkeit, Bürger zu werden, ausschließen; er kann bei Schließung des Bürgervertrages von jedem die Versicherung fordern, daß er dieselben nicht annehme. – Jeder hat das Recht, aus dem Staate zu treten, sobald er will, der Staat darf ihn nicht halten; der Staat hat demnach gleichfalls das Recht, jeden von sich auszuschließen, den er will und sobald er will, selbst ohne irgendeine Ursache anzuführen; doch unbeschadet der Menschenrechte, des Eigentums und der Freiheit desselben, sich im Raume aufzuhalten, wo er will, wie oben im dritten Kapitel gezeigt worden. Bediene sich der Staat dieses seines Rechts gegen diejenigen seiner Bürger, von denen ihm, nachdem sie schon im Bürgervertrage sind, bekannt wird, daß sie Meinungen hegen, die ihm gefährlich scheinen. – Ich widerspreche hier nicht demjenigen, was ich oben sagte. Ich gestehe dem Staate eine *negative* Aufsicht über das Meinungssystem zu; aber ich sage, daß die *positive* seine Schwäche und seine Unklugheit verrate. Der Staat mag bestimmen, was man *nicht* glauben dürfe, um des Bürgerrechts fähig zu sein; aber zu bestimmen, *was* man glauben müsse, um desselben fähig zu sein, streitet gegen seinen Zweck und ist ungereimt. Ich sehe wohl ein, warum ein weiser Staat keinen konsequenten Jesuiten dulden könne; aber ich sehe nicht ein, warum er den Atheisten nicht dulden sollte. Der erstere hält Ungerechtigkeit für Pflicht: das setzt den Staat in Gefahr; der letztere anerkennt, wie man gewöhnlich glaubt, gar keine Pflicht: das verschlägt dem Staate gar nichts, als welcher die ihm schuldigen Leistungen durch physische Gewalt erzwingt, man mag sie nun gern vollbringen oder nicht.

Hieraus fließen die Rechte eines Staates, der umgeschaffen wird, auf das kirchliche System. Er darf Lehren der Kirche, die bisher von dem Bürgerrechte nicht ausschlossen, durchstreichen, weil sie seinen neuen Staatsgrundsätzen zuwider sind; er darf von allen, die das Bürgerrecht begehren, die Versicherung, daß sie jenen Meinungen entsagt haben, und die feierliche Übernehmung der neuen, jenen Lehren widerstreitenden Verbindlichkeiten fordern; er darf alle, welche diese Versicherung nicht geben wollen, von seiner Gemeinschaft und von dem Genusse aller Bürgerrechte ausschließen. Weiter aber hat er auch kein Recht auf sie; ihr Eigentum und ihre persönliche Freiheit muß ungekränkt bleiben. Führen sie, öffentlich oder heimlich, Krieg gegen den Staat: dann erst bekommt dieser ein Recht auf ihre persönliche Freiheit, nicht als auf Bürger, sondern als auf Menschen, nicht vermöge des Bürgervertrages, sondern vermöge des Naturrechtes, nicht das Recht, sie zu strafen, sondern das Recht, sie zu bekriegen. Er wird gegen sie in den Fall der Notwehr versetzt.

Doch die Hauptquelle aller Irrungen zwischen Staat und Kirche ist es, wenn die letztere Güter in der sichtbaren Welt besitzt; und nur eine gründliche Untersuchung über den Ursprung und die Rechte der Kirchengüter kann alle noch übrigen Schwierigkeiten lösen.

Die Kirche, bloß als solche betrachtet, hat nur in der unsichtbaren Welt Kräfte und Rechte, in der sichtbaren keine. Dort steht den Eroberungen ihres Glaubens ein weites, unbegrenztes Feld offen; hier kann sie durch diesen Glauben – ihr einziges Instrument – keinen Besitz erwerben; denn es gehört in dieser Welt – mit Erlaubnis einiger Naturrechtslehrer sei es gesagt! – noch etwas mehr zur Zueignung als der Wille und der Glaube, daß es unser sei. Ein Mitglied der Kirche kann okkupieren, aber nicht *als* Mitglied der Kirche, durch die Kraft seines Glaubens, sondern als Mitglied der Sinnenwelt, durch die Kraft seiner physischen Werkzeuge. Die Kirche, als Kirche, kann nicht okkupieren; was sie demnach besitzt, besitzt sie durch Vertrag, und zwar nicht durch Arbeitsvertrag – sie kann nicht arbeiten –, sondern durch Tauschvertrag. Sie vertauscht himmlische Güter, die sie im Überflusse besitzt, gegen irdische, die sie gar nicht verachtet. – Die Kirche hat Beamte, die nicht vom bloßen Glauben leben, sondern die zu ihrer Erhaltung auch noch irdischer Speise und irdischen Trankes bedürfen. Es liegt in der Natur jeder Gesellschaft, daß die Mitglieder diejenigen erhalten, die ihre Zeit und Kraft zum Dienste der Gesellschaft anwenden; demnach sind ohne Zweifel auch die Mitglieder der kirchlichen Gesellschaft verbunden, ihre Beamten zu ernähren. Dies kann durch *vorgeschriebene* Beiträge geschehen, welche das Gesetz bestimme, das hierüber ebensogut wie über alle möglichen Gegenstände ein zur Seligkeit notwendiges Glaubensgesetz sein und ohne die unausbleibliche Strafe der ewigen Verdammnis nicht übertreten werden muß. Derjenige, der die Beiträge entrichtet, entrichtet sie demnach, um selig zu werden; er vertauscht das, was er gibt, gegen den Himmel. – Oder es geschieht durch *freiwillige* Beiträge. Wenn die Schenkung nur wirklich an die Kirche geschieht, insofern sie Kirche ist, und nicht etwa an eine Person, die zufällig Mitglied oder Beamter der Kirche sein kann, um dieser Person wohlzutun, so setzt sie den Glauben an die Kirche und mithin die Hoffnung, durch die Gnade der Kirche selig zu werden, voraus. – Wenn endlich die Abtretung irdischer Güter an die Kirche unmittelbar zur Abbüßung kirchlicher Sünden oder unmittelbar zur Erkaufung höherer Seligkeiten des Himmels geschieht, so ist der Tausch offenbar.

Aus dieser Art des Ursprungs der Kirchengüter fließt eine wichtige Folge. – Kein Vertrag ist vollzogen, bis er in die Welt der Erscheinungen eingeführt, bis von *beiden* Teilen geleistet worden ist, was sie zu leisten versprochen, wie wir oben [S. 247] gezeigt haben. Ein Tauschvertrag irdischer Güter gegen himmlische geht in diesem Leben wenigstens nie in die Welt der Erscheinungen über. Der Besitzer der irdischen Güter zwar leistet an seinem Teile, aber nicht so die Besitzerin der himmlischen an dem ihrigen. Nur durch den Glauben eignet sich der erstere einen Besitz zu, gegen den er nicht die bloße Hoffnung, daß er seine zeitlichen Güter der Kirche übergeben werde, sondern den wirklichen Besitz dieser Güter der Kirche übergibt. Wer weiß, ob er den Glauben an die Kirche wirklich habe? wer weiß, ob er ihn immer behalten, ob er nicht noch vor seinem Ende ihn verlieren werde? wer weiß, ob die Kirche den Willen habe, ihr Wort zu halten? ob sie, wenn sie diesen Willen auch jetzt hätte, ihn nie ändern werde? wer weiß, ob ein wirklicher Vertrag zwischen beiden Teilen sei oder nicht? Keiner als der Allwissende. Ein Teil oder beide können in jedem Augenblicke ihren Willen zurücknehmen; demnach ist der beiderseitige Wille nicht in die Welt der Erscheinungen eingeführt.

Der Besitzer der irdischen Güter zwar hat geleistet und dagegen das Recht erhalten, zu *hoffen*, daß die Kirche auch leisten werde; er meint, sein Eigentum sei Eigentum der Kirche: jetzt verliert er den Glauben entweder an den guten Willen der Kirche oder an ihre Gewalt, ihn selig zu machen; er hat fürderhin keine Entschädigung zu hoffen; sein Wille ist geändert, und sein Gut folgt seinem Willen nach. Es war immer sein Eigentum geblieben; jetzt eignet er sich dasselbe wirklich wieder zu. – Hat man bei irgendeinem Vertrage das Recht der Reue, so hat man es offenbar bei einem Tauschvertrage mit der Kirche. Kein Schadenersatz! Wir haben die himmlischen Güter der Kirche nicht abgenutzt; die Kirche mag sie zurücknehmen, sie mag uns mit ihren Strafen, mit ihrem Banne, mit ihrer Verdammung belegen. Das steht ihr frei; wenn wir überhaupt nicht mehr an die Kirche glauben, so wird dies alles eben keinen großen Eindruck auf uns machen. – Ich betrachte hier noch bloß die Kirche, insofern sie das ist, als Besitzerin unserer Güter. Was etwa *daraus* auf Schadenersatz folge, daß sie ein Beamter der Kirche, als Person in der Sinnenwelt, besitze, werden wir weiter unten sehen.

Mein Vater hat alle seine Güter für das Heil seiner Seele an die Kirche abgetreten. Er stirbt, und ich trete, laut des Bürgervertrages, in den Besitz seiner Güter ein – freilich mit der Bedingung, alle Verbindlichkeiten, die er durch wahre Verträge auf den Besitz derselben gelegt hat, zu erfüllen. Er hat mit der Kirche einen Vertrag über dieselben geschlossen, der aber nie in die Welt der Erscheinungen eingeführt worden, sondern sich bloß auf den Glauben gründet. Wenn ich an die Kirche nicht glaube, so ist ein solcher Vertrag nichtig für mich; für mich ist die Kirche nichts, und ich wenigstens tue, wenn ich meines Vaters Güter zurückfordere, in niemandes Rechte einen Eingriff. – Der Staat darf mich daran nicht verhindern. Der Staat, *als* Staat, ist ebenso ungläubig als ich; er weiß als Staat ebensowenig von der Kirche als ich; die Kirche ist für ihn ebensowenig *etwas*, als sie für mich *etwas* ist, wie oben gezeigt worden; der Staat kann nicht die Ansprüche eines Dinges schützen, das nach ihm nicht ist. Ich aber bin *etwas* für ihn, und mich hat er gegen jenes Unding zu schützen. Er hat mir den Besitz meiner väterlichen Güter zugesagt, auf die Bedingung, daß ich keines anderen verstorbenen Bürgers Eigentum mir zueigne. Das habe ich nicht getan; er ist demnach nach dem Vertrage schuldig, mich im Besitze derselben zu schützen. – Es waren noch meines Vaters Güter; es sind die seinigen geblieben, bis an seinen Tod: denn jener Vertrag, der in der Welt der Erscheinungen vor dem Gerichtshofe des Naturrechtes und vor dem des Staatsrechtes gleich null und nichtig ist, hat sie nicht veräußern können. Er durfte wohl freiwillig darauf Verzicht tun; ich hätte durch mein Stillschweigen seinen Willen bestätigen können: dann wäre der Staat nicht in Anspruch genommen worden. Jetzt aber bestätige ich diesen Willen nicht, und der Staat wird durch mich in Anspruch genommen. *Ich* darf mein Recht wohl aufgeben, aber der Staat darf es nicht statt meiner. – – Aber mein Vater hat geglaubt; für ihn war dieser Vertrag verbindend. – Er hat zu glauben geschienen; ob er wirklich geglaubt habe, weiß ich nicht; ob er noch jetzt glaube, wenn er noch existiert, weiß ich noch weniger. Verhalte sich dies, wie es wolle; selbst mit meinem Vater habe ich es nicht zu tun als mit einem Mitgliede der unsichtbaren Welt, sondern der sichtbaren, und insbesondere des Staates. Er ist gestorben, und im Staate besetze ich seine Stelle. Lebte er noch und seine Abtretung reute ihn – hätte *er* wohl das Recht, seine Güter zurückzunehmen? Hätte *er* es, so habe *ich* es, denn im

Staate bin ich *er* selbst, ich stelle die gleiche physische Person vor; für *ihn* ist er nicht gestorben, er ist es nur für mich; für ihn hat in meiner Person *er* seinen Willen verändert. Will mein Vater das nicht, so komme er zurück in die sichtbare Welt, nehme seine Rechte in derselben wieder in Besitz und schalte mit den Gütern, die dann wieder die seinigen sind, wie er will. Bis dahin handle ich in *seinem* Namen. – Aber da er im Glauben verstorben ist, gehe ich doch sicherer, wenn ich *seinem* Glauben gemäß verfahre; ich darf wohl *meine* Seele wagen, aber nicht die eines anderen. – Oh, wenn ich so denke, so bin ich noch gar nicht entschlossen ungläubig gegen die Kirche; so handele ich inkonsequent und töricht, wenn ich auch nur *meine* Seele wage. Entweder die Kirche hat in einem anderen Leben eine ausübende Gewalt, oder sie hat keine. Hierüber muß ich zur Festigkeit kommen. Solange ich das nicht bin, gehe ich freilich sicherer, wenn ich das Kirchengut nicht antaste; denn die Kirche flucht, und das mit ihrem vollen Rechte, jedem Kirchenräuber bis an den Jüngsten Tag. – Das Rückforderungsrecht, welches der erste Erbe hat, hat auch der zweite und der dritte und der vierte, und so durch alle Generationen durch; denn der Erbe erbt nicht bloß Sachen, sondern auch Rechte auf Sachen.
Es folgt aus obigem Grundsatze noch mehr, und wir haben keine Ursache, irgendeine mögliche Folgerung zurückzubehalten. Gesetzt auch, sie würde durch nachfolgende Betrachtungen wieder sehr eingeschränkt und litte keine Anwendung im Leben, so erleichtert doch jede die Übersicht des Ganzen und wird eine Übung des Nachdenkens. – Nicht nur der rechtmäßige Erbe oder Erbnehmer, jeder Mensch, ohne Ausnahme, hat das Recht, sich Güter zuzueignen, die bloße Kirchengüter sind. Die Kirche, als solche, hat weder Kraft noch Rechte in der sichtbaren Welt; für den, der nicht an sie glaubt, ist sie nichts; was keinem gehört, ist Eigentum des ersten besten, der sich dasselbe rechtskräftig für die Welt der Erscheinungen zueignet. – Ich gerate auf einen Platz (ich lasse hier mit Fleiß unentschieden, ob er die Spur der Bearbeitung trägt oder nicht) und fange an, ihn zu bearbeiten, um mir ihn zuzueignen. Du kommst und sagst mir: weiche von hier, dieser Platz gehört der Kirche. – Ich weiß von keiner Kirche, ich aner-

kenne keine Kirche; mag deine Kirche mir in der Welt der Erscheinungen ihr Dasein beweisen; von einer unsichtbaren Welt weiß ich nichts; und die Macht deiner Kirche in derselben hat über mich keine Gewalt, denn ich glaube nicht an sie. Du hättest mir weit füglicher sagen können, dieser Platz gehöre dem Manne im Monde; denn ob ich schon den Mann nicht kenne, so kenne ich doch den Mond: deine Kirche kenne ich nicht, und die unsichtbare Welt, in der sie gar mächtig sein soll, kenne ich auch nicht. Aber laß deinen Mann sein Wesen im Monde treiben, oder laß ihn auf die Erde kommen und mir sein früheres Eigentum auf diesen Platz beweisen; ich bin der Mann von der Erde und will bis dahin auf meine Gefahr sein Eigentum an mich nehmen.

Aber die Mitglieder der Kirche sind zugleich Personen in der Körperwelt; sie haben, *als solche,* in dieser Welt Kraft und Rechte. Die Kirche, als geistige Gesellschaft, kann überhaupt keine Erdengüter besitzen; sie muß sie an physische Personen austun, und diese werden von ihr, in Rücksicht auf sie selbst, betrachtet als ihre Lehnträger; sie sind vor ihrem Gerichtshofe nicht Eigentümer, sondern bloße Besitzer. Aber was sind eben diese vor dem Gerichtshofe des Natur- oder Staatsrechtes; und welche Einschränkungen folgen daher auf die eben jetzt abgeleiteten Rechte auf Kirchengüter?

Ein Lehnträger der Kirche besitzt ein Gut, das mein Eigentum ist – sei es durch vorherigen Besitz, den ich selbst an die Kirche abgetreten habe, oder sei es durch Erbe von meinen Vorfahren her, die diesen Besitz abgetreten. – Ich nehme das Meinige zurück, wo ich es finde; ich halte mich lediglich an *das Gut*, nicht *an die Person.* Der jetzige redliche Besitzer, der an die Kirche glaubt, der das Gut für ein Eigentum der Kirche und sie für berechtigt hielt, dasselbe an ihn zu verleihen, wird dadurch in Schaden versetzt; er hat auf den fortdauernden Besitz gerechnet; er kann nicht leben, wenn ich ihm denselben entziehe. Muß ich ihn entschädigen? – Mit *ihm* habe ich es ja gar nicht zu tun; weder ich noch meine Vorfahren haben das Gut an *ihn* ausgetan, sondern an die Kirche; *ihm* hat es die Kirche verliehen; durch *sie* ist er beschädigt, von *ihr* hat er den Schadenersatz zu fordern, nicht von mir. Hätte ich oder meine Vorfahren das Gut ihm für seine Person verliehen, dann hätte er gerechte Anforderungen an mich, nicht als Mitglied der Kirche, sondern als Mitglied der Körperwelt; jetzt hat er sich an die Kirche zu halten. – Aber bin ich nicht vielleicht der Kirche zur Schadloshaltung verpflichtet? – Bin ich keinem ihrer Mitglieder, insofern sie Mitglieder der Körperwelt sind, dazu verpflichtet – und das bin ich nicht, denn insofern sie das sind, hat niemand einen Vertrag mit ihnen gemacht –, so bin ich der Kirche, als geistiger Gesellschaft, gewiß nicht dazu verpflichtet. Sie hat, als solche, gar keine Rechte in der Sinnenwelt und kann keine Verbindlichkeiten in derselben auflegen. Ich müßte sie durch geistliche Güter entschädigen, über welche der Handel getroffen ist; und an diesen kann sie denn ihr volles Vergeltungsrecht gegen mich ausüben. Sie kann mich und alle meine Vorfahren der Seligkeiten berauben, die sie austeilt; sie kann sie jenem in der Sinnenwelt durch meine Zurückforderung verletzten Mitgliede zu seinem Anteile zulegen, wenn er sich damit will abfinden lassen; alles das steht ihr frei. – Hat der bisherige Lehnträger der Kirche, als Besitzer, mein Gut verbessert und den *natürlichen* Wert desselben erhöht, so hat er das getan nicht als Mitglied der Kirche – der Glaube verbessert nach der Meinung des Ungläubigen kein irdisches Gut –, sondern als Mitglied der Sinnenwelt durch seine körperlichen Kräfte oder durch das Zeichen derselben, durch sein Geld; und ich bin ihm den Ersatz dieser Verbesserungen schuldig, denn als Mitglied der Sinnenwelt kann er allerdings Rechte auf mich haben. Ist es etwa von den Geldern der Kirche geschehen? Ich weiß ja, meinem eigenen Geständnisse nach, nichts von der Kirche; der Wert liegt in der Sinnenwelt offen da; für mich ist *er* Eigentümer; ich muß es an *ihn* ersetzen; glaubt *er* für seine Person es der Kirche zurückgeben zu müssen, so mag er vor mir das halten, wie er will. – Bestünden aber etwa diese Verbesserungen meines Eigentums in geistlichem Segen, der nur für denjenigen da ist, der es glaubt; hätte der bisherige Besitzer etwa durch die Kraft seines Glaubens eine besondere Fruchtbarkeit in meinen Boden gelegt oder hätte er durch diese Kraft Unkraut, Erdmäuse oder Heuschrecken davon verbannt, so ersetze ich diese Verbesserungen nicht; denn meinen Grundsätzen nach glaube ich nicht, daß er sie gemacht habe, und er kann es mir nicht beweisen. Ist mein Boden wirklich vorzüglich fruchtbar, ist er wirklich vor jenen Landplagen ausgezeichnet gesichert – weiß ich denn, ob dies nicht in der natürlichen Beschaffenheit desselben liege oder, wenn es doch ja ein übernatürlicher Segen sein soll, ob er nicht mir für meine Person zugedacht sei? Mag er seine Segenshand zurückziehen; mag er Unfruchtbarkeit und Ungeziefer über meine Saat schicken, wenn er das durch seinen bloßen Glauben vermag; das steht ihm völlig frei.

Habe ich keinen ausdrücklichen Rechtsanspruch auf ein Gut, das ein Lehnträger der Kirche besitzt, so ist dieser *für mich* Eigentümer. Daß *er* es nicht zu sein glaubt, daß *er* von einer Kirche abzuhängen meint, gibt mir kein Recht, eben darum, weil ich nicht an die Kirche glaube und die Kirche für mich nichts ist. Ich anerkenne in der sichtbaren Welt nur den Gerichtshof des Naturrechtes; vor diesem ist der Eigentümer der letzten Form Eigentümer des Dinges, und ich muß ihn dafür anerkennen; er selbst mag darüber glauben, was er will. Ich ehre in ihm nicht die Rechte der Kirche, sondern seine eigenen; mag er selbst sie nun kennen oder nicht; *ich* muß *meinen* Grundsätzen treu sein. Jenes Recht also, Kirchengut, als niemandes Eigentum sich zuzueignen findet nur dann statt, wenn dasselbe keinen Besitzer hat; und da dies selten oder nie der Fall sein möchte, so folgt für uns andere daraus gar wenig. Aber für den Lehnträger der Kirche folgt daraus viel. Er ist nach dem Naturrechte Eigentümer, wenn niemand vorhanden ist, der einen früheren Rechtsanspruch darauf erweisen kann. Gibt er den Glauben an die Kirche auf, so wird er wirklicher Eigentümer in jeder Betrachtung. Niemand konnte ihm einen Einspruch tun, wenn er sich als wirklicher Eigentümer betrug, ausgenommen die Kirche. Jetzt kündigt er der Kirche den Glauben auf; sie ist für ihn vernichtet, und was nicht ist, dessen Rechte können nicht verletzt werden. – Es ist, als ob ein Kaufmann mit dem Manne im Monde in Gesellschaft handelte. Solange seine Einbildung von dieser Handlungsgesellschaft fortdauerte, möchte er in seinen Büchern jenem den Gewinn richtig anrechnen; aber wer außer ihm selbst hätte doch das Recht, ihn zur Verantwortung zu fordern, wenn er seinen Associé zuweilen ein wenig bevorteilte, oder wenn er diese Einbildung gar aufgäbe, wer wollte ihn doch verhindern, den Hauptstuhl und den Gewinn desselben zugleich in sein Eigentum aufzunehmen und die bisherige Firma zu ändern? – – Man könnte folgern, daß diese Grundsätze den Unglauben an die Kirche mächtig befördern würden, da sie ihn so einträglich darstellen; aber ich kann nicht für alle Folgen meiner Sätze einstehen; wenn sie nur aus richtigen Grundsätzen richtig abgeleitet sind, so muß ich weiterhin folgen lassen, was folgen mag. Hat die Kirche Recht, so hat der Ungläubige seinen zeitlichen Gewinn nicht umsonst; er wird dafür auch ewig verdammt. Man muß den Leuten ihre Freiheit lassen. Wer lieber auf dieser Erde begütert und dort verdammt als hier arm und dort selig sein will, der muß es auf seine eigene Gefahr dürfen.

Die Anwendung dieser Grundsätze auf den Staat ist leicht. Der Staat verhält sich gegen die Kirche, wenn diese, als Mitglied der Sinnenwelt, wegen ihres Besitzes auf dem Boden derselben betrachtet wird, wie ein einzelner zu einem einzelnen, und sie stehen gegeneinander unter dem Gerichtshofe des Naturrechtes. Der Staat ist nur durch Einstimmigkeit Staat. Wenn *alle* Mitglieder desselben – die Kirchenbeamten oder Geistlichen gehören auch mit dazu, wie sich von selbst versteht – zu einer und ebenderselben Zeit einmütig der Kirche den Gehorsam aufkündigen, so ist für diesen Staat die Kirche vernichtet; er hat alle die Rechte, die jeder einzelne im Naturstande haben würde, der an keine Kirche glaubte.

Der Staat erhält zuvörderst, unter den oben angeführten Bedingungen und aus den oben entwickelten Gründen, alles zurück, was ihm als *Staatseigentum*, als Gemeingut aller Bürger vorher zugehörte – nicht etwa alles das, was in dem Raume liegt, den seine Bürger bewohnen; der Staat ist kein Stück Erde, er ist eine Gesellschaft von Menschen; er besteht nicht aus Feldern, sondern aus Personen. – Hat etwa der Staat selbst, im Namen und als Mittelsperson der Kirche, die Kirchengüter an die gegenwärtigen Besitzer verliehen, so ist er zwar nicht schuldig, den Vertrag eines Dinges zu halten, das für ihn nicht mehr da ist und dessen Mittelsperson er mithin nicht mehr sein kann, aber er ist schuldig, den beschädigten Besitzer, der auch mit durch des Staates

Schuld in Verlust kommt, zu entschädigen. Dieser ist zu betrachten als ein Begünstigter, und die schuldige Entschädigung richtet sich nach den oben im vierten Kapitel entwikkelten Grundsätzen. Hat der Staat an der Verleihung dieses Besitzes keinen Anteil und hat die Kirche unmittelbar gehandelt, so hat der Beschädigte keinen Rechtsanspruch auf Entschädigungen an den Staat, so wie er vor dem Gerichtshofe des Naturrechtes keinen an den einzelnen hatte. Dies kann in manchen Lagen höchst hart, drückend, unbillig sein; aber es ist nicht geradezu ungerecht. Milde und Menschlichkeit können manches anraten, was das Naturrecht nicht schlechthin gebietet; und es ist in philosophischen Schriften wohl erlaubt, die Gebiete beider scharf voneinander zu trennen.

Jeder einzelne Bürger bekommt zurück, worauf er aus irgendeinem Rechtsgrunde erweislich Anspruch hat. Alle einzelne können diese Ansprüche an Kirchengüter an den Staat abtreten: dann werden auch die Güter der einzelnen *sein* Eigentum.

Ist der rechtmäßige Erbe von gewissen Kirchengütern unbekannt und hat im Staate schon vorher das Gesetz bestanden, daß nach dem Aussterben der Familien der Staat Erbe ihres Eigentums sei – ein Gesetz, das durch den allgemeinen Willen ausdrücklich gemacht werden muß und sich nicht etwa von selbst versteht –, so ist der Staat Eigentümer aller Kirchengüter, die erweislich von ehemaligen Mitgliedern des Staates an die Kirche abgetreten worden, deren Erben sich nicht finden. Ich sage *erweislich*; denn so wahrscheinlich das auch immer sein mag, so reicht doch eine bloße Wahrscheinlichkeit nie hin, um einen Rechtsanspruch zu begründen. Ist ein solches Gesetz überhaupt nicht vorhanden oder läßt sich nur dieser besondere Beweis, daß der Fall seiner Anwendung vorhanden sei, nicht führen, so ist ein solches Kirchengut, so wie alle Kirchengüter, auf welche weder der Staat noch ein einzelner sein Eigentumsrecht dartun kann, niemandes Eigentum und fällt an den ersten Besitznehmer; und das wird ohne Zweifel allemal der bisherige wirkliche Besitzer sein. Er ist zu betrachten als Eigentümer, und niemand kann wider seinen Willen sich seines Besitzes bemächtigen. Ist dieser Besitzer, der nun Eigentümer wird, Bürger, so hat er unter seinen

Bürgerrechten auch das Erbrecht und kann daher diese Kirchengüter sogar auf seine Nachkommen vererben, wenn er nicht etwa über dieselben einen besonderen Vertrag mit dem Staate eingegangen ist.

Da aber *der* Fall, daß alle Staatsbürger einmütig zu gleicher Zeit der Kirche den Glauben aufkündigen, mithin der ganze alte Staat mit seinen übrigen Rechten und Verbindlichkeiten fortdauere, kaum zu erwarten ist, da vielmehr eine solche Aufhebung der Kirche entweder nur bei einer Revolution geschehen oder sie doch ohne Zweifel herbeiführen dürfte: so ist das Bisherige weniger anwendbar in der wirklichen Welt als vielmehr Richtschnur für die Beurteilung; und wir haben auch nach dieser Richtschnur noch über den zweiten, weit wahrscheinlicheren Fall zu sprechen, daß die Stimmen der Bürger über die Kirche geteilt seien. Können sie sich nicht vereinigen, will kein Teil dem anderen nachgeben, so ist der Staat im Zustande der Revolution.

Jeder, der aus der Kirche tritt, hat das Recht, sein Eigentum, das dieselbe besitzt, zurückzufordern. Es ist also kein Zweifel, daß jene von dem bisherigen für die Kirche stimmenden Staate getrennte Mitglieder entweder einzeln oder, wenn sie ihre Ansprüche und ihre Kräfte vereinigen, gemeinschaftlich, alles das, worauf sie persönliche Ansprüche haben, zurücknehmen dürfen. Jeder, der aus dem Staate tritt, behält, wie im dritten Kapitel gezeigt worden, sein Eigentum, mithin auch den Anteil, den er zu dem Gemeingute des Staates beigetragen hat. Ein einzelner Bürger würde von dem Rechte, das letztere zurückzufordern, nicht so leicht Gebrauch machen, weil er nicht mächtig genug ist, sich selbst zu schützen, jene Restitutionsklage gegen den Staat aber nicht anstellen kann, ohne sich von ihm abzusondern und sich dadurch seines ihm so nötigen Schutzes zu berauben. Da diese mehreren und stärkeren Glieder sich einmal von dem Staate losgerissen haben und sich selbst Kraft genug zutrauen, sich zu schützen – wer dürfte sie verhindern, ihr Recht, der Strenge nach, geltend zu machen und insbesondere dasjenige, was von dem Staatsvermögen, das an die Kirche verliehen ist, auf ihren Anteil kommt, von der Kirche zurückzunehmen. Jener alte Staat, der der Kirche treu bleibt, behält seinen Anteil und mag diesen der

Kirche lassen; über den Anteil der abgetrennten Glieder hat er nicht zu verfügen. – Daß diese Glieder, welche die Trennung veranlaßten, schuldig sind, diejenigen Lehnträger der Kirche, die durch ihre Zurückforderung in Schaden versetzt werden, für ihren Anteil zu entschädigen, wenn etwa der alte Staat dieselben mit ihren Gütern belehnt hat, *als sie selbst noch einen Teil desselben ausmachten*, ist aus dem obigen klar; sie haben dann wenigstens als Teil des Ganzen an der Beschädigung schuld und sind daher verbunden, sie, soviel auf ihren Teil kommt, zu ersetzen.

So wie mehrere Mitglieder des bisherigen kirchlich-gläubigen Staates zu dem neuen, der Kirche nicht glaubenden Staate übertreten, wird der Anteil desselben an den Kirchengütern durch die vereinigten, gemeinsamen und persönlichen Rechtsansprüche immer größer. Treten endlich alle, etwa bis auf die unmittelbaren Beamten der Kirche oder auch ein Teil dieser zu derselben Partei, so bleibt jenen nichts übrig, was sie der Kirche lassen könnten, als ihr kleiner Anteil an dem gemeinsamen Staatsvermögen und das, worauf sie persönliche Rechtsansprüche haben. – Das, worauf niemand sein Eigentumsrecht erweisen kann, bleibt dem Besitzer, er möge es nun als sein durch Zueignung erworbenes Eigentum oder als ein Lehn der Kirche behalten wollen. Der Staat hat kein Recht, es an sich zu nehmen; will er sich auf seine Übermacht berufen, so handelt er ungerecht und kündigt der Menschheit den Krieg an.

Ist ein solcher eigentümlicher oder von der Kirche sich abhängig glaubender Besitzer eines ehemaligen Kirchengutes mit dem neuen Staate nicht in den Bürgervertrag getreten, so hat er das Vererbungsrecht nicht, und nach seinem Tode kann dieser Staat sein Gut nach dem Rechte des ersten Besitznehmers sich zueignen und im voraus mit seinen Bürgern ein Abkommen und Veranstaltungen auf diesen Fall treffen; und so würden denn nach und nach alle Kirchengüter eingehen und auf rechtmäßige Art an den Staat kommen.

Nacherinnerung

Der Verfasser warf das erste Bändchen auf gutes Glück ins Publikum, und es schien ihn in der Flut der neuen Schriften über den gleichen Gegenstand untergegangen. Er legte die Materialien, die er für die im zweiten enthaltenen Kapitel bestimmt hatte, unter mancherlei Zerstreuungen und Verhinderungen zusammen; mehr um *einem* Manne Wort zu halten, als daß er geglaubt hätte, das Publikum werde noch diese Schrift seiner Aufmerksamkeit würdigen. – Ein edler Mann, den ich nicht kenne, dem ich gleichfalls bezeuge, daß derselbe mich nicht kennt, mich auf keine Art erraten kann, noch, wenn er's könnte, das entfernteste Interesse haben würde, eine Schrift von mir über ihren inneren Wert zu erheben, hat, nachdem keines der übrigen Journale, soviel mir bekannt ist, sie eines Winkes gewürdigt, in der Schleswigschen Monatsschrift [Schleswigsches Journal 1793], von deren Mitarbeitern ich keinen kenne, mit keinem in Briefwechsel stehe, diese fast vergessene Schrift mit einer Wärme empfohlen, die seinem Herzen die höchste Ehre macht – ob auch seiner Beurteilungskraft, darüber hat wenigstens ihr Verfasser keine Stimme. Dies munterte mich auf, mich des günstigen Urteiles dieses würdigen Mannes, besonders in dem, was er über meine Schreibart sagt, noch werter zu machen und die zwei noch übrigen wichtigen Kapitel für eine sorgfältigere Bearbeitung auf ein drittes Bändchen aufzusparen. Doch hofft der Verfasser, daß es nicht an ihm liegen werde, wenn dasselbe nicht binnen drei bis vier Monaten die Presse verläßt.

Manche Klagen über die Dunkelheit des ersten Bändchens sind ihm zu Ohren gekommen. Das Publikum ist es schon zu gewohnt, daß die Schriftsteller immer recht haben und daß seine Klage über die Dunkelheit ihrer Schriften durch die Klage über die Flüchtigkeit und Zerstreuung der Leser erwidert wird, als daß der Verfasser der gegenwärtigen – Lust haben könnte, das so oft Wiederholte noch einmal zu wiederholen. Er läßt es gänzlich auf sich beruhen, inwiefern die Schuld davon auch mit an ihm liegen könne. Er will den Leser nicht zur Vergleichung seiner Schrift mit anderen Schriften auffordern, die über die gleichen Gegenstände aus den gleichen Grundsätzen geschrieben sind; er will ihn nicht erinnern, daß philosophische Untersuchungen, in denen man der Gründlichkeit sich wenigstens befleißigt, sich unmöglich so leicht weglesen können als ein modischer Roman, Reisebeschreibungen oder selbst philosophische Untersuchungen, die auf das angewohnte Meinungssystem aufgebaut sind; er will ihm sogar gegen die ersparte Mühe, ein dickes Buch zu lesen, nicht die Mühe zumuten, ein dünnes etlichemal zu lesen; er will weiter nichts sagen, als daß er sorgen werde, immer faßlicher zu schreiben, und daß der Leser sorgen möge, immer aufmerksamer zu lesen.

Anhang

Rezension
aus: Philosophische Bibliothek, Hamburg: Bachmann und Gundermann 1794, S. 1–5.

Zurückforderung der Denkfreiheit von den Fürsten Europens, die sie bisher unterdrückten. Eine Rede. Noctem peccatis et fraudibus obiice nubem. Heliopolis, im letzten Jahr der alten Finsternis. 86 S. Text und 23 S. Vorrede.

Als Diogenes den großen Alexander um nichts als Licht bat oder vielmehr ihn bat, ihm das Licht nicht zu benehmen, das der All-Erleuchter jedem Wesen vergönnt, sagte Alexander nicht, Diogenes ist ein Hund. Es war den philosophischen Mitbrüdern Diogenes' vorbehalten, ihm diesen Namen zu geben. Alexander fühlte, daß Diogenes ein Mensch war, wie er, ja, ein edler Mensch! Das fühlen große Regenten, wenn Sterbliche, wie sie, von ihnen das Licht zurückfordern, das der gemeinsame Urheber aller allen mitteilte und dessen freier Strahl in jede Tonne, in jede Hütte so frei scheinen muß, als der, welcher es schuf, es anzündete.
Mögten alle Fürsten dieses beherzigen; mögten sie das Meer von Elend und Mühseligkeiten übersehen, welches sie sich selbst und der Welt bereiten, wenn sie im ewigen Kampfe mit den Grundgesetzen der Gottheit, mit der Natur der Menschheit leben wollen! Wie leicht, wie eben, wie ruhig wird alles, wenn sie, – selbst Menschen, – sich dem Menschen anpassen, Menschheit durch Menschheit regieren.
Es gibt zwei Pflichten, die den Fürsten unverletzbar sein müssen; es gibt zwei Vorrechte der Menschheit, die keiner menschlichen Macht unterworfen sind. Und diese Pflichten, diese Vorrechte sind die einzigen wahren Quellen aller individuellen und kollektiven Glückseligkeit, sei es der Fürsten, der Menschen, der Staaten. Warum sollten wir also anstehen, sie zu lehren, auf ihre Heilighaltung zu bestehen, sie zu einem religiösen Grundgesetze zu machen, Fürsten aufzufordern, sie zu beschützen, Weise sie unerschüttert zu lehren. Sie sind folgende.
Pflichten der Fürsten.
1. Ordnung in den Finanzen.
2. Strenge Ausübung der Gerechtigkeit.

Vorrechte der Menschen.

1. Freiheit im Denken, Reden und Handeln.
2. Freiheit des Fleißes und der Talente.
   Diese beiden Vorrechte sind Freiheiten des Geistes, sind beide theoretisch und praktisch nützlich und tätig, sind beide unveräußerliches Eigentum der Menschen; können beide nicht gehoben werden, ohne Umschaffung des Menschen zu etwas geringerm, als er ist, oder durch Verstümmelung desselben; sind beide keine isolierte Eigenheiten der Menschen, sondern allgemein der ganzen Menschheit oder jedem Mitgliede derselben eigen; existieren also nicht im Kontrast eines Individui mit dem andern, nicht wie etwa die Stärke des Wolfs mit der Schwäche des Schafs, sondern in dem Gesetze der Gesamtordnung und der Gesamterhaltung; können und müssen daher von jedem einzelnen so geübt werden, daß keiner dadurch beschädigt und daß weiter nichts dadurch bewirkt werde, als der Genuß des einem jeden zustehenden Rechts, für dessen Mißbrauch einer dem andern nach den Gesetzen der Menschheit (nicht nach Eigensinn oder Willkür) verantwortlich ist.

Bestimmen Philosophen diese Ideen, so mag über Formen streiten, wer will; mag untersuchen, ob es neue gibt, welche die Geschichte und Erfahrung uns noch nicht kennen gelehrt hat; mag zusehen, wo die Menschheit sicherer ist, in Monarchien oder Republiken. Bisher sehen wir sie überall verletzt. Aber da, wo jene vier Grundwahrheiten gelten, ist keine Verletzung möglich.

Wird man sagen dürfen: die Menschheit gewinnt freilich durch sie, aber die Fürsten opfern ihre Macht auf? Ich frage wiederum: Soll es Fürsten-Macht geben, die nicht Gewinn der Menschheit ist?

Aber diesen Satz, der freilich am stolzen Dünkel der Freunde des Despotismus nagt, will ich hier nicht weiter fortführen. Ich will nur die Frage aufwerfen: Welche Fürsten-Macht, welcher Gewinn, welche Größe, welche Sicherheit, welche Glückseligkeit, welches Ansehen ihres Throns leidet auch nur den geringsten Abgang, wenn jene vier Grundwahrheiten unangefochten bleiben? Trete auf, wer mir das zeigen kann! Ich will ihm dagegen beweisen, daß

Fürstengröße und Glückseligkeit nur dann den höchsten Grad erreichen, wenn sie sich jenen Gesetzen unterwerfen und für höher als alles erkennen.
Aber wie sollen wir zu dieser Erkenntnis gelangen? Wie sollen wir für ihre Erhaltung sorgen? Das, sagt man, können wir nur durch die Form der Regierung. Ich glaube nicht, daß die Form der Regierung die Menschen stärker bindet als ewige, in der Natur gegründete Gesetze der Natur. Ich habe in kleinen Reichs- und Munizipalstädten Tyrannendruck subalterner Despoten gekannt, die im kleinen das Volk ebenso in Furcht setzten, wie die Neronen und Tibere. Ich glaube daher, daß, wenn wir die Grundgesetze der Staaten und der Menschen nicht, gleich der heiligsten Religion, zur Höhe der Unverletzbarkeit in dem Gemeingeist der Menschen bringen und als Evangelium oder als mathematische Demonstration aufstellen können, alle Einkleidung der Menschheit in Formen höchst ungewiß und, so wie ehemals in Syracus, nur das Werk eines Menschenalters ist, das der niedrigste im Volke, – ein armer Töpfer* – umzustoßen vermag.
Aber vereinigen sich alle denkenden Männer dahin, jenen Grundwahrheiten getreu zu bleiben, den Fürsten zuzurufen: Seid Haushälter; seid gerechte Richter; laßt der Menschheit, was der Menschheit ist! Wenn dann im Gebrauch der Menschheit dem schlechten Haushalter seine Verschwendung, dem ungerechten Richter seine Unfähigkeit oder sein Betrug laut vorgeworfen werden darf; wenn so jeder freie Gedanke Stütze der Ordnung und der Gerechtigkeit wird; wenn der Mensch seiner Ichheit freien Gang lassen kann, es sei im Denken oder im Handeln zu seinem Fortkommen und zu seiner Vervollkommnung: so sind Menschen, was sie sein sollen: Mitglieder einer großen Familie, Brüder eines Hauses, und der Fürst ist ihr Vater auf Erden, wie der Unsichtbare es in der alles umfassenden Ewigkeit ist. Glänzende Aussichten, erhabene Rolle der Fürsten, ist es möglich, daß es Menschen gibt, die euch entgegen arbeiten?
Ihr, die ihr es nicht tut, die ihr nicht den Vorsatz habt, alles zu verwerfen, was Menschenwohl befördert, leset die oben angeführte Schrift, mit der ich euch hier durch ihren Geist habe bekannt machen wollen.

* Ein Marat in Paris.

Rezension
aus: Allgemeine Literatur-Zeitung, Jena (1794), Nr. 153 vom 7. Mai 1794, Sp. 345–352, u. Nr. 154 vom 7. Mai 1794, Sp. 353–360. [Friedrich von Gentz]

Ohne Anzeige des Druckorts: *Beitrag zur Berichtigung der Urteile des Publikums über die Französische Revolution. Erster Teil. Zur Beurteilung ihrer Rechtmäßigkeit*. 1793. 435 S. u. XXIII S. Vorrede.

Man darf nur wenige Seiten von diesem Buch gelesen und nur die ersten Absätze der Einleitung verstanden haben, um innezuwerden, daß es nicht das Produkt eines gemeinen Kopfes sein konnte und daß man gewaltig fehlgehen würde, wenn man es in irgendeiner Rücksicht als eine gewöhnliche Revolutions-Broschüre behandeln wollte.
Kann es für einen denkenden Leser eine einladendere Ankündigung geben als die, daß die *Französische Revolution*, noch mehr, daß *Staats-Revolution überhaupt*, ein Gegenstand, worüber sich so unsäglich viele flache Köpfe, rhapsodische Schwätzer und lächerliche Enthusiasten aller Art erschöpft haben, von Grunde aus, nach *Prinzipien* und zwar nach den höchsten und reinsten Prinzipien geprüft werden soll? Und kann etwas den Reiz dieser Ankündigung so sehr erhöhen als die Überzeugung, die man sich sehr bald verschafft, daß der Ungenannte, der diese Prüfung unternimmt, mit den Prinzipien, von denen er ausging, in nicht geringen Grade vertraut, daß er in das edelste System der Philosophie, dessen die neuern Jahrhunderte sich rühmen können, tief eingeweiht war?
Der Erfolg sei, welcher er wolle, ein solches Unternehmen verdient die höchste Aufmerksamkeit; und wenngleich Rez[ensent] zum voraus erklären muß, daß er mit den Resultaten des V[er]f[assers] (soweit sie sich aus dem ersten Teil ergeben) keinesweges einig sein kann: so glaubt er doch durch eine etwas ausführlichere Darstellung des Überganges von jenen *Prinzipien* zu diesen *Resultaten* einem großen Teil des lesenden Publikums einen wesentlichen Dienst zu leisten.
Die *Vorrede* enthält einige sehr gute Bemerkungen über den *Zweck* und einige vortreffliche Regeln zum *Gebrauch* des Bu-

ches. Sie warnt gegen voreilige Versuche, Staatsveränderungen da, wo noch erst Revolutionen in den Gemütern nötig sind, zu bewirken. „Bis jetzt ist die Menschheit in dem, was ihr not tut, noch sehr zurück – – – seid gerecht, ihr Völker, und eure Fürsten werden es nicht aushalten können, allein ungerecht zu sein.“ – –

Die Einleitung handelt die Frage ab: *Aus welchen Grundsätzen man Staatsveränderungen zu beurteilen habe?* – Diese Beurteilung hat, wie der V[er]f[asser] ganz richtig bemerkt, zwei Gesichtspunkte: 1. den der *Rechtmäßigkeit*; 2. den der *Weisheit.* Die nähere Erörterung dieser Gesichtspunkte geschieht in *vier* Abschnitten.

I. Wie wird die *Rechtmäßigkeit* einer Staatsveränderung beurteilt? – Erfahrungs-Grundsätze, sie mögen nun offenbar zum Grunde gelegt oder versteckt, vielleicht dem Untersuchenden unbewußt in die Beurteilung eingeführt werden, können durchaus nichts gelten: praktische Prinzipien *a priori*, also die Grundsätze des reinen *Rechts* und der reinen *Sittlichkeit* müssen das Fundament abgeben. – Dies hat der V[er]f[asser] vollkommen gründlich, vielleicht aber mit überflüssiger Heftigkeit gegen die vermeinten Gegner seines Systems, erwiesen. Denn wie sehr er auch Ursach haben mag, dem großen Haufen der Lesewelt die Absonderung der *reinen* und *empirischen* Begriffe hier zu empfehlen: so läßt sich doch wirklich nicht gut denken, daß irgendein *Philosoph* bei einer Frage nach *Rechtmäßigkeit*, die *Geschichte*, die *Empfindung*; oder am Ende gar das *Interesse* ins Spiel bringen sollte: wenigstens mußte der V[er]f[asser] sich gleich bescheiden, daß ein solcher weder seiner Widerlegung wert noch für seine Belehrung reif sein konnte.

II. Wie wird die *Weisheit* einer Staatsveränderung beurteilt? – Hier wird zuerst nach der *Güte des Zwecks* und alsdann nach der *Tauglichkeit der Mittel* gefragt. – Was eigentlich der letzte Endzweck aller gesellschaftlichen Verbindung sein solle, darüber lehre die *Geschichte* wenig oder nichts. – Daß das Studium der Geschichte zu dieser Erkenntnis nicht *hinreichend* sei, davon ist Rez[ensent] völlig, ebensosehr aber davon überzeugt, daß die Geschichte weit mehr Data dazu liefere, als der V[er]f[asser] annimmt. – Die Prüfung der Tauglichkeit der Mittel kann entweder nach *deutlich gedachten Gesetzen* oder nach der *Betrachtung ähnlicher Fälle* geschehen. Das erste nennt der V[er]f[asser] *Erfahrungs-Seelenkunde*, der er einen großen Vorzug vor der Geschichte vom gewöhnlichen Schlage einräumt: jeder Leser des Buchs aber wird mit dem Rez[ensenten] sicherlich der Meinung sein, daß der V[er]f[asser] nicht gezeigt hat, was ihm zu zeigen so leicht auch nicht werden würde, wie man aus der *Selbstkenntnis*, und wenn es die allertiefste wäre, die Mittel zur Erreichung der Zwecke großer Gesellschaften erlernt. – Sogar aus dem andern Wege der Prüfung, nämlich der Betrachtung *ähnlicher Fälle*, sucht der V[er]f[asser] die Geschichte möglichst zu verdrängen. Hier wird er nun zuweilen ungerecht und mitunter unverständlich, z. B. (S. 35) „Die Verteidiger der ausschließenden Gültigkeit dieser Beurteilungsart – – wollen nur die *Wirkung* haben: ihr Zusammenhang mit der Ursache ist das, was sie am wenigsten kümmert. *Wir* suchen das Gesetz selbst etc." – Wie läßt es sich aber denken, daß man aus ähnlichen Ursachen ähnliche Wirkungen erwarten sollte (gesetzt, man übertriebe es auch mit dieser Art zu schließen), ohne sich doch um den Zusammenhang zwischen Ursach und Wirkung zu bekümmern? – Überhaupt verfällt der V[er]f[asser] öfters in den Fehler, daß er seinen Gegnern gar zu schlechte Argumente leiht oder gar zu armselige Behauptungen und Prozeduren andichtet und daher mit einem Feinde kämpft, den er sich selbst erschuf. Wenn z. B. hier von *Geschichtsforschern* die Rede ist, so können es nach des V[er]f[assers] eigner Anleitung nur immer solche sein, welche die Weisheit einer Staatsverfassung oder Staatsveränderung in Rücksicht auf Tauglichkeit der Mittel zum Zweck, aus der Geschichte, im schlimmsten Falle aus der *bloßen Geschichte* beurteilen wollen. Was haben nun diese, wenn ihre Methode auch noch so verwerflich sein sollte, mit jenen *Pedanten* gemein, welche den Wert der Geschichte in die genaue Erforschung „des Tages, an welchem die Schlacht bei Philippi vorfiel", setzen? Und doch spricht der V[er]f[asser] von denen, die Staatsklugheit aus der Geschichte lernen wollen, als ob sie mit jenen durchaus nur eine (versteht sich, sehr verächtliche) Klasse ausmachten!

III. Haben die Prinzipien der *Rechtmäßigkeit* oder die der *Weisheit* den Vorrang, wenn sie in Kollision geraten? – Die Antwort fällt natürlich für die *erstern* aus. Alles, was der

V[er]f[asser] hier über die Unterordnung der Prinzipien und beiläufig gegen das Prinzip, *glücklich zu machen*, sagt, ist wahr und seinem System völlig angemessen.

IV. Anhangsweise redet der V[er]f[asser] hier noch über den (weiland berühmten) Unterschied zwischen *exoterischen* und *esoterischen* Wahrheiten. Daß „Wahrheit nicht Eigentum der Schule, daß sie gemeinsames Gut der Menschheit sei, jedem freistehen müsse, sie zu suchen etc." – hat seine völlige Richtigkeit; gegen wen aber eifert der V[er]f[asser] eigentlich hier? Wer jetzt noch von *esoterischen* Wahrheiten sprechen wollte, würde herzlich ausgelacht werden. Geheimnisse gibt es in keiner Wissenschaft mehr; um in die tiefsten Abgründe, soweit überhaupt der menschliche Geist kommt, zu dringen, hat jeder die Mittel bei der Hand. Desto häufiger findet man das, wovon der V[er]f[asser] S. 59 redet: „Ein halbes Wissen, losgerissene Sätze ohne Übersicht des Ganzen, die nur auf der Oberfläche des Gedächtnisses herumschwimmen, und die der Mund herplaudert, ohne daß der Verstand die geringste Notiz davon nimmt". – Nach seiner Meinung ist *auch dies* nicht unschädlich, wenn nur die *Leidenschaften* es nicht zum Werkzeuge brauchen. Wie gern sie dieses aber tun, hat die neuste Geschichte genugsam gelehrt.

Soweit die *Einleitung*. – Das *erste Buch* der Untersuchung selbst (und daher auch dieser ganze *erste Teil*) hat es bloß mit der Frage nach der *Rechtmäßigkeit einer Revolution* zu tun.

Erstes Kapitel. Hat überhaupt ein Volk das Recht, seine Staatsverfassung abzuändern? – Der Gang der Ideen ist folgender: „Eine bürgerliche Gesellschaft kann *rechtmäßigerweise* nur auf einem Vertrage zwischen den Mitgliedern ruhen. – Wo den Menschen das Sittengesetz frei läßt, da ist er ganz frei. – Er kann die Ausübung seiner Rechte verschenken, er kann sie vertauschen – immer aber bleibt sein eigner Wille der einzige Gesetzgeber: kein fremder Wille kann je Gesetz für uns sein" (das heißt *absolutes*: denn *bedingt* kann er es, wie der V[er]f[asser] auch nicht zu leugnen scheint, allerdings sein, wenn unser Wille sich dem fremden, weil er ein bessrer oder ein weiserer Wille ist, unterwirft.) – Da die Verbindlichkeit eines Vertrages aus dem Willen der Paciscierenden entsteht, so können die, welche ihn schlossen, ihn auch wieder aufheben. „Wie aber, wenn Unabänderlichkeit eine der Bedingungen desselben war?" – Ob sie dies *überhaupt* sein *könne*, wird nachher untersucht werden: hier wird nur und zwar in Rücksicht auf den *gesellschaftlichen* Vertrag geprüft, ob sie es wohl sein *dürfe*? Das heißt, „ob die Unabänderlichkeit einer Staatsverfassung auch nicht dem Sittengesetze zuwider sey?" – Die Beantwortung dieser Frage müssen wir uns auf einem ziemlich langen Wege holen. – Der höchste Zweck der Gesellschaft ist Kultur zur Freiheit – (wahr und groß für den, der es richtig faßt!) – Durch den bisherigen Gang des Menschengeschlechts ist dieser Zweck unstreitig befördert worden: aber wem dankt er es? Gewiß nirgends den Regierungen (den *Vormündern*, wie sie hier genannt werden): die hatten nur *Alleinherrschaft* im Innern und *Ausbreitung* im Äußern zum Zweck. Das letzte zu beschönigen, ward die Lehre vom *politischen Gleichgewicht* erfunden (die übrigens heutzutage jeder, wenigstens doch jeder, der ein Buch wie dieses lieset, für das hält, was sie ist, und die nicht wert war, den Zorn des V[er]f[assers] auf sich zu ziehen.) – Wo sie absichtlich kultivierten, taten sie es ihres eignen Nutzens wegen. – Oft aber hinderten sie absichtlich die Kultur, hauptsächlich durch Störung der Denkfreiheit usf. Endlich erfolgt (S. 100) die Antwort auf die eigentliche Frage: Sie lautet: „Eine Staatsverfassung, welche die Sklaverei aller und die Freiheit eines einzigen zum Endzweck hat, *„darf* (vor dem Sittengesetz) *nicht unabänderlich* sein." – Hiermit sind wir noch nicht befriediget. Denn, wenn die Staatsverfassung diesen grundbösen Endzweck *nicht* hat? Ist ihre Unabänderlichkeit auch dann dem Sittengesetze zuwider? – Diese Frage wird nun, nicht wie die vorige *mit Hilfe* eines Umschweifs, sondern *bloß* durch einen Umschweif oder vielmehr gar nicht beantwortet. Der V[er]f[asser] denkt sich eine Staatsverfassung, in welcher man jenem höchsten Endzweck, Kultur zur Freiheit, *erweislich durch die sichersten Mittel* nachstrebte, und fragt: Ist eine solche schlechterdings unabänderlich? Antwort: „Eine solche ändert sich von selbst ab: ein Mittel fällt nach dem andern hin, ein Rad wird nach dem andern überflüssig, – bis endlich die Maschine still steht, gar keine Staatsverfassung mehr nötig ist, das allgemein geltende Gesetz der Vernunft alle zur höchsten Einmütigkeit der Gesinnungen vereinigt

usf." Viel Glück zu diesem erhabnen Traume! Aber unsre Frage ist dadurch nicht abgefertiget. Nicht ob die Staatsverfassung *sich selbst* abändre – was hat damit im Grunde das Sittengesetz zu tun? – sondern ob es *moralisch-möglich*, d. i. erlaubt sei, daß der Wille des Menschen sie für unabänderlich erkläre? wollten wir wissen. Diese Frage ist also für die *beste* Verfassung nicht beantwortet. Ferner: die schlechteste und die beste erschöpfen ja noch immer nicht alle Formen. Wie steht es mit denen, die weder durchaus schlecht noch so gut sind, daß sie sich selbst abändern? Dürfen diese in Rücksicht auf das Sittengesetz unabänderlich sein?
Wenn diese Kritik spitzfindig zu sein scheint, so sei es erlaubt, sie dadurch zu rechtfertigen, daß die ganze hier beurteilte Untersuchung auf eine Spitzfindigkeit, und noch dazu auf eine falsche, hinausläuft. Alle Argumente des V[er]f[assers] beziehen sich nämlich auf *absolute Unveränderlichkeit* der Staatskonstitutionen; wer behauptet denn *absolute* Unveränderlichkeit einer Verfassung? Und wenn es ja einem einfiele, sie zu behaupten, warum nicht diesen, auf einem viel leichtern Wege, aus der *Unklugheit* oder auf einem noch leichtern, aus der Natur der Dinge gegründeten *Unmöglichkeit* dessen, was er verlangt, widerlegen? Es ist hinlänglich, daß die Befugnis, Abänderungen vorzunehmen, an und für sich, da wo sie nicht durch eine förmliche Vertragsklausel ausgeschlossen wird, im Recht und in der Moral gegründet ist, daß Nationen nie nötig haben, absolute Unabänderlichkeit in ihren Vertrag mit aufzunehmen, und daß man diese, wo sie nicht ausdrücklich feststeht, nie präsumieren darf. Die Schwierigkeit, die hier zu überwinden ist, liegt überhaupt gar nicht in der Frage: Ob es *an und für sich* erlaubt ist, Staatsveränderungen und Staatsrevolutionen vorzunehmen? Nach so reinen Prinzipien, als die sind, von welchen der V[er]f[asser] ausging, ließ *diese* sich auf einer einzigen Seite unumstößlich entscheiden? Sie liegt in folgender, etwas verwickeltern Frage: Durch *welche Personen* und durch welche Mittel müssen Staatsrevolutionen vorgenommen werden, wenn sie *rechtmäßig* sein und bleiben sollen? Es wird sich zeigen, wie dieser Punkt im weitern Verlauf des Räsonnements bestimmt worden ist.
Übrigens kann Rez[ensent] der Meinung des V[er]f[assers], daß die beste, die idealisch-beste Staatsverfassung sich fort-

während selbst abändern müsse, nicht beitreten; er nimmt das Gegenteil aus folgenden Gründen an: die beste Staatsverfassung in Rücksicht auf die höchsten Zwecke der Menschheit würde unstreitig die sein, welche sich um diese Zwecke am wenigsten kümmerte. Nur *negativ* müßte sie dieselben befördern. Eine solche Staatsverfassung wäre nichts als der Inbegriff der Mittel, welche die Gesellschaft anwendete, um die *vollkommnen* Rechte jedes Einzelnen zu schützen. Alles, was außerhalb dieser Sphäre liegt – Glückseligkeit, Kultur, Moralität, muß nur unter einem einzigen Gesetz, dem Gesetze der Freiheit stehen. – Da nun das System der vollkommnen Rechte ewig und unwandelbar ist, dasjenige aber, was seiner Natur nach im Wechsel liegt, Glückseligkeit und Kultur (die letztere wenigstens der *Form*, wenngleich nicht dem höchsten *Zweck* nach) gar nicht in das Feld der besten Verfassung gehört: so scheint die Staatsverfassung immer unwandelbarer werden zu müssen, je mehr sie sich der höchsten Vollkommenheit nähert.

Zweites Kapitel. Vorzeichnungen des weitern Ganges dieser Untersuchung. – „Durch das bisher Vorgetragene sei nunmehr", meint der V[er]f[asser], „die Rechtmäßigkeit der Revolutionen überhaupt, mithin auch jeder einzelnen erwiesen: denn, wenn das Recht eines Volkes, seine Staatsverfassung zu verändern, ein unveräußerliches, unverlierbares Menschenrecht ist: so sind alle Einwendungen dagegen erschlichen usf." So weit sind wir aufmerksamen Leser unsers Wissens noch nicht. Aufs höchste ist im ersten Kapitel dargetan, „daß *absolute* Unabänderlichkeit der Verfassung in gewissen Fällen gegen das Sittengesetz sei." Wir wollen zugeben, es wäre für *alle* Fälle erwiesen: so ist doch dadurch *bedingte* Unabänderlichkeit noch nicht ausgeschlossen. Dazu müßte erst bewiesen werden, daß es auch gegen das Sittengesetz sei, wenn eine Nation ihre Verfassung auf fünfzig, zwanzig, zehn, zwei Jahre für unabänderlich erklärte. Da dies aus dem bloßen Sittengesetze unmöglich zu beweisen ist: so muß der V[er]f[asser] (wie er es denn auch wirklich tut), um zu seinem Zweck zu gelangen, seine Zuflucht zu einem andern Mittel nehmen. – Ferner ist in dem ganzen ersten Kapitel noch keine Definition des Wortes *Volk* vorgekommen, noch nirgends bestimmt, wer denn eigentlich die zu einer Revolution Berechtigten sind. Zwei große

Punkte hat also der V[er]f[asser] bis hierher noch nicht ins reine gebracht. Wenn jede Revolution rechtmäßig sein soll: muß er noch 1) dartun, daß eine Staatsverfassung auch nicht auf eine gewisse Zeit für unabänderlich erklärt werden dürfe oder, was das nämliche ist, daß das Volk auch in diesem Falle das Recht habe, sie abzuändern, wenn es ihm beliebt; 2) zeigen, wie das *Volk* beschaffen sein muß, welches rechtmäßige Revolutionen beschließen kann. – Beides geschieht im *dritten* Abschnitt auf eine ganz originelle, ganz unerwartete, aber gewiß nicht für jeden Denker befriedigende Art.

Drittes Kapitel. Ist das recht, die Staatsverfassung zu ändern, durch Vertrag veräußerlich? – Beiläufig ist hier zu bemerken, daß der V[er]f[asser] dieser ganzen Untersuchung überhoben sein konnte, wenn sein erstes Kapitel das leistete, was es leisten sollte. Schon der Weg, den er hier einschlägt, bestärkt, was Rez[ensent] von der Unzulänglichkeit seiner ersten Beweise gesagt hat.

Nun zur Sache. „Wenn alle Bürger eines Staats jedem Einzelnen versprochen haben, daß sie, ohne seine Einwilligung, in ihrer Staatsverfassung nichts ändern wollen, können sie von diesem Vertrage abgehen?" Können sie (das heißt, dürfen sie rechtlich), *ungeachtet ihres Versprechens*, Abänderungen vornehmen, ohne sich an den Widerspruch derer, welchen diese Abänderungen mißfallen, zu kehren?" Diese Frage, (der Angel, um welche sich das ganze folgende Räsonnement und im Grunde das ganze System des V[er]f[assers] dreht) würde nun der gemeine Verstand, und, soviel Rez[ensent] bekannt ist, jedes bisherige System des Naturrechts ohne Ausnahme mit: Nein! beantwortet haben. Der V[er]f[asser] beantwortet sie mit Ja! Und um dieses möglich zu machen, trägt er eine neue Theorie der Verträge vor.

Bisher hat man geglaubt, daß im Naturrecht ein Vertrag, sobald er geschlossen ist, die darin festgesetzten Leistungen mögen nun erfolgt sein oder nicht, vollkommne Rechte und Verbindlichkeiten kreiere. Der V[er]f[asser] ist dieses Glaubens nicht. Die Hauptsätze seiner Theorie der Verträge sind folgende: 1. Wenn der, welcher mit mir einen Vertrag schließt, in seinem Herzen nicht den Willen hat, ihn zu halten: so erwerbe ich durch den Vertrag kein Recht. 2. Ein Vertrag, dessen Erfüllung in der Zukunft liegt, kann durch eine einseitige Willensänderung vor der Erfüllung aufgehoben werden. 3. Ein Vertrag, dessen Bedingungen sogar der eine Paciscierende schon erfüllt hat, bindet doch den andern noch nicht. Doch muß dieser, wenn er ihn alsdann bricht, dem andern Schadensersatz leisten. 4. Nur durch die vollendete Leistung von beiden Seiten wird der Vertrag vollständig. Rez[ensent] gesteht aufrichtig, daß weder die subtilen Gründe, womit diese Sätze hier ausgeführt werden, noch die Autorität des Professor *Schmalz*, den der V[er]f[asser] (S. 119) „den scharfsinnigsten und konsequentsten Lehrer des Naturrechts, welchen wir bis jetzt haben", nennt (der übrigens aber in einem sehr wesentlichen Punkte von ihm abweicht; s. § 106 seines *reinen Naturrechts. Königsberg* 1792.) ihn im allergeringsten für diese Theorie gewinnen konnten. Denn: 1. wäre nach derselben jeder auf die Zukunft geschlossene Vertrag schlechterdings überflüssig; wenn des andern Versprechen (das ich noch dazu durch das meinige erkaufte) mir kein vollkommnes Recht gibt: was wäre widersinniger, als Verträge zu schließen, wo die Leistungen nicht gleich ausgewechselt werden, 2. hörten alle Arten von Sozietätskontrakten, (nicht bloß der gesellschaftliche) deren Essenz gerade im *Ausdauern* auf eine gewisse Zeit besteht, im Naturrecht gänzlich auf. Es könnte keine Ehe, keine gemeinschaftliche Unternehmung, die auch nur ein dreitägiges Zusammensein voraussetzte, keine Art von Dienstleistung, die länger als den gegenwärtigen Augenblick währt, stattfinden: wenigstens ließe sich durch keinen dieser Verträge, und sollte auch der eine Teil bei der Schließung derselben die größten Opfer gebracht, ein vollkommnes Recht auf das Ausdauern des andern erwerben, weil dieser fünf Minuten nach geschlossnem Vertrage seinen Sinn *rechtlich* ändern kann. Dies ist denn doch wahrlich eine harte Lehre! 3. Ist gar nicht abzusehen, wie ein Mann, der das Sittengesetz für das höchste Prinzip erklärt, etwas für *möglich* halten kann, das dem Sittengesetz widerspricht. Denn gesetzt, der eine Paciscierende erwürbe durch das bloße Versprechen des andern kein *Recht*: so kontrahiert doch dieser gewiß eine *Pflicht*, und es wird ihm *moralisch* unmöglich, zu lügen oder zu brechen. Was gewinnt man also, wenn einmal die Sittlichkeit über alles gehen soll, durch die neue Theorie?

Die ganz natürliche Anwendung, welche der V[er]f[asser] von dieser Theorie macht, ist folgende: wie auch der bürgerliche Vertrag beschaffen, wie ausdrücklich darin auch festgesetzt sein mag, daß alle (ist zu sagen: *mehrere*) ihn nicht ändern sollen, ohne jeden zu fragen, und daß keiner ihm entsagen darf, ohne die Einwilligung der andern zu haben, so steht es doch jedem *rechtlich* frei, sobald es ihm beliebt, aus diesem Vertrage zu scheiden. „Er ändert seinen Willen, und von dem Augenblick an ist er nicht mehr im Vertrage; er hat kein Recht mehr auf den Staat, der Staat keins mehr auf ihn." (Auch nicht einmal, heißt es in einer Note S. 126, das Recht, ihn zu strafen, wenn er, um der Strafe zu entgehen, aus dem Vertrage tritt!!). „Sie sind gegeneinander in den bloßen Naturstand zurückgesetzt." – Nun sollte die Schadensersetzung folgen, für das, was der Staat dem Austretenden bis dahin geleistet hatte. Aber was hat er ihm denn geleistet? Sein Eigentum? Nicht also! Dies ist älter als der gesellschaftliche Vertrag. Seine Kultur? Die kann er ihm nicht wieder nehmen. Der bürgerliche Vertrag hat also vor allen andern noch die Bequemlichkeit voraus, daß man ihn nach Wohlgefallen brechen darf, ohne sich um Schadensersatz zu bekümmern.
Über die Unmöglichkeit dieses Schadensersatzes läßt sich nun der V[er]f[asser] in zwei sehr langen Episoden aus, davon die eine die Erörterung der Begriffe vom Eigentumsrecht nach den einzig gültigen und brauchbaren Prinzipien, die andre ein Räsonnement über Kultur zum Gegenstande hat. Diese Episoden aber, so schätzbare Ideen sie auch enthalten, beweisen das, wozu sie bestimmt sind, keinesweges. Denn wenn der gesellschaftliche Vertrag das *Eigentumsrecht* auch nicht *stiftete*, so hat er es doch *gesichert*, und die Gesellschaft kann für die *Sicherheit* des Eigentums, die sie dem Austretenden so lange geleistet hat, Entschädigung fordern. Was aber die *Kultur* betrifft, so ist es etwas seltsam, aus folgenden Prämissen: *Ein Vertrag, vermöge dessen einer der Paciscierenden schon geleistet hat, kann von dem andern nur unter der Bedingung, daß er jenen entschädige, gebrochen werden: Nun aber gibt es einen Vertrag, bei dessen einseitiger Aufhebung Entschädigung unmöglich ist,* – die Schlußfolge zu ziehen: *Also kann dieser Vertrag ohne Entschädigung gebrochen werden.* – Richtiger wäre wohl geschlossen: *Also kann dieser Vertrag gar nicht gebrochen werden.*

((Allgemeine Literaturzeitung, Jena (1794), Nr. 154 vom 7. Mai 1794, Sp. 353–360.))
((Beschluß der im vorigen Stücke abgebrochenen Rezension.))

Nach Beendigung dieser langen Digression kehrt der V[er]f[asser] (S. 186) wieder in seinen Hauptweg ein und sagt: „Jeder hat also das vollkommne Recht, aus dem Staate zu treten, sobald er will; er wird weder durch den Bürgervertrag noch durch irgendeinen andern Vertrag gehalten. – – Kann einer aus dem Staat treten, so können es mehrere. Diese stehen nun gegeneinander und gegen den Staat, den sie verließen, unter dem bloßen Naturrechte. – Sie haben das Recht, einen neuen Bürgervertrag zu schließen. – Es ist ein neuer Staat entstanden. Die zur Zeit nur noch einen Teil umfassende Revolution ist geendet. Zu jeder Revolution gehört die Lossagung vom ehemaligen Vertrag und die Vereinigung zu einem neuen. Beides ist rechtmäßig, mithin auch jede Revolution, in der beides auf die gesetzmäßige Art, d. i. aus freiem Willen geschieht."
Für denjenigen, welcher den Satz: „Jeder Bürger hat das vollkommne Recht, sobald es ihm beliebt, aus dem Staate zu treten", annimmt, ist die Rechtmäßigkeit jeder Revolution nunmehr allerdings erwiesen, und der V[er]f[asser] hätte, wenn sonst gegen sein Räsonnement nichts zu erinnern wäre, nicht einmal nötig, von den Folgen seiner Theorie Notiz zu nehmen. Dies hat er indessen zum Überfluß doch getan, indem er sagt:
„Bis jetzt bestehen noch zwei Staaten neben- und ineinander, die sich verhalten, wie alle Staaten sich gegeneinander verhalten, d. i. wie Einzelne, die ohne besondre Verträge unter dem bloßen Gesetz des Naturrechts stehen. – Aber hier stoße ich auf den mächtigen Einwurf von der Schädlichkeit eines Staates im Staate, welcher Fall hier offenbar eintreten würde. Ich habe mich losgerissen und bin in die neue Verbindung eingetreten. Meine beiden Nachbarn rechts und links stehen noch in der alten; und so ist über die ganze unabsehbare Fläche alles vermischt. Welche Verwirrungen und Unordnungen werden daraus nicht entstehen."
Zur Beruhigung derer, welche die *Rechtmäßigkeit* eines sol-

chen Zustandes über die Gefahren desselben nicht so ganz trösten möchte, führt der V[er]f[asser] nunmehr verschiedne Beispiele von Staaten im Staat an, die man allenthalben in Europa duldet und ohne die geringste Besorgnis duldet. Das erste Beispiel geben – *die Juden* ab, die hier in einem Tone, den sie noch von keinem kantischen Philosophen vernahmen, geschildert oder vielmehr gemißhandelt werden. – Die folgenden Beispiele sind – das *Militär*, der *Adel*, die *Geistlichkeit*. Alles dies, sagt der V[er]f[asser], sind Staaten im Staat, die sich recht gut erhalten, ohne daß ihrethalben der große Staat zerrüttet würde.

Aber wo in aller Welt, fragt hier gewiß jeder, der dieses lieset so begierig als Rez[ensent], wo ist denn die Ähnlichkeit zwischen allen diesen Korporationen und den beiden, oder vielmehr den unendlich vielen neuen Staaten, die der V[er]f[asser] durch seine Theorie in- und nebeneinander kreiert? Wenn diese Korporationen auch immer ihren eignen (dem Gemeingeist zuweilen feindlichen) Geist, ihre eignen Gesetze, Gebräuche usf. haben, so sind sie doch *zugleich* den allgemeinen Gesetzen des Staates, in welchem sie leben, unterworfen; und man kann schlechterdings von ihnen nicht sagen, was der V[er]f[asser] von seinen neuentstandenen Gesellschaften sagt und sagen muß, „ihre Mitglieder ständen mit den übrigen Staatsbürgern im bloßen Naturstande“. Wie war es also möglich, die Gefahr, die aus diesen Korporationen dem Staate unter gewissen Umständen erwachsen kann, mit der Gefahr oder vielmehr mit der schrecklichen Lage, die aus einer gänzlichen Auflösung desselben entsteht, zu vergleichen?

Im Anfange dieses Kapitels versicherte der V[er]f[asser], am Ende desselben werde klar werden, was man unter dem Worte „Volk“ eigentlich zu verstehen habe. Er kommt nicht wieder darauf zurück, und es bleibt uns also nichts übrig, als die Definition in seiner Theorie selbst aufzusuchen. Er kann, wenn er konsequent bleiben will, die folgende auf keine Weise verwerfen: „Das zur Revolution berechtigte Volk sind jede zwei Menschen, denen es einfällt, den Staatsvertrag an ihrem Teil zu brechen und einen neuen zu schließen.“

Das Resultat aus dem allen ist dieses: Wer den Satz: „Jeder, der einen Vertrag geschlossen hat, behält das Recht, ihn bei verändertem Willen wieder zu brechen", nicht annimmt, mithin auch den Folgesatz: „Jeder Bürger kann nach Belieben aus dem Staatsvertrag treten", verwirft, für den hat das ganze Räsonnement des V[er]f[assers] nicht die geringste Bündigkeit, und für den ist die Hauptfrage: *Was konstituiert ein zur Revolution berechtigtes Volk?* der Entscheidung auch nicht um ein Jota näher gebracht. Soll also der Punkt des *Rechts* bei Revolutionen aufs reine kommen, so werden alle die, welche des V[er]f[assers] Theorie nicht überzeugte (und Rez[ensent] wagt zu behaupten, daß ihre Anzahl unter den besten Köpfen sehr groß sein wird), es auf einem andern Wege, nicht etwa auf einem *empirischen* (denn dieser führt nie zur Auflösung einer Frage des *Naturrechts*), aber auf einem *andern rationalen* Wege versuchen müssen.

Viertes Kapitel. Von begünstigten Volksklassen überhaupt in Beziehung auf das Recht einer Staatsveränderung. – Eigentlich ist nunmehr die ganze Prüfung dieses Buchs geschlossen: denn da der V[er]f[asser] auf alles, was noch folgt, die Grundsätze, die er einmal erwiesen zu haben glaubt, anwendet, so steht oder fällt sein Gebäude, je nachdem man diesen Grundsätzen beitritt oder sie verwirft. Rez[ensent] wird sich also über die noch übrigen drei Kapitel kürzer fassen können.

Ausgezeichnete oder *begünstigte Staatsbürger* sind nach dem V[er]f[asser] „solche, gegen welche die übrigen sich zu besondern Leistungen verpflichtet haben, die ihnen jene nicht zurückgeben. – Daß diese gegenseitigen Rechte und Verpflichtungen nur auf Vertrag sich gründen können, und daß die Gültigkeit oder Ungültigkeit dieses besondern Vertrages auf den Grundsätzen der Verträge überhaupt, welche wir oben entwickelten, beruhe, fällt ohne weitere Untersuchung sogleich in die Augen." Hierdurch ist den begünstigten Klassen ein für allemal schon das Urteil gesprochen, und was der V[er]f[asser] noch außerdem gegen dieselben sagt, soll wahrscheinlich nur zur Erläuterung und Verstärkung seines Räsonnements dienen.

Das erste, wodurch er seine Theorie in Rücksicht auf die begünstigten Stände zu verstärken sucht, ist eine Prüfung des Begriffs eines *angebornen* Vertragsrechtes und einer *angebornen* Vertragspflicht. Wenn A mit B einen Vertrag geschlossen hätte, der den erstern begünstigte, und B wollte

auch lebenslang sein Recht, diesen Vertrag zu brechen, aufgeben: was wird geschehen, wenn er stirbt? Ist sein Sohn, wenn auch der Vater zehnmal für ihn mit pacisciert hätte, verbunden, den Vertrag zu halten? Nach dem Naturrecht: ohne allen Zweifel – Nein! Aber laßt uns voraussetzen, tausend Menschen hätten einen *Staatsvertrag* geschlossen, worin eine der ersten Bedingungen wäre, daß A, B, C etc. und ihre Nachkommen *zum allgemeinen Besten* (dem eine solche Bedingung doch nicht *absolut* widerspricht) mit gewissen Vorrechten, z. B. dem der ausschließenden Handhabung der exekutiven Gewalt, begabt sein sollten: – so ist nun gar nicht mehr die Frage, ob die Kinder und Kindeskinder von X, Y, Z etc. die Nachkommen von A, B, C etc. in ihren Vorrechten, sondern ob sie den *Staat*, von welchem diese Vorrechte eine Folge oder vielmehr eine Bedingung sind, anerkennen wollen. Alles läuft also wieder auf die Frage hinaus: „ob und inwiefern ein Bürger berechtiget sei, den Staatsvertrag zu brechen", und das ganze Verstärkungsräsonnement ist eine versteckte *petitio principii*.
Auf diese Erörterung der *Form* eines Begünstigungsvertrages folgt eine *Untersuchung der Materie* oder des Gegenstandes desselben. Der Fall, wo einem oder einigen Begünstigten das Recht, in der Staatsverfassung Änderungen vorzunehmen, anschließend übertragen wurde, wird hier zuerst ausgehoben und besonders abgehandelt. Ein solcher Vertrag soll ganz vernunftwidrig sein. – Warum? „Weil er das unveräußerliche Menschenrecht, seine Willkür zu ändern, verletzt." – Daß dies abermals das alte Hauptargument sei, darf nicht erst erinnert werden.
Überhaupt, heißt es, kann man nur *veräußerliche* Rechte aufgeben. – Hier folgt nun eine lange Auseinandersetzung des Unterschiedes zwischen *veräußerlichen* und *unveräußerlichen* Rechten, deren Zergliederung, zumal da sie an einigen Stellen äußerst dunkel ist, zu weit führen würde. – Merkwürdig ist es, daß der V[er]f[asser] (S. 239) das Eigentum des Menschen über seine gesamten Kräfte unter der Bedingung, daß er sich den Unterhalt gesichert habe, für *unveräußerlich*, d. i. die *Sklaverei*, wenn man sich freilich hineinbegab, für *rechtmäßig* erklärt, welches zwar mit seinen übrigen Lehren einigermaßen kontrastiert, im Grunde aber nichts Furchtbares hat: denn, da alles Veräußern durch Verträge

geschehen muß, diese aber jeden Augenblick einseitig zerrissen werden können, so steht es immer bei dem *Bevorteilten* (wie er hier genannt wird), zu sagen: Ich hebe diesen Zustand auf. – Freilich, wer ein Schwert wie dieses besitzt, für den gibt es keine gordischen Knoten mehr.
Der Schluß dieses Kapitels ist eine weitläuftige Betrachtung über die Leiden, welche die Begünstigten in einem Staat treffen würden, wenn die Bevorteilten auf einmal alle ihnen nachteilige Verträge aufhöben – ein Fall, der allerdings da, wo man des V[er]f[assers] politisches System allgemein annähme, nicht lange ausbleiben möchte. Diese Leiden werden sehr gering taxiert: sie liegen bloß in der Meinung, in der Einbildung usf. – „Das Leiden", heißt es S. 258, „das die Anwendung seiner eignen Kräfte (zur Arbeit) ihm verursachen mag, kommt gar nicht in Rechnung; denn es ist ein Leiden, das uns zu wohltätigen Zwecken die Natur aufgelegt hat, und dessen *wir* gar nicht berechtigt sind, ihn zu entledigen. Kein Mensch hat das Recht, seine Kräfte ungebraucht zu lassen und durch fremde Kräfte zu leben. Es muß sich *ungefähr* berechnen lassen, binnen welcher Zeit er es dahin bringen könne, daß der Gebrauch derselben ihm das Unentbehrliche verschaffe. Bis dahin müssen *wir* für seinen Unterhalt sorgen, aber dafür haben *wir* auch das Recht der Aufsicht, ob er sich wirklich geschickt mache, sich denselben auf die Zeit hin, da *wir* ihn nicht mehr ernähren wollen, selbst zu erwerben. – Er muß von der Stunde der Aufhebung unsers Vertrages an sich allmählich die Befriedigung immer mehrerer Bedürfnisse versagen lernen; *wir* werden ihm anfangs, nach Abziehung des oben berechneten, geben, was von seinen vorherigen Einkünften übrigbleibt, dann weniger, dann allmählich *immer weniger*, bis seine Bedürfnisse mit den *unsrigen* ungefähr ins Gleichgewicht gekommen sind; und so wird er sich weder über Ungerechtigkeit noch über unbillige Härte zu beklagen haben."
Von den *Empfindungen*, die diese Stelle bei Rez[ensenten] erweckt hat, kann hier, wo nur *Gründe* einen Platz finden, die Rede nicht sein. Aber über die *Unbestimmtheit* eines Räsonnements, wie das eben ausgezeichnete, lassen sich gerechte Klagen führen. Wo es auf das Unglück, vielleicht auch die Verzweiflung großer Menschenklassen ankommt,

sind feste und bestimmte Vorschriften notwendiger als sie es jemals sonst sein können, und alle *willkürliche* Ausführung eines Reformationsplans wie *dieser* wäre schrecklich. Gleichwohl sucht man vergebens nach den *Prinzipien*, welche diese harte Vormundschaft, dieses Graduieren in der Entbehrung, dieses seltsame Herstellen des Gleichgewichts regieren sollen: und es ist nicht abzusehen, was jenes unbekannte und undefinierte *wir* abhalten wird, in seinem eigenmächtigen Experiment mit dem Wohlstande und mit dem Eigentum vieler Tausende von Bürgern, die Grenzen der Gerechtigkeit, und am Ende die Grenzen aller Menschlichkeit zu überschreiten.

Fünftes Kapitel. Vom Adel, insbesondre in Beziehung auf das Recht einer Staatsveränderung. – Die erste Hälfte des Kapitels nimmt eine *historische* Untersuchung über den eigentlichen Ursprung des jetzigen europäischen Adels ein, worin sich der V[er]f[asser] darzutun bemüht, daß der Adel nicht einmal so alt als die Lehnsverfassung sei. – Sobald es ans Philosophieren kommt, treten die schon bekannten Grundsätze wieder auf, die ohne Schwierigkeit zu dem Resultat führen, welches S. 358 in folgenden Worten vorgetragen wird: „Es bleibt uns also überhaupt kein gesetzmäßiges Mittel übrig, um dem Adel aufzuhelfen. Aber warum soll ihm denn auch aufgeholfen werden? *Rechtsansprüche* hat er gar nicht zu machen usw."

Sechstes Kapitel. Von der Kirche in Beziehung auf das Recht einer Staatsveränderung. – Die Kirche fährt, wie es zu erwarten stand, noch viel schlimmer als der Adel. Nur eine einzige Stelle zur Probe. (S. 421) „Die Kirche als solche hat weder Kraft noch Rechte in der sichtbaren Welt; für den, der nicht an sie glaubt, ist sie *Nichts*; was *Keinem* gehört, ist Eigentum des ersten besten, der sich dasselbe rechtskräftig für die Welt der Erscheinungen zueignet. – Ich gerate auf einen Platz und fange an, ihn zu bearbeiten, um mir ihn zuzueignen. Du kommst und sagst mir: weiche von hier, dieser Platz gehört der Kirche. – Ich weiß von keiner Kirche, ich anerkenne keine Kirche; mag deine Kirche mir in der Welt der Erscheinungen ihr Dasein beweisen; von einer unsichtbaren Welt weiß ich nichts. – Du hättest mir weit füglicher sagen können, dieser Platz gehöre dem Manne im Monde: denn ob ich schon den Mann nicht kenne, so kenne ich doch den Mond; deine Kirche kenne ich nicht, und die unsichtbare Welt, in der sie gar mächtig sein soll, kenne ich auch nicht. Aber laß deinen Mann sein Wesen im Monde treiben oder laß ihn auf die Erde kommen und mir sein früheres Eigentum auf diesen Platz beweisen; ich bin der Mann von der Erde und will bis dahin auf meine Gefahr sein Eigentum an mich nehmen." –

Übrigens ist zu bemerken, daß in diesem ganzen ersten Teile der *Französischen Revolution* mit keinem Worte Erwähnung geschieht, ob sich gleich ohne große Prophetengaben voraussehen läßt, wie das Urteil über diese Begebenheit, insofern es auf *Rechtmäßigkeit* ankommt, ausfallen wird.

Der V[er]f[asser] hat ausdrücklich erklärt, daß er keinen *Empiriker*, sondern einen spekulativen Denker zum Richter über sein Buch haben, das heißt, nach *reinen* und nicht nach *empirischen* Prinzipien beurteilt sein wolle. Daß die gegenwärtige Rezension, wie sie auch sonst beschaffen sein mag, seiner Forderung in diesem Punkt Genüge leiste, glaubt der V[er]f[asser] derselben um so dreister behaupten zu können, da er sich durchgehends strenge an das Räsonnement des Schriftstellers gehalten hat, und daher, ohne etwas ganz Widersinniges hervorzubringen in einer Materie, wie die hier abgehandelte, an ein *empirisches* Prinzip nicht einmal denken konnte.

Nun sei es noch erlaubt, einige Worte über den *Vortrag* und einige über den *Ton*, der in diesem Buche herrscht, hinzuzufügen.

Der Vortrag verrät an vielen Stellen, daß der V[er]f[asser] sich das Publikum, für welches er eigentlich schreiben wollte, nicht recht deutlich und bestimmt gedacht haben muß. Denn wollte er, wie er in der Vorrede andeutet, für Ungelehrte arbeiten, so mußte er schlechterdings weniger dunkel und weniger subtil schreiben, weil man, so wie seine Schrift jetzt angetan ist, in philosophischen Untersuchungen sehr geübt sein muß, um ihm zu folgen und ihm auch dann nur mit Mühe folgt. Hätte er sich aber gleich Gelehrte, das heißt hier, philosophierende Köpfe, als seine Leser gedacht; so konnte er nicht nur viele unnütze Sachen weglassen, sondern auch sein ganzes Räsonnement gedrungener, bündiger und methodischer einrichten.

Niemand konnte den V[er]f[asser] tadeln, wenn der *Ton* sei-

nes Buches im ganzen *nachdrücklich* und *strenge* ausfiel, und jeder billige Leser mußte ihn entschuldigen, wenn er hin und wieder an *Bitterkeit* grenzte. *Jenes* steht einem Schriftsteller wohl an, der von reinen, *a priori* feststehenden, unumschränkt gebietenden Grundsätzen ausgeht, von diesen Grundsätzen das, was nach seiner Überzeugung Wahrheit ist, ableitet und dabei einen für die gesamte Menschheit wichtigen Gegenstand behandelt; *dieses* muß man vorzüglich finden, wenn man in einem Zeitalter lebt, wo gewisse Stände der bürgerlichen Gesellschaft gegen Lehren und Warnungen, die die Geschichte noch nie klarer und noch nie schrecklicher aufstellte, taub zu sein scheinen, wo sie kindisch und verblendet genug sind, lieber alles aufs Spiel zu setzen, als etwas fahren zu lassen, und wo ungeschickte Baumeister einem Strom, der vor ihren Augen Königreiche fortreißt, den elenden Damm einiger obsoleten Formeln und einer fruchtlosen Gewissenstyrannei entgegenstellen wollen.
Es gibt aber eine gewisse *bittre Petulanz*, die sich ein Schriftsteller, der die größten Angelegenheiten des Menschengeschlechts zum Thema gewählt hat, nie erlauben sollte. Das Publikum mag richten, ob folgende Stellen, die nicht mühsam herausgesucht sind, etwas von dieser Eigenschaft an sich haben. S. 46. „Rousseau, den ihr noch einmal über das andre einen Träumer nennt, indem seine Träume unter euern Augen in Erfüllung gehen, verfuhr viel zu schonend mit euch, ihr Empiriker! *Das war sein Fehler: Man wird noch ganz anders mit euch reden, als er redete usf.*“ Oder S. 56. „Das ist auch eine von euren alten Untugenden, feige Seelen, daß ihr uns mit einer geheimnisvollen Miene ins Ohr flüstert, was ihr aufgespürt habt: aber, aber – setzt ihr hinzu und macht ein kluges Gesicht: daß es ja nicht weiter auskommt, Frau Gevatterin!“ – Oder S. 389. „Der lutherische Priester – kann weiter nichts gegen die Sünde unternehmen, als sie vergeben; behalten darf er sie gar nicht, als vor der ganzen Gemeinde *ins blaue Feld hin*. Er kann nur den Himmel versprechen; mit der Hölle drohen darf er keinem: sein Mund muß immer in ein segnendes Lächeln gezogen sein.“ – Unter solchen drohenden Apostrophen und frostigen Scherzen geht gar zu leicht die *Würde* eines philosophischen Schriftstellers verloren.

Eben dies gilt nach dem freimütigen Urteil des Rez[ensenten] von den unaufhörlichen Ausfällen des V[er]f[assers] auf einen von einem ansehnlichen Teil des Publikums geschätzten Schriftsteller, Hrn. *Rehberg* in Hannover. Man wird es niemanden verargen, wenn er sein Räsonnement durch Widerlegung der Sätze seiner Gegner zu erläutern oder zu heben sucht, noch weniger, wenn er Systeme, die er für gefährlich und verderblich hält, ohne Ansehen der Person, angreift und verdammt. Aber ohne alle dringende Veranlassung und ohne allen Gewinn für die Sache geflissentlich und mutwillig einen andern Gelehrten in einem Buche, welches philosophischen Untersuchungen gewidmet ist, mit einer Heftigkeit, die nur empörten Leidenschaften, und mit einer Härte, die auch einem Ungenannten nicht ziemt, wie den bittersten persönlichen Feind zu verfolgen – das möge ja keine allgemeine Maxime in der schreibenden Welt werden! Rez[ensent] enthält sich hier mit Fleiß aller speziellen Belege, die überdies jedem, der das Buch aufschlagen will, in Menge entgegenkommen werden, getraut sich aber zu beweisen, daß unter allen gegen Hrn. R[ehberg] gerichteten Stellen keine einzige ist, die zur Berichtigung der Begriffe oder zur Erleichterung des Ideenganges beitrüge, keine einzige, die nicht vielmehr den Lauf des Räsonnements ohne alle Not unterbräche und den ohnehin oft dunkeln und verworrnen Vortrag des V[er]f[assers] noch verwickelter und unverständlicher machte.
In die nämliche Kategorie gehört auch folgende, höchst seltsame Äußerung: *„Kein Adliger, keine Militärperson in monarchischen Staaten, kein Geschäftsmann in Diensten eines gegen die Französische Revolution erklärten Hofes sollte in dieser Untersuchung gehört werden.“* – Wenn auch einen Schriftsteller, der die Würde der Menschheit aufrecht zu halten sucht, das Niedrige in der Voraussetzung, daß persönliches Interesse und Parteilosigkeit im Urteil, noch dazu im wissenschaftlichen Urteil absolut unvereinbar wären, von einer solchen Behauptung nicht abhalten konnte, so hätte es doch ein flüchtiger Blick auf die ins Lächerliche fallenden Folgen derselben tun sollen. Denn, gilt dieser Anspruch, so darf forthin auch kein von einem Hofe besoldeter Prediger, kein Lehrer an hohen und niedern Schulen, kein Arzt, der sich nicht die Hälfte seiner Patienten zu Feinden machen will,

kein Kaufmann, der ein Kapital in irgendeinem öffentlichen Fonds hat, mit einem Worte niemand, als ein solcher, der beweisen kann, daß ihm der politische Zustand aller europäischen Länder durchaus gleichgültig sei, über die Französische Revolution oder staatswissenschaftliche Gegenstände überhaupt mehr sprechen. Sollen alle die, welche ein Interesse *für* die jetzigen Verfassungen haben, perhorresziert werden; so müssen nach der gemeinen Billigkeit auch alle, die ein Interesse *dagegen* haben können, das Stillschweigen beobachten; und am Ende müßte man ein Wesen aus einem andern Planeten holen, um in einer Angelegenheit, zu deren Beurteilung nur gewöhnliche Redlichkeit und ein guter Kopf gehört, einen brauchbaren Ausspruch zu tun.

Rezension
aus: Philosophische Bibliothek, Hamburg: Bachmann und Gundermann 1794, S. 69.

Beiträge zur Berichtigung der Urteile des Publikums über die Französische Revolution. Erstes Stück. Zur Beurteilung ihrer Rechtmäßigkeit. – 1793.

Eine tiefgedachte Schrift wie diese kann nicht rezensiert, sie muß durchgedacht und durchgeprüft werden. Hierzu scheint der Herr Geheime Kanzlei-Sekretär Rehberg in Hannover aufgefordert zu sein, gegen den in ihr gestritten wird. Zur Berichtigung der Urteile des Publikums durfte wenig gewirkt worden sein, da unsers Verfassers Beiträge nur für sehr geübte Leser eine leichte und unterhaltende Lektüre sind, aber das Reich der Wahrheit wird durch solche Untersuchungen sehr befestigt. Nur ist es zu bedauern, daß die Kämpfer sich verbergen müssen und man nicht in ihnen die nützlichsten Menschenfreunde öffentlich anerkennen darf.

Rezension
aus: Philosophisches Journal einer Gesellschaft Teutscher Gelehrten, hrsg. von J. G. Fichte u. I. Niethammer, Neustrelitz – Jena – Leipzig, Bd. 1 (1795), Heft 5, S. 47–84 [Johann Benjamin Erhard].

Beitrag zur Berichtigung der Urteile des Publikums über die Französische Revolution. Zur Beurteilung ihrer Rechtmäßigkeit. 1. Teil und des ersten Teils 2. Heft. 1793. Zusammen XXIII und 435 S. kl. 8.

Der Verf[asser] dieser Beiträge kündigt sich in der Vorrede sogleich als ein Mann an, dem die Wahrheit das höchste Gut ist, und seine ganze Schrift berechtigt den Leser, ihn als einen solchen zu achten. Ich gehe daher, ohne mich mit Lob oder Tadel aufzuhalten, sogleich zur Prüfung der *eigentümlichen* Lehren des Verf[assers] über. Die kurze Übersicht der in dieser Schrift abgehandelten Gegenstände setze ich bei unsern Lesern als durch andere Journale oder Lesen der Schrift selbst schon erhalten voraus.
Im Eingange sucht der Verf[asser] zu beweisen, daß die Frage über die Rechtmäßigkeit einer Handlung gar nicht aus dem, was schon in der Welt geschehen und darauf gefolgt, sondern aus der Vernunft allein zu erkennen sei. Die Gründe, die er vorbringt, treffen völlig die Gegenpartei, gegen welche er diesen Beweis für nötig hielt. Aber hat er wirklich alle Gründe erschöpft, welche sich für die Behauptung anführen lassen: daß man bei seinen Handlungen, die auf andere Menschen Einfluß haben, die Belehrungen der Geschichte zu Rate ziehen müsse? So wahr es ist, daß sich aus dem, was geschieht, nicht die Rechtmäßigkeit einer Handlung, und aus dem, was geglaubt wird, nicht die Wahrheit einer Behauptung beweisen läßt, ebensowenig läßt sich durch Aufhebung aller Beweise, die für die Rechtmäßigkeit einer Handlung aus Tatsachen geführt werden, die Unrechtmäßigkeit derselben, und durch Widerlegung aller Gründe für einen Satz, dessen Falschheit beweisen. Man muß noch beweisen, daß die Handlung wirklich unrechtmäßig war, und daß die Gründe, die man widerlegt hat, alles erschöpften, was für einen Satz gesagt werden kann. Der Satz: die Rechtmäßigkeit hängt weder vom Geschehen noch vom

Folgenden ab; schließt den andern Satz noch nicht aus: die Rechtmäßigkeit kann öfters nur aus dem Geschehenen erkannt werden; denn es kann Handlungen geben, wo es Schuldigkeit ist, auf die Folgen zu achten. Dies ist der Fall, sooft davon die Rede ist, was ich für andere tun soll. Die Frage: wie ich gegen andere handeln soll? kann freilich nicht aus der Erfahrung beantwortet werden; aber sie ist auch nicht die Hauptfrage bei einer Revolution. Sobald ich für einen andern handle, ohne daß er mir bestimmten Auftrag gibt, so verbürge ich ihm, daß die Folgen für ihn gut sein sollen; und wenn ich diese nicht voraussehe, so ist es nicht recht, daß ich mich des Geschäftes anmaße.

Bei der Frage über die Revolution scheint in diesem Falle eine gewisse Zweideutigkeit zu herrschen, die schon manche Personen zu Gegnern gemacht hat, die über alle moralische Prinzipien der Entscheidung einig waren. Eine Revolution bewirken, kann sowohl heißen: der dabei handelnde Teil verändert *seine* Regierung; als auch: er verändert die ihm *mit mehrern gemeinschaftliche* Regierung. Bei dem ersten Fall ist die Frage nicht einmal von *Recht*; es ist offenbar, daß er über das sein Herr ist; sondern nur von *gut* sein. Bei dem zweiten aber ist nur dann die Frage von *Recht allein*, wenn es darauf ankommt, zu untersuchen, ob er die gemeinschaftliche Regierung *für sich* ohne allen Einfluß auf andere, als der aus der Absonderung von Ihnen entspringt, umändern darf; hingegen muß von *Recht* und *Gutsein zugleich* die Frage sein, wenn er seine geänderte Regierung *zur gemeinschaftlichen* erheben will. Bei dem ersten Gesichtspunkt kommt es vorzüglich darauf an, zu entscheiden, unter welchen Bedingungen man sich vom Staate trennen darf; bei dem zweiten aber darauf, ob man sich zum herrschenden Teile aufwerfen dürfe. Bei der ersten Frage ist die *Rechtmäßigkeit* durch die *Rechtsmöglichkeit* entschieden; bei der zweiten aber muß zur Rechtsmöglichkeit an sich noch die Betrachtung aller Nebenumstände hinzukommen, ehe über die Rechtmäßigkeit entschieden werden kann.

Durch Verabsäumung der genauen Bestimmung dieser verschiedenen Gesichtspunkte wird der Streit gewöhnlich so geführt, daß der eine Teil beweist: jedermann habe das Recht, nach seinem besten Wissen und Willen zu leben; und dadurch die Rechtmäßigkeit der Revolutionen bewiesen zu haben glaubt – während der andre Teil beweist: niemand habe das Recht, nach seinem besten Willen und Wissen über den andern etwas, wozu dieser noch keine bestimmte Einwilligung gegeben hat, und wozu er nicht offenbar verpflichtet ist, zu verfügen; und dadurch die Unrechtmäßigkeit einer Revolution bewiesen zu haben glaubt. Der eine betrachtet die Revolution als *transitiv*, der andere als *intransitiv*. Ich mache eine Revolution, heißt dem einen: ich ändere die Grundsätze der Verfassung für mich um; und dem andern: ich ändere sie für die übrigen um. Die eine Partei hält sich daher immer an das Recht des Teils, der die Revolution bewirkt, und die andere an das Übel, das der unverschuldet leiden muß, auf den sich die Folgen der Revolution erstrecken. Der eine glaubt daher, der Erfahrung entbehren zu können; der andere glaubt, sich allein von ihr leiten lassen zu dürfen.

Der Verf[asser] hat in dem vor uns liegenden Teil seiner Schrift nur den einen Gesichtspunkt gefaßt. Er betrachtet die Revolution nur in Beziehung auf den *aktiven* Teil, der sie macht, ohne alle Rücksicht auf den *passiven*, der sie erleidet. Von der Frage: *kann es eine Revolution geben, die allein durch den Teil gemacht wird, der sie will?* ist gänzlich abstrahiert. Es wird vorausgesetzt, daß die Revolution intransitiv unternommen wird: ob es eine solche geben könne, kümmert den Verf[asser] nicht; sie *soll* sein. Was hat aber das *Sollen* einer *kollektiven Person* für eine Bedeutung? Solange es heißt: *Ich*, so sind meine Rechte und Pflichten allein durch meine Vernunft bestimmbar; sobald ich aber sage: *Wir*, so bin ich nicht mehr befugt, meiner Einsicht allein zu folgen. Ich muß des Willens aller versichert sein, um in ihrem Namen zu handeln. Wie ist dies möglich? Doch nicht durch die Erklärung der andern: daß sie sich alles, was ich verfüge, wollen gefallen lassen? Kann ein solcher Vertrag verbindlich sein, so ist er es auch gegen die Regierung, die der Gegenstand der Revolution ist, und jede Revolution ist widerrechtlich. Oder etwa dadurch, daß alles einstimmig beschlossen und mir nur der Auftrag, es auszuführen, gegeben würde? Vorausgesetzt, daß eine solche Einstimmigkeit angetroffen werden könnte, wird es denn möglich sein, mich auf alle Fälle mit Vorschriften zu versehen, und wird je etwas ausgerichtet werden können, wenn bei jedem Vorfall die Einstimmung aller erfordert wird? Von allen diesen Verhältnissen zu abstrahieren, ist unmöglich, wenn man nicht auf die gänzliche Brauchbarkeit seiner Resultate in der wirklichen Welt Verzicht tun will, denn in ihr bleibt es immer wahr, daß viele Menschen nur dadurch etwas zweckmäßiges anordnen und ausführen können, daß sie wenigen den Auftrag erteilen. Was soll der tun, der den Auftrag hat? Seinen Willen darf er nicht an die Stelle des Willens aller setzen, und doch muß er dies tun, wenn er handeln will, da seine Aufträge mangelhaft sind. Wie kann er sich helfen? Einzig durch die Einsicht, daß er den Willen aller treffen werde. Woher erlangt er aber diese Einsicht? Doch wohl aus der Kenntnis der Menschen, deren Sache er führt?

Diese Kenntnis, glaubt nun der Verf[asser], ließe sich aus der Selbstbeobachtung schöpfen; jeder Mensch hätte die gleichen Naturanlagen, die nur dem Grade nach verschieden wären. Wenn dies auch zugegeben wird, so folgt doch daraus noch nicht, daß diese Anlagen bei allen Menschen gleich ausgebildet seien und daß nicht einige derselben durch die einseitige Kultur der übrigen gänzlich verlöschen können; und es läßt sich also doch nicht daraus erkennen: auf welche Art man sich gewissen Menschen am leichtesten mitteilen könne; und am allerwenigsten: wie die Neigungen der Menschen einander bald ersticken, bald anfachen, sobald sie in Masse wirken. Alle diese Fragen erfordern nicht nur die Kenntnis *des Menschen*, sondern auch *der Menschen*, folglich – Erfahrung. Und da niemand in der Welt etwas im Namen mehrerer, die sich auf ihn verlassen, unternehmen soll, wenn er nicht glauben kann, in der Ausführung ihren Wünschen zu entsprechen (indem sein Betragen gewiß unrechtmäßig ist, wenn er, ohne hinreichende Menschenkenntnis zu besitzen, sich anmaße, die Wünsche vieler Menschen zu erfüllen, und dabei alle Mittel zu vermeiden, die ihnen unangenehm sein oder vielleicht gar, wenigstens ihrer Meinung nach, sie noch unglücklicher machen könnten; – denn er betrügt!): so kann keine Revolution, zugunsten eines Volks, ohne empirische Kenntnis dieses Volks unternommen werden.

Hier zeigt sich aber wieder ein Mißverständnis der beiden Parteien über die Rechtmäßigkeit einer Revolution. Die eine Partei geht nur davon aus, ob die Veränderungen mit

Recht geschehen konnten oder nicht; die andere davon, ob sie dem Zweck entsprachen, um dessentwillen sie geschahen. Diese beiden Gesichtspunkte sind zwar in der Spekulation genau zu unterscheiden, müssen aber beide gefaßt, und die Beurteilung muß aus beiden angestellt werden, wenn über die Rechtmäßigkeit einer Revolution entschieden werden soll. Ich kann z. B. mit vollem Recht mich von einer Regierung trennen, weil sie der Ausübung meiner Menschenrechte hinderlich ist, die ich in weiterm Umfang als der übrige Teil des Volkes erkenne. Aber ich handle unrecht, wenn ich andere zu dieser Trennung verleite, die ganz andere Zwecke dadurch erreichen wollen als ich; ich handle unrecht, sobald ich dies merke und sie doch zu Anhängern meiner Sache zu machen suche. Der eine Teil beweist daher: daß das, was geschah, mit Recht geschehen konnte; setzt die Offenheit des Handelnden gegen die Nachfolgenden voraus und glaubt die Rechtmäßigkeit einer Revolution bewiesen zu haben. Der andere Teil zeigt: daß nicht mit hinlänglicher Offenheit verfahren worden sei, beweist dadurch, daß die handelnde Partei der andern Unrecht getan habe, und glaubt die Unrechtmäßigkeit der Revolution dadurch bewiesen zu haben. Beide Parteien verbitten sich daher wechselseitig bald den Gerichtshof, der über Tatsachen entscheidet, bald die bloße Entscheidung der Vernunft, die nur die Regel zur Entscheidung vorlegt und die Tatsache als unter die Regel gehörig schon voraussetzt. Der Erfolg des Streites konnte kein andrer sein, als daß jeder nach seinem Gefühl siegte, indem die Streiche des Gegners entweder ihn nicht trafen oder von ihm abgewiesen wurden. So nötig es ist, daß das Recht an sich unabhängig von jeder Erfahrung bestimmt werde, so nötig ist es auch, zu bestimmen, welcher Anteil bei der Entscheidung der Frage: wer tut wirklich recht? der Erfahrung und der Geschichte zustehe. Die Frage über die Weisheit und die Rechtmäßigkeit einer Revolution läßt sich nicht einmal in abstracto völlig trennen; denn diejenigen bei einer Revolution, die sich anmaßen, für *viele* zu handeln (und dies müssen immer *einige* unternehmen, oder es gibt nie eine Revolution in der Welt der Erscheinungen), handeln nicht rechtmäßig, wenn sie nicht durchaus von der Identität ihres Willens mit dem Willen der übrigen überzeugt sind; dies können sie aber nur dann sein, wenn sie sich zutrauen können, die Mittel zu verstehen, die zu dem Zwecke führen, den die übrigen wollen. Die Geschichte dürfte daher wohl immer die Experimentallehre für jedes politische Unternehmen bleiben.

Nachdem in der Einleitung gezeigt worden, daß das Naturrecht der einzige wahre Richterstuhl für die Frage über die Rechtmäßigkeit einer Revolution sei, so folgt die Beantwortung dieser Frage selbst. Die Untersuchung ist hier freilich auf den Fall einer Revolution gestellt, bei der auf eine noch nie erhörte Weise der Wille aller, die sie machten, einstimmig wäre und als solcher auch handelte, bei der keiner wäre, der sich leidend verhielte, und die dennoch eine Revolution und nicht bloß eine Absonderung von dem größern Staatskörper wäre. Da es aber bei den folgenden Untersuchungen gar nicht auf eine nähere Bestimmung eines *wirklichen* Falles ankommt, so werde ich dabei mit dem Verf[asser] über die Kompetenz des Gerichtshofes einig sein.

Die erste Frage, die der Verf[asser] beantwortet, ist diese: *hat überhaupt ein Volk das Recht, seine Staatsverfassung abzuändern?* Der Verf[asser] nimmt als ausgemacht an, daß sich eine jede bürgerliche Gesellschaft auf einen Vertrag zurückführen lassen müsse. Ich bin aber überzeugt, daß jederzeit bei Errichtung einer bürgerlichen Gesellschaft (gesetzt, daß sie auch von völlig aufgeklärten Menschen, ursprünglich vom Naturzustand aus, errichtet werden sollte) alles fehlen müsse, was zu einem Vertrag erfordert wird. Es fehlt sowohl der Anträger als der, dem der Antrag gemacht werden soll; denn vor der Ernennung einer Regierung ist ja noch niemand da, an den vorzugsweise der Antrag geschehen sollte, und auch noch niemand erwählt, der ihn tun sollte; ja es kann nicht einmal jemand erwählt werden, weil jede Wahl entweder das Wunder der 70 Dolmetscher oder die Gültigkeit der Majorität festsetzt, diese ist aber ohne Vertrag nicht gültig, und der Vertrag darüber würde schon wieder die Gültigkeit der Majorität voraussetzen. Es läßt sich die bürgerliche Verfassung nur dadurch als möglich denken, daß es einer für sich unternimmt, die übrigen in bürgerliche Ordnung zu bringen und daß es sich viele oder alle gefallen lassen. Doch von dieser Schwierigkeit abgesehen (wir wollen nämlich eine absolute Demokratie gelten lassen, in der auch die exekutive und richterliche Gewalt nicht einmal einzelnen übertragen wäre): über was soll denn der Vertrag geschlossen werden? Sich wechselseitig glückselig zu machen? Das wohl nicht! Also darüber, einander die Unverlierbarkeit der einmal anerkannten Rechte durch Gewalt zu versichern? Wer soll aber meine Rechte anerkennen? *Ich selbst*, und die übrigen auf mein Wort? Dazu bedürfte es keiner bürgerlichen Gesellschaft. Wenn ich jedem glauben will, daß er Recht hat, so brauche ich nicht in die bürgerliche Gesellschaft zu treten; denn bei entgegengesetzten Behauptungen müßte ja doch jederzeit der Zweikampf entscheiden, wie im Naturzustand. *Alle andern?* Das würde jedes Recht beständig von der Majorität abhängig machen, die zu ihrer Gültigkeit wieder eine andere und so weiter ins Unendliche voraussetzte? *Einige Auserwählte?* Dann stoßen wir auf die schon bemerkte Schwierigkeit der Wahl. Es sei aber auch diese Schwierigkeit gehoben, es sollen einige das einstimmige Zutrauen der Unparteilichkeit haben, und mit diesen soll also der Vertrag geschlossen werden; so fragt sich: darf ich durch irgendeinen Vertrag auf das Selbsturteil über Recht und Unrecht Verzicht tun? Als moralisches Wesen gewiß nicht. Behalte ich mir aber das bevor, über was ist denn nun ein Vertrag geschlossen? Darüber, daß ich mich dem Urteil, ich mag es für gerecht oder ungerecht halten, jederzeit unterwerfen will? Kann ich das; ist das wirklich im bürgerlichen Vertrag geschehen: so bin ich auch wirklich für mich und meine Nachkommen auf ewig gebunden. „Auch für die Nachkommen?" Ja! Denn der machthabende Teil, unter dessen Schutz ich mich begeben will, kann sagen: dein Nachkomme muß mit mir den nämlichen Vertrag eingehen als du, sonst entziehe ich ihm alles (Eigentum und Sicherheit des Lebens), was du unter mir genossen hast, und du mußt mir Bürge sein, daß er denselben Vertrag mit mir eingeht, sonst verfüge ich schon diese Strafe über dich. „Dies ist Unrecht." Wenn du es unrecht findest, so mag das sein; aber es muß geschehen. „Ich will aber dies Unrecht nicht dulden." So hast du den Vertrag gebrochen, dich meiner Entscheidung zu unterwerfen. – So kann also der Vertrag nicht lauten, wenn er das leisten soll, weswegen ich in bürgerliche

Gesellschaft trete: Sicherheit gegen Gewalt. Ein solcher Vertrag könnte auch nicht einmal ein Vertrag heißen; eigentlich wäre dadurch Verzicht auf allen Gebrauch meiner Rechte getan. Als Vertrag vorgestellt, würde er so lauten: Ich gebe dir das Recht, mit mir und meinen Nachkommen zu schalten, wie du willst, unter der Bedingung, daß ich mir dasselbe auch von allen andern gefallen lassen will, woferne du es nicht hindern magst. Und lautet er nicht so, so mag man künsteln wie man will, er wird sich immer auf die Form bringen lassen: ich unterwerfe mich deinem Ausspruch, solang ich mag oder muß. Ein Vertrag, in dem man sich über nichts verträgt! – Keine bürgerliche Gesellschaft ist daher auf einen Vertrag zu gründen; sie ist die notwendige Bedingung, unter der den Aussprüchen des Naturrechts Rechtskraft erteilt werden kann. Als wechselseitige Garantie der Rechte ist sie aber ein Ideal, das die Menschen erreichen sollen, und weswegen sie verbunden sind, in die bürgerliche Gesellschaft, wie sie wirklich ist, zu treten, um sich zu dieser idealen Gesinnung auszubilden. Was daraus für die Form der Verfassung folgt, und was die Rechte sind, die sie gegen mich hat und die ich gegen sie habe, darüber mich weiter zu erklären, ist hier der Ort nicht.

In dem, was der Verf[asser] gegen die Verbindlichkeit, eine Verfassung nie zu ändern, mich nie von ihr zu trennen usw., sagt, bin ich in Rücksicht auf das Resultat völlig mit ihm einverstanden, weil es aus einem meiner Prinzipien folgt, aus dem Prinzip nämlich: *ich darf mich von der wirklichen bürgerlichen Gesellschaft nicht hindern lassen, mich zu einem Mitgliede der bürgerlichen Gesellschaft im Ideale auszubilden.* Aber der Verf[asser] muß dieses Resultat aus seinem Grundsatz *erzwingen.* – Zu diesem Ausdruck glaube ich mich berechtigt, weil der Verf[asser], um seine Behauptungen zu beweisen, sich gezwungen sieht, im dritten Kapitel (das zweite ist nur der Entwurf für die künftigen Untersuchungen), wo er die Frage beantwortet: *Ist das Recht, die Staatsverfassung zu ändern, durch den Vertrag aller mit allen veräußerlich?* eine neue *Theorie der Verträge* auszudenken.

Der Verf[asser] behauptet: „Wenn über natürliche Menschenrechte kein Vertrag stattfindet, wie er denn nicht stattfindet, so bekomme ich durch den Vertrag auf jemanden ein Recht, das ich nach dem bloßen Vernunftgesetze nicht hatte, und er gegen mich eine Verbindlichkeit, die er nach diesem Gesetze ebensowenig hatte. Was ist es, das ihm diese Verbindlichkeit auflegt? Sein Wille; denn nichts verbindet, wo das Sittengesetz schweigt, als unser eigner Wille. Mein Recht gründet sich auf seine Verbindlichkeit; mithin zuletzt auf seinen Willen, auf den diese sich gründet. Hat er den Willen nicht, so bekomme ich das Recht nicht. Ein lügenhaftes Versprechen gibt kein Recht. Ich gebe ein Versprechen dagegen. Ich habe wirklich den Willen, es zu halten, lege mir mithin eine Verbindlichkeit auf und gebe dem andern ein Recht. Er hatte den Willen nicht und gab mir kein Recht. Hat er mich betrogen? Hat er mich hinterlistigerweise um ein Recht gebracht? Als ich ihm mein wahres Versprechen gab; nahm ich da wohl an, daß er löge, oder nahm ich nicht vielmehr an, er meine es ebenso aufrichtig als ich? Nur unter dieser Voraussetzung kann ich den Willen gehabt haben, mein Versprechen zu halten. Mein Wille war also bedingt. Das Recht, das ich ihm durch meinen Willen gebe, ist bedingt. Log er, so erhielt er kein Recht, weil ich keins erhielt. Es ist gar kein Vertrag geschlossen, denn es ist kein Recht erteilt und keine Verbindlichkeit übernommen. Sobald es einen reuet, kann er zurücktreten. Solange die Sache vor dem innern Richterstuhl bleibt, weiß also niemand, ob ein Vertrag geschlossen ist. Jetzt leistet der eine, was er versprochen hat, und nun geht die Sache in die Welt der Erscheinungen über. Was folgt hieraus? Er macht durch seine Handlung klar, daß er es ehrlich gemeint habe, daß er dem andern ein Recht auf sich gegeben und eins auf ihn erhalten zu haben glaube. Aber erhält er etwa durch diese seine Handlung dieses Recht auf den andern oder bestärkt er es auch nur, wenn er es vorher nicht hatte oder nur halb hatte? Wie wäre das möglich? Ist sein Wille nicht verbindend für den andern, solange dieser an der Wirklichkeit desselben zweifeln konnte, so wird er es dadurch gar nicht mehr, daß seine Wirklichkeit in der Welt der Erscheinung sich bestätigt. Das eine wie das andere Mal ist es doch nur sein Wille; und ein fremder Wille verbindet nie. Da ich auf die Wahrhaftigkeit des andern nie ein vollkommenes Recht habe, wie kann ich es denn durch meine eigne bekommen? Verbindet meine Moralität den andern zu gleicher Moralität? Ich bin nicht Exekutor des

Sittengesetzes, sondern nur meiner Rechte. Durch die Leistung von meiner Seite bekomme ich also nicht einmal ein Recht auf die Leistung von seiner Seite, wenn mir sein freier Wille dies Recht nicht gegeben hat und fortgibt; leistet der andere nicht, so bleibt die Sache mein, und war es vor dem obersten Richter auch schon vorher; nun wird es nur bekannt, daß sie mein ist. Für meine Kraftanwendung, die verloren ist, habe ich den Ersatz in den Kräften des andern, ich kann ihn zum völligen Schadenersatz zwingen. Nun habe ich durch die Wortbrüchigkeit des andern nichts verloren, und wir sind beide in den Zustand, der vor unserer Verabredung herging, zurückgesetzt. Nur durch die vollendete Leistung an seinem Teil nimmt der andere meine Leistung in sein Eigentum auf."

Diese künstliche Theorie von Verträgen, wodurch man sich über nichts verträgt, hat, außer ihrer Unstatthaftigkeit bei jedem Recht und Gerichte, die ihren guten Grund hat, wie ich bald zeigen werde, auch noch zwei innere Widersprüche. Ich habe, heißt es erstens, kein Recht auf die Wahrhaftigkeit des andern, auch durch einen Vertrag nicht; und ich darf Schadenersatz fordern, wenn er nicht wahrhaftig war! – Habe ich kein Recht, auf die Erfüllung des Vertrags von seiner Seite zu rechnen, so kann ich doch wohl kein Recht haben, auf Schadenersatz zu rechnen, wenn ich so töricht war und auf ein Recht rechnete? – Es heißt zweitens: ist der Wille, daß geleistet werden soll, nicht verbindlich, solange man an dessen Wirklichkeit zweifeln kann, so wird er es auch nicht dadurch, daß dieser Zweifel wegfällt; und doch wird gleich im Eingange gesagt: ich bekomme durch den Vertrag auf jemanden ein Recht, das ich nach dem bloßen Vernunftgesetz nicht hatte. In was besteht dieses Recht? In nichts!

Ebensogut als der Verf[asser] sagen kann: verbindet mich mein Wille nicht gegen jemand, wenn ich mich gegen ihn nicht verbindlich gemacht habe, so verbindet er mich auch nicht, nachdem ich eine Verbindlichkeit eingegangen habe; ebenso könnte er auch sagen: habe ich über eine Sache nichts entschieden, solange man noch nicht wußte, ob ich etwas darüber sagen werde, so wird auch dann nichts darüber von mir entschieden sein, wenn jedermann weiß, was ich darüber gesagt habe. Dann wäre freilich alle Mühe vergebens, seine Gedanken zu prüfen. Der Eifer für das Wohl der Menschheit aber und die freimütige Kühnheit im Denken, die sich durchaus in dieser Schrift zeigt, bürgen uns für die Wahrheitsliebe des Verf[assers] und flößen uns das Zutrauen ein, daß wir wirklich *seine* Meinung prüfen können und daß er, wenn er anders diese Beurteilung je lesen sollte, die unsrige einer unparteiischen Prüfung unterwerfen werde.

Unter der Voraussetzung, daß es im Naturzustande wirkliche Rechte geben kann, sind Verträge vollkommen und unabänderlich verbindlich; aber es kann keine wirklichen Rechte geben, und also auch keine Verträge. – Ich gebe zu, daß ich kein ursprüngliches Recht auf die Wahrhaftigkeit eines andern habe. Er kann mir versprechen, was er will, ich kann nicht klagen, wenn er es nicht erfüllt. Ich kann ihn nicht zwingen, es ernstlich mit mir zu meinen. Aber er darf mir doch nicht leugnen, daß er mir etwas versprochen hat, sein Versprechen kann er mir nicht mehr zurücknehmen. Er kann nicht sagen: ich habe dir nichts versprochen; sondern nur: ich mag mein Versprechen nicht erfüllen, es war mir nicht Ernst. Ein Vertrag ist nun ein wechselseitiges Versprechen, bei dem auf die Gewißheit der Erfüllung sicher gerechnet wird. Rechne ich nicht auf die Gewißheit der Erfüllung, so kann ich auch nicht glauben, daß ich einen Vertrag gemacht habe. Wir haben einander entweder nur etwas versprochen, was wir uns beiden vorteilhaft hielten und das jeder zurücknimmt, wenn es ihm nicht mehr so scheint; oder wir trieben nur Scherz miteinander. Habe ich kein Recht auf die Wahrhaftigkeit eines andern, so findet also gar kein Vertrag statt, wenn nicht zu dem Versprechen etwas hinzukommt, wodurch es möglich wird, daß ich mich sicher darauf verlassen kann; und dies kann also nicht wiederum ein Versprechen sein. Es muß das Versprechen von der Art sein, daß ich unmittelbar durch dasselbe schon ein Recht erhalte. Worin kann dies bestehen? Leugnen kann er sein Versprechen nicht, ich muß also die Sicherheit daraus erhalten, daß mir etwas durch das gewährt wird, was er nicht leugnen kann. Ich nehme ferner als zugestanden an, daß das Recht *über*, *an* und *zu* etwas nicht vom wirklichen Besitz, sondern von der Anerkennung des Rechts abhängt. Recht hat von mir jemand auf etwas, sobald ich ihm sage:

ich erkenne, daß du das Recht darauf hast; und diesen Ausspruch darf ich nicht mehr leugnen. Verspreche ich also nicht bloß: ich will dir das tun, wenn du mir jenes dagegen tust; sondern sage ich: ich erkenne dein Recht auf diese Sache oder Kraftäußerung unter der Bedingung, daß du meines auf jene erkennest; und der andere sagt: ja, ich erkenne dies Recht, so ist ein Vertrag geschlossen, und kein Teil kann mehr zurücktreten. Es wird nun nicht bloß ein Versprechen nicht erfüllt, sondern es wird mein Recht angetastet, wenn der Vertrag nicht gehalten wird. Jeder hat das Recht, den andern zur Übergabe des Gegenstandes des Rechts, sei es Sache oder Kraftäußerung (nicht bloß zur Erfüllung eines Versprechens), zu zwingen. Ich zwinge ihn nicht zur Erfüllung seines Versprechens, sondern ich mache mein zugestandenes Recht gegen ihn gültig. Wenn ein Versprechen von der Art ist, daß ich dem andern schon dadurch ein Recht gebe, so ist es auch verbindlich. Ich habe gegen ihn das Recht, das er mir gibt, sobald er es mir geben kann.

Verträge sind also im Naturzustande unter der Voraussetzung, daß es wirkliche Rechte geben kann, vollkommen verbindlich. Sie sind aber auch unabänderlich verbindlich, es kann kein Schadenersatz geleistet werden, sondern nur ein neuer Vertrag kann den alten ändern. *Schadenersatz* heißt die Vergütung einer unterlassenen Arbeit oder einer nicht überlieferten Sache oder einer gehinderten Arbeit oder einer verdorbenen Sache, durch etwas, das ihr am Werte gleich ist. Der Wert einer Sache, insoferne ihn eine andere ersetzen soll, beruht aber durchaus in der Konvention; in der Natur ist jedes Ding einmal, und niemand hat ein Recht, den Wert zu bestimmen, den ich darauf legen soll. Ich habe ein Recht, *dieselbe* Arbeit, *dieselbe* Sache zu fordern. „Dies ist aber jetzt unmöglich!" Nun, so ist sie über allen Wert für mich, und jede Forderung, scheine sie dir auch noch so groß, erheischt doch immer eine Aufopferung von mir, um mich damit zu befriedigen. – Man kann im Naturzustande daher nur insoferne von Schadenersatz sprechen, als man annimmt, daß ein gewisses Mittel festgesetzt sei, durch das sich jeder Wert darstellen lasse, und daß ich mir den angeschlagenen Wert gefallen lassen müsse; ohne daß ich in dies *Müssen* noch besonders einwilligte. Kurz, man

kann von Schadenersatz im Naturzustand nur darum sprechen, weil man vergißt, daß man den Naturzustand voraussetze.
Dies wäre der erste Teil meiner Behauptung. Nun habe ich noch den zweiten zu beweisen, daß es im Naturzustande keine Verträge geben könne. Zu einem Vertrag wird erfordert, daß ein Gegenstand ein von mir veräußerliches völlig eigenes Recht betreffe, sonst ist der Vertrag ungültig. Woher weiß der andere im Naturzustande, daß das Recht, das ich ihm hypothetisch zuerkenne, diese Eigenschaften habe? Dadurch, daß ich es sage? Er hat ja kein Recht, mich für wahrhaftig zu halten. Dadurch, daß es alle sagen, die ich und er kennen? Diese müssen entweder sagen: wir *glauben*, es ist sein; und dann ist die Gewißheit nicht größer, sie können morgen anders glauben; *wissen* können sie es nicht, denn sie bekümmern sich ja im Stande der Natur nicht um den Besitzer dessen, was sie nicht okkupierten. Oder sie müssen sagen: wir erkennen es für sein Recht und wollen ihn auch dabei schützen. Können sie dies, ohne daß er auch von ihnen dabei geschützt werden will? Und wenn er dies einginge, würde dann nicht der sogenannte bürgerliche Vertrag bei dem besondern Vertrag im Naturzustande vorausgesetzt? Und was würde dieser Vertrag heißen? Wir wollen, daß dieser jenes Recht besitze, weil er will, daß wir das wollen; oder: er verspricht, uns bei dem, wovon wir sagen, daß es unsere Rechte seien, zu schützen, damit wir ihn bei dem schützen, wovon er sagt, daß es seine Rechte seien? Im Naturzustand kann man wohl *recht haben*, aber man besitzt kein wirkliches unbestreitbares Recht, wie sich unten bei der Untersuchung über das Eigentumsrecht noch deutlicher zeigen wird.
Die Folgerungen, die der Verf[asser] aus seinen Behauptungen zieht, sind bald mehr, bald weniger richtig, nachdem sie sich *nur* aus seiner Theorie der Verträge erweisen lassen oder nachdem sie auch aus andern Prinzipien folgen. Ist die bürgerliche Gesellschaft auf keinen Vertrag gegründet, so folgt, auch aus der Lehre der Verträge gar nicht, was sie für Rechte auf mich und ich auf sie habe. Die Verträge sind an sich verbindlich, aber nur in der bürgerlichen Gesellschaft möglich, weil erst in ihr ein sicherer Besitz von Rechten möglich ist. Dieser Besitz entstand aber nicht daraus, daß

die Mitglieder der Gesellschaft einander ihre Rechte garantierten; denn dies würde voraussetzen, daß sie alle gültig befunden worden seien: welche Untersuchung im Naturzustand unmöglich ist; sondern daraus, daß sie übereinkamen, den gegenwärtigen Besitz und die gegenwärtigen Vorteile, *ohne alle Rücksicht auf Rechtmäßigkeit*, wechselseitig als *Recht* anzuerkennen und erst fürs künftige gewisse Gesetze zu beobachten, ehe sie etwas für Recht erkennen. Es wird nur dadurch bürgerliche Gesellschaft möglich, daß man die Ausnahme von Naturrecht stattfinden läßt: etwas für recht zu erkennen, ohne zu wissen, daß es recht ist. Das Einverständnis, das aller bürgerlichen Gesellschaft zum Grunde liegt und ohne welches sich keine solche Gesellschaft denken läßt, ist folgendes: „Wir wollen nie in unserm Untersuchen über Recht und Unrecht auf einen ältern Zustand zurückgehen, als von dem unsere dermaligen positiven Einrichtungen, die wir uns gefallen ließen, anfangen." Von diesem Einverständnis ist die Rechtsregel: kein Gesetz kann zurückwirken; abzuleiten, die dem Naturrecht entgegen ist, denn nach diesem bleibt Recht Recht, es mögen Gesetze da sein oder nicht.

Wo sich dieses Einverständnis findet, da gibt es bürgerliche Gesellschaft. Da sich dieses Einverständnis aber seiner Natur nach nicht weiter erstrecken kann, als jeder will, so ist es jedem erlaubt, in seinen Rechtsanmaßungen auf einen weitern Grund zurückzugehen und die durch das Einverständnis anerkannten Rechte in Anspruch zu nehmen. Dadurch entstehen nun zwei Parteien, deren jede das Recht hat, Richter in ihrer Sache zu sein, und also *Krieg*. Jeder, der sich von dem Einverständnis trennt, tritt dadurch in den Stand des Krieges, und die Gesellschaft kann ihn zwar nicht zwingen, in ihr zu bleiben, aber sie nimmt alles, was er in ihr mit Recht besaß, als ein von ihr bloß aus Einverständnis entsprungenes Recht, wieder in Anspruch. Sie wehrt ihm nicht, in den Naturzustand zurückzutreten; aber sie überläßt es ihm auch allein, dafür zu sorgen, daß er, wenn er sich gegen die Prätensionen, die nun an ihn gemacht werden, nicht selbst schützen kann, nicht nackend und bloß dahin zurückkomme. Er kann aber im Gegenteil, wenn er der Stärkere ist, ihr gleiches Schicksal bereiten; denn beide Teile können nun einander keinen rechtmäßigen Besitz

mehr beweisen, es müßte denn ein Verjährungsrecht angenommen werden, welches aber, weil die Bestimmung der Zeit der Verjährung nur positiv sein kann, mit dem Naturrecht im Widerspruch steht.
Durch dieses Einverständnis sind die Rechte sicher geworden; nun kann es erst Verträge geben, und diese sind bindend. Die innern Bedingungen eines jeden Vertrags sind aber: Gewißheit, daß beide Teile über den Gegenstand des Vertrags schalten können und daß die Moralität durch ihn nicht verletzt werde. Wo einer von diesen beiden Fällen entgegen ist, da ist der Vertrag nichtig. Da es ferner oft Fälle geben kann, wo der Vertrag nicht erfüllt werden kann oder wenigstens die unabgeänderte Erfüllung beiden Teilen schädlich wäre, so ist ein Mittel nötig, um jedes erworbene veräußerliche Recht durch etwas Homogenes zu repräsentieren und es mit einem andern vergleichen zu können. Dieses Mittel ist das *Geld.* Durch das Geld wird erst Schadenersatz möglich. Das Geld als solches hat aber seinen Wert allein durch die Gesellschaft. Außer der Gesellschaft hat das Geld keinen Wert. Das Geld fing mit der Gesellschaft an; was ich an Geld erlange, ist also ein solches Eigentum, das ich mir in bezug auf die Gesellschaft entschieden *rechtlich* erworben habe, weil jeder den Erwerb wußte, und er als Gelderwerb nie frühern Ansprüchen unterworfen sein kann, als die Gesellschaft dauert. Das Geld, wenn ich es unbedingt für Arbeit erhielt, bleibt daher *mein*, auch wenn ich mich von der Gesellschaft trenne, denn sie müßte sich widersprechen, wenn sie von irgend jemand in ihr eine Prätension auf das von mir nach ihrem Ausspruch verdiente Vermögen in Geld stattfinden lassen wollte. Geld aber, das ich für Eigentum erhielt, das ich nicht persönlich verdiente, kann sie mir abfordern. Es gilt aber das Geld nichts mehr als Geld; die Gesellschaft darf es nur bei ihren Mitgliedern für gültig erkennen, ich kann sie nicht zwingen, mir etwas dafür zu geben, für mich ist es nun nicht mehr Geld, es ist Ware.
Nun wird es leicht sein, die Behauptung des Verf[assers] zu untersuchen: daß jemand ohne allen Anstand aus der Gesellschaft treten könne, daß er nicht einmal seinen Willen zu erklären brauche, sondern schon dies hinlänglich sei, wenn er nur die vertragsmäßige Hilfe unterlasse und sich

keiner Abbüßung dafür unterwerfe. Die Gesellschaft kann ihm nicht wehren, in den Naturzustand zurückzukehren, darüber bin ich mit dem Verf[asser] einig, aber sie hat vorher sehr viel mit ihm abzurechnen. *Erstlich* erklärt er, daß er mit dem Einverständnis: keine Rechtsuntersuchung weiter, als bis zum Dasein der sich auf dasselbe Recht beziehenden positiven Gesetze zurückzuführen; nicht mehr einverstanden ist. Die Gesellschaft hat also auch gegen ihn das Recht, einen absoluten Beweis aller seiner Rechtsansprüche zu fordern. *Zweitens* kann sie ihn zur gesetzmäßigen Hilfsleistung zwingen, insoferne darüber ein Vertrag stattfand. Dieser Vertrag kann aber nur das betreffen, dessen Gültigkeit ganz von der Gesellschaft abhängt, nur Geld. Habe ich mich nun besonders verbunden gegen den mir von der Gesellschaft gesicherten Gelderwerb, ihr das Geld nie zu entziehen, so bleibt dies der Gesellschaft, wenn ich ihr entsage; findet kein solcher Vertrag statt, so bleibt mir mein Geld. Es ist daher außer Geld, das aber als solches bei mir nichts mehr gilt, nichts mehr unstreitig *mein*, sobald ich der Gesellschaft entsage. Ich bin mit der Gesellschaft im Zustand des Krieges.
Diese Behauptung wird völlig einleuchtend, wenn man den Begriff von *Krieg* genau bestimmt. *Krieg* und *Gewalttätigkeit* wurden von jeher unterschieden. In beiden wird aber etwas durch Gewalt durchgesetzt; in beiden kann daher der Unterschied nicht in der Art des Verfahrens liegen. Er liegt aber auch nicht im Zweck, denn durch beide will ich etwas, das mir der andere nicht als Recht zugesteht. Der Unterschied muß daher in der Art liegen, wie beides anhebt. Wenn ich mir etwas mit Gewalt anmaßen will, so habe ich *zwei* Wege dazu; entweder die Sache geradezu zu nehmen oder dem andern zu erklären, daß ich sein Recht nicht mehr anerkenne und daß ich die Sache als noch anspruchfrei in Besitz nehmen will. Im ersten Fall verübe ich Gewalttätigkeit, im zweiten erkläre ich Krieg. *Krieg* ist daher die Aufkündigung des Einverständnisses mit der bisher angenommenen Rechtskraft des Besitzers von irgend etwas. Zum Krieg ist daher die Kriegserklärung wesentlich notwendig, sonst führt man nicht Krieg, sondern übt nur Gewalt aus. Wer aus der bürgerlichen Gesellschaft heraustritt, der erklärt ihr also auch dadurch, daß er ihre positiven Bestim-

mungen des Rechts nicht mehr anerkennt (solange er dies nicht tut, ist er noch in der Gesellschaft), den Krieg, und darf von ihr feindlich behandelt werden. – Das Auffallende dieser Behauptung wird dadurch gehoben, wenn ich weiter unten zeigen werde, daß es zweierlei ist, aus der bürgerlichen Gesellschaft oder aus dem Staat überhaupt, und aus einem Staat in den andern zu treten.
Um den beschwerlichen Folgerungen auszuweichen, welche sich für den Fall einer Verletzung des bürgerlichen Vertrages aus den von dem Verf[asser] aufgestellten Behauptungen von dem Schadenersatz bei Verletzung der Verträge überhaupt ergeben, mußte der Verf[asser] eine neue *Theorie des Eigentums* aufstellen, die ich nun einer Prüfung unterwerfen will.
Sie beruht auf folgenden Gründen: „*Wir sind unser Eigentum.* Dadurch wird etwas Zweifaches angenommen: ein *Eigentum* und ein *Eigentümer.* Das reine *Ich* in uns, die Vernunft, ist Herr unserer Sinnlichkeit, aller unserer geistigen und körperlichen Kräfte; sie darf diese als Mittel zu jedem beliebigen Zweck gebrauchen. Um uns her sind Dinge, die nicht ihr Eigentum sind; denn sie sind nicht frei: denn sie gehören nicht unmittelbar zu unserm sinnlichen Ich. Wir haben das Recht, unsere eigenen sinnlichen Kräfte zu jedem beliebigen Zwecke zu gebrauchen, den das Vernunftgesetz nicht verbietet. Das Vernunftgesetz verbietet nicht, durch unsere Kräfte jene Dinge, die nicht ihr eignes Eigentum sind, als Mittel für unsere Zwecke zu gebrauchen, noch, sie geschickt zu machen, ein solches Mittel zu sein. Wir haben also das Recht, unsere Kräfte auf diese Dinge zu verwenden. Haben wir Dingen diese Form eines Mittels für unsere Zwecke gegeben, so kann kein anderes Wesen sie gebrauchen, ohne entweder die Wirkung unserer Kräfte, mithin unsere Kräfte selbst, die doch ursprünglich unser Eigentum sind, für sich zu verwenden; oder ohne diese Form zu zerstören, d. i. unsere Kräfte in ihrer freien Wirkung aufzuhalten (denn daß das unmittelbare Wirken unserer Kräfte vorüber ist, tut nichts zur Sache; solange die Wirkung dauert, dauert unser Wirken). Dies darf aber kein vernünftiges Wesen. Wir haben also das Recht, jeden andern von dem Gebrauche einer Sache auszuschließen, die wir durch unsere Kräfte gebildet haben. Dies Recht heißt bei Sachen das *Ei-*

gentum. Diese Bildung der Dinge durch eigene Kraft, *(Formation)* ist der wahre Rechtsgrund des Eigentums; aber auch der einzige natürliche. Auf den Erdboden, so wie überhaupt auf allen rohen Stoff, haben wir nur ein *Zueignungs-* aber kein *Eigentumsrecht.* Der rechtmäßige Eigentümer der letzten Form ist Eigentümer des Dinges. Ich gebe ein Stück Gold, welches ich rechtmäßig besitze, an den Goldschmied, mit dem Auftrage, mir einen Becher daraus zu machen. Ich habe ihm einen gewissen Lohn dafür versprochen: zwischen uns scheint ein Vertrag zu sein. Er bringt den Becher, und ich gebe ihm seinen Lohn nicht. Es war kein Vertrag zwischen uns; seine Arbeit war sein und bleibt sein. Aber das Gold ist ja mein? Mag ich es zurücknehmen, wenn ich kann, ohne den Becher mitzunehmen oder ihn zu zerstören. Will er mich für meinen Verlust entschädigen, so ist das recht und gut, aber einen rechtlichen Anspruch auf seinen Becher habe ich nicht. Er ist rechtmäßiger Besitzer der letztern Form; denn er hat meinem Gold mit meiner Bewilligung seine Form gegeben. Wäre er unrechtmäßiger Besitzer derselben; hätte er ohne meine Einwilligung mein Gold zum Becher gemacht: so müßte er mit oder ohne seine Form mir das Gold zurückgeben. Aus diesem allem erhellt, daß nicht der Staat, sondern die vernünftige Natur des Menschen an sich Quelle des Eigentumsrechts sei, und daß wir allerdings nach dem bloßen Naturrechte etwas besitzen und alles andere rechtlich vom Besitze desselben ausschließen können."

Diese Theorie des Eigentums widerspricht der von dem Verf[asser] aufgestellten Theorie der Verträge. Dort wird es als völlig rechtmäßig angesehen, daß ich jemand, der für einen Zweck arbeitet, um den Erfolg seiner Arbeit bringe; indem ich ihm sage: „er habe zwar die Arbeit getan, weil ich ihm etwas anderes dafür zu tun versprochen gehabt habe, ich hätte aber nun meinen Willen geändert und würde das nicht tun, was ich dagegen versprochen hätte, sondern ich wollte ihn auf eine andere Art für seine Mühe entschädigen." Allein diese Entschädigung, die in meinem Belieben steht, entschädigt ihn nicht, wenn er sich nicht verbindlich gemacht hat, sich selbige gefallen zu lassen; denn dadurch, daß er seinen Zweck nicht erreicht, sind seine Kräfte ihm von mir geraubt. – Nach dieser Theorie darf ich auch, wenn

jemand geschwind über alles Ackerland nur Furchen zöge, ohne an eine weitere Bearbeitung desselben mehr zu denken, wenn ich auch der größten Not dadurch ausgesetzt wäre, doch nie ein Stück von diesem Land anbauen; denn „ich darf nie die freie Wirkung eines freien Wesens stören, und diesem Verbote entspricht in uns ein Recht, eine solche Störung zu verhindern." Wenn es auf das Recht, das in uns dem Verbot entspricht, ankommt, so spricht es gewiß lauter gegen den, der einen Vertrag bricht, als gegen den, der mir mein Eigentum raubt. Fast alle Menschen werden mehr aufgebracht über den sein, der sie mit einem lügenhaften Versprechen, dem er die Form eines Vertrags gab, hintergeht, als gegen den, der sie bestiehlt.
Das *Zueignungsrecht* auf die Materie hat keinen andern Grund als mein Bedürfnis: denn aus dem Moralgesetze läßt es sich nicht einsehen, wie ich dazu gelangen könne, etwas zum Gegenstand meiner Willkür zu machen, das sich zu jeder möglichen Willkür ebenso verhält als zu der meinigen. Das Vernunftgesetz verbietet mir zwar nicht, ein Eigentum zu erlangen, aber es bestimmt mir kein Eigentum; es gibt keinen Fall an, wodurch es mir eine besondere Erlaubnis zu diesem oder jenem gibt. Ich werde ganz durch Zufall und Bedürfnis bestimmt. Diese Bestimmung will aber das Vernunftgesetz in andern Fällen schlechterdings nicht. Noch weniger kann ich dadurch gegen einen andern ein Recht erhalten. – Ich darf die freie Wirkung eines freien Wesens nicht stören, sagt unser Verf[asser]; und was daher einmal jemand zu seinem Zweck brauchbar gemacht, was er formiert hat, das muß ich ungestört lassen. Ebenso bündig könnte ich auch schließen: ich darf die freie Wirkung eines freien Wesens nicht stören; ich störe sie aber, wenn ich irgend etwas dem Wirkungskreis desselben entziehe, also darf ich dies nicht, darf kein Eigentum haben. Beide Schlüsse sind gleich bündig, also muß der Fehler in der Zweideutigkeit des Prinzips liegen. Diese Zweideutigkeit ist leicht zu finden, sie liegt in dem Gesichtspunkt. Ich kann nämlich bald *mich* als dem Verbot unterworfen denken, und dann muß ich alles unangetastet lassen, was irgend jemand formiert hat; oder ich kann *andere* als dem Verbot unterworfen denken, und dann mögen sie zwar formieren, aber sie dürfen sich nichts Eigenes anmaßen. Das Prinzip,

von dem der Verf[asser] ausgeht, ist also mit der Allgemeingültigkeit eines moralischen Willens unverträglich und also unbrauchbar und falsch. Das Wahre an des Verf[assers] Behauptung ist der Satz: wahres absolutes Eigentum ist nur die Form, die eine Sache von uns erhält. Denn dies setzt eine Sache in ein bestimmtes Verhältnis zu unserer Willkür. Wenn ich aber kein bestimmtes Recht habe, etwas zu formieren, so muß ich mein Eigentum verlieren, wenn ich meine Form nicht vom Stoff trennen kann. Daß ich meine Kräfte verliere, schadet nichts, sie können nicht in Anschlag kommen, wenn sie nicht rechtlich gebraucht sind.

Das von dem Verf[asser] aufgestellte Prinzip des Eigentums wird auch noch durch eine andere Folgerung verdächtig; wenn es nämlich unbedingt gelten soll (und dies muß ein Prinzip, wenn es nicht als durch ein anderes eingeschränkt vorgestellt wird), so führt es dahin, daß jemand das Recht und das Vermögen hätte, sich ohne Mühe so vieler Güter zu bemächtigen, daß alle seine Mitmenschen um ihn her aus Mangel umkommen müßten. Du willst z. B. die Früchte eines Baumes; streue nur Blätter um ihn herum; die Früchte kann ein anderer wohl nehmen, aber nur deine Blätter soll er nicht zertreten. Du willst ein schönes Stück Land: ziehe nur mit einem Stab so viel Linien herum, daß man auf eine derselben treten muß, um hineinzukommen; es mag dann ein anderer dir alles Erdreich nehmen, sobald er es nur kann, ohne über die Linien zu gehen (S. 142). So sonderbar diese Folgerungen sind, so richtig fließen sie aus dem unbedingten Prinzip der Formation. Wollte man aber das Prinzip einschränken und sagen, nur *die* Formation gibt ein Eigentum, die einem zum menschlichen Leben gehörigen Bedürfnisse entspricht, so würde man sich wieder neuen Schwierigkeiten aussetzen, weil man erst bestimmen müßte, was Bedürfnis ist. Was folgt aber aus dem Satze: die Form ist mein Eigentum? Dies, daß, wenn den Menschen überhaupt der Stoff eigen ist, der von mir geformte Stoff mir mehr eigen ist als andern. Das Bedürfnis bleibt dabei immer die Quelle des Eigentums für die Menschen überhaupt, die Formation aber ist es für die Menschen insbesondere. Sie gibt aber kein absolutes Recht auf den Stoff, sondern nur einen Anspruch, daß die andern ihm ein Recht im Verhältnis gegen sie darauf zuerkennen sollen. Das Prinzip des Eigentums ist daher: ich darf das als Eigentum behaupten, worauf ich, ohne daß mich jemand hinderte oder ohne daß jemand beweisen kann, daß es schon ein älteres Produkt seiner Kräfte war, einen Teil meiner Kräfte verwandt habe, und das nicht das notwendige Bedürfnis, sondern nur die Willkür mir abfordern will. Es gibt nur respektives Eigentum. Da dies aber ganz von dem Erwerb durch eine zweckmäßige Formation abhängt und weder die Herrenlosigkeit einer Sache im Naturzustand erwiesen noch die Art der Formation, die als zum rechtmäßigen Besitze hinlänglich erkannt wird, ohne bestimmte Übereinkommnis festgesetzt werden kann, so kann es im Naturzustand kein als rechtmäßig anzuerkennendes (rechtskräftiges) Eigentum geben. Das Eigentum und die Verträge sind beide als rechtmäßig und, wenn sie anerkannt werden, als verbindlich und unantastbar im Naturzustande zu erkennen; aber es ist nicht möglich, über den Fall, wo ein Vertrag und ein Eigentum stattfindet, mit Sicherheit zu erkennen. Im Naturzustand ist die Rechtmäßigkeit von beiden möglich, aber die Rechtskräftigkeit kann nur in der bürgerlichen Gesellschaft behauptet werden. Ein Recht aber, das nicht in Rechtskraft übergehen kann, ist eine bloße Idee, die an sich nichts bestimmt, sondern nur zum Regulativ dient, um danach zu bestimmen, was in der bürgerlichen Gesellschaft, durch die Gesetzgebung als Recht bestimmt werden kann. Eigentum wird also zwar nicht durch die Gesellschaft erst möglich, aber es wird allein durch sie wirklich. Sobald ich aus der bürgerlichen Gesellschaft trete, so habe ich allen Beweis verloren, daß es eine herrenlose Sache war, was ich okkupiert hatte. Alle Beweise des Rechts gründen sich auf einen Zustand, der als primitiv angesehen werden muß, und dieses kann nur positiv bestimmt werden.

Außer der bürgerlichen Gesellschaft ist keine Deduktion eines erlangten Rechts möglich. Jede Deduktion gründet sich nämlich auf ein Faktum, wodurch ich in den Zustand kam, der entweder nach dem Sitten- oder nach einem positiven Gesetz mir ein Recht erteilt. Das Faktum ist nun entweder ein Faktum des bloßen Seins: daß ich z. B. ohne alle *wirkliche Relation* gedacht (die *Möglichkeit* der Relation gehört zu meinem absoluten Sein) so und so existiere; oder ein Faktum des relativen Seins (der Relation): daß ich z. B. diese oder jene Sache verfertigt, mit diesem oder jenem einen Vertrag geschlossen habe usw. Aus einem Faktum der ersten Art deduzieren sich allein die *Menschenrechte*; alle übrigen aber aus einem Faktum der zweiten Art. Jedes Faktum der zweiten Art setzt aber, wenn etwas als Recht dadurch entschieden werden soll, voraus, daß es ein primitives Faktum sei, dem keines vorherging, welches das Recht schon als erworben bestimmte, und also es aus der Klasse der noch herrenlosen Dinge ausnimmt. Da nun kein absoluter primitiver Zustand sich denken läßt, so findet im Naturzustand auch keine rechtskräftige Deduktion statt. Das Naturrecht beruht daher auf einer bloßen Fiktion eines primitiven Zustandes und sucht zu bestimmen, welche Gesetze die Menschen in ihren Handlungen, die um ihrer Bedürfnisse willen geschehen, befolgen müssen, damit das Moralgesetz Kausalität in der Erscheinung haben könne. Da das Bedürfnis Einzelnheit meines Willens voraussetzt, und das Moralgesetz Allgemeingültigkeit fordert, so ist das ganze Naturrecht als die Wissenschaft der notwendigen Ausnahmen von der durchgängigen Bestimmung unserer Handlungsweise durch das Moralgesetz um seiner Einführung in das menschliche Leben willen zu betrachten.* Da der primitive Zustand eine Fiktion ist, das Naturrecht aber doch schlechterdings Kausalität haben muß, wenn die Menschen leben, sich erhalten und als moralische Wesen sich zeigen sollen, so muß diese Fiktion in etwas Wirkliches verwandelt, ein Zustand der Menschen als primitiv festgesetzt und angenommen, gewisse Zeichen, welche die Wirklichkeit eines Faktums, aus dem ein Recht folgt, für jedermann unzweifelhaft dartun müssen, bestimmt und die Regeln der Rechte der Selbstprüfung entzogen und unbedingt gültig festgesetzt werden. Es muß bürgerliche Gesellschaft sein, damit das Naturrecht Kausalität haben kann. Da im Naturrecht ein absoluter primitiver Zustand vorausgesetzt, da kein Gesetz der Selbstprüfung entzogen und das Faktum nicht um gewisser Zeichen willen, sondern als an sich wahr-

* Es geschieht hier keine Ausnahme von der Regel, insoferne ein unter sie gehöriger Fall nicht durch sie bestimmt würde; sondern nur insofern, als etwas, von dem aus erst ihre Anwendung möglich ist, ohne sie bestimmt wird. Das Prinzip des Naturrechts ist die möglich größte Kausalität des Moralgesetzes in der Erscheinung.

genommen wird, so sind die bürgerlichen Gesetze als Ausnahmen von dem Naturrecht zu betrachten. Nachdem sie mehr oder weniger notwendige Ausnahmen sind, sind sie bessere oder schlechtere Gesetze. Die Lehre von den notwendigen Ausnahmen von den Gesetzen des Naturrechts, um der Rechtskraft der natürlichen Rechte selbst willen, ist die *Theorie der Gesetzgebung.* Die Lehre von den für notwendig gehaltenen die *Rechtsgelahrtheit..*
So wie ich durch Verzicht auf alles, was mir nach dem Naturrecht gehört, die Möglichkeit verliere, als moralisches Wesen zu erscheinen, so verliere ich durch Verzicht auf die bürgerliche Gesellschaft das Vermögen, meine Rechte mit unbestrittener Rechtskraft geltend zu machen. Ich kann daher so wenig aus dem Staat in den Naturzustand treten, als ich aus diesem in das Reich der bloßen Sittlichkeit treten kann. Der Naturzustand im Gegensatz des Staates ist eine bloße Fiktion, so wie das Leibnizische Reich der Gnade im Gegensatz des jetzigen Zustands des Menschen. Aber weil die Entscheidung unter dieser Fiktion allgemeingültig wird, so ist sie die Regel für die analoge Entscheidung in der Wirklichkeit. So wie das Sittengesetz das Primat gegen das Naturrecht hat, so hat ihn das Naturrecht gegen den Staat. Ich kann zwar im Staate auf manches Verzicht leisten, das mir nach dem Naturrecht erlaubt wäre, und dagegen ebenso mich zu manchem verbindlich machen, das ich nach dem Naturrecht nicht muß; aber ich kann mich nicht verbinden, etwas zu tun, das ich nach dem Naturrecht nicht darf, und etwas zu leiden, was meinen Rechten, die sich auf ein Faktum des Seins gründen, (meinen Menschenrechten) zuwider ist. Sowenig aber das Naturrecht einen Vertrag voraussetzt, sowenig setzt ihn der Staat voraus. Er entsteht als Naturwirkung aus der moralischen mit physischen Bedürfnissen verbundenen Anlage des Menschen. Seine Güte muß aus der Annäherung zum idealen Zweck beurteilt werden, und die Verbindlichkeit gegen ihn gründet sich allein auf diesen Zweck.
Um also die Frage über das Recht der Staatsveränderung zu entscheiden, bedarf es der Theorie der Verträge und des Eigentums nicht. Ein Vertrag, der gültig geschlossen werden konnte, muß gehalten werden, und ein Eigentum, das anerkannt worden ist, muß so lange, als das Faktum seiner De-

duktion für richtig gehalten wird, respektiert werden. Aber über beide kann als äußerer Richter nur der Staat entscheiden. Daß ich wegen meiner Kultur dem Staat nicht verpflichtet bin, ist dadurch völlig klar, weil ich bloß um mich zu kultivieren, in einen Staat zu treten habe, und also durch die Kultur der Staat nur das leistet, wozu er mir verpflichtet ist. Die Frage: *ob ich ein Recht zu einer Revolution habe?* beruht auf der: *erfüllt der Staat seine Bestimmung?* Diese Bestimmung kann, da die Moral für das Gewissen sorgt, und das Naturrecht für die Kausalität des Sittengesetzes in der Erscheinung durch das Individuum keine andere sein, als *Kausalität des Sittengesetzes in der Erscheinung durch die Gattung.* Erfüllt der Staat diese Bestimmung nicht, so muß er geändert werden, und gibt es mehrere Modifikationen des Staats *(Staaten)*, so muß es mir frei stehen, in denjenigen zu treten, der sie am besten erfüllt. Finde ich keinen solchen Staat, so kann ich selbst mit mehrern eine Verbindung treffen, den bisherigen für uns so zu modifizieren, daß er sie erfüllt, wenn auch gleich die übrigen noch überzeugt sind, daß die ältere Modifikation sie erfülle. Handelt ein Staat dieser Bedingung zuwider, hindert er die Aufklärung und die Denkfreiheit, so ist er gar nicht mehr Staat, er ist eine Hölle, aus der sich die Menschen retten und sie zerstören sollen. Ein Staat verdient den Namen eines Staats nur dadurch, daß er dem Naturrecht Kausalität gibt. Es gibt nur eine Sittlichkeit, ein Naturrecht und einen Staat, so wie es nur eine Menschengattung gibt; aber da der Staat bloßes Mittel zur Rechtskraft des Naturrechts ist, so ist er nur seinem Zwecke nach bestimmt, und die Mittel hängen von der Einsicht ab. Es gibt also verschiedene Modifikationen des Staats, und diese machen das aus, was man *verschiedene Staaten* nennt.
Man hat bisher verschiedene Staaten wie Menschen im Naturzustande betrachtet; aber dieser Gesichtspunkt ist nicht richtig. Denn die Menschen im Naturzustande haben keine als allgemeingeltend vorauszusetzende Fakta, aus denen sich ihre Rechte deduzieren lassen: dies haben aber die Staaten von dem Zeitpunkt an, als sie einander als Staaten erkennen und am ersten frei und ungezwungen Frieden miteinander schlossen. Wenn auch dieser Frieden aus dem Krieg entsprang, so ist er doch als freiwillig anzusehen, wenn dieser Krieg nicht bloß zufällig über die verschiede-

nen Rechte entschieden hat, sondern auch nach dem Willen der Parteien darüber entscheiden sollte. Nach dem Frieden sind sie also übereingekommen, ihren jetzigen Zustand als primitiv anzusehen und ihre Rechte von ihm aus zu deduzieren. Sie leben also in bürgerlicher Gesellschaft. Dieser Staat der Staaten unterscheidet sich also von den einzelnen Staaten nur dadurch, daß in ihm der einzelne noch so viele Macht hat, daß er dem Rechtsausspruch widerstehen kann. Die verschiedenen Staaten, die einander anerkennen, sind daher nicht wie Individuen zu betrachten, die im Naturzustande leben, sondern wie Individuen, die in einer so schlechten bürgerlichen Verfassung leben, daß die *zu erkennenden* Rechte nicht zugleich *zu erlangende* sind. Sie leben in keiner *Anomie*, wie die Menschen im Naturzustande, sondern nur in einer *Anarchie*. Es gibt daher nur einen Staat, gegen den sich die einzelnen Staaten ebenso verhalten wie der einzelne Mensch zum Menschen als Gattungsbegriff. Wenn man also vom *Staat* ohne nähere Bestimmung spricht, so kann man nur diesen Staat verstehen. Zu diesem ist aber kein Vertrag nötig, er ist sittlich notwendig und muß seinen wesentlichen Momenten nach schon gebildet sein, ehe über die Modifikationen, welche die besondern Staaten auszeichnen, Verträge geschlossen werden können, die ihrer Gültigkeit nach alle unter dem Zweck des Staates stehen und, inwieferne sie diesem nicht entsprechen, unmoralisch und ungültig sind. In dieser Rücksicht sind alle Staaten miteinander zu einem Staate verbunden, und die Frage: unter welchen Bedingungen kann ich aus einem Staat in den andern treten? muß ganz anders beantwortet werden als die Frage: ob ich aus dem Staate treten könne?
Nach dieser Voraussetzung erhält man ein ganz anderes Verhältnis der verschiedenen Gebiete des Naturrechts, der Verträge und des bürgerlichen Vertrags als das von dem Verf[asser] angegebene. Er stellt es S. 158 so vor:

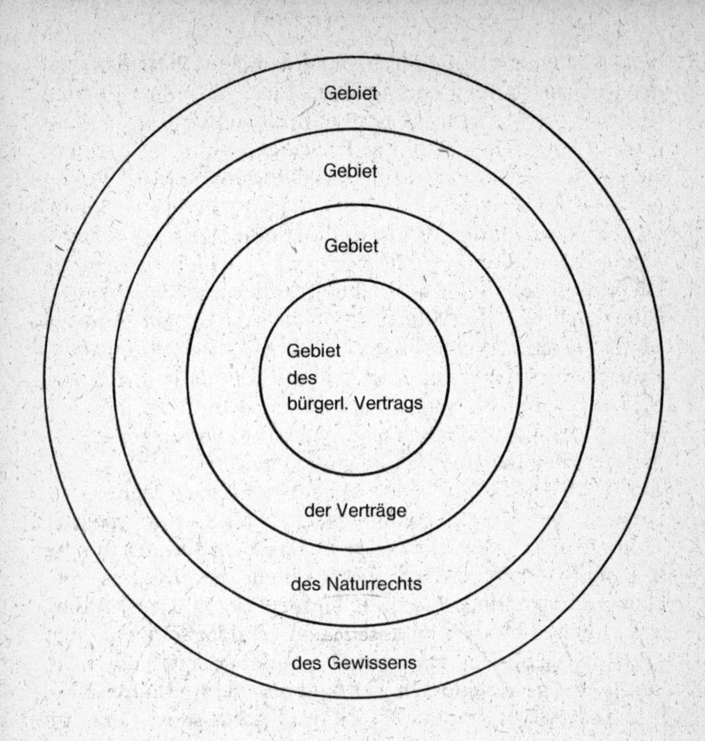

Um meine Vorstellung von diesen verschiedenen Gebieten anschaulich darzustellen, muß ich vorher noch den Begriff von Naturrecht näher bestimmen. *Naturrecht* kann das Recht heißen, das ich im Naturzustande, als gegen jeden rechtsgültig, voraussetzen darf; dann gehören die Menschenrechte allein unter das Naturrecht, indem alle Rechte, die sich auf ein Faktum der Relation gründen, wegfallen. *Naturrecht* kann aber auch das Recht heißen, das ich durch die Fiktion des Faktums erkennen kann; dann ist sein Gebiet so weit und noch weiter, als man es in den neuesten Lehrbüchern ausgedehnt hat. Um alle Verwirrung zu vermeiden, will ich ersteres *Naturzustandsrecht* nennen und für das zweite den Namen *Naturrecht* beibehalten.

Nach dem, was ich bisher gesagt habe, gehören die Verträge und alles, was sich darauf bezieht, als Eigentum, Dienstleistung usw., nicht zum Naturzustandsrecht. Diese

Rechte können erst im Staat wirklich werden. Der Staat nähert sich mehr oder weniger dem Ideal der Gesetzgebung und soll, als vollkommen gedacht, selbiges realisieren. Das Naturrecht ist der Zweck der Gesetzgebung; und bestimmt daher den Umfang der Gesetzgebung, umfaßt aber weit mehr, weil die Gesetzgebung nur die notwendigen Ausnahmen davon zu ihrem Gebiete hat. Das *Gewissen* entscheidet über alles.

Ich stelle daher die verschiedenen *Gebiete* des *Gewissens*, der *Naturrechte*, der *Gesetzgebung*, des *Staats im Ideal*, des *Staats als modifiziert in der Wirklichkeit, des Naturzustandsrechts* und der *Verträge* so vor:

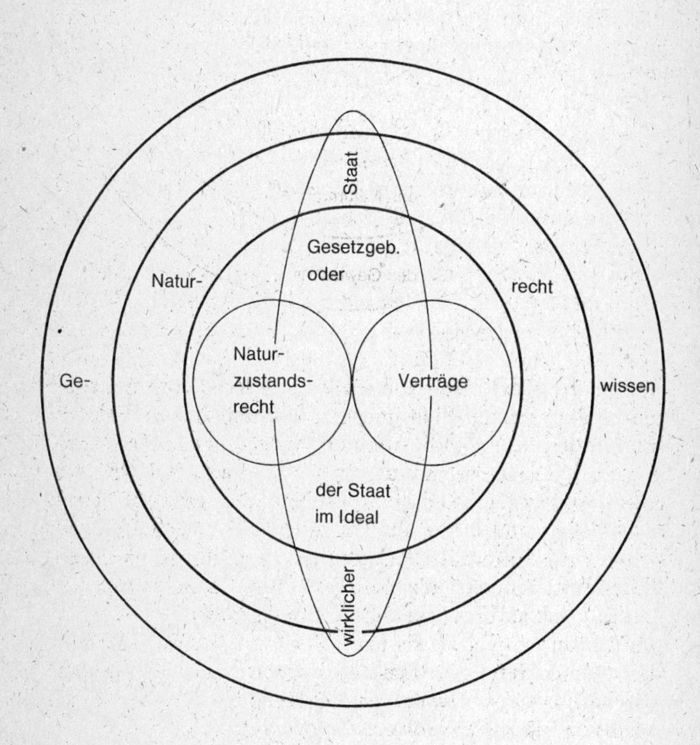

Der wirkliche Staat erstreckt sich bald in das Gebiet des bloßen Naturrechts und des Gewissens, bald umschließt er nicht einmal das Naturzustandsrecht und das Gebiet der Verträge. Er ist gleich fehlerhaft, er mag über das Gebiet der Gesetzgebung ausschweifen oder es nicht umfassen. Notwendig muß er aber in eben dem Maße weniger Menschenrechte umfassen, indem er weiter in das Gebiet des Gewissens ausschweift. Als moralisches Wesen bin ich dem Staat nur so weit verbunden, als sein Gebiet mit dem der Gesetzgebung zusammenfällt, denn er soll mich nicht weiter bestimmen. Aber es ist zugleich notwendig, daß ich dieses Gebiet unfehlbar kenne, wenn ich den wirklichen Staat darauf beschränken will. Ich muß ferner, wenn ich für andere den Gesetzgeber machen will, die Mittel kennen, die notwendig sind, dem Naturrecht Kausalität zu verschaffen.

Da ich nun durch jede Revolution mich zum Gesetzgeber erhebe, so ist daher die Frage über die Rechtmäßigkeit einer Revolution aus einem doppelten Gesichtspunkt zu betrachten: aus dem ihrer Rechtsmöglichkeit und dem ihrer Weisheit, weil ich dadurch nicht allein für mich als Individuum, sondern für die Gattung handle. – Nur bei dem Austreten des einzelnen aus einem Staat ist die Frage über die Rechtmäßigkeit zugleich durch die Frage über die Rechtsmöglichkeit entschieden.

Dem Verf[asser] in allen einzelnen Behauptungen zu folgen und zu zeigen, welche nach den Prinzipien, die hier aufgestellt worden sind, wegfallen oder eingeschränkt oder bestätigt werden, wäre teils ein zu weitläufiges, teils auch ein unnötiges Unternehmen, weil ein aufmerksamer Leser des Beitrags und dieser Rezension leichtlich dies Geschäft selbst wird unternehmen können. – Die merkwürdige Stelle über die Juden behalte ich mir zur nähern Prüfung, in Verbindung der Schrift des Hrn. *Ascher*, die durch sie veranlaßt wurde, vor.

Das zweite Heft, das die begünstigten Volksklassen zum Gegenstand hat, wird kürzer durchgegangen werden können, weil fast alle Resultate, die der Verf[asser] hier vorträgt, sich auch zugleich aus meinen Prinzipien ergeben, nur mit dem Unterschiede, daß sich, nach meinem Urteile, auch hier die Rechtmäßigkeit nur durch die Weisheit bestimmen läßt, mit welcher der wirkliche Staat dem Ideale nähergebracht werden muß.

Um die Resultate, die hier folgen, herauszubringen, hätte der Verf[asser] nicht nötig gehabt, das Naturrecht auf eine solche Weise zu verstellen, als durch seine Theorie der Verträge geschehen ist. Sobald der Satz: „Es ist ein unveräußerliches Recht des Menschen, auch einseitig, sobald er will, jeden seiner Verträge aufzuheben;“ als richtig vorausgesetzt wird, so gibt es nie eine Rechtsfrage zu entscheiden. Denn mit allem, was ich veräußern darf, kann ich immer schalten, wie ich will, kein Mensch kann je ein Recht darauf erlangen; denn woher sollte dies kommen, als von einem Vertrag? Dieser gibt ihm aber keines. – Der Verf[asser] beweist meistens sehr richtig, worüber kein rechtsgültiges Versprechen stattfindet und nimmt also gleichsam die Behauptung selbst zurück, daß gar kein rechtsgültiges Versprechen stattfinden könne.

Die Art, wie der Verf[asser] die Entstehung unsers Adels erklärt, überlasse ich Geschichtskundigen zur nähern Beurteilung. Mir scheint es bei der Beurteilung: ob ein Volk einen eigentlichen Adel habe? vorzüglich darauf anzukommen, ob die Verheiratung eines aus diesem Stamme mit einem Gemeinen eine Mißheirat war; und daß daraus muß entschieden werden, ob es zu Ludwigs des Frommen Zeiten und noch viel früher, unter den Deutschen zu Tacitus' Zeiten, einen Adel gab; wie mir wahrscheinlich ist; oder ob man ihn erst von den Turnieren an rechnen könne. Richtig unterscheidet der Verf[asser] unter *Adel der Meinung* und *Adel des Rechts*. Aber man muß den Adel des Rechts auch noch in den *Adel des Stammes* und den *Adel der Erteilung* unterscheiden, wenn man den Gesichtspunkt ganz genau fassen will. Stammadel ist jederzeit auch Rechtsadel, aber erteilter Rechtsadel findet nicht notwendig statt, wo es Stammadel gibt, und hat auch nicht immer alle Rechte des Stammadels. Der Verf[asser] hat daher höchstens nur bewiesen: daß sich kein erteilter Rechtsadel, der die Rechte des Stammadels genoß, vor den Turnieren erweisen lasse; aber nicht: daß vorher kein Stammadel existierte. Alles, glaube ich, kommt auf die Mißheiraten an; sobald man Spuren von diesen findet, so gibt es wahren rechtlichen Stammadel.

Das sechste Kap[itel] *von der Kirche*, in Beziehung auf das Recht einer Staatsveränderung, hat meinen ganzen Beifall, was die Resultate und diejenigen Behauptungen des Verf[assers], die mit seiner Lehre von Vertrag, Eigentum und Staat nicht zusammenhängen, betrifft. Auch die Kirche läßt sich nicht aus einem Vertrag herleiten; sie verhält sich beinahe zur Religion wie der Staat zum Naturrechte. Der Unterschied des Verhältnisses liegt aber darin, daß der Staat die notwendigen Ausnahmen vom Naturrecht, um dem Naturrecht Kausalität im geselligen Leben zu verschaffen, enthält, die Kirche aber der Religion als solcher nie Kausalität verschaffen kann, weil die Religion nie anders als in Handlungen in die Erscheinung übergehen kann, die jederzeit schon unter der Moral und dem Naturrecht stehen. Die Kirche kann also für die Wirkung der Religion nichts tun, sondern nur für die Erkenntnis derselben, die ohne symbolische Darstellung ursprünglich nicht bei den Menschen erweckt worden wäre. Die Kirche ist als eine Ausnahme von den Gesetzen der Religion zu betrachten; denn sie zeigt Körper, da jene nur auf Geist dringt; sie ist aber keine an sich, sondern nur eine durch den Mangel an Aufklärung notwendige Ausnahme.

Es muß so lange eine sichtbare Kirche geben, als es keine allgemeine Religion gibt. Die Kirche ist daher eine dem praktischen Interesse der Religion (Anbetung im Geist und der Wahrheit) zuwiderlaufende Anstalt, die aber zur Beförderung des theoretischen Interesses der Religion (Kenntnis des Anzubetenden und der Wahrheit) notwendig ist, weil sich in der Zeitfolge das Menschengeschlecht nur nach und nach durch gegebene Veranlassung ausbildet.

Der Grund dieser ausführlichen Prüfung ist teils die Wichtigkeit der geprüften Schrift selbst, teils der Wunsch, daß sie um ihrer Freimütigkeit willen recht viele Leser erhalten möchte, teils die Absicht, dem Nachteil, den die Prinzipien stiften könnten, vorzubeugen, ohne daß die Wahrheit der einzelnen Untersuchungen dadurch verdunkelt würde.

Rezension
aus: Der Genius der Zeit, Altona, Bd. 5 (1795), 6. Stck., S. 201–216.

Gedanken. –
Über die Rezension: des Beitrags zur Berichtigung der Urteile des Publikums über die Französische Revolution. Erster Teil 1793 in der Jenaer A[llgemeinen] L[iteratur-]Z[eitung] Nr. 153 und 154, 1794.

Der Beitrag zur Berichtigung etc. gehört meiner Überzeugung nach zu den vorzüglichsten Schriften, die das Publikum auf Veranlassung der Revolution erhielt. Eine Untersuchung über die Rechte des Menschen an sich; über die Verhältnisse der Menschen gegeneinander und die daraus entspringenden Rechte; über Staatsverfassung und deren Zweckmäßigkeit; über die Gründe der Möglichkeit, diese zu verändern u. dgl., eine solche Untersuchung hat für jeden denkenden Mann Interesse. Dieses Interesse steigt, wenn man überzeugt wird, – und diese Überzeugung gewinnt man bei dem Lesen der ersten Seiten dieses Buchs, – daß diese Untersuchung von einem Manne angestellt wird, den reiner Sinn für Wahrheit dabei leitet, und der alles, was er dafür hält, ohne Rückhalt und Scheu mit edler Freimütigkeit bekanntmacht. Für einen großen Teil des Publikums gewinnt eine solche Untersuchung noch ein erhöhtes Interesse, wenn es sich zeigt, daß dabei von den *reinen* Grundsätzen der kritischen Philosophie ausgezogen wurde, mit denen der Untersuchende aufs innigste vertraut war.
Wenn alles dieses meine völlige Überzeugung ist, die ich von dem genannten Beitrag habe; und die aus mich *bis jetzt* völlig befriedigenden Gründen die meinige wurde, so wird es begreiflich, wenn ich sage, daß dieses Buch in allen bis jetzt mir bekanntgewordenen Beurteilungen nicht (nach meiner Einsicht) seinem Verdienst gemäß gewürdigt wurde.
Um die Aufmerksamkeit des Publikums aufs neue auf dasselbe zu lenken, die es um des großen Zweckes willen, den es beabsichtigt, verdient, und dessen Erreichung, ja sogar die Möglichkeit derselben ihm streitig gemacht wird, halte ich es für Pflicht, die Rezension in der ersten gelehrten Zei-

tung Deutschlands, in der Jenaer A[llgemeinen] L[iteratur-] Z[eitung], zu beleuchten. Lediglich Liebe zur Wahrheit und deren Verbreitung leitet mich hierbei, und alles Interesse einer persönlichen Bekanntschaft mit dem Verfasser oder auch einer besonderen Vorliebe für seine mir unbekannte Person ist hierbei ausgeschlossen. Wer er ist, *weiß* ich nicht; noch weiß er, wer ich bin.
Vielleicht dürfte ich es ohne Unbescheidenheit wagen, den Verfasser jener Rezension aufzufordern, diese Gedanken seiner *strengen* Prüfung zu unterwerfen und das Resultat derselben – in der A[llgemeinen] L[iteratur-]Z[eitung], da ihm diese wohl am nächsten ist – bekanntzumachen. Gewiß, er verbindet sich dem Höchsten, was wir beide kennen, *der Wahrheit*, und für sie interessiert er sich; und ich mich. Was mir derselben zu widersprechen scheint, dem widerspreche ich *freimütig und bescheiden*. Gewiß erkennt jener denkende Mann dieses für ein Gesetz, dem der Wahrheitsfreund huldigen und das seinem Denken und Schreiben die Richtung geben soll. Ich besorge also von ihm nicht Tadel um dieser Absicht willen, in der ich die folgenden Gedanken niederschrieb; rechne vielmehr mit froher voller Zuversicht darauf, daß er sie aufnehmen möge, wie ich wünsche, daß sie aufgenommen werden möchten. Und nun zur Sache!
Über die zwei Gesichtspunkte, die der Beitrag angibt, aus welchen Staatsveränderungen zu beurteilen seien, nämlich: 1. den der Rechtmäßigkeit und 2. den der Weisheit, ist der Rezensent mit dem Verfasser einig; so wie über die Beantwortung von Nr. 1. Wie wird die Rechtmäßigkeit einer Staatsveränderung beurteilt. Daß Erfahrungsgrundsätze hier gar nichts gelten können, hat nach dem Rezensenten der Verfasser erwiesen, „vielleicht aber sagt er mit überflüssiger Heftigkeit". Ich kann den Eifer und das Feuer, womit der Verfasser bei dieser Gelegenheit spricht, mir leicht entschuldigen. Wer die Urteile unserer sogenannten Geschäftmänner (und für Philosophen von Profession war ja das Buch nicht allein bestimmt, sondern für *alle* diejenigen, die ihre Begriffe über die politische Erscheinung, der Rechtmäßigkeit und den Gründen der Beurteilung derselben berichtigen wollen) kennt, der weiß es, wie sie in der Regel beschaffen sind. Wie wenig sind doch noch der Juristen von

Profession, die über den Begriff von Recht u. dgl. eine bestimmte Rechenschaft aus reinen Prinzipien abzulegen wissen? Noch lange, lange ist die Überzeugung nicht allgemein geltend, daß die Frage vom Recht in aller Ewigkeit nicht aus der Geschichte beantwortet werden kann, daß, wer *dieses* will, gar nicht versteht, was er will. Die Geschichte ist eine Reihe von Erscheinungen oder Begebenheiten: der Mensch ist's, der den Begriff des Rechts aus seinem reinen Ich nimmt, ihn in das Chaos der Erscheinungen legt und diese nach demselben beurteilt. Wenn ein Mensch was immer für eine Überzeugung durch Anstrengung und Mühe sich errungen hat und von der Wahrheit derselben innig aus Gründen überzeugt ist: so geschieht es sehr leicht, daß ihm jeder Widerspruch dagegen unangenehm ist, und gerade die spekulativsten Köpfe haben sich dafür in acht zu nehmen. Sollte es nun einem Schriftsteller nicht zu verzeihen sein, der über eine Angelegenheit schreibt, die mit dem Interesse der ganzen Menschheit zusammenhängt, und dabei von den höchsten und letzten Prinzipien ausgeht, wenn er eine Meinung bald mit Strenge, bald mit Satire beurteilt, die der seinigen nicht nur gerade entgegen ist, sondern von der er zeigt, daß in ihr nicht einmal die Möglichkeit liege, für die Untersuchung quaestionis etwas zu gewinnen, und daß ihre Verteidiger es eben dadurch, daß sie dieses seien, hinlänglich legitimierten, daß sie keine bestimmten Begriffe hätten von dem, wovon gerade die Frage sei – sollte es, sage ich, einem Schriftsteller nicht zu verzeihen sein, wenn er den Weg der kalten Untersuchung zuweilen verläßt und sich den Empfindungen des Unwillens mit etwas Heftigkeit entledigt? – Ich billige darum keineswegs alles, was *so* in diesem Buch geschrieben ist, aber dem für die Heiligtümer der Menschheit, für Recht und Wahrheit bis zum Enthusiasmus interessierten Mann, dem dürfen wir die Schonung und Nachsicht gegen kleine Fehler nicht versagen. Vollkommenheit ist das Ziel, nach dem wir streben, keiner hat es noch errungen! –

Ad. II. „Was eigentlich der letzte Endzweck aller gesellschaftlichen Verbindungen sein solle, darüber lehre die Geschichte wenig oder nichts." Wenn die Frage vom Sollen und vom Dürfen oder vom Recht gar nicht aus der Geschichte beantwortet werden kann (welche nämlich nur lehrt, was geschehen ist), so kann die Frage vom Endzweck aller gesellschaftlichen Verbindung, der doch durch den Begriff *Recht* bestimmt sein soll, ebenfalls nicht aus ihr beantwortet werden. Ich verstehe also nicht, wie der Rezensent sagen kann (Nr. 1), daß der Verfasser es gründlich erwiesen habe, „daß Erfahrungsgrundsätze bei Beurteilung der Rechtmäßigkeit einer Staatsveränderung ausgeschlossen werden müssen", wobei er also doch dem Begriff *Recht* eine von aller Geschichte unabhängige Realität zuschreibt, und Nr. II sagt er, „daß das Studium der Geschichte zur Erkenntnis des letzten Zwecks aller gesellschaftlichen Verbindung nicht *hinreichend* sei, davon ist Rezensent völlig, ebensosehr aber davon überzeugt, daß die Geschichte weit mehr Data dazu liefere, als der Verfasser annimmt". – Bei der Beurteilung der Rechtmäßigkeit einer Staatsveränderung soll also die Geschichte nichts zu tun haben. Es läßt sich sogar nach Rezensenten nicht gut denken, daß irgendein Philosoph *die Geschichte* bei der Frage nach Rechtmäßigkeit dabei ins Spiel bringen sollte. Und doch soll die Geschichte viele Data zur Beurteilung liefern, welches der letzte Zweck aller gesellschaftlichen Verbindung sei? Sollen die Staatsveränderungen allein durch den Begriff des *Rechts* bestimmt werden? Und nicht auch die Staatsverbindungen? Bestimmt nun der Begriff *Recht* den Endzweck der gesellschaftlichen Verbindung, wie kann denn die Geschichte viele Data liefern, aus denen das, was der Zweck der gesellschaftlichen Verbindung sein sollte, erkannt würde, da das *Sollen* oder das *Recht* etwas ganz Unabhängiges von ihr ist? – Mir scheint der Rezensent hier in Widerspruch mit sich zu sein. Nach dem Rezensenten soll der Verfasser nicht gezeigt haben, was ihm auch so leicht nicht zu zeigen sein würde, daß die Prüfung der Mittel, nach deutlich gedachten Gesetzen, welche, wie Rezensent sagt, der Verfasser Erfahrungsseelenkunde nennt, Mittel zur Erreichung der Zwecke großer Gesellschaften wären. – Ich gestehe es aufrichtig, daß ich den Ideen des Verfassers hier größere Ausführlichkeit wünschte, und daß mich die Neuheit und Wichtigkeit derselben dazu bestimmte. Ich verstehe seine Meinung so: der Zweck der gesellschaftlichen Verbindung ist in und mit dem Menschen bestimmt, die Mittel ihn zu erreichen ebenfalls, sie sind die geistige Kraft des Menschen. Diese werden nun zur Anwendung nach gewissen Regeln bestimmt. Kennten wir diese alle, und wäre alles, wie es sein sollte, so wären dieses die Gesetze. Es ist nämlich hier gar nicht von dem Sittengesetz die Rede, sondern von dem Menschen, inwieferne sein sinnliches Ich, der Form seines reinen geistigen Ich, die durch das Sittengesetz in praktischer Hinsicht bestimmt ist, näherkommen, endlich in sie aufgelöst werden soll. In Rücksicht dieser Form des reinen geistigen *Ich*, in praktischer Hinsicht, sind alle Menschen sich gleich. Alle sollen dem Sittengesetz bei jeder Äußerung ihrer Kraft, bei ihrem *Denken, Wollen* und *Tun* huldigen. Diese Form des reinen geistigen *Ich* ist keiner Modifikation fähig. Aber auch nach dem sinnlichen *Ich* sind alle Menschen sich gleich. Das Studium dieser allgemeinen Formen nun ist schwer; es heißt Erfahrungsseelenkunde. Die Regeln, die der Selbstforscher sich nun hier über seinen innern Zustand – den sinnlichen in weitester Bedeutung des Wortes, inwieferne er dem rein vernünftigen entgegengesetzt wird – abstrahiert, sollten die Gesetze sein, die die menschliche Gesellschaft als sinnliche Wesen zusammenhielte. Da der Mensch durchaus nicht als bloß sinnliches Wesen, sondern als vernünftiges handeln, mithin das sinnliche Ich mit seinen Forderungen, den Gesetzen des vernünftigen untergeordnet werden soll: so folgt daraus, daß die Gesetze einer immerwährenden Veränderung unterworfen, einem immerwährenden Näherkommen, dem rein vernünftigen *Ich* fähig sind. Man könnte sagen, sie sind da, um einmal nicht da zu sein. Sind nun die wirklich vorhandenen Gesetze einer Staatsverfassung die Regeln des Verfahrens des sinnlichen Ich in uns? Von ihrer Übereinstimmung oder Nichtübereinstimmung hängt also die Güte oder Nichtgüte der Gesetze ab, die eine Staatsverfassung begründen. Woher kennen wir nun diese Gesetze? Aus der Geschichte, so wie man sie jetzt behandelt, unmöglich, die gibt uns über den innern Zustand des Menschen gar keine Aufschlüsse; woher wohl anders als aus der Reflexion über uns selbst? Und so scheint mir doch schon hieraus zu erhellen, wie man aus der Selbstkenntnis die Mittel zur Erreichung der Zwecke großer Gesellschaften erfährt.

Es sollen dieses gar keine Ideen sein, die die Behauptung des Verfassers in ein helleres Licht setzen, nur Winke zu ei-

ner richtigen Beurteilung beabsichtige ich jetzt. Ausführlich werde ich diese Materie noch in einer besondern Abhandlung erörtern und die Wichtigkeit derselben ins Licht setzen. –
Über das in der Rezension Folgende sowohl, als das, was zu Nr. III gesagt wird, ersuche ich die Leser, das Buch selbst zu vergleichen. Seite 34ff.
Ad. IV. Der Verfasser spricht hier von *esoterischen* und *exoterischen* Wahrheiten. Rezensent sagt dagegen: „Wer jetzt noch von esoterischen Wahrheiten sprechen wollte, würde herzlich ausgelacht werden." – Ich wünsche von ganzer Seele, daß das Urteil des Rezensenten in der Allgemeinheit, in der es hier gefällt wird, wahr sein möge! Für den Philosophen von Profession und für den Mann, der sich mit Wissenschaften beschäftigt und dafür interessiert, gibt es freilich keine esoterischen Wahrheiten mehr, aber – sind denn alle Philosophen, alle Gelehrte? Und maßen sich denn nicht auch die vorurteilsvollsten Menschen ein Urteil über diese Angelegenheit an? Wie wenig ist es doch noch wahr, daß die reine Wahrheit an und für sich selbst und um ihrer selbst willen als das höchste Kleinod des Menschen verehrt wird! Wie wenig ist's noch allgemeine Maxime, daß dasjenige als des Menschen unwürdig verworfen wird, was, wenn es mit dem Licht der Wahrheit beleuchtet, nicht übereinstimmend mit ihr gefunden wird! Nichts, was sich durch diese Züge charakterisiert, *sollte* auf etwas, das das Gepräge menschlicher Tätigkeit hat, Einfluß haben. Aber was so sein *sollte*, ist denn das auch immer *so*? In dem kleinen Kreise meiner eigenen Erfahrung habe ich z. E. die Urteile schon öfters gehört von Menschen, die nach *jetzigen* Verhältnissen Predigerstellen zu vergeben haben, „daß eine Gemeinde allerdings das Recht haben müsse, sich selbst einen Lehrer zu erwählen und daß man ihr keinen aufdringen müsse und dürfe, allein es *sei* nun einmal anders, und weil es so sei, darum brauche man es nicht zu ändern; wie es aber eigentlich sei, dürfe man ihr nicht sagen, weil sonst Änderungen daraus entstehen könnten, die in ihre Gerechtsame eingriffen und sie beeinträchtigten." – Dieses Urteil, das ich mir mit diplomatischer Genauigkeit aufgezeichnet habe, wird jeder bestätigen, der nicht allein als Philosoph spricht, sondern den auch Erfahrung lehrte, wie in der wirklichen Welt

gedacht und *gehandelt!* wird. Und hat sich denn nun bei diesem Urteile der Unterschied zwischen esoterischen und exoterischen Wahrheiten in das System des Denkens und Handelns eingeschlichen? – O, es ist dies eine Materie, die keinen Mann beschäftigen kann, in dem ein *edles* Herz wohnt, ohne dasselbe mit einer tiefen Wehmut über den großen Verfall *der* Menschen zu erfüllen, die, nach ihrem günstigen Schicksal zu urteilen, recht viel für das Wohl der Menschheit wirken *könnten*, wenn sie *wollten*. Unser gemeinsames Brudergeschlecht weiser und besser zu machen und von der Redlichkeit dieses unseres Strebens eigene Beweise zu geben; dies sollte das Ziel sein, nach dem alle Kultivierten ringen sollten! Aber ein Blick auf die Menschen, von denen jenes Weiser- und Bessermachen ausgehen sollte! Wenn es so bliebe, wie es jetzt ist, wir könnten niemals *sein* und *werden*, was wir werden und sein *sollen*.
Nach meiner Einsicht trifft also das, was der Rezensent hierüber dem Verfasser sagt, wieder nicht zum Ziel! –
Erstes Kapitel. Hat ein Volk das Recht, seine Staatsverfassung abzuändern? Folgende Ideen kommen hier vor: „Eine bürgerliche Gesellschaft kann rechtmäßigerweise durch nichts anders als einen Vertrag begründet werden. Steht nämlich der Mensch schlechthin und einzig unter dem Sittengesetz, so darf er unter keinem andern stehen. Wo ihn dieses Gesetz befreit – d. h. z. E. eine Handlung weder gebietet noch verbietet – verweist es ihn an seine Willkür: gibt ihm Erlaubnis zu tun, was er will, was nicht mit der Achtung, die er für sich als vernünftiges Wesen, als freies, selbständiges Geschöpf haben soll, streitet. Liegt einem andern Wesen etwas daran, daß er etwas tue oder nicht tue, so darf er das tun; er hat das Recht dazu (so heißt nämlich alles, was ich *nach* Erlaubnis des Sittengesetzes tun *darf*) aber zwingen darf er sich nicht lassen; weil dieses gegen das Gebot des Sittengesetzes wäre, sein eigener Gesetzgeber zu sein; als freie selbständige Person zu handeln usw." Der Rezensent gibt in seiner Beurteilung die Ideen des Verfassers ferner an; doch nicht mit der Ausführlichkeit und Bestimmtheit, wie sie es verdienen. Am Schlusse sagt der Verfasser: „Wären wirklich taugliche Mittel gewählt, so würde die Menschheit sich zu ihrem großen Ziele allmählich annähern; jedes Mitglied derselben würde immer freier werden,

und der Gebrauch derjenigen Mittel, deren Zwecke erreicht wären, würde wegfallen. Ein Rad nach dem andern in der Maschine einer solchen Staatsverfassung würde stille stehen und abgenommen werden, weil dasjenige, in welches es zunächst eingreifen sollte, anfinge, sich durch eigene Schwungkraft in Bewegung zu setzen. Sie würde immer einfacher werden. Könnte der Endzweck je völlig erreicht werden, so würde gar keine Staatsverfassung mehr nötig sein; die Maschine würde stille stehen, weil kein Gegendruck mehr auf sie wirkte. Das allgemeinig geltende Gesetz der Vernunft würde alle zur höchsten Einmütigkeit der Gesinnungen vereinigen, und kein anderes Gesetz würde mehr über ihre Handlungen zu wachen haben. Keine Norm würde mehr zu bestimmen haben, wieviel von seinem Rechte jeder der Gesellschaft aufopfern sollte, weil keiner mehr fordern würde, als nötig wäre, und keiner weniger geben würde: kein Richter würde mehr ihre Streitigkeiten zu entscheiden haben, weil sie stets einig sein würden." Hier ruft der Rezensent aus: „Viel Glück zu diesem erhabenen Traume!" – Wenn das ein Traum sein soll, so haben alle die Menschen, die der Hoffnung besserer Zeiten sich freuten – *geträumt*. Alle diejenigen, die die Menschheit im Fortschreiten zum Bessern begriffen glaubten, haben es unfehlbar geahndet, daß auf der Laufbahn des Menschengeschlechts ein Zeitpunkt kommen werde, der alle Staatsverbindungen unnötig mache. Und diese selige Hoffnung und diese erquikkende Aussicht – werde denn auch ihre Erfüllung erst unseren spätesten Nachkommen zuteil – nein! Sie ist wahrlich kein Traum; ihr Grund ist das notwendige Fortschreiten des Menschengeschlechts; dieses Fortschreiten hört im Ganzen nicht auf, solange es noch Menschen gibt, die sich für das Vernünftige im Menschen, für Wahrheit, Freiheit, Pflicht und Recht interessieren, für dieses, das uns und die Gottheit verknüpft leben und für es auch zu sterben bereit sind. O, es ist eine der schönsten und edelsten Züge unseres Zeitalters, daß wir Deutsche uns solcher Menschen mit Wahrheit rühmen können! *Heil* dem Manne, der sich an die segenverbreitende Kette von Edlen anschließt! Und ein Zuruf aus vollem Herzen an alle, die dieses lesen, diese Kette bis ins Unabsehliche hinaus zu vergrößern und durch *Lehren* und *Handeln* zu wirken, um unsere Zeitgenossen auf eine höhere Stufe der Kultur wohltätig heraufzuheben. O, der Seligkeit, wenn wir abtreten müssen, zu wissen, wir waren es, durch deren Kraft und Willen unsere Nachkommen eine bessere, veredelte Menschheit ist! Sei es denn auch, daß hienieden Tyrannen und Despoten uns hassen und verfolgen; unser reiner, uneigennütziger, auf das Recht und das Gute gerichteter Sinn verbürgt uns die Früchte der *Ewigkeit*.

E ... l.

Rezension
aus: Litteratur-Tidning, Uppsala, Bd. 2 (1795), Heft 1, S. 30–43 [Benjamin C. H. Höijer].

Beitrag zur Berichtigung der Urteile des Publikums über die Französische Revolution. Erster Teil. Zur Beurteilung ihrer Rechtmäßigkeit, 1793. (von J. G. Fichte)

Unter der bald unzähligen Anzahl von Schriften, die in Deutschland, England und selbst in Frankreich über die ganze oder über die bedeutenden Teile der für die ganze Menschheit so wichtigen Revolution in dem zuletzt genannten Reich herausgekommen ist, hat noch keine darüber urteilen können, auch die vorurteilsfreiere Meinung der Allgemeinheit nicht. Man hat auch nicht ohne Grund bemerkt, daß es jetzt noch nicht die Zeit wäre für die Entscheidung von Streitigkeiten, welche, sowie sie auf menschliche Leidenschaften begründet sind, sich notwendig in der allgemeinen Denkweise darüber offenbaren müssen. Diese werden nicht eher beigelegt, als die Interessen, an denen die Leidenschaften haften, eine andere Wendung genommen haben oder gegen andere ausgewechselt sind: selbst Ereignisse, die man prüft, können nicht, solange man sie nicht mit Kaltsinnigkeit betrachtet, ins wahre Licht gesetzt werden: der Richterspruch der Nachwelt muß abgewartet werden. Aber insofern die Verschiedenheit und die Parteilichkeit des Urteils sich nur auf die Verworrenheit in den Begriffen, auf Mangel an bestimmten und allgemein bekannten Grundsätzen, auf die Unrichtigkeit des Gesichtspunktes, woraus man im allgemeinen solche Revolutionen beurteilt, gründen, kann für das Gegenwärtige ohne Zweifel erhoben werden, ob nur Philosophien die Prämissen für die Feststellung aus diesen Grundsätzen und aus diesem Gesichtspunkt zu bestimmen vermochten. Wir zweifeln auch nicht, daß die Richtigkeit und die Allgemeinheit in der Überzeugung von solchen Grundsätzen zum großen Teil selbst Leidenschaften in ihrem Ursprung unterdrücken mögen, die immer ihre Rechnung bei unbestimmten Begriffen finden und folglich auch den bedeutendsten Unglücksfällen zuvorkommen, die so oft die Veränderungen begleiten, die die Sitten, die Aufklärung oder die Vorurteile in

der Regierungsweise unumgänglich machen. Diese Grundsätze hat der Verf[asser], dem man nicht ohne Unrecht einen ungewöhnlichen Grad Scharfsinn und ziemlich tiefe philosophische Einsichten abstreiten kann, in der vorliegenden Schrift zu entwickeln versucht und sich dabei mit einer Freimütigkeit geäußert, die ihn genausoviel ehrt wie die Regierung, unter deren Schutz er sie veröffentlicht hat. Wieviel er sich übrigens von dem groben Reformationseifer unterscheidet, der unser Zeitalter auszeichnet, kommt aus der Wahrheit hervor, die er zur Grundlage seiner Untersuchung gelegt hat, „Würdigkeit der Freiheit muß von unten heraufkommen; die Befreiung kann ohne Unordnung nur von oben herunterkommen." Obwohl man meinen würde, sich gegen viele seiner Sätze einwenden zu können, und obwohl vieles in dieser Sache noch übrigbleiben kann zum Klarstellen, muß man ihm genauso die Eigenschaft zuerkennen, die nur zu guten Schriftstellern gehört, daß er auch bei seinen Fehlern, die hier doch hauptsächlich ihren Grund nur im Mißverständnis bei den nicht genug vorgebildeten Lesern haben mögen, viel Anlaß zu denken gibt. Die Wahrheit muß mindestens bei ihrer Prüfung gewinnen.
Die Einleitung in dieses Werk beschäftigt sich mit der Feststellung des richtigen Gesichtspunktes und mit dem Aufsuchen der Quellen, aus denen Antwort auf die hierher gehörenden Fragen geholt werden muß. „Bei der Beurteilung einer Revolution", sagt der Verf[asser], „können nur zwei Fragen, die eine über die *Rechtmäßigkeit*, die zweite über die *Weisheit* derselben, aufgeworfen werden. In Absicht der ersteren kann entweder im allgemeinen gefragt werden: hat ein Volk überhaupt ein Recht, seine Staatsverfassung willkürlich abzuändern? – oder insbesondere: hat es ein Recht, es auf eine gewisse bestimmte Art, durch gewisse Personen, durch gewisse Mittel, nach gewissen Grundsätzen zu tun? Die zweite sagte soviel: sind die zur Erreichung des beabsichtigten Zweckes gewählten Mittel die angemessensten? Welche der Billigkeit gemäß so zu stellen ist: *waren es unter den gegebenen Umständen* die besten?" Aber wo sollte man die Gründe für ihre Entscheidung holen? Ist die Erfahrung ein unwiderlegbarer Richter darüber, was Recht ist? Kann Recht aus historischen Fakten festgestellt werden oder aus irgendeinem gewissen System von Meinungen, das, wie die

Mode der Kleider, bei einem Volk angenommen worden ist, und das in Konstantinopel allgemein als Wahrheit anerkannt ist, was man in Rom allgemein für falsch anerkennt." Wenn sie von einem *Sollen* reden, so sagen sie unmittelbar hierdurch auch ein *Andersseinkönnen* aus. Was so sein *muß* und schlechterdings nicht anders sein kann, davon wird kein vernünftiger Mensch untersuchen, ob es so oder anders sein *solle*. Sie gestehen also unmittelbar durch die Anwendung dieses Wortes manchen Dingen die *Unabhängigkeit von Naturnotwendigkeit* zu.
Sie können und sie werden diese Unabhängigkeit oder diese Freiheit, ... keinem anderen Dinge zugestehen wollen als den Entschließungen vernünftiger Wesen, welche insofern auch *Handlungen* genannt werden können. Sie erkennen also freie Handlungen vernünftiger Wesen an." Hier geht es um die Norm dieser Handlungen. Man kann sie nicht in den Handlungen selbst finden, laut Frage geht es genau um ihre Norm. Ein frei handelndes Wesen muß zumindest nicht nach Gesetzen verurteilt werden, die es nicht kennt und die es nicht seiner Handlung hat zugrunde legen können, da sie unbekannt waren; „sie werden über die Rechtgläubigkeit des Erzvaters Abraham nicht nach dem preußischen Religionsedikt, über die Rechtmäßigkeit der Ausrottung der Kanaaniter durch das jüdische Volk nicht nach den Manifesten des Herzogs von Braunschweig gegen die Pariser urteilen wollen." Mit der Erfahrung muß man außerdem schließlich zu einem Punkt kommen, wo man keine vorhergehende Erfahrung aufweisen kann; und nach welchem Gesetz wird man dann urteilen? – Die Beantwortung der ersten Frage muß also notwendig zur Vernunft hinführen, worauf – und nicht auf der Naturnotwendigkeit – die freien Handlungen des Menschen als freie beruhen. Die Vernunft bestimmt das moralische Gesetz, dessen Weise sich bei uns zu äußern gewöhnlich das Gewissen genannt wird, ein Richter, den wir in unserer Brust tragen, usw. Es ist ein notwendiger Unterschied zwischen *geschehen, muß geschehen* und *soll geschehen*; das letztere kann nie von dem vorhergehenden bestimmt werden. Alles, was das moralische Gesetz unter diesem *soll* in sich schließt, ist eine Pflicht, ist richtig; alles, was es nicht verbietet, das *dürfen* wir tun; und insofern dieses *dürfen* nicht dem Gesetz zu-

widerläuft, haben wir das Recht dazu. – Zu der anderen Frage gehört vor allem eine Untersuchung um die Güte des Zwecks in sich selbst, wobei die erste Bedingung seine Übereinstimmung mit dem Sittengesetz ist; das übrige, mit dem Verhältnis der Mittel zum Zweck, obliegt der Erfahrung, es zu entscheiden. Die erste Frage, als dem Naturrecht gehörig, muß auf dem rationalen Weg entschieden werden, die zweite auf dem empirischen. Unter diesen Untersuchungen kommen beim Verf[asser] wichtige Anmerkungen über den Nutzen der Geschichte bei der Lösung solcher Fragen vor.

Der Inhalt der bisher erschienenen Kapitel ist folgender: 1. Band. 1. Kap. Hat überhaupt ein Volk das Recht, seine Staatsverfassung abzuändern? – Der eigentliche Inhalt dieser Frage ist dieser: Ist die Unabänderlichkeit der Staatsverfassung nicht mit der in dem Moralitätsgesetz gegebenen Destination der Menschheit unvereinbar? Diese Destination besteht in ihrer *Kultur*, die die Öffnung aller unserer Kräfte zu einer vollkommenen (moralischen) Freiheit ist, zu einer vollkommenen Unabhängigkeit von allem, was wir nicht selbst sind, unser reines Ich oder unsere Vernunft. Nichts in der sinnlichen Welt, nichts aus unserem Begehren, nichts zu Genießendes kann einen Wert in und für sich selbst bekommen, außer nur als Mittel, um unsere Kräfte für die Kultur zu beleben. 2. Kap. Vorzeichnung des weiteren Ganges dieser Untersuchung. 3. Kap. Ist das Recht, die Staatsverfassung zu ändern, durch den Vertrag aller mit allen veräußerlich? 4. Kap. Von begünstigten Volksklassen überhaupt, die Beziehung auf das Recht einer Staatsveränderung. 5. Kap. Vom Adel, insbesondere in Beziehung auf das Recht einer Staatsveränderung. 6. Kap. Von der Kirche, in Beziehung auf das Recht einer Staatsveränderung. – Der Raum erlaubt es uns nicht, einen weitläufigen Auszug aus dieser bemerkenswerten Schrift zu machen; aber wir können doch nicht an den Lösungen des Verfassers von zwei wichtigen Fragen im Naturrecht vorbei, die immer die Lehrer in dieser Wissenschaft beschäftigt haben, und worüber sie so verschiedene Erklärungen gegeben haben. Die eine betrifft die Gründe der Veränderlichkeit der Verträge oder der Übereinkünfte; die andere die Gründe zum Eigentumsrecht.

Noch hat keiner von den Moralisten die Verbindlichkeit

der Verträge selbst in Frage gestellt; in der Art, sie zu erklären, haben sie sich unterschieden; und obwohl vieles auch das Gefühl des Unaufgeklärten in allen moralischen Fragen ihn überzeugt hat, was die Philosophen klarzustellen und zu beweisen versuchen, könnten diese Beweise doch nie überflüssig sein, solange Fehler, welche das Gefühl nie genügend abwehrt, durch falsch verstandene oder falsch angewandte Grundsätze möglich sind. Obwohl die Unentbehrlichkeit der Verträge für jedes Zusammenleben die Menschen immer an deren Verbindlichkeit erinnern muß, sind Untersuchungen darüber vom höchsten Gewicht, denn durch falsche Erläuterungen darüber würde die Lehre von den Verträgen selbst, und was damit zu beachten ist, auch notwendig falsch und schwankend bleiben.

HOBBES ist unter den ersten Moralisten, die philosophische Untersuchungen über die Verpflichtung gemacht haben, die aus Verträgen entsteht*, da er annimmt, daß Menschen innerhalb bürgerlicher Staaten, die durch den Arm des Mächtigeren errichtet wurden, alle in einem Krieg untereinander leben, fand er, daß der *Frieden* ihr Ziel bildet und Verträge durch ihre Notwendigkeit das Verpflichtende zur Beibehaltung dieses Friedens bilden. Sobald HOBBES' System widerlegt ist, ist diese Erklärung es auch. Daß sie unzureichend ist, kann nicht eingesehen werden. – Von mehr Bedeutung und mehr aufklärend für diesen Gegenstand ist der Streit, der in späteren Zeiten zwischen zwei gleichermaßen wahrheitsliebenden und scharfsinnigen Philosophen entstand, die auf verschiedenen Wegen Erklärung über Verbindlichkeit der Verträge gesucht hatten; diese Philosophen sind MENDELSSOHN und GARVE. Der letztere hat** FERGUSONs*** Auflösung davon angenommen, welche schon PUFENDORF aufgegeben hatte,† der erste bestreitet FERGUSONs Erklärung††, die wiederum

* De Cive c. 2. §. 4. c.3. §. 1. Leviathan c. 14, 15.

** Anmerkungen zu FERGUSONs Moralphilosophie, S. 417f. Anhang einiger Bemerkungen zu PAYLEYs Grundsätze der Moral und Politik, S. 505f.

*** Moralphilosophie, T. 6. c. 8.

† De officio hominis & civis. L. 1. c. 9. &. 3.

†† Phaedon oder über die Unsterblichkeit der Seele, S. 219. Jerusalem oder über religiöse Macht und Judentum, S. 45–50.

von GARVE verteidigt* wird. Der zuletzt genannte Philosoph erklärt die Zwangsverpflichtung bei den Verträgen durch die Notwendigkeit der Sicherheit dabei für die Geschäfte bestreitenden in dem Zusammenleben, deretwegen wir uns der Kräfte anderer versichern müssen. Wir eignen uns Kräfte anderer an, die durch die Verträge unsere werden, und wir werden durch die Anstalten, die wir im Vertrauen daran tun oder unterlassen, geschadet, falls sie gebrochen wird, ebenso wie wenn jemand uns unsere eigenen Kräfte genommen hätte oder uns in unseren bedingungslosen Rechten beleidigt hätte; wir könnten also mit Gewalt ihre Erfüllung erzwingen. Diese Erklärung ist gewiß nicht ohne Verdienst; sie entwickelt ziemlich genau, was jeder als einen Vertrag kennt, den er als eine Verpflichtung ansieht. Aber ist sie allgemein genug? Und könnten wir nicht auf einem kürzeren Weg eine Erklärung finden, die weniger Mißdeutungen unterworfen wäre? Sollte man nicht einen näheren Zusammenhang zwischen negativen Rechten, die wir ohne jeden Vertrag haben, und denen, die wir erst dadurch erhalten, suchen? Wo der Grund aufhört, müssen die Folgen auch aufhören. Mit der Erfüllung eines Versprechens muß ich aus Erfahrung den Schaden für andere, für mich, für das Zusammenleben beurteilen, der ihre Unterlassung mitbringen würde. Aber hat uns die Erfahrung darin nicht oft betrogen? Wie könnten wir alle Folgen einer Handlung voraussehen, und wenn wir sie sehen würden, würden wir nicht, überzeugt von der Unrichtigkeit der Kalkulationen, die wir – nach unserer gewöhnlichen Art gesehen – von dem kommenden Schaden oder Nutzen machen würden, ganz anders über Recht und Unrecht urteilen? Stellen wir uns Menschen ohne das moralische Gefühl vor, das sie oft richtig bei ihren Entscheidungen lenkte, wo die von den Philosophen aus falschen Gründen gezogenen Schlußfolgerungen sie irreführen könnten; wie könnten sie sich mit Überlegung nach dieser Regel ohne Fehler selbst lenken? Dazu ist ein Vermögen nötig, über die Grenzen der menschlichen Kräfte hinaus, mit einem Blick die ganze Natur im Zusammenhang mit allen ihren Wirkungen über-

* Anmerkungen zu CICERO über die menschlichen Pflichten, T. 1.

sehen und fassen zu können [und] zu verschweigen, daß jeder Unterschied zwischen Gerechtigkeit und Klugheit dadurch aufgehoben werden würde. Der Grund zu dieser Verpflichtung kann also nie in der Folge ihrer Erfüllung liegen. – MENDELSSOHN hat schon diese Frage unter einem richtigen Gesichtspunkt gefaßt, wenn er hierin nur die Art untersucht, wie positive Pflichten negativ werden können, und mit ihnen verbunden, was wieder zu dieser Frage gebracht werden kann: wie könnten Vorurteile, die ich nicht erzwingen, sondern nur verlangen kann, zu Recht verwandelt werden, mit dessen Kraft ich mich zwangsweise versichern kann? Er spricht das in folgender Weise aus: Ich bin verbunden durch eine Gewissenspflicht, so viel Gutes zu tun, wie ich ohne meinen wirklichen Schaden kann; aber ich habe das bedingungslose Recht, selbst die Zeit, Art und die Gegenstände für meine Wohltaten zu bestimmen. Dieses Recht würde von selbst seine Ausübung aufheben, es würde eine Kontradiktion enthalten, wenn ich nicht durch ein Versprechen zu dessen Erfüllung gebunden wäre, und wenn nicht meine Kräfte oder deren Wirkungen aufhören würden, *meine* zu sein in demselben Augenblick, in dem ich ein anderes Versprechen darüber geben würde. Diese müßten dann auch mit Gewalt sein Eigentum verteidigen können. – Ungeachtet des Scharfsinns in dieser Erklärung kann der Rez[ensent] sie doch nicht für vollgültig halten, sofern sie sich auf zwei willkürlich angenommene Sätze stützt: der eine, daß man mir keine andere Weise gibt, meine Kräfte und mein Eigentum zum Vorteil anderer zu disponieren als durch ein Versprechen oder durch solche Verträge, die nicht in demselben Augenblick in Erfüllung gehen, in dem sie gemacht werden; der andere, daß ich nicht nur durch das Moralitätsgesetz mit der Wahrhaftigkeit verbunden bin, sondern auch durch das Naturrecht, wodurch andere vernünftige Wesen mich dazu zwingen könnten. Auch dürften alle Versuche zur Lösung dieser Frage notwendig mißglükken, solange man nicht deutlich genug den Unterschied zwischen Sittenlehre und Naturrecht bestimmt hat, und solange man sich keinen klaren Begriff von der Verpflichtung im allgemeinen hat machen können; was wiederum sich nicht hat ereignen können, ehe man den höchst notwendigen Grundsatz für die Sittenlehre gefunden hat und genauso die Natur der praktischen Vernunft entschieden hat. Unterstützt von den Entdeckungen, die die kritische Philosophie hierin gemacht hat, hat unser Verf[asser] einen neuen Versuch in dieser Sache gegeben, die wir hier zu einer näheren Nachprüfung des Kenners überlassen. – – Von meinen Rechten gehört mir ein Teil durch das bloße Moralitätsgesetz dadurch, daß es mir ein Ziel vorsetzt, welches ich die *Pflicht* habe zu erfüllen, und also ein *Recht*; darüber kann man keinen Vertrag eingehen. Aber da dieses Gesetz nichts bietet, kann mir nichts eine Verpflichtung auferlegen außer mein eigener Wille. Rechte, außer die natürlichen und bedingungslosen, die aus dem Sittengesetz folgen, begründen sich also nur auf der Verpflichtung eines anderen, und dies auch nur nach seinem Willen. Ein unwahrhaftiges Versprechen verbindet nicht (gibt kein Recht zu erzwingen). Aber das Recht, das ich einem anderen durch meine Verpflichtung gebe, ist bedingt. Sagte der andere eine Unwahrheit, als er sein Versprechen gab, oder hat er nachher seinen Willen geändert, so bekommt er kein neues Recht, da ich keines bekomme. Keine Übereinkunft ist geschlossen, da kein Recht abgegeben ist und keine Verpflichtung übernommen worden ist. Die Wahrhaftigkeit ist die Bedingung für jeden Vertrag. Ich bin durch das Sittengesetz verpflichtet, ihn einzuhalten, aber man kann ihn nicht erzwingen, er gehört zur Gerichtbarkeit des Gewissens. Haben beide oder der eine seinen Willen geändert, so ist in derselben Tat kein Vertrag getroffen worden. Also weiß keiner, außer dem Höchsten Richter, über unsere Moralität, ob wirklich ein Vertrag abgeschlossen ist, bevor er vollzogen ist. Nun erfüllt der eine sein Versprechen und zeigt dadurch, daß er an die Wahrhaftigkeit des anderen glaubt; erhält er dadurch nicht ein Recht? – Da ich kein Zwangsrecht zu der Wahrhaftigkeit des anderen habe, wie kann ich durch meine Wahrhaftigkeit es bekommen? Verpflichtet meine Handlung oder meine Moralität einen anderen zur gleichen Moralität? Ich bin nicht der Exekutor des Moralgesetzes im allgemeinen; das ist Gott. Ihm gehört es, die Unwahrhaftigkeit zu bestrafen. – Aber wie kann jemand nach solchen Grundsätzen einen Vertrag wagen? – Ich habe mein Versprechen mit den Gedanken erfüllt, daß der andere ein Recht darauf hätte und daß meine Kräfte samt den Früchten daraus seine und nicht meine wären. Ich habe mich getäuscht. Sie sind noch meine, und sie waren es immer; aber das wird mir erst jetzt durch die Unterlassung des anderen bekannt. Ich behalte mein Eigentum samt den Produkten aus meinen Kräften. Die Anwendung von Kräften, die verlorengegangen sind, auch dadurch, daß ich, von seinem Versprechen verleitet, es unterlassen habe, sie in einer nützlicheren Weise anzuwenden, ist sicher mein Eigentum. Daß sie verlorengegangen ist, geht mich nichts an; sie sollte nicht verlorengegangen sein. In den Kräften des anderen *soll* ich sie wiederfinden; dafür habe ich eine Anweisung; von ihm kann ich den vollen Schadenersatz nehmen. Wir wären beide in unseren früheren Zustand versetzt, und so sollte es sein; denn es ist kein Vertrag *abgeschlossen* worden. – Also beruht die ganze Lösung auf diesen Hauptpunkten: daß jeder neue von dem bloßen Sittengesetz nicht erfaßte Vertrag sich nur auf meinen Willen gründet; daß die Wahrhaftigkeit keine Zwangspflicht ist; und daß jede solche Verpflichtung bedingt ist. – Der Rez[ensent] fürchtet jedoch, daß diese Erklärung, obwohl sie nach der Überzeugung des Rez[ensenten] richtig ist, dem Mißverständnis unterworfen sein kann für den, der nicht deutlich genug den Unterschied faßt, der bei allen Fragen um Pflicht und Recht beachtet werden muß, zwischen der Verpflichtung, die nur dem Sittengesetz oder dem Gewissen auferlegt ist, die keinen äußeren Zwang beinhaltet, und der, die wirklich eine solche enthält. Das Recht zu zwingen ist nur das Recht, einen gegen das Moralitätsgesetz kämpfenden Zwang zu verhindern. Das wird im Naturrecht abgehandelt. Es beinhaltet wiederum nicht das, was im allgemeinen nach dem Moralgesetz erlaubt ist, was zu der eigentlichen Sittenlehre gehört, sondern nur was erlaubt ist, ohne daß andere mich zum Gegenteil zwingen dürfen. Zu dieser Wissenschaft gehören alle Fragen über Verträge, von ihrer verpflichtenden Kraft und von all den Zwangsrechten und Pflichten, die innerhalb und außerhalb der bürgerlichen Gesellschaft durch sie entstehen. Darunter gehört auch die folgende von dem Grund zum Eigentumsrecht.

Man hat das Eigentumsrecht von der Arbeit herleiten wollen, wie LOCKE, oder von der Okkupation, was der Gedanke der meisten Moralisten gewesen ist. Aber wie wird man einer Handlung das Recht geben können? Das Recht leitet sich von unserem Willen ab, beschränkt von dem Moralgesetz. Andere haben das Eigentumsrecht auf die Vereinigung in der Gesellschaft begründet, wie GARVE* u. a. m. Dieses widerlegt der Verf[asser] vorwiegend. GROTIUS, der viele Nachfolger dabei gehabt hat, begründet dieses mit Verträgen. Aber haben wir denn nichts außer Verträgen? Wenn kein ursprüngliches Eigentumsgesetz gegeben wird, wie würde es durch Verträge entstehen, die notwendig Eigentum voraussetzen. – Der Verf[asser] löst dieses in folgender Weise:** „Ursprünglich sind wir selbst unser Eigentum. Niemand ist unser Herr, und niemand kann es werden. Wir tragen unseren, unter göttlichem Insiegel gegebenen Freibrief tief in unserer Brust. Er selbst hat uns freigelassen und gesagt: sei von nun an niemandes Sklave. Welches Wesen dürfte uns sich zueignen?

Wir sind *unser* Eigentum, sage ich, und nehme dadurch etwas Zweifaches in uns an: einen Eigentümer und ein Eigentum. Das reine Ich in uns, die Vernunft, ist Herr unserer Sinnlichkeit, aller unserer geistigen und körperlichen Kräfte; sie darf sie als Mittel zu jedem beliebigen Zwecke gebrauchen.

Um uns herum sind Dinge, die nicht ihr eigenes Eigentum sind; denn sie sind nicht frei: ursprünglich aber auch nicht das unsere; denn sie gehören nicht unmittelbar zu unserem sinnlichen Ich.

Wir haben das Recht, unsere eigenen sinnlichen Kräfte zu jedem beliebigen Zwecke zu gebrauchen, den das Vernunftgesetz nicht gebietet. Das Vernunftgesetz verbietet nicht, durch unsere Kräfte jene Dinge, die nicht ihr eigenes Eigentum sind, als Mittel für unsere Zwecke zu gebrauchen, noch, sie geschickt zu machen, es zu sein. Wir haben also das Recht, unsere Kräfte auf diese Dinge zu verwenden.

Haben wir Dingen diese Form eines Mittels für unsere Zwecke gegeben, so kann kein anderes Wesen sie gebrau-

* Anmerkungen zu CICERO, B. III.

** Es ist bemerkenswert, daß der scharfsinnige MENDELSSOHN schon dem Gedanken des Verfassers nahe gewesen ist. Siehe JERUSALEM, S. 32. Auch SCHMID, Moralphilosophie, S. 693, 694, 705, 2. Aufl.

chen, ohne entweder die Wirkung unserer Kräfte, mithin unsere Kräfte selbst, die doch ursprünglich unser Eigentum sind, für sich zu verwenden; oder ohne diese Form zu zerstören, d. i. unsere Kräfte in ihrer freien Wirkung aufzuhalten (denn daß das unmittelbare Wirken unserer Kräfte vorüber ist, tut nichts zur Sache; solange die Wirkung dauert, dauert unser Wirken): das aber darf kein vernünftiges Wesen; denn das Sittengesetz verbietet ihm, die freie Wirkung irgendeines freien Wesens zu stören, und diesem Verbote entspricht in uns ein Recht, eine solche Störung zu verhindern. – Wir haben also das Recht, jeden anderen von dem Gebrauche einer Sache auszuschließen, die wir durch unsere Kräfte gebildet haben, der wir unsere Form gaben. Und dieses Recht heißt bei Sachen *das Eigentum.*" Dessen Grund ist die Bildung der Dinge durch eigene Kraft. Auf die rohe Materie als solche haben wir kein Eigentumsrecht. Wenn keine andere Zueignung möglich ist als durch Formation, so ist das, was noch nicht formiert ist, was roh ist, noch nicht zugeeignet und niemandes Eigentum. Das wird mit Leichtigkeit auf das Grundeigentum angewendet.
Das Erbrecht und jede Erwerbung vom Eigentum des anderen beruht dann auf Verträgen, aber das ursprüngliche Eigentumsrecht ist eine Folge von dem freien Gebrauch unserer Kräfte, sofern er nicht vom Sittengesetz eingeschränkt ist. Welchen Einfluß diese Lehrsätze auf die Abhandlung der Hauptsache haben mußten, und wie nötig ihre Lösung in der Hinsicht darauf ist, findet jeder ohne Schwierigkeit, der dessen näheren Zusammenhang damit kennt.

[Übersetzung aus dem Schwedischen
Aila Wudtke]

„Die Französische Revolution scheint mir wichtig für die gesamte Menschheit“

„Die Französische Revolution scheint mir wichtig für die gesamte Menschheit. So scheinen mir alle Begebenheiten in der Welt lehrreiche Schildereien, die der große Erzieher der Menschheit aufstellt, damit sie an ihnen lerne, was ihr zu wissen Not ist. Nicht, daß sie es *aus* ihnen lerne; wir werden in der ganzen Weltgeschichte nie etwas finden, was wir nicht selbst erst hineinlegten: sondern daß sie durch Beurteilung wirklicher Begebenheiten auf eine leichtere Art aus sich selbst entwickle, was in ihr selbst liegt.“ (39)
Mit diesen Sätzen leitet der 31jährige Fichte seine Schrift „Beitrag zur Berichtigung der Urteile des Publikums über die Französische Revolution“ ein. Für Fichte war 1793 (!) die Französische Revolution „ein reiches Gemälde über den großen Text: Menschenrecht und Menschenwert“. Doch „das aufgestellte Gemälde dient nicht bloß zum Unterrichte; es wird zugleich zu einer scharfen Prüfung der Köpfe und der Herzen“. (39)
Eine solche „scharfe Prüfung der Köpfe und der Herzen“ wollte Fichte mit dem „Beitrag“ geben. Diesem war ebenfalls 1793 die in Form einer Rede gehaltene Schrift „Zurückforderung der Denkfreiheit von den Fürsten Europens, die sie bisher unterdrückten“ vorangegangen, deren Titel schon die Richtung und die Art und Weise der Stellungnahme Fichtes zur Revolution in Frankreich angibt.[1] Beide Schriften, der „Beitrag“ und die „Zurückforderung“, erschienen im Hinblick auf die Zensurverhältnisse anonym und mit fingiertem Druckort.
Die Konsequenz, mit der Fichte die Französische Revolution bejaht, ist unübersehbar. Und in der Tat ist innerhalb der Bewegung der klassischen bürgerlichen deutschen Philosophie das Werk Johann Gottlieb Fichtes am unmittelbarsten und nachhaltigsten vom Gang der revolutionären Ereignisse in Frankreich beeinflußt. Fichtes Entwicklung steht, zumindest bis 1800, ganz im Bann der akuten Klassenkämpfe jenseits des Rheins. Schon rein äußerlich ist Fichte in der vordersten Front derjenigen deutschen Denker im letzten Jahrzehnt des 18. Jahrhunderts zu finden, die am entschiedensten für die revolutionäre Umwälzung in

Frankreich Stellung beziehen. Die „Zurückforderung der Denkfreiheit von den Fürsten Europens, die sie bisher unterdrückten" und der „Beitrag zur Berichtigung der Urteile des Publikums über die Französische Revolution" sind, neben der gedanklichen Durchdringung des Problems der Revolution, wie es sich ihm als deutschem Ideologen der kleinbürgerlichen Schichten in der Epoche der klassischen bürgerlichen Revolution gibt, offene Bekenntnisse, leidenschaftliche und mutige Parteinahmen für die Revolution in Frankreich und die Rechtmäßigkeit einer Staatsumwälzung überhaupt.
Dabei ist es nicht so, daß Fichtes Philosophie in dieser Zeit nur ganz allgemein die revolutionsschwangere Luft der Epoche atmete, den politischen Aktivismus der Zeit reflektierte, ihn ins Reich der Gedanken transponierte und zum philosophischen Prinzip erhöbe – *nein*, die Beziehungen der Philosophie Fichtes zur Französischen Revolution gehen tiefer, sind konkreter und betreffen einen ganz bestimmten Abschnitt der Revolution: *den der revolutionär-demokratischen Diktatur der Jakobiner.*
Daß sowohl Kants, Fichtes als auch Hegels Philosophie mit der Französischen Revolution zusammenhängen, ist nur das generell Gemeinsame zwischen ihnen. Die Reaktionen der einzelnen klassischen Denker auf die revolutionäre Umwälzung jenseits des Rheins sind unterschiedlich und die vorhandenen Beziehungen immer konkret und spezifisch. Dies folgt schon daraus, weil es *die* Französische Revolution niemals gegeben hat, wie es ebensowenig *die* klassische bürgerliche deutsche Philosophie gab. Die Französische Revolution war, wie jedes historische Ereignis, eine komplexe Erscheinung, und ihre Ausstrahlungen und Auswirkungen auf andere Nationen und Länder, auf einzelne Denker und ganze gesellschaftliche Schichten waren nicht weniger komplex. Das heißt, die Französische Revolution besteht als komplexe Erscheinung aus Etappen, Stufen, Entwicklungsphasen, die wesentlich bestimmt und geprägt werden durch die jeweils zur Herrschaft gelangte Klasse (besser: Klassenfraktion) und ihre gesellschaftlichen Bündnispartner oder Antipoden.
Für Untersuchungen von der Französischen Revolution her gespeister ideologischer Erscheinungen in Deutschland be-

deutet das, daß die etwa Anfang 1793 in bezug auf die Revolution einsetzende schärfere Differenzierung der verschiedenen ideologischen Strömungen, die engstens mit der Dynamik des revolutionären Geschehens in Frankreich verknüpft ist, beachtet werden muß. Das Übergehen der Staatsmacht in die Hände einer jeweils anderen Fraktion des Bürgertums am 10. August 1792 und am 2. Juni 1793 sind Marksteine für diesen Tatbestand.

Für Fichte wurde eben seine Beziehung zur Französischen Revolution als Beziehung zur letzten Phase der akuten Revolution, zur revolutionär-demokratischen Diktatur der Jakobiner, festgehalten. Allgemein findet man den Zugang für diese Beziehung vom Zeitpunkt des Eintretens Fichtes für die Revolution. Fichte sah noch 1791 in der Französischen Revolution eine Bewegung, die den breiten Volksmassen kaum Nutzen bringt, und richtete seine ganze Hoffnung auf eine Verbesserung der Lage des Volkes, die er in seinen politischen Bestrebungen letzthin immer im Auge hatte, durch Reformen von oben. Das ging so weit, daß er die Religionsedikte unter Friedrich Wilhelm II. verteidigte, wie mehrere Briefe und Nachlaßstücke erhellen.

Anfang 1793 tritt in dieser Beziehung ein Wandel ein, und Fichte wird zu einem enthusiastischen Verteidiger der Revolution. Fichte erhebt erst dann nachhaltig seine Stimme für die Revolution, als diese sich immer mehr mit demokratischem Inhalt zu füllen beginnt, als die revolutionären kleinbürgerlichen Schichten im Jakobinerstaat – wenigstens vorübergehend – zum Zuge kommen.

Allerdings muß einer Überzeichnung vorgebeugt werden. Wenn hier von einer Beziehung der Philosophie Fichtes zu einer bestimmten Phase der Französischen Revolution, eben der revolutionär-demokratischen Diktatur der Jakobiner, gesprochen wird, so kann das nicht bedeuten, daß Fichte selbst jemals Jakobiner gewesen wäre. Was berechtigt, Fichte in diese Beziehung zu bringen, ist allein die Tatsache der Übereinstimmung und des Gleichklangs bestimmter Theoreme von Fichte mit denen der jakobinischen Spitzen. Insofern ist es immer nur berechtigt, von „Jakobinischem" in Fichtes Philosophie zu sprechen, niemals vom Jakobiner Fichte. Das schon deshalb nicht, weil es sich weder bei Fichte noch bei all den anderen Wortführern des sogenannten Jakobinertums außerhalb Frankreichs um tatsächliche Jakobiner, „Jakobiner *mit* dem Volke“[2], gehandelt hat, insofern ihnen allen „das unentbehrliche Korrelat Sansculotten fehlt“[3].

Fichte bezieht in den ersten Monaten 1793 nachdrücklich und öffentlich für die Französische Revolution Stellung – zu einer Zeit also, während der in Deutschland fast ausnahmslos alles vom Gang der Revolution in Frankreich abrückt, die preußische Regierung die schon 1788 erlassenen Wöllnerschen Religionsedikte mit Nachdruck praktiziert und in Frankreich mit dem zweiten Eingriff der Pariser Volksmassen in das Revolutionsgeschehen (10. August 1792), dem Sturz der Monarchie und der Bildung des Konvents, die Revolution in eine höhere Phase hinüberwächst, die zehn Monate später in der revolutionär-demokratischen Diktatur der Jakobiner ihre Krönung erfahren wird.

Gerade die letzten französischen Ereignisse hatten in Deutschland bewirkt, daß die 1789 allenthalben vorhandene Begeisterung für die Revolution zu schwinden begann und Sympathie in Ablehnung umschlug. Es zeigte sich, daß die Anteilnahme der deutschen Ideologen am Geschehen in Frankreich mehr oder weniger nur den allgemeinen Ideen der Revolution gegolten hatte, daß sie aber in dem Augenblick erlosch, als zur konkreten Verwirklichung dieser Ideen geschritten wurde oder besser: als die revolutionäre Wirklichkeit diese Ideen korrigierte. Es setzte in Deutschland ein Differenzierungsprozeß ein, der im engsten Zusammenhang mit der veränderten revolutionären Situation in Frankreich steht. Die öffentliche Meinung war 1793 in Deutschland derart, daß sie einer Verurteilung der Revolution gleichkam. Schuld an dieser Wende war nicht zuletzt die übertriebene und bewußt falsche Berichterstattung der reaktionären Presse über das französische Geschehen und der von Tag zu Tag zunehmende Umfang der gegenrevolutionären Literatur, dem zwar eine Menge prorevolutionärer Bücher, Zeit- und Flugschriften gegenüberstand, deren Wirksamkeit aber durch die bestehenden Zensurverhältnisse gemindert war.

In dieser Situation fühlte sich Fichte berufen, einzugreifen – die öffentliche Meinung umzustimmen, der reaktionären Berichterstattung und gegenrevolutionären Beurteilung entgegenzutreten. Daraus ergibt sich die Aufgabe, die er mit folgenden Worten umreißt: Eine „Untersuchung über die Rechtmäßigkeit der Revolution überhaupt, und mithin jeder einzelnen" zu geben und in diesem Zusammenhang darzutun, „daß das Recht eines Volkes, seine Staatsverfassung zu verändern, ein unveräußerliches, unverlierbares Menschenrecht" ist. (101f.) Und das Ergebnis, sein „Beitrag zur Berichtigung der Urteile des Publikums über die Französische Revolution", wird tatsächlich zur Verteidigung der Umwälzung in Frankreich und zur allgemeinen Begründung des Rechts auf Revolution.

Mit welcher Leidenschaft und Konsequenz Fichte an seine Aufgabe herantritt, zeigt der einleitende Abschnitt der „Zurückforderung der Denkfreiheit", den Goethe und viele andere Zeitgenossen mit Kopfschütteln zur Kenntnis nahmen. Kein Wunder, daß die „Zurückforderung" sofort nach Erscheinen auf die Liste verbotener Bücher der kursächsischen Regierung gesetzt wurde. „Die Zeiten der Barbarei sind vorbei", so ruft Fichte seinen Zeitgenossen zu, „die Zeiten der Barbarei sind vorbei, ihr Völker, wo man euch im Namen Gottes anzukündigen wagte, ihr seiet Herden Vieh, die Gott deswegen auf die Erde gesetzt habe, um einem Dutzend Göttersöhne zum Tragen ihrer Lasten, zu Knechten und Mägden ihrer Bequemlichkeit und endlich zum Abschlachten zu dienen; daß Gott sein unbezweifeltes Eigentumsrecht über euch an diese übertragen habe und daß sie kraft eines göttlichen Rechts und als seine Stellvertreter euch für eure Sünden peinigten: ihr wißt es oder könnt euch davon überzeugen, wenn ihr es noch nicht wißt, daß ihr selbst Gottes Eigentum nicht seid, sondern daß er euch sein göttliches Siegel, niemandem anzugehören als euch selbst, mit der Freiheit tief in eure Brust eingeprägt hat." (13) Wieviel Selbstgewißheit und Begeisterung, für die gerechteste Sache der Welt einzutreten, spricht aus diesem Satz! Die Kraft, solche Worte seiner Zeit zuzurufen, schöpft Fichte aus der Tatsache der Französischen Revolution.

Wie alle revolutionären Neuerer in der heroischen Periode der bürgerlichen Gesellschaft beruft sich Fichte bei der Durchführung seines Unternehmens auf Autoritäten, auf Gewährsmänner, deren Gedankengut er zur Untermaue-

rung seiner eigenen Anschauungen heranzieht. Das um so mehr, als Fichte mit allen Ideologen des progressiven Bürgertums vor und zu seiner Zeit an einen unumstößlichen Nexus ursprünglicher allgemeiner Grundnormen gesellschaftlicher Beziehungen und natürlicher Rechte des Menschen glaubt, die durch Mißbrauch und Gewaltakte der Herrschenden nur entstellt und durch die lange Zeit der Barbarei aus dem Bewußtsein der Völker geschwunden sind. Alle, denen Menschenrecht und Menschenwert am Herzen liegen, stehen vor der Aufgabe, diese ursprünglichen allgemeinen Grundnormen menschlichen Zusammenlebens und die natürlichen Rechte des Menschen wieder ins Bewußtsein der Völker zu heben und zum Allgemeingut ihrer öffentlichen Meinung zu machen.
Neben den für die Ideologen der Jugendjahre der bürgerlichen Gesellschaft „obligatorischen" antiken Schriftstellern und Montesquieu, auf die gelegentlich Bezug genommen wird, sind es Rousseau und Kant, die Fichte als Gewährsmänner ausdrücklich nennt und als Autoritäten mit allgemeingültigen Aussagen hervorhebt. Dabei geht Fichte von der für ihn feststehenden Tatsache aus, daß die Revolution in Frankreich die praktische Verwirklichung der Lehren Rousseaus und Kants ist.
In erster Linie ist es jedoch Rousseau mit seinen Lehren vom Gesellschaftsvertrag und vom *volonté générale*, den Fichte zur Voraussetzung seiner Theorie macht. Was ihm dabei vorschwebt, ist: den *Contrat social* zu vollenden, indem er die Lehren Rousseaus von den ihnen anhaftenden Widersprüchen befreien will. „Wir werden den Widerspruch lösen", schreibt er, „wir werden Rousseau besser verstehen, als er selbst sich verstand, und wir werden ihn in vollkommener Übereinstimmung mit sich selbst und mit uns antreffen."[4]
Das „Rousseau besser verstehen" und „ihn in vollkommene Übereinstimmung mit sich selbst"-Bringen erfolgt bei Fichte wesentlich durch eine Präzisierung der Auslegung. Fichte betont mit Nachdruck, daß es bei Rousseau niemals um Fakten, sondern immer nur um Grundsätze, um Rechte – ums Recht schlechthin geht. Rousseau, stellt er fest, sucht „im ganzen Buche [dem *Contrat social*] nach dem Rechte, nicht nach der Tatsache". (S. 78) Konkret: Rousseau lehrt,

daß der Gesellschaftsvertrag kein in der Geschichte bisher vorgekommener Fakt ist, sondern ein Grundsatz, ein individuelles Recht jedes Menschen und kollektives Recht der gesamten Menschheit, das es zu verwirklichen gilt. Diese Feststellung läuft darauf hinaus, Rousseau rationalistisch zu interpretieren, wodurch Fichte den notwendigen Raum zur Verwirklichung seiner eigentlichen Absicht, der Begründung des Rechts auf Revolution, freilegt.

In der Tat kann die Begründung des Rechts auf Revolution, genauer: die Begründung des Rechts auf *bürgerliche* Revolution vom Standpunkt der Bourgeoisie aus, gleich welcher Schicht oder Fraktion, nur mit Hilfe rationalistischer Konstruktionen vollführt werden. Eine Berufung auf die Geschichte und auf Tatsachen wirkt bei diesem Vorhaben störend und hemmend, weil sich das aufstrebende Bürgertum in seinem Kampf gegen die feudal-absolutistische Gesellschaft und ihre Institutionen *voraussetzungslos* als Sachwalter der Interessen der gesamten Nation – bis zur bürgerlichen Revolution und in dieser selbst auch mit Recht – ausgibt und fühlt. Das Recht auf Revolution konnte daher nicht durch Berufung auf historische Erfahrung begründet werden, sondern nur, wenn man es – unter Verzicht auf alle weiteren Prämissen – als göttliches Recht oder Naturrecht vorführte.

Fichte ist sich dieser Sachlage durchaus bewußt – daher seine scharfe, aber auch übertriebene und nicht immer überzeugende Polemik gegen alle, die sich bei der Beurteilung der Französischen Revolution auf die Geschichte und auf Tatsachen berufen. Den vom Standpunkt der historischen Erfahrung aus urteilenden Kritikern Rousseaus hält er entgegen: „... trotz eurem Geschrei [ist] manches wirklich geworden, indes ihr euch seine Unmöglichkeit bewieset. – So rieft ihr vor nicht gar langer Zeit einem Manne zu, der unseren Weg ging, und bloß den Fehler hatte, daß er ihn nicht weit genug verfolgte: proposez nous donc ce, qui est faisable – das hieße proposez nous ce, qu'on fait, antwortete er euch sehr richtig. Ihr seid seitdem durch die Erfahrung, das einzige, was euch klug machen kann, belehrt worden, daß seine Vorschläge doch nicht so ganz untunlich waren. Rousseau, den ihr noch einmal über das andere einen Träumer nennt, *indes seine Träume unter euren Augen in*

Erfüllung gehen, verfuhr viel zu schonend mit euch, ihr Empiriker; das war sein Fehler. Man wird noch ganz anders mit euch reden, als er redete. Unter euren Augen, und ich kann zu eurer Beschämung hinzusetzen, wenn ihr es noch nicht wißt, durch Rousseau geweckt, hat der menschliche Geist ein Werk vollendet, das ihr für die unmöglichste aller Unmöglichkeiten würdet erklärt haben, wenn ihr fähig gewesen wäret, die Idee desselben zu fassen: er hat sich selbst ausgemessen." (S. 69f.)

Mit dieser Korrektur der Lehre Rousseaus – der Gesellschaftsvertrag ist kein Faktum, sondern ein Recht – gelingt es Fichte, das Recht auf Revolution konkret zu begründen. Sie war notwendig, um den im *Contrat social* vorhandenen Pessimismus zu eliminieren, das Problem des *faux pas* auszuschalten, aus dem möglichen Vorwärts oder Zurück Rousseaus ein eindeutiges Vorwärts zu machen. „Rousseau", führt Fichte aus, „wollte nicht in Absicht der geistigen Ausbildung, sondern bloß in Absicht der Unabhängigkeit von den Bedürfnissen der Sinnlichkeit den Menschen in den Naturstand zurückversetzen ... *Vor* uns also liegt, was Rousseau unter dem Namen des Naturstandes, und jene Dichter unter der Benennung des goldenen Zeitalters, *hinter* uns setzen."[5]

Dazu kommt ein weiteres Moment, das Fichtes Grundhaltung angeht und von vornherein – anders als bei Rousseau – bewußt auf die Veränderung der vorgefundenen gesellschaftlichen Verhältnisse abzielt und insofern revolutionäre Inhalte einschließt. Fichte macht Rousseau den Vorwurf, daß er sich auf das Aufzeigen der Verderbnisse der Gesellschaft beschränkt, aber nicht an die Kraft der Vernunft appelliert, die diesen Verderbnissen ein Ende bereiten kann. Rousseau schildert, so schreibt er, „durchgängig die Vernunft *in der Ruhe*, aber nicht *im Kampfe*; er *schwächt die Sinnlichkeit*, statt die *Vernunft zu stärken*. – Hierin fehlte Rousseau. Er hatte Energie; aber mehr Energie des Leidens als der Tätigkeit; er fühlte stark das Elend der Menschen; aber er fühlte weit weniger seine eigene Kraft, demselben abzuhelfen; und so, wie er *sich* fühlte, so beurteilte er *andere*; wie er sich zu diesem seinem besonderen Leiden verhielt, so verhielt nach ihm die ganze Menschheit sich zu ihrem gemeinsamen Leiden. Er berechnete das Leiden; aber er be-

rechnete nicht die Kraft, welche das Menschengeschlecht in sich hat, sich zu helfen."[6] Demgegenüber komme es darauf an, zu handeln – den Leiden der Menschheit abzuhelfen. „Handeln! Handeln! das ist es, wozu wir da sind."[7]
Diese auf die Veränderung des gegebenen sozialen Schemas ausgehende Haltung ist eine Ursache dafür, daß Fichte, obwohl zunächst von einem konsequenten liberalen Standpunkt ausgehend, zu einem Ergebnis kommt, das revolutionär-demokratische Züge trägt und ihn bestimmten Anschauungen Robespierres und anderer Spitzen des jakobinischen Flügels der Französischen Revolution nähert.
An den Anfang der eigentlichen Abhandlung seines Themas stellte Fichte – wie könnte es bei einem Anhänger Rousseaus und einem in der übrigen Tradition der Aufklärung fest verwurzelten Denker anders sein – *das* Individuum, das *allen* Gewalten gegenüber, vor allem der staatlichen, *freie Ich*. „Der Mensch kann weder ererbt, noch verkauft, noch verschenkt werden; er kann niemandes Eigentum sein, weil er sein eigenes Eigentum ist und bleiben muß. Er trägt tief in seiner Brust einen Götterfunken, der ihn über die Tierheit erhöht und ihn zum Mitbürger einer Welt macht, deren erstes Mitglied Gott ist – sein Gewissen. Dieses gebietet ihm schlechthin und unbedingt – dieses zu wollen, jenes nicht zu wollen; und dies *frei* und *aus eigener Bewegung*, ohne allen Zwang außer ihm." (S. 14)
In dieser Beziehung, das Individuum an den Anfang der Untersuchung zu stellen, ruht Fichte nicht nur auf den Schultern Rousseaus und der Aufklärung im engeren Sinne, sondern gibt er sich als Erbe der gesamten weltanschaulichen Entwicklung der bürgerlichen Neuzeit. Diese beginnt mit der Betonung des freien, bindungslosen Individuums, der Hervorkehrung der Vernunft als Richterin über alle Dinge und der Kampfansage an jedwede Autorität.
Aus dieser geistigen Atmosphäre heraus erwächst Fichtes Philosophie. Auch in ihr ist jedweder Autorität der Kampf angesagt, wird das freie, bindungslose Individuum als Träger des gesellschaftlichen Geschehens hingestellt und die Vernunft zur Richterin aller Dinge, vor allem der bestehenden Zustände gemacht. „Wer auf Autorität hin handelt, handelt notwendig gewissenlos", wird Fichte 1798 feststellen und hinzufügen: Dies ist „ein sehr wichtiger Satz, des-

sen Aufstellung in aller seiner Strenge höchlich not tut".[8] So ist Fichte eines mit den besten Vertretern der neuen bürgerlichen Ideologie, ist er eins mit Descartes und Kant, Locke und Rousseau, der englischen und französischen Aufklärung.

Auf das Gebiet der Staats- und Rechtstheorie übertragen – und in Fichtes Revolutionsschriften geht es um Probleme des Staates und des Rechts –, heißt das, daß jede Untersuchung, die das Individuum, wie es die Ideologie der bürgerlichen Moderne faßt, zum Ausgangspunkt hat, zwangsläufig liberalen Charakter annehmen muß. In der Tat ist auch Fichtes Staatsauffassung, wie er sie in der „Zurückforderung" und im „Beitrag" entwickelt, im Ansatzpunkt und über weite Strecken der Ausführung liberal, eigentlich radikal-liberal. „Freiheit von jedem staatlichen Zwang für das Individuum" und „Jeder Mensch ist von Natur frei, und niemand hat das Recht, ihm ein Gesetz aufzuerlegen, als Er selbst" – diese Sätze aus dem „Beitrag" könnte man als Motto für die Fichteschen Gedanken über Staat und Recht von 1793 wählen. (S. 246)

Die radikal-liberale Staatsauffassung Fichtes kommt sofort zum Vorschein: Den Staat konstruiert Fichte so, daß er eine aus Individuen und nur aus Individuen bestehende Institution ist, wobei es jedem Einzelwesen freisteht, durch Vertrag dem Staatsverband beizutreten oder nicht. Aber selbst wenn ein Individuum dem Staatsverband beigetreten ist, unterliegt es keinerlei Beschränkungen. Es steht auch als Staatsbürger nur unter seiner eigenen Gesetzgebung, unterliegt nur, wie Fichte im Sinne von und mit Kant sagt, dem *Sittengesetz*. Und das Sittengesetz drückt nach Kant nichts anderes aus „als die *Autonomie* der reinen praktischen Vernunft, d.i. der Freiheit ..."[9]

Inhaltlich genau damit übereinstimmend formuliert Fichte: „Durch das Sittengesetz in mir wird die Form meines reinen Ich unabänderlich bestimmt: ich soll ein Ich, ein selbständiges Wesen, eine Person sein – ich soll meine Pflicht immer wollen; ich habe demnach ein Recht, eine Person zu sein, und meine Pflicht zu *wollen*. Diese Rechte sind unveräußerlich, und aus ihnen entspringen keine veräußerlichen Rechte, weil mein Ich in dieser Rücksicht gar keiner Modifikation fähig ist." (S. 161) An anderer Stelle fragt Fichte:

„Wer legt mir nun in diesem Vertrag (dem Staatsvertrag) das Gesetz auf?" und antwortet: „Offenbar ich selbst." Als Erläuterung und zur Bekräftigung fügt er dann hinzu: „Kein Mensch kann verbunden werden, ohne durch sich selbst: keinem Menschen kann ein Gesetz gegeben werden, ohne von ihm selbst. Läßt er durch einen fremden Willen sich ein Gesetz auflegen, so tut er auf seine Menschheit Verzicht und macht sich zum Tiere; und das darf er nicht." (S. 79)
Fichte will seinem Individuum keine, auch nicht die geringste Beschränkung auferlegen. „Es ist ein unveräußerliches Recht des Menschen", stellt er fest, „auch einseitig, sobald er will, jeden seiner Verträge aufzuheben; Unabänderlichkeit und ewige Gültigkeit irgendeines Vertrages ist der härteste Verstoß gegen das Recht der Menschheit an sich." (S. 150) Die Beziehungen zwischen Individuum und Individuum, zwischen Individuum und der Gesamtheit aller Individuen, die den Staatsverband ausmachen, reguliert allein das Sittengesetz, das in dieser Beziehung fordert: „Hemme niemandes Freiheit, insofern sie die deinige nicht hemmt." (S. 124)
Sehen wir Fichte hier noch zu einem bestimmten Kompromiß bereit, dem Individuum wenigstens gewisse, vom Sittengesetz her gebotene Beschränkungen in seinem Verhalten anderen Individuen gegenüber aufzuerlegen, so ist dies nicht mehr der Fall, sobald er auf die Funktion des Staates zu sprechen kommt. „Das Leben im Staate gehört nicht unter die absoluten Zwecke des Menschen", dekretiert er in den Jenaer Vorlesungen über die Bestimmung des Gelehrten, „sondern es ist ein nur unter gewissen Bedingungen stattfindendes *Mittel zur Gründung einer vollkommenen Gesellschaft.*" Und sofort wird anschließend betont, das Sittengesetz gebiete, daß der Staat als Institution auf seine eigene Vernichtung auszugehen hat und der Zweck einer Regierung darin bestehe, sich selber *„überflüssig zu machen"*[10].
In einem Punkt läßt Fichte allerdings mit sich reden und weist dem Staat eine positive Funktion zu: Durch die Jahrhunderte dauernde Barbarei sind die Völker daran gewöhnt, nicht dem Endzweck des Individuums entsprechend zu leben – und in dieser Beziehung kann der Staat eine positive Bedeutung gewinnen, wenn er dazu beiträgt,

das Individuum bei der Verwirklichung seiner Bestimmung, die in der Entwicklung des Menschengeschlechts und mithin jedes einzelnen Menschen zu Kultur und Freiheit liegt, zu unterstützen. Aber auch hier macht Fichte sofort eine Einschränkung: Eine solche Funktion des Staates kann nur vorübergehender Natur sein. Denn gerade dadurch, daß er jedes Individuum in seinen Kultivierungsbestrebungen unterstützt, macht er sich mit der Zeit, bei genügend zu verzeichnendem Kulturfortschritt, überflüssig. Im übrigen aber, so setzt Fichte hinzu: „Niemand *wird* kultiviert, sondern jeder hat sich *selbst* zu *kultivieren*. Alles bloß leidende Verhalten ist das gerade Gegenteil der Kultur; Bildung geschieht durch Selbsttätigkeit, und zweckt auf Selbsttätigkeit ab.“ (S. 87)

Fichte ist sich bei seinen Ausführungen über die Bestimmung und Funktion des Staates durchaus im klaren, daß er, wenn die Mehrzahl der europäischen Staaten seiner Zeit zum Vergleich herangezogen werden, ins Utopische kommt; denn dort treten Herrscher und Regierungen mit absoluten Ansprüchen auf, treiben eine „halbbarbarische Politik“, und von der Herrschaft, selbst der Möglichkeit einer Entfaltung des Sittengesetzes in ihnen ist wenig zu spüren. Aber Fichte strapaziert nicht ohne Absicht seinen Standpunkt, weil er nur von ihm aus den Zugang zum eigentlichen Anliegen des „Beitrags“ gewinnt: der Begründung des Rechts auf Revolution.

Das Recht auf Revolution folgt bei Fichte logisch aus den von ihm festgestellten Zielen und Zwecken des Staates. Widerspricht ein Staat diesen: der Beförderung des Individuums zu Humanität und Freiheit, womit er zugleich dem Sittengesetz entgegensteht, dann ist eine Veränderung der Staatsverfassung notwendig. Das Recht auf Verfassungsänderung hat sowohl jedes Volk als Ganzes als auch jedes einzelne Individuum oder eine Gruppe von Individuen, die sich zum Zwecke der Revolution zusammenschließen. Daß Fichte auch jedem Individuum das Recht auf Revolution einräumt, mag übertrieben erscheinen, folgt aber konsequent aus seinem radikalen liberalen Ausgangspunkt. Denn bloß dadurch, argumentiert er, „daß wir selbst es uns auflegen, wird ein positives Gesetz verbindlich für uns. Unser Wille, unser Entschluß, der als dauernd gefaßt wird, ist der

Gesetzgeber und kein anderer. Ein anderer ist nicht möglich. Kein fremder Wille ist Gesetz für uns." (S. 80)
Fichte kommt bei der Durchführung und dem Konsequent-zu-Ende-Denken seiner Absicht mit seiner liberalen Staatsanschauung nicht aus – die Sache selbst treibt ihn dazu, über sie hinauszugehen. Sie reicht aus oder mag ausreichen, das Recht auf Revolution *allgemein* mehr oder weniger begründet zu formulieren, sie reicht nicht mehr hin, sobald nach dem konkreten Wie? und Was? dieses Rechts gefragt wird. Hier würde Fichtes anfänglicher Standpunkt zur Anarchie führen. Denn wenn jedes Individuum schon als Individuum das Recht auf Staatsumwälzung als Naturrecht innehat, so besitzt es in der Konsequenz auch jeder Konterrevolutionär. Das unterirdische Koblenz könnte sich dann in seinen Aktionen gegen den Konvent und die revolutionäre Bewegung in Frankreich überhaupt ebenso auf dieses Naturrecht berufen, wie die revolutionäre Bourgeoisie in ihrem Kampf gegen die feudal-klerikalen Institutionen sich auf dieses Recht berief.
Mit seiner Schrift über die Französische Revolution erregte Fichte nicht geringen Anstoß, zumal er sie 1795, damals schon Professor in Jena, „um nichts verändert" in zweiter Auflage erscheinen ließ. Aus den zahlreichen Urteilen über sie, die sich in Anfeindungen und Verleumdungen ergehen, sei eines angeführt, weil es ungeachtet der darin enthaltenen Verfälschungen der Fichteschen Gedanken doch richtig – wenn auch in denunziatorischer Absicht – auf die Gleichartigkeit der Anschauungen Fichtes mit denen der jakobinischen Spitzen, Robespierres vor allem, aufmerksam macht, zumindest davon etwas ahnt.
Nun hat Fichte mit der Deklarierung des Rechts auf Staatsumwälzung als „unveräußerliches, unverlierbares Menschenrecht" nichts unbedingt Neues gegeben. Das haben andere vor und mit ihm ebenfalls getan. Was Fichte jedoch aus der Masse der Anhänger des Rechts auf Revolution seiner Zeit heraushebt, ist, daß er über das bloß allgemeine Formulieren dieses Rechts hinausgeht und alle damit zusammenhängenden Fragen *konkret* zu beantworten sucht. Und hier eben ist der Punkt, an dem er seine ursprünglich radikale liberale Staatsauffassung ins Revolutionär-Demokratische umbiegt, umbiegen muß – sie durch revolutionär-

demokratische Züge bereichert. Es ist dieses Moment, das ihn 1793 zu Robespierre in Beziehung setzt.
Das erwähnte Urteil befindet sich in der Zeitschrift „Eudämonia", dem Organ der kursächsischen Reaktion, und ist als Rezension der zweiten Auflage des „Beitrags" gedacht. Es beginnt mit den Worten: „Ein berüchtigter Metaphysiker ist öffentlich als Verfasser derselben genannt worden, und er hat, so viel ich weiß, sich nicht dagegen gereget. Vielleicht bringt ihn dieser Aufsatz dazu. Eine kleine Parallele zwischen *Robespierre*, infamen Andenkens, und seinen Grundsätzen, und den Grundsätzen des Verfassers dieser Schrift, soll hoffentlich bestätigen, daß Knigge – wenigstens als politischer Schriftsteller – ein sehr moderater Revolutionsmann gegen diesen Menschen sei." Dann werden die – wie der anonyme Verfasser der Rezension meint – Grundsätze Robespierres und Fichtes gegenübergestellt, wie: „Robespierre eignete sich und seiner Schwefelbande Staats-, Kirchen- und Privatgüter zu, und der Berichtiger sagt: jeder Mensch habe dies Recht. Robespierre glaubt nicht an die Kirche, und errichtete Vernunfttempel. Der Berichtiger sagt: für den, der nicht an sie glaubt, ist sie nichts. Robespierre erklärte das Eigentum anderer ehrlicher Leute, die nicht zu seiner Bande gehörten, für Schimäre, und eignete es sich und ihr zu. Der Berichtiger sagt: was keinem gehört, ist Eigentum des ersten besten, der sich desselben rechtskräftig für die Welt der Erscheinungen zueignet ... Robespierre brach einseitig alle Verträge. Der Berichtiger lehret: jeder Mensch habe das Recht, sich von einem Vertrage loszumachen, und einen anderen einzugehen ... Robespierre, und alle Schurken in Frankreich und Deutschland, unter dem Kollektiv-Brandmal: *Jakobiner*, behaupteten, ihr blutiges Revolutionssystem sei rechtmäßig. Der Berichtiger sagt: Jede (also auch die Robespierresche) Revolution sei rechtmäßig!!!" Schließlich endet das Ganze mit einer Morddrohung: „Robespierre starb eines infamen Todes, und der Berichtiger – geht ... ungestört in Deutschland herum."[11]
Einige Zeit später kommt dieselbe Zeitschrift, unter dem Titel: „Beweis, daß alle Menschen geborene Könige sind", noch einmal auf Fichtes „Beitrag" zurück, geht ähnlich vor und zieht den Schluß: „Hier ist mehr als Cloots, Marat und Jourdan! Diese handelten aus wilder und aufgebrachter Lei-

denschaft, blind, und befanden sich also nicht im Zustande der Freiheit des Verstandes und Willens ... Dieser Schriftsteller [Fichte] aber macht auf dieselbe Anspruch ... Sollte man nicht einem jeden Deutschen zu rufen: Brutus, und du kannst schlafen, während dem ein philosophischer Jourdan sein Kopfabschneider-Evangelium predigt?" Und schließlich auch hier die Morddrohung: „Wenn übrigens das Naturrecht, das der Verfasser aufstellt, wie er einräumen muß, das Naturrecht aller Menschen sein soll, so wundert es mich, daß seine Mitbürger es abwarten, ob er sie nicht zum Opfer desselben macht. *Warum kommen sie dem Manne nicht zuvor*, und behandeln ihn nach seiner Lehre von der Heiligkeit der Verträge? (Er hat sich ja durch seine eigene Philosophie schon vogelfrei gemacht!!)"[12]
Fichte erweitert vor allem das Recht auf Revolution zur *Pflicht auf Revolution*. Widerspricht nämlich ein Staat ganz offensichtlich seinem Endzweck, dann hat ein Volk nicht nur das Recht, sondern die Pflicht zur Verfassungsänderung. „Alle Staatsverfassungen", stellt Fichte fest, „die den völlig entgegengesetzten Zweck der Sklaverei Aller und der Freiheit eines Einzigen, der Kultur Aller für die Zwecke dieses Einzigen und der Verhinderung aller Arten Kultur, die zur Freiheit mehrerer führen, zum Endzwecke haben, (sind) der Abänderungen nicht nur fähig ..., sondern müssen wirklich abgeändert werden." Denn: „*Keine Staatsverfassung ist unabänderlich*, es ist in ihrer Natur, daß sie sich alle ändern. Eine schlechte, die gegen den notwendigen Endzweck aller Staatsverbindungen streitet, *muß* abgeändert werden; eine gute, die ihn befördert, ändert sich selbst ab. Die erstere ist ein Feuer in faulen Stoppeln, welches raucht, ohne Licht noch Wärme zu geben; es muß ausgegossen werden. Die letztere ist eine Kerze, die sich durch sich selbst verzehrt, so wie sie leuchtet, und welche verlöschen würde, wenn der Tag anbräche." (S. 99)
Eben dieser Tatbestand, daß die Staatsverfassungen dem Endzweck des Staates widersprechen, ist in den meisten der gegenwärtigen europäischen Staaten gegeben. „Man sieht es ja freilich unseren Staatsverfassungen und allen Staatsverfassungen, die die bisherige Geschichte kennt, an", so stellt Fichte fest, „daß ihre Bildung nicht das Werk einer verständigen kalten Beratschlagung, sondern ein Wurf des

Ohngefähr oder der gewaltsamen Unterdrückung war. Sie gründen sich alle auf das Recht des Stärkeren; wenn es erlaubt ist, eine Blasphemie nachzusagen, um sie verhaßt zu machen.“ (S. 78)

Vor allem aber widersprechen jene europäischen Staaten der Gegenwart ihrem Endzweck, in denen es privilegierte Stände gibt und die katholische Kirche ein Teil der Sinnenwelt ist. Alle Verträge mit dem Adel und der katholischen Kirche – Adel und katholische Kirche betrachtet Fichte als Staaten im Staate – können nicht nur, sondern *müssen* aufgekündigt werden, erst ein solcher Akt schafft die Voraussetzungen zu einem rechtmäßigen, d. i. dem Sittengesetz entsprechenden und mit ihm übereinstimmenden Staat.

Allein mit dieser Antwort ist das Problem noch nicht erschöpft. Wie nämlich, wenn sich die Begünstigten (Adel und Geistlichkeit) der rechtmäßigen Aufkündigung der Verträge widersetzen? Hier kommt Fichte zur Beantwortung der entscheidenden Frage jeder Theorie, die das Phänomen Revolution behandelt: der Frage nach dem Gebrauch revolutionärer Gewalt. Mit seiner Antwort steht Fichte Robespierre näher als beide ihrem gemeinsamen geistigen Stammvater, Rousseau.

Wenn nämlich Adel und Geistlichkeit dem rechtmäßigen Akt der Abschaffung aller Privilegien und der Säkularisierung des kirchlichen Grundbesitzes entgegentreten, tritt jene Situation ein, in der es rechtmäßig ist – hier spricht Fichte nicht mehr als Rechtstheoretiker, sondern als Politiker –, gegen Adel und Geistlichkeit im theoretischen Sinne unrechtmäßig, d. i. *revolutionär*, vorzugehen. Denn die Aufkündigung aller Verträge mit dem Adel und der Kirche ist ein unveräußerliches Menschenrecht, das alle, auch die negativ von ihm Betroffenen, zu respektieren haben. Wer diesem Recht entgegentritt, seine Wirksamkeit zu verhindern trachtet, der stellt sich jenseits der Gesellschaft und ist als Feind der Menschheit zu behandeln.

Fichte stellt die Frage nach dem Gebrauch revolutionärer Gewalt, wie auch die Revolutionsregierung von 1793/94 bei ihrer Begründung des Terrors, als Problem des *Straf*rechts. An sich ist jede Todesstrafe Mord, weil der Mensch Selbstzweck und nicht Mittel für einen seinem Wesen fremden Zweck ist. Doch liegen in diesem Fall die Dinge anders.

Widerstand gegen ein unveräußerliches Menschenrecht können nur *Feinde der Menschheit* leisten, die als solche außerhalb jedes bürgerlichen Gesetzes stehen. „Beleidigt der Bürger an der Gesellschaft unveräußerliche Menschenrechte (nicht bloße Vertragsrechte), so ist er nicht mehr *Bürger*, er ist *Feind*; und die Gesellschaft läßt ihn nicht *büßen*; sie *rächt* sich an ihm, d. h. sie behandelt ihn nach dem Gesetze, das er aufstellte." (S. 111)

Ein solches Verhalten Feinden der Menschheit gegenüber, obwohl der Theorie nach unrechtmäßig, ist in der politischen Praxis durchaus rechtmäßig und sogar dringend geboten, denn Adel und Geistlichkeit waren als Begünstigte bereits vor der Aufhebung aller Verträge mit ihnen keine Bürger. Mit der Aufkündigung der Verträge gibt ihnen die Gesellschaft die Chance, es zu werden – wenn sie diese Chance nicht wahrnehmen, so sind für die Folgen allein sie selber verantwortlich. Der Einwand moralischer Art, die Aufkündigung der Verträge wäre ungerecht, weil viele aus dem „größten Überflusse plötzlich in einen weit mittelmäßigeren Zustand herabsinken, an den sie nicht gewöhnt sind, ist nicht stichhaltig. „Kein Mensch auf der Erde hat das Recht, seine Kräfte ungebraucht zu lassen und durch fremde Kräfte zu leben", begegnet Fichte diesem Einwurf, und gleichsam zur Bekräftigung fügt er hinzu: „Wer nicht arbeitet, soll nicht essen." (S. 177)

Wenn also einzelne Angehörige oder ganze Gruppen der ehemals Begünstigten den neuen, aus der Revolution hervorgegangenen Zustand nicht anerkennen, wenn sie heimlich oder offen gegen den neuen, nunmehr rechtmäßigen Staat Aktionen vorbereiten oder unternehmen, so ist dieser berechtigt, mit Gewaltmaßnahmen bis zur physischen Vernichtung gegen diese vorzugehen. „Führen sie, öffentlich oder heimlich, Krieg gegen den Staat, dann ... bekommt dieser ein Recht auf ihre persönliche Freiheit, nicht als auf Bürger, sondern als auf Menschen, nicht vermöge des Bürgervertrages, sondern vermöge des Naturrechts, nicht das Recht, sie zu strafen, sondern das Recht, sie zu bekriegen. Er wird gegen sie in den Fall der Notwehr versetzt." (S. 257)

In diesem Punkt, in der Begründung des Gebrauchs revolutionärer Gewalt, des Terrors gegen konterrevolutionäre Bestrebungen, treffen sich in der Tat Fichte und Robespierre. Mag der Terror während der revolutionär-demokratischen Diktatur der Jakobiner auch weiter gegangen sein – was tatsächlich der Fall war, vor allem in der Zeit der Großen Terreur –, so ist das ein Unterschied, der aus der revolutionären Praxis resultiert, die Motive aber und die ins Feld geführten Argumente sind bei Fichte und Robespierre die gleichen.

Interessant in diesem Zusammenhang ist die Tatsache, daß nicht nur die Ideologen der feudalen Reaktion ihre Angriffe in erster Linie gegen Fichtes Begründung der Anwendung revolutionärer Gewalt richten, sondern daß auch die Vertreter des gemäßigten staatsrechtlichen Liberalismus gerade diesen Punkt des „Beitrags" der Kritik unterziehen. Als Beispiel das Urteil des Vorgängers von Fichte auf dem Jenenser Lehrstuhl, die Stellungnahme Karl Leonhard Reinholds zum „Beitrag". Unter dem 31. Januar 1794 schreibt Reinhold, der sonst seinem Nachfolger in Jena mit Wohlwollen und Sympathie gegenübersteht, an Jens Baggesen: „Die *Beiträge* dieses starken Geistes – im guten Sinne des Wortes sei es gesagt – haben mich, mitten im Beifall, den sie mir abnötigten, an das alto adagium: Summum jus, summa injuria, das man sonst nur gegen die positive Rechtslehre gebrauchte, erinnert; und seine Invectiven gegen die Klugheit haben mich nicht vergessen gemacht, daß *Weisheit* nicht bloße Sittlichkeit, sondern sittliche *Klugheit* ist. Die Realität des Sittengesetzes in dieser Welt der Erscheinungen hängt von der Anwendung desselben auf das, was uns in den selbstischen und sympathischen Neigungen gegeben ist, ab, und der menschliche Wille ist mir nur als Selbstbestimmung zur Befriedigung oder Nichtbefriedigung eines Begehrens denkbar. Kein einziges *besonderes*, unter dem Allgemeinen, das die bloße Gesetzmäßigkeit als solche dem Willen zur Vorschrift macht, stehendes, und folglich nicht ohne eine sinnliche Bedingung denkbares, auf die Sinnenwelt angewendetes Gesetz gilt daher ohne Einschränkung, ohne die Bedingung seiner Subsumtion, die sich nicht aus den allgemeinen Gesetzen ableiten, nicht durch praktische Vernunft bestimmen läßt, sondern die durch Klugheit beurteilt werden muß: ob sie unter den vorhandenen Umständen stattfinde oder nicht. Du sollst nicht töten gilt keineswegs ohne Ausnahme, und zwar nicht ohne solche Ausnahme, die sich keineswegs allein a priori aus dem *reinen Sittengesetz* bestimmen läßt. Der Satz: der Staat muß mir meine Menschenrechte zusichern, gilt nur unter Ausnahmen, unter denen eine der ersten ist: so weit er dies ohne seinen eigenen Untergang vermag. Ich bin daher Kant's und *nicht* Fichte's Meinung: daß man im Staate gegen das Oberhaupt kein Zwangsrecht habe, weil die Verzichtleistung auf dieses Zwangsrecht, zum Besten der Erhaltung des Staats, in dem bürgerlichen Contract notwendig miterhalten sein muß. Nochweiter bin ich von Fichte in dem Satze entfernt: daß ein Vertrag durch den Willen auch nur Eines der Contrahenten aufgehoben werden könnte; denn meine Freiheit ist, sobald in den Contract eingegangen habe, nicht mehr bloß durch sich selbst, sondern auch durch die Freiheit des Anderen gebunden, der ich zu nahe trete, wenn ich einseitig den Contract aufhebe, der nur zweiseitig entstanden ist."[13] Soweit Reinhold. Wir haben aus diesem Brief etwas länger zitiert, weil das darin enthaltene Urteil über Fichtes „Beitrag" in doppelter Hinsicht aufschlußreich ist.

Einmal ist die Feststellung Reinholds, daß Fichte Unrecht zu Recht mache, von der Theorie her gesehen durchaus zutreffend. Fichte erhebt im „Beitrag" in der Tat das Summum jus, summa injuria zum Grundsatz. Reinhold hat das richtig herausgefunden. Denn bloß verfassungsrechtlich geurteilt, ist jede einseitige Aufhebung eines Vertrages ohne Schadenersatzpflicht unrechtmäßig. Aber – und das übersieht Reinhold bzw. will er als Anhänger des staatsrechtlichen Liberalismus nicht wahrhaben – Fichte urteilt in diesen Partien seiner Revolutionsschrift nicht als Rechtstheoretiker, sondern als Politiker und in dieser Eigenschaft als Anwalt der kleinbürgerlichen Schichten, die sich von der bürgerlichen Revolution eine Gesellschaft mit maximaler Vermögensgleichheit versprechen.

Ebenso richtig ist Reinholds Einwurf gegen Fichtes Ansicht, daß das Recht auf Revolution jedem Individuum als Menschenrecht zuzubilligen sei. Doch kann diese Kritik dahingestellt bleiben, weil Fichte diese Anschauung, wie gesehen, selber nicht aufrechterhält, gar nicht aufrechterhalten kann.

Zum anderen aber ist dieser Brief bezeichnend dafür, wie

die Theoretiker des staatsrechtlichen liberalen Denkens vor den Folgerungen ihrer eigenen Naturrechtstheorie zurückschrecken, wenn aus ihr *alle* Konsequenzen gezogen werden, was Fichte tut. Denn die naturrechtliche Vertragstheorie führt an sich zu revolutionären Schlußfolgerungen, sobald sie mit der gesellschaftlichen Praxis konfrontiert und mit dem gegebenen sozialen Schema in Beziehung gesetzt wird – wenn nicht, wie bei Kant, entwicklungsgeschichtliches Denken als Moment der Beurteilung des politischen und sozialen Status quo hineingebracht wird. Wir sahen, daß Fichte dieses Moment im „Beitrag" von vornherein ausschaltet. Das ist zwar ein Rückschritt gegenüber Kant in der Überwindung des ahistorischen Denkens des Aufklärungsrationalismus, doch gewinnt Fichte gerade dadurch den notwendigen Raum zur *konkreten* Begründung des Rechts auf Revolution, das – wir wiederholen – von der Warte des Bürgertums aus konsequent nur mit Hilfe rationalistischer Konstruktionen vorgeführt werden kann.
Fichtes Revolutionsschriften sind keine Gelegenheitsarbeiten, als welche sie lange Zeit in der Literatur unterschätzt worden sind. Fichtes Revolutionsschriften stellen den Ausgangspunkt seiner Philosophie, auch und nicht zuletzt seiner theoretischen Philosophie, der Wissenschaftslehre, dar. Als solche müssen sie nicht nur als stellungnehmende Dokumente zu *dem* historischen Ereignis der Zeit, der Französischen Revolution, genommen werden, sondern gleichzeitig als Grundlegung eines der folgenreichsten philosophischen Systeme der klassischen bürgerlichen deutschen Philosophie.

Manfred Buhr

Anmerkungen

1 C. Träger bezeichnet Fichte in einer instruktiven Studie im Hinblick auf die „Zurückforderung“ als „Agitator der Revolution“. Fichte als Agitator der Revolution, in: Wissen und Gewissen, hrsg. von M. Buhr, Berlin 1962, S. 193.
2 W. I. Lenin, Werke, Bd. 24, Berlin 1959, S. 537.
3 W. Markov, in: Deutsche Literaturzeitung, Jg. 79, Heft 10, Oktober 1958, Sp. 894.
4 J. G. Fichte, Einige Vorlesungen über die Bestimmung des Gelehrten, in: Sämmtliche Werke, hg. von I. H. Fichte, Bd. 6, Berlin 1845, S. 337.
5 Ebenda, S. 342.
6 Ebenda, S. 344f.
7 Ebenda, S. 345.
8 J. G. Fichte, System der Sittenlehre, 3. Hauptstück, § 15.
9 I. Kant, Kritik der praktischen Vernunft, § 8.
10 J. G. Fichte, Einige Vorlesungen über die Bestimmung des Gelehrten, in: Sämmtliche Werke, Bd. 6, a. a. O., S. 306.
11 Eudämonia oder deutsches Volksglück, ein Journal für Freunde von Wahrheit und Recht, Frankfurt/Main 1796, Bd. 2, S. 78ff.
12 Ebenda, Bd. 3, S. 64f.
13 J. Baggesens Briefwechsel mit K. L. Reinhold und F. H. Jacobi, Leipzig 1831, Teil 1, S. 317f.

Zur Textgestaltung

Die Textgrundlage der beiden Fichte-Schriften bildet der jeweilige Erstdruck. Der Text wurde nach den heute gültigen grammatischen und orthographischen Regeln unter Wahrung des Lautstandes vorsichtig modernisiert.
Bei der Bearbeitung der Textgrundlage wurde der textkritische Apparat der J.-G.-Fichte-Gesamtausgabe der Bayerischen Akademie der Wissenschaften, hrsg. von Reinhard Lauth und Hans Jacob, Reihe I, Bd. 1, Stuttgart – Bad Cannstatt 1964, zu Rate gezogen. Bei den Texten des Anhangs wurde auf den jeweils angegebenen Erstdruck zurückgegriffen. Bei der Bearbeitung der Textgrundlagen wurde ebenfalls nur eine vorsichtige grammatische und orthographische Modernisierung vorgenommen.
Für die Übersetzung der schwedischen Rezension von B. C. H. Höijer danken wir Frau Aila Wudtke. Für die Herstellung der Druckvorlagen danken wir ganz herzlich Frau Jutta Carlin.

Berlin, März 1986 *Manfred Buhr*

Inhalt